Vuil spel

Van dezelfde auteur

Het recht van de macht
Op eigen gezag
Duister lot
Onder druk

David Baldacci

Vuil spel

A.W. Bruna Uitgevers B.V., Utrecht

Oorspronkelijke titel
The Simple Truth

Published in agreement with Lennart Sane Agency BV.
Vertaling
Rie Neehus

ISBN 90 229 8424 9
NUGI 331

Vijfde druk, april 2000

De waarheid is zelden zuiver en nooit eenvoudig

Oscar Wilde

•1•

Hier zijn de stalen deuren centimeters dik, ooit zo glad alsof ze net uit de fabriek kwamen, nu met talloze deuken. De grijze oppervlakken zijn bezaaid met indrukken van menselijke gezichten, knieën, ellebogen, tanden en bloedresten. Gevangenis-hiëroglyfen: pijn, vrees, dood, allemaal zijn ze hier voorgoed vastgelegd, tenminste tot er een nieuwe metalen plaat komt. De deuren hebben een vierkante opening op ooghoogte. De bewaarders kijken erdoorheen, ze gebruiken het gaatje om tijdens hun wacht fel licht te laten schijnen op het menselijk vee. Zonder waarschuwing kletteren stokken tegen het metaal, met de knal van een geweerschot. De vaste klanten trekken zich er weinig van aan, ze kijken naar de grond, naar niets – dat betekent naar hun leven – op een subtiele, tartende manier. Niet dat iemand het merkt of er iets om geeft. De nieuwelingen schrikken nog steeds op van de knal of van de lichtstraal. Sommigen plassen in hun katoenen broek, kijken hoe het vocht over hun lompe, zwarte hoge schoenen loopt. Ze raken er snel aan gewend, bonken terug op die verdomde deur, vechten tegen de opwellende schooljongenstranen en de gal. Als ze willen overleven.

's Nachts is het in de cellen zo donker als in een grot, behalve hier en daar een paar vreemde schaduwen, niet meer dan omtrekken waarin geen tastbare kern zichtbaar is. Vanavond wordt het gebied geteisterd door onweer. Wanneer een bliksemstraal langs de hemel flitst worden de cellen vanbinnen verlicht door de kleine, plexiglazen vensters. Het honingraatpatroon van het gaas dat strak voor het glas is gespannen, wordt bij elke flits zichtbaar op de tegenoverliggende muur. Het roept een krachtig beeld op van bijen in een korf, werkend voor de dikke koningin en uiteindelijk stervend in haar dienst. Hier is dit patroon veelzeggend.

Wanneer er zo'n lichtstraal naar binnen valt doemt het gezicht van de man op in het duister, alsof het plotseling door een wateroppervlak is gebroken. In tegenstelling tot de mannen in de andere cellen zit hij daar in zijn eentje, hij denkt in zijn eentje, hij ziet hier niemand. De andere gevangenen zijn bang voor hem; de bewaarders ook, al zijn ze gewapend, want hij is iemand van indrukwekkende afmetingen. Wan-

neer hij voorbijkomt kijken de andere bajesklanten, zelf toch geharde, gewelddadige mannen, snel de andere kant op.
Zijn naam is Rufus Harms en in de militaire gevangenis van Fort Jackson heeft hij de reputatie van een vernietiger: hij verplettert je als je hem te na komt. Hij zet nooit de eerste stap, maar wel altijd de laatste. Vijfentwintig jaar gevangenschap heeft echter een aanzienlijke tol van de man geëist. De gegroefde littekens op Harms' gezicht en de slecht geheelde botbreuken van zijn skelet zijn als de jaarringen van een boom, een kroniek van de tijd die hij hier heeft doorgebracht. Veel grotere schade ligt echter besloten binnen het zachte weefsel van zijn hersenen, in de kern van zijn mens-zijn: herinnering, gedachten, liefde, haat, vrees, allemaal zijn ze besmet, allemaal hebben ze zich tegen hem gekeerd. Het ergst is het gesteld met zijn geheugen, een gezwel dat op het begin van zijn ruggengraat drukt.
Er is echter nog aanzienlijke kracht overgebleven in het grote lichaam; het is merkbaar aan de lange, gespierde armen, aan de brede schouders. Zelfs de enorme omvang van zijn middel straalt een belofte van immense kracht uit. Maar toch is Harms een overhellende eik, waar geen groei meer in zit, sommige takken zijn dood of stervende en kunnen niet meer worden gesnoeid; aan één kant zijn de wortels uit de grond gerukt. Hij is een levende dode: een vriendelijke man, met respect voor anderen, trouw aan zijn God, onherroepelijk gevangen in het beeld van een hardvochtige moordenaar. Daarom laten ze hem met rust. Daar is hij tevreden mee. Tot vandaag. Zijn broer heeft hem iets gebracht. Een gouden pakje, een bron van hoop. Een manier om hiervandaan te komen.
Een volgende bliksemflits laat zien dat zijn ogen donkerrood zijn, alsof ze vol bloed staan, tot je de tranen kunt zien die zijn donkere, vermoeide gezicht bevlekken. Terwijl het licht vervaagt, strijkt hij het stuk papier glad, ervoor zorgend geen geluid te maken dat de bewaarders kan uitnodigen om te komen neuzen. De lampen zijn nu al verscheidene uren geleden uitgedaan en daar kan hij niets aan veranderen. Aan zijn duisternis zal, zoals dat nu al een kwart eeuw duurt, pas een eind komen wanneer de dag aanbreekt. De afwezigheid van licht doet er echter weinig toe. Harms heeft de brief al gelezen, elk woord in zich opgenomen. Elke lettergreep treft hem als de snelle beet van een huivering. Het logo van de United States Army prijkt trots boven aan het papier. Hij kent het symbool goed. Het leger is zijn werkgever geweest, zijn voogd, gedurende bijna dertig jaar.
Het leger vroeg informatie aan Rufus Harms, een mislukte, vergeten soldaat uit de tijd van Vietnam. Gedetailleerde informatie. Informatie

die Harms op geen enkele manier kon geven. Met zijn vinger nauwkeurig de juiste plaats bepalend, zelfs zonder licht, raakte Harms de plek in de brief aan die in al die jaren de eerste fragmenten van herinnering bij hem had opgeroepen. Door deze deeltjes uit te schakelen had hij de eindeloze nachtmerrie kunnen verdragen, maar de kern had voorgoed buiten zijn bereik geleken. Nadat hij de brief voor de eerste maal had gelezen, had Harms zijn hoofd dicht bij het papier gebracht, alsof hij zichzelf de verborgen bedoeling van de getypte kronkels wilde duidelijk maken, om het grootste mysterie van zijn sterfelijk leven op te lossen. Vanavond waren deze verwrongen fragmenten plotseling op hun plaats gevallen en hadden ze een duidelijke herinnering opgeleverd. De waarheid. Eindelijk.

Tot hij de brief van het leger had gelezen, had Harms slechts twee duidelijke herinneringen aan die nacht, nu vijfentwintig jaar geleden: het meisje, en de regen. Er had een verschrikkelijk onweer gewoed, vergelijkbaar met dat van vanavond. Het meisje had tere gelaatstrekken; de neus was niet meer dan een knopje kraakbeen; het gezicht toonde nog geen rimpels veroorzaakt door zon, ouderdom of zorgen; haar starende ogen waren blauw en onschuldig, de ambities van een lang leven dat ze voor zich had namen nog steeds vorm aan in hun simpele diepten. Haar huid was zo wit als suiker, en gaaf, op de rode vlekken na die zich aftekenden op een hals, zo breekbaar als een bloemstengel. De vlekken waren veroorzaakt door de handen van soldaat Rufus Harms, dezelfde handen die nu de brief omklemden terwijl zijn gedachten nog een keer gevaarlijk dicht naar dat beeld werden getrokken.

Telkens wanneer hij aan het dode meisje had gedacht, had hij gehuild, hij moest het doen, hij kon het niet helpen, maar hij deed het in stilte en dat was maar goed ook. De bewaarders en de gevangenen zijn gieren, haaien, ze ruiken op een miljoen kilometer afstand bloed, zwakheid, een opening; ze merken het aan het knipperen van je ogen, aan de verwijde poriën van je huid, zelfs aan de stank van je zweet. Hier zijn alle zintuigen verscherpt. Hier staat sterk, snel, hard, behendig gelijk aan leven. Of niet.

Hij lag op zijn knieën naast haar toen de MP's hen vonden. Haar dunne jurk plakte aan haar tengere gestalte, die in de met water verzadigde aarde was gedrukt alsof iemand haar van grote hoogte in een heel ondiep graf had laten vallen. Eén keer had Harms opgekeken naar de MP's, maar zijn hersens hadden niets méér geregistreerd dan een verwarde massa donkere silhouetten. Hij was nog nooit zo woedend geweest toen de misselijkheid hem overviel, zijn ogen niet meer scherp konden zien en zijn hartslag, ademhaling en bloeddruk omhoogvlo-

gen. Hij had zijn hoofd vastgegrepen alsof hij wilde voorkomen dat zijn hersenen door zijn schedel barstten, door weefsel en haar, om vervolgens in de drijfnatte lucht te exploderen.
Nadat hij nog een keer op het dode meisje had neergekeken en toen naar het paar stuiptrekkende handen dat een eind aan haar leven had gemaakt, was de woede uit hem weggeëbd, alsof iemand binnen in hem een stop had losgetrokken. Zijn lichaamsbeheersing liet hem op een vreemde manier in de steek. Harms kon slechts in geknielde houding blijven liggen, nat en huiverend, zijn knieën diep weggezonken in de modder. Een groot, zwart opperhoofd in groen gevechtstenue, torenend boven een blank slachtoffertje, zo zou een verbijsterde getuige het later beschrijven.
De volgende dag zou hij de naam te weten komen van het meisje: Ruth Ann Mosley, tien jaar oud, uit Columbia in Zuid-Carolina. Zij was met haar familie op bezoek geweest bij haar broer, die in het kamp was gelegerd. Die avond had Harms Ruth Ann Mosley slechts gekend als een dood lichaam, klein, nietig eigenlijk, vergeleken bij de verbazingwekkende breedte van zijn één meter tweeënnegentig lange, honderdvijfendertig kilo zware lichaam. Het vage beeld van de geweerkolf waarmee een van de MP's tegen zijn schedel mepte, vormde de laatste fragmentarische herinnering die Harms aan die avond bewaarde. In elke verstilde holte van het levenloze, omhooggerichte gezicht van het meisje verzamelden zich regendruppels. Met zijn gezicht diep in de modder zag Rufus Harms niets meer. Hij herinnerde zich niets meer.
Tot vanavond. Hij zoog zijn longen vol regendoordrenkte lucht en staarde uit het halfgeopende raam. Plotseling was hij dat nog altijd zeldzame beest: een onschuldige man in de gevangenis.
Door de jaren heen had hij zich ervan overtuigd dat iets boosaardigs als een kankergezwel zich in hem had schuilgehouden. Hij had zelfs overwogen een eind aan zijn leven te maken, om boete te doen omdat hij het leven van een ander mens, erger nog, van een kind, had gestolen. Maar hij was diepgelovig; niet zo'n gevangene die zich voor de vorm had bekeerd. Hij kon derhalve niet de zonde begaan om voortijdig de laatste adem uit te blazen. Hij wist ook dat de moord op het meisje hem had veroordeeld tot een hiernamaals dat duizendmaal erger was dan wat hij nu moest doormaken. Hij voelde er weinig voor zich te haasten om er te komen. Voor het ogenblik was het beter om hier, in deze door mensen gebouwde gevangenis, te blijven.
Nu begreep hij dat hij de juiste beslissing had genomen door te willen blijven leven. God had het geweten, had hem alleen voor dit ogenblik in leven gehouden. Verbijsterend helder herinnerde hij zich hoe de

mannen die avond op hem af waren gekomen in het militaire strafkamp. In gedachten zag hij weer heel duidelijk elk vertrokken gezicht, de strepen op de uniformen die sommigen van hen droegen; zijn strijdmakkers. Hij herinnerde zich hoe ze in een kring om hem heen stonden, als wolven om hun prooi, moed vattend door hun aantal, de veelzeggende haat die uit hun woorden sprak. Wat zij die avond hadden gedaan, was er de oorzaak van geweest dat Ruth Ann Mosley was gestorven. En feitelijk was Harms toen eveneens gestorven.
Voor die mannen was Harms een goedgekeurde rekruut die nooit had gevochten om zijn vaderland te verdedigen. Ongetwijfeld geloofden ze dat hij kreeg wat hem toekwam. Nu was hij een man van middelbare leeftijd, langzaam stervend in een kooi als straf voor een misdaad die lang geleden was begaan. Hij had geen mogelijkheden om ervoor te zorgen dat hij behandeld werd met iets wat op rechtvaardigheid leek. Toch, ondanks dat alles, staarde Rufus Harms in de vertrouwde duisternis van zijn graftombe, overmand door één enkele hartstocht: na vijfentwintig jaar verschrikkelijke, hartverscheurende schuldgevoelens die hem meedogenloos hadden geteisterd tot hij zich nog maar net aan zijn verwoeste leven kon vastklampen, was het nu hun beurt om te lijden. Hij pakte de veelgebruikte bijbel die zijn moeder hem had gegeven en hij beloofde het aan de God die ervoor had gekozen om hem niet in de steek te laten.

•2•

De treden die naar het gebouw van het Hooggerechtshof van de Verenigde Staten leidden, waren breed en er scheen geen eind aan te komen. Het beklimmen ervan stond gelijk aan tegen de Olympus opzwoegen om audiëntie aan te vragen bij Zeus, wat men in zekere zin ook deed. In de gevel boven de hoofdingang waren de woorden GELIJKE GERECHTIGHEID ONDER DE WET gebeiteld. De spreuk was niet afkomstig uit een belangrijk document of uit een wetboek, maar van Cass Gilbert, de architect die het gebouw had ontworpen en gebouwd. Het was een kwestie van indeling, de woorden pasten perfect in de ruimte die Gilbert bestemd had voor een gedenkwaardig, juridisch motto.

Het indrukwekkende gebouw was vier verdiepingen hoog. Ironisch genoeg had het Congres de gelden om het te bouwen ter beschikking gesteld in 1929, hetzelfde jaar waarin de beurs was gekelderd en de Grote Depressie was begonnen. Bijna een derde van de negen miljoen dollar die het gebouw had gekost, was besteed aan de aankoop van marmer. Zuiver marmer uit Vermont was gebruikt voor de buitenkant, aangevoerd door een leger vrachtwagens; met kristal dooraderde steen uit Georgia dekte de vier binnenhoven en melkwit marmer uit Alabama was toegepast bij de meeste vloeren en muren van het interieur, behalve voor de Grote Zaal. De vloer daarvan bestond uit donkerder, Italiaans marmer, met hier en daar Afrikaanse stenen. De stenen zuilen in die zaal waren gehouwen uit marmerblokken, afkomstig uit de Montarrentigroeve en verscheept naar Knoxville in Tenessee, waar bouwvakkers zwoegden om ze tot tien meter hoge kolommen te verwerken die moesten helpen om het gebouw te steunen. Sinds 1935 hadden negen buitengewoon bekwame mannen er hun beroep uitgeoefend en, sinds 1981, ten minste ook één vrouw. Voorstanders noemden het gebouw een prachtig voorbeeld van Corinthische stijl uit de Griekse architectuur. Tegenstanders bestempelden het eerder tot een paleis voor de waanzinnige genoegens van koningen, dan tot een plaats waar op een rationele manier recht kon worden gesproken.
Toch was het Hof, sinds de dagen van John Marshall, de verdediger en de tolk van de grondwet geweest. Het kon een besluit van het Congres onwettig verklaren. Deze negen mensen konden een zittende president opdragen om geluidsbanden en documenten over te leggen die uiteindelijk zouden leiden tot zijn aftreden en zijn schande. De Amerikaanse rechterlijke macht, met aan het hoofd het Hooggerechtshof, was door de stichters van de republiek vormgegeven aan de zijde van de wetgevende macht van het Congres en de uitvoerende macht van de president, en vormde nu een gelijkwaardige tak van de regering.
En regeren deed ze, want het Hooggerechtshof manipuleerde en vormde de wil van het Amerikaanse volk op grond van zijn beslissingen in allerlei belangrijke zaken.
De oudere man die door de Grote Zaal liep, zette deze geëerde traditie voort. Hij was lang en mager, met zachte, bruine ogen die geen bril nodig hadden. Zelfs na tientallen jaren kleine lettertjes te hebben gelezen, kon hij nog uitstekend zien. Wel was hij bijna helemaal kaal; zijn schouders waren door de jaren heen smaller geworden en krom, en bij het lopen hinkte hij licht. Opperrechter Harold Ramsey straalde nog steeds nerveuze energie uit en hij beschikte over een weergaloos intellect dat eventuele fysieke tekortkomingen meer dan compenseerde.

Zelfs zijn voetstappen leken doelbewust.
Hij was de hoogste rechter van het land en dit was zíjn gerechtshof, zíjn gebouw. De media hadden het lang geleden al betiteld als het Ramsey Hof, zoals het Warren Hof en zijn andere voorgangers; het was zijn erfenis, voor altijd. Hij was buitengewoon trots op wat hij had opgebouwd. Ramsey leidde zijn Hof strak en rechtvaardig; hij zorgde er voortdurend voor de meerderheid op zijn hand te hebben, en dat nu al tien jaar achtereen. Hij hield van het marchanderen dat zich afspeelde achter de schermen van het Hof. Hier en daar een zorgvuldig geplaatste opmerking of zin, op een bepaald punt een beetje toegeven om daar later voordeel uit te trekken. Geduldig wachten tot precies het juiste geval zich voordeed, als mogelijkheid tot verandering, soms op een manier die zijn collega's niet verwachtten. Het verkrijgen van de vijf stemmen die nodig waren voor de meerderheid was voor Ramsey een absolute obsessie.
Hij was als *associate justice*, oftewel 'bijzitter', bij het Hof gekomen en tien jaar geleden had hij de hoogste gelederen bereikt. In theorie was hij slechts de eerste onder zijn gelijken, maar in werkelijkheid was het meer dan dat. Ramsey was iemand die heilig in bepaalde zaken geloofde en er persoonlijke filosofieën op na hield. Gelukkig voor hem was hij aan het Hof benoemd in een tijd dat de selectieprocedure niet zo ingewikkeld was als tegenwoordig. Er werden geen lastige vragen gesteld over standpunten van de kandidaat betreffende specifieke juridische zaken die te maken hadden met abortus, de doodstraf en positieve discriminatie, vragen die nu veelvuldig voorkwamen in de verpolitiekte procedure om rechter bij het Hooggerechtshof te worden. Destijds kwam je erbij als de president je voordroeg, als je de vereiste juridische achtergrond had en als er geen kwalijke geheimen in je verleden waren.
De senaat had Ramseys benoeming unaniem goedgekeurd. Ze hadden ook geen keus. Zijn opleiding en zijn carrière tot dusver waren eersteklas. Afgestudeerd aan een universiteit van de Ivy League-groep en in alle vakken de beste van zijn jaar. Daarna had hij als professor een prijs gewonnen met zijn originele, pakkende theorieën over de richting die de wet, en als gevolg daarvan de mensheid, zou moeten inslaan. Vervolgens was hij benoemd bij de *federale appellate bench*, de 'beroepsrechtbank', bij welke instelling hij snel opperrechter werd. Tijdens zijn ambtsperiode bij deze rechtbank had het Hooggerechtshof nooit een van zijn beslissingen herzien. Door de jaren heen had hij het juiste netwerk van contacten opgebouwd en alles gedaan wat nodig was om de positie die hij nu bekleedde te behouden.
Hij had deze positie verdiend. Niets was hem ooit in de schoot gewor-

pen. Dat was nóg een van zijn heilige overtuigingen. Als je in Amerika hard werkte, zou je slagen. Niemand had recht op cadeautjes, de armen niet, de rijken niet, de middenklasse niet. De Verenigde Staten was het land van de onbegrensde mogelijkheden, maar je moest ervoor werken, je moest ervoor zweten en je moest je opofferingen getroosten voor die overvloed. Ramsey had geen geduld om te luisteren naar de excuses die mensen bedachten voor het feit ze niet vooruitkwamen. Hij was geboren in een heel armoedige familie, zijn vader was een zware drinker wiens handen loszaten. Ramsey had geen troost gevonden bij zijn moeder; zijn vader had elk moederinstinct dat ze had kunnen bezitten, de kop ingedrukt. Geen veelbelovende start in het leven, en kijk eens hoe ver hij nu was gekomen. Als híj had kunnen overleven en zich had kunnen ontplooien onder dergelijke omstandigheden, dan konden anderen het ook. Als ze het niet deden, was het hun eigen schuld en iets anders wenste hij niet te horen.

Hij wist echter dat hij er na aan toe was om zijn evenknie te ontmoeten: Elizabeth Knight. Ze was even kundig als hij en misschien even taai. Dat had hij geweten vanaf de dag dat haar benoeming was goedgekeurd. Een jongbloedige vrouw in een Hof van oude mannen. Van de eerste dag af had hij aan haar gewerkt. Hij bracht haar op bepaalde meningen wanneer hij dacht dat ze geen partij kon kiezen, in de hoop dat de verantwoordelijkheid om een ontwerp op papier te zetten dat een meerderheid bijeen zou brengen, haar aan zijn kamp zou binden. Hij had geprobeerd haar onder zijn vleugels te nemen, haar de fijne kneepjes van de gang van zaken bij het Hof bij te brengen. Hij had andere rechters zelfingenomen zien worden, minder op hun hoede, met als gevolg dat hun leiderschap was overgenomen door anderen, die ijveriger waren. Ramsey was vastbesloten om nooit tot die groep te behoren.

'Murphy maakt zich zorgen over de zaak-Chance,' zei Michael Fiske tegen Sara Evans. Ze zaten in haar kantoor op de eerste verdieping van het gerechtsgebouw. Michael was één meter vijfentachtig en knap, met de elegante proporties van de atleet die hij vroeger was geweest. De meeste griffiers liepen een jaar stage bij het Hooggerechtshof, voor ze doorschoven naar prestigieuze posities in een privé-praktijk, bij de overheid of aan een universiteit. Michael begon juist aan een bijna ongekend derde jaar hier, als eerste griffier van rechter Thomas Murphy, de legendarische liberaal van het Hof.

Michael bezat een wonderbaarlijke eigenschap. Zijn brein werkte als een geldsorteermachine: gegevens stroomden zijn hoofd in, werden snel gerangschikt en vervolgens naar hun juiste plaats gestuurd. In gedachten kon hij met tientallen ingewikkelde mogelijke scenario's jongleren, van elk ervan nagaand welke invloed het zou hebben op de andere. Bij het Hof boog hij zich opgewekt over zaken van nationaal belang, omringd door mentale sabels die gelijk waren aan die van hemzelf. En Michael had gemerkt dat er, zelfs in de context van een strikt intellectuele dialoog, tijd en gelegenheid was voor iets wat dieper ging dan de starre woorden van een wet verklaarden. Hij wilde eigenlijk helemaal niet weg bij het Hooggerechtshof. De buitenwereld trok hem niet in het minst.

Sara keek bezorgd. Tijdens de laatste termijn had Murphy voor de behandeling van de zaak-Chance gestemd. Er was een datum voor de zitting vastgesteld en het memorie voor het Hof was in voorbereiding. Sara was midden twintig, ongeveer één meter vijfenzestig en slank, maar haar lichaam toonde subtiele rondingen. Ze had een aardig gezichtje, met grote, blauwe ogen. Haar haren waren dik en lichtbruin, in de zomer met blonde strepen, en er leek altijd een frisse, aangename geur aan te hangen. Zij was eerste griffier bij rechter Elizabeth Knight.

'Ik begrijp het niet. Ik dacht dat hij in deze kwestie achter ons stond. Het ligt precies in zijn straatje. Onbetekenende eenling tegen de grote bureaucratie.'

'Hij gelooft ook heel sterk in het volgen van een precedent.'

'Zelfs als het verkeerd is?'

'Je preekt voor eigen parochie, Sara, maar ik dacht dat ik het je toch moest zeggen. Zonder hem krijgt Knight geen vijf stemmen, dat weet je. Zelfs met hem haalt ze het misschien nog niet.'

'Nou, wat wil hij?'

Zo ging het meestal. Het beroemde griffie-netwerk. Ze bewerkten elkaar en debatteerden en bietsten om stemmen ten behoeve van hun rechters, als schaamteloze politieke reclamemakers. Het was beneden de waardigheid van de rechters om openlijk te lobbyen voor stemmen, voor een bepaalde formulering van een uitspraak, of voor een specifieke benadering, toevoeging of weglating, maar dat was niet het geval met de griffiers. Eerlijk gezegd waren de meesten trots op deze gang van zaken. Het stond gelijk aan een enorme, nooit eindigende roddelrubriek, waarbij nationale belangen op het spel stonden. En dat nog wel in de handen van vijfentwintigjarigen in hun eerste baan.

'Hij is het niet direct oneens met Knights standpunt. Maar als zij tijdens de stemming vijf stemmen krijgt, zal de uitspraak heel nauwkeurig geformuleerd moeten worden. Hij zal het niet op een akkoordje willen gooien. In de Tweede Wereldoorlog was hij in militaire dienst en daar

heeft hij nog steeds veel respect voor. Hij gelooft dat het speciale overwegingen verdient. Dat moet je weten wanneer je de *draft opinion* opstelt.'
Ze knikte begrijpend. De achtergrond van de rechters speelde een grotere rol in hun besluitvorming dan de meeste mensen vermoedden.
'Bedankt. Maar eerst zal Knight de *opinion* nog moeten schrijven.'
'Natuurlijk. Ramsey stemt niet om Fares en Stanley te verslaan, dat weet je. Murphy zal waarschijnlijk in het voordeel van Chance stemmen tijdens de vergadering. Hij is de senior, dus hij moet de opinion vaststellen. Als Knight bij de zitting haar vijf stemmen krijgt, zal hij haar haar gang laten gaan. Als ze haar werk goed doet, dat wil zeggen: als ze zich op de vlakte houdt, zitten we allemaal gebeiteld.'
De Verenigde Staten versus Chance was een van de belangrijkste zaken op de rol van deze termijn. Barbara Chance was soldaat geweest in het leger. Ze was onder druk gezet, lastiggevallen en bang gemaakt om herhaaldelijk gemeenschap te hebben met verscheidene van haar mannelijke meerderen. De zaak was door het leger intern afgehandeld met als resultaat dat een van de mannen voor de krijgsraad had moeten verschijnen en veroordeeld was tot een gevangenisstraf. Barbara Chance had daar echter geen genoegen mee genomen. Nadat ze uit militaire dienst was gegaan, had ze het leger aangeklaagd om een schadevergoeding te krijgen, aanvoerend dat men deze vrouwvijandige omstandigheden voor haar en andere vrouwelijke rekruten veel te lang had laten voortduren.
Chance had vrijwillig ontslag genomen uit het leger en een procedure gestart. De zaak had langzaam alle wettelijke kanalen doorlopen, en Chance had telkens weer verloren. Er waren echter zoveel grijze gebieden in de wet, dat de kwestie uiteindelijk als een grote tonijn op de stoep van dit gebouw was neergelegd.
De huidige wet zei dat Chance, ironisch genoeg, geen kans had om te winnen. Het leger was feitelijk immuun voor procedures wegens toegebrachte schade door zijn personeel, ongeacht de oorzaak of de mate waarin er iets was misgegaan. Maar wat de wet zei, konden de rechters veranderen. Knight en Sara waren achter de schermen hard aan het werk om dat te bereiken. En voor dat plan was de steun van Thomas Murphy van cruciaal belang. Murphy zou misschien geen voorstander zijn van het opheffen van de immuniteit van het leger, maar de zaak-Chance zou de onwankelbare muur van het leger op zijn minst licht kunnen beschadigen.
Het leek prematuur om de uitslag van een zaak te bespreken die nog niet was behandeld, maar voor veel rechters was de zitting een anticli-

max. Tegen de tijd dat die begon, hadden de meesten al een beslissing genomen. De fase van het proces waarin de argumenten naar voren werden gebracht, was meer een gelegenheid voor de rechters om hun posities en hun belangen aan hun collega's duidelijk te maken, dikwijls met gebruikmaking van extreme hypothetische uitgangspunten. Het was een tactiek om de tegenstander bang te maken, alsof ze wilden zeggen: 'Zie je wat er kan gebeuren, broertje, als je op die manier stemt?'
Michael bleef staan en keek op haar neer. Het was op zijn aandringen geweest dat Sara zich voor een tweede stageperiode aan het Hof had verbonden. Sara, die was opgegroeid op een kleine boerderij in Noord-Carolina en had gestudeerd in Stanford, had, zoals alle griffiers hier, een schitterende professionele toekomst voor zich wanneer ze te zijner tijd het Hof verliet. Wanneer iemand een periode als griffier bij het Hooggerechtshof in zijn cv had staan, was dat een gouden sleutel die toegang verschafte tot zo ongeveer elk kantoor waar een advocaat graag zijn aktetas zou willen neerzetten. Dat had sommige griffiers op een negatieve manier beïnvloed, ze hadden een te hoge dunk van zichzelf gekregen waarmee hun feitelijke prestaties niet in overeenstemming waren. Michael en Sara waren echter zichzelf gebleven. Dat was een van de redenen, afgezien van haar intelligentie, haar knappe verschijning en haar verfrissend evenwichtige persoonlijkheid, dat Michael haar een week geleden een heel belangrijke vraag had gesteld. Een vraag waarop hij zeer binnenkort antwoord hoopte te krijgen. Misschien nu wel. Hij was nooit een bijzonder geduldig man geweest.
Sara keek hem afwachtend aan.
'Heb je nog over mijn vraag nagedacht?'
Ze wist dat het zou komen. Ze had het lang genoeg ontweken. 'Ik heb aan niets anders gedacht.'
'Ze zeggen dat het een slecht teken is wanneer het zo lang duurt.' Hij zei het op schertsende toon, maar de humor was duidelijk geforceerd.
'Michael, ik mag je erg graag.'
'Je mag me? O hemel, nog een slecht teken.' Zijn gezicht werd plotseling warm.
Ze schudde haar hoofd. 'Het spijt me.'
Hij haalde zijn schouders op. 'Het spijt jou waarschijnlijk niet half zoveel als mij. Ik heb nog nooit eerder iemand gevraagd om met me te trouwen.'
'Eerlijk gezegd ben je voor mij ook de eerste. En ik kan je niet zeggen hoe gevleid ik me voel. Je hebt echt alles.'
'Op één ding na.' Michael keek naar zijn licht trillende handen. Zijn huid leek plotseling te strak voor zijn lichaam. 'Ik respecteer je beslis-

sing. Ik ben niet iemand die gelooft dat je mettertijd kunt leren om van iemand te houden. Het is meteen raak, of niet.'
'Je vindt vast wel iemand, Michael. En die vrouw zal erg gelukkig met je zijn.' Sara werd er verlegen van. 'Ik hoop dat dit niet betekent dat ik mijn beste vriend bij het Hof kwijtraak.'
'Waarschijnlijk.' Hij stak zijn hand omhoog toen ze begon te protesteren. 'Ik maak maar een grapje.' Hij zuchtte. 'Ik wil niet dat dit egoïstisch klinkt, maar dit is de eerste keer dat iemand nee tegen me heeft gezegd.'
'Ik wilde dat mijn leven zo gemakkelijk was geweest,' zei Sara glimlachend.
'Nee, dat wil je niet. Dat maakt het veel moeilijker te accepteren wanneer je wordt afgewezen.' Michael liep naar de deur. 'We blijven vrienden, Sara. Het is veel te leuk om je in de buurt te hebben. Ik ben veel te slim om dat te laten schieten. En jij zult ook iemand vinden en die zal heel gelukkig zijn met jou.' Hij keek haar niet aan, terwijl hij eraan toevoegde: 'Heb je hem overigens al gevonden?'
Ze schrok ervan. 'Waarom vraag je dat?'
'Noem het maar mijn zesde zintuig. Het is gemakkelijker om je verlies te accepteren als je weet van wie je verloren hebt.'
'Er is niemand anders,' zei ze snel.
Michael leek niet overtuigd. 'Ik spreek je straks nog wel.'
Sara staarde hem met een diep bezorgde blik na.

'Ik herinner me mijn eerste jaren bij het Hof nog goed,' zei Ramsey, terwijl hij glimlachend uit het raam keek.
Hij zat tegenover Elizabeth Knight, de jongste rechter bij het Hof. Elizabeth Knight was midden veertig, van gemiddelde lengte, met een slank lichaam en lang, zwart haar, dat ze strak naar achteren droeg in een onflatteus knotje. Haar gelaatstrekken waren scherp en haar huid vertoonde geen rimpels, alsof ze nooit tijd in de open lucht doorbracht. Knight had snel de reputatie verworven een van de meest welbespraakte vragenstellers te zijn tijdens zittingen en tevens als een van de rechters die het hardst werkten.
'Ik ben ervan overtuigd dat ze nog steeds levendig zijn.' Knight leunde achterover in haar bureaustoel terwijl ze in gedachten haar agenda voor de rest van de dag doornam.
'Het was een behoorlijk leerproces.'
Ze staarde hem aan. Hij keek haar nu recht aan, met zijn grote handen achter zijn hoofd gevouwen.
'Het heeft me vijf jaar gekost om alles door te krijgen, werkelijk waar,' vervolgde Ramsey.

Knight slaagde erin om niet te glimlachen. 'Harold, je bent veel te bescheiden. Ik weet zeker dat je het allemaal al had uitgedokterd voor je de deur binnenwandelde.'
'Nee, serieus, er is tijd voor nodig. En ik had veel prachtige voorbeelden met wie ik kon werken. Felix Abernathy, de oude Tom Parks. Respect hebben voor de ervaring van anderen is niets om je voor te schamen. Het is een indoctrinatieproces dat we allemaal doormaken. Hoewel jij zeker sneller vooruitgekomen bent dan de meesten,' voegde hij er snel aan toe. 'Toch is geduld in dit vak nog steeds een deugd die je in ere moet houden. Jij bent hier nu drie jaar. Ik noem deze plek al twintig jaar mijn thuis. Ik hoop dat je begrijpt waar ik naartoe wil.'
Knight onderdrukte een glimlachje. 'Ik begrijp dat je een beetje verstoord bent omdat ik er voorstander van ben om de zaak VS versus Chance aan het eind van de laatste termijn op de rol te plaatsen.'
Ramsey ging rechtop zitten. 'Je moet niet alles geloven wat je hoort.'
'Integendeel. Tot dusver heb ik gemerkt dat het roddelcircuit van de griffiers buitengewoon accuraat is.'
Ramsey leunde weer achterover. 'Wel, ik moet toegeven dat ik er een tikje verbaasd over was. Uit juridisch oogpunt bevat de zaak geen verwarrende vragen die onze tussenkomst vereisen. Moet ik nog meer zeggen?' Hij hield zijn handen omhoog.
'Volgens jouw mening?'
Ramseys gezicht werd langzaam rood. 'Volgens de gepubliceerde uitspraken van dit Hof van de afgelopen vijftig jaar. Alles wat ik vraag, is dat je de precedenten van het Hof het respect betoont dat ze verdienen.'
'Je zult niemand vinden die meer eerbied voor dit instituut heeft dan ik.'
'Ik ben heel blij dat te horen.'
'Ik zal graag verder met je van gedachten wisselen over de zaak-Chance na de zitting.'
Ramsey keek haar mat aan. 'Het zal een heel korte discussie worden, in aanmerking genomen dat het niet lang duurt om ja of nee te zeggen. Ronduit gezegd zal ik, wanneer het eropaan komt, vijf stemmen hebben, en jij niet.'
'Nou, ik heb drie andere rechters ervan overtuigd om voor behandeling van de zaak te stemmen.'
Ramsey zag eruit alsof hij in lachen zou uitbarsten. 'Je zult gauw genoeg merken dat er een enorm verschil bestaat tussen stemmen om een zaak te behandelen en stemmen om een besluit te nemen. Je kunt gerust aannemen dat ik de meerderheid krijg.'

Knight lachte vriendelijk. 'Je vertrouwen is inspirerend. Dáár kan ik iets van leren.'
Ramsey stond op om weg te gaan. 'Denk dan ook eens na over deze les: kleine fouten leiden tot grotere. Wij zijn benoemd voor het leven en jij hebt niets anders dan je reputatie. Wanneer je die kwijtraakt, komt ze niet terug.' Ramsey liep naar de deur. 'Ik wens je een productieve dag, Beth,' zei hij, voor hij wegging.

•3•

'Rufus?' Samuel Rider hield de hoorn van de telefoon voorzichtig bij zijn oor. 'Hoe heb je me gevonden?'
'Er zijn niet veel advocaten hier in de buurt, Samuel,' zei Rufus Harms.
'Ik zit niet meer in de JAG.'
'Ik neem aan dat het goed betaalt om een outsider te zijn.'
'Er zijn dagen dat ik het uniform mis,' loog Rider. Hij was een doodsbange dienstplichtige geweest, met het geluk dat hij zijn rechtenstudie had afgerond, en hij had de voorkeur gegeven aan een veilige plek op het kantoor van de Judge Advocate General's – oftewel de JAG – om niet als een dikke, van angst doorweekte soldaat met een geweer rond te hoeven sjokken in het oerwoud van Vietnam, als een zeker doelwit voor vijandelijk vuur.
'Ik moet je spreken. Ik wil niet door de telefoon zeggen waarover.'
'Is alles oké in Fort Jackson? Ik hoorde dat je daarheen bent overgeplaatst.'
'De gevangenis is prima.'
'Dat bedoelde ik niet, Rufus. Ik vroeg me alleen af waarom je me na al die tijd hebt opgespoord.'
'Je bent toch nog steeds mijn advocaat, of niet? Sinds de enige keer dat ik er ooit een nodig heb gehad.'
'Mijn agenda is nogal vol en ik reis gewoonlijk niet die kant uit.' Bij het horen van Harms' volgende woorden greep Rider de hoorn nog steviger vast.
'Ik moet je echt morgen spreken, Samuel. Vind je niet dat je me dat verschuldigd bent?'

'Destijds heb ik alles voor je gedaan wat ik kon.'
'Je hebt een deal gesloten. Snel en gemakkelijk.'
'Nee,' wierp Rider tegen, 'we hebben vóór het proces een afspraak gemaakt met de dagvaardende autoriteiten en de raadsman voor het proces heeft die getekend. Dat was het beste wat we eruit konden halen.'
'Je hebt niet echt geprobeerd om onder het vonnis uit te komen. Dat proberen de meesten.'
'Wie heeft je dat verteld?'
'Je leert een hoop in de gevangenis.'
'Nou, je kunt niet afzien van het uitspreken van een vonnis. We hebben onze zaak aan de leden voorgelegd, dat weet je.'
'Maar je hebt geen getuigen opgeroepen. Voorzover ik het kon bekijken, heb je eigenlijk niet veel gedaan.'
Nu ging Rider in de verdediging. 'Ik heb er het beste van gemaakt wat ik kon. Bedenk wel, Rufus, dat ze je hadden kunnen executeren. Een blank meisje nog wel. Ze zouden het op moord met voorbedachten rade hebben gegooid, dat hebben ze me gezegd. Je leeft tenminste nog.'
'Morgen, Samuel. Ik zet je op mijn bezoekerslijst. Omstreeks negen uur 's ochtends. Dank je. Dank je hartelijk. O, en neem een radiootje mee.' Voor Rider hem kon vragen waarom hij zo'n apparaat moest meenemen, of waarom hij hem moest gaan opzoeken, beëindigde Harms het gesprek.
Rider liet zich achteroverzakken in zijn gemakkelijke stoel en keek zijn ruime, met hout betimmerde kantoor rond. Hij hield praktijk in een klein plattelandsstadje, in de buurt van Blackburg, Virginia. Hij leidde een goed leventje: een mooi huis, om de drie jaar een nieuwe Buick en twee keer per jaar met vakantie. Hij had het verleden achter zich gelaten, in het bijzonder de afschuwelijkste zaak die hij ooit had behandeld tijdens zijn korte carrière als advocaat in het leger. Het was zo'n zaak geweest die dezelfde uitwerking op je maag had als zure melk, alleen kon geen enkele hoeveelheid Pepto-Bismol het onbehaaglijke gevoel wegnemen.
Rider bracht een hand naar zijn gezicht terwijl zijn gedachten nu teruggingen naar ergens vroeg in de jaren zeventig, een periode van chaos in het leger, in het land en in de wereld. Iedereen gaf elkaar de schuld van alles wat er ooit was misgegaan in de wereldgeschiedenis. Rufus Harms had bitter geklonken door de telefoon, maar hij hád dat meisje vermoord. Wreed. Onder de ogen van haar familie. Had binnen enkele seconden haar nek gebroken, voor iemand ook maar kon proberen om hem tegen te houden.

Namens Harms had Rider onderhandeld over een deal voorafgaand aan het proces, maar volgens de regels van de militaire wet had hij destijds het recht om te proberen die afspraak nietig te verklaren tijdens de voorbereiding van het vonnis. De verdachte zou óf de straf krijgen opgelegd die was overeengekomen bij de afspraak, óf die welke werd toegekend door de rechter of door de leden – het militaire equivalent van een jury – afhankelijk van wie van beiden de kortste straf oplegde. Harms' woorden knaagden echter aan de advocaat, want destijds was Rider ertoe overgehaald niet te veel aandacht aan de zaak te besteden tijdens het proces. Hij was met de officier van justitie overeengekomen geen getuigen van buiten op te roepen die iets konden zeggen over Harms' karakter en dergelijke. Hij had er ook in toegestemd om af te gaan op wat er in de officiële aanklacht stond in plaats van te proberen nieuw bewijsmateriaal en nieuwe getuigen te zoeken.

Dat was niet precies volgens het boekje, omdat het recht van een verdachte om de deal aan te vechten vaststond en er niet uitgebreid over mocht worden onderhandeld. Maar als Rider niet op die manier achter de schermen had gewerkt, zou de officier van justitie de doodstraf hebben geëist en, met de feiten die er lagen, zou hij die waarschijnlijk ook hebben gekregen. Het deed er weinig toe dat de moord zo snel had plaatsgevonden dat er gerede twijfel zou kunnen bestaan aan voorbedachten rade. Het koude lichaam van een kind kon elke logische, wettelijke analyse onderuithalen.

Het feit lag er nu eenmaal dat niemand meevoelde met Rufus Harms. Hij was een zwarte, die het grootste deel van zijn militaire diensttijd achter slot en grendel in de petoet had doorgebracht. De zinloze moord op een kind had zijn aanzien in de ogen van het leger niet verhoogd. Velen hadden het gevoel dat zo'n man geen recht had op gerechtigheid, tenzij deze snel, pijnlijk en dodelijk was. Misschien behoorde Rider ook wel tot die mensen. Daarom had hij niet direct de tactiek van de verschroeide aarde toegepast bij zijn verdediging van de man, maar hij had er wel voor gezorgd dat Rufus Harms in leven bleef. Dat was het beste wat iedere advocaat had kunnen doen.

Waar zou Rufus hem over willen spreken, vroeg hij zich af.

•4•

Toen John Fiske opstond achter de tafel van de raadslieden, wierp hij een vluchtige blik op zijn opponent, Paul Williams. De jonge assistent van de landsadvocaat was juist vol vertrouwen gereedgekomen met het voorlezen van de bijzonderheden van zijn memorie. John fluisterde: 'Je gaat voor de bijl, Paulie. Je hebt er een zootje van gemaakt.'

Toen John zich tot rechter Walters wendde, deed hij dat met een air van onderdrukte opwinding. John was breedgeschouderd, maar met zijn één meter tachtig was hij een paar centimeter kleiner dan zijn jongere broer. En in tegenstelling tot Michael Fiske was hij allesbehalve een klassieke schoonheid. Hij had bolle wangen, een te scherpe kin en zijn neus was tweemaal gebroken geweest, de eerste keer tijdens een worstelpartij op de middelbare school, de tweede was een aandenken uit de dagen toen hij nog bij de politie was. Desondanks gaf Fiskes zwarte haar, dat slordig over zijn voorhoofd hing, hem toch een soort van aantrekkelijk en betrouwbaar voorkomen, en er brandde een intense gloed in zijn bruine ogen.

'Edelachtbare, om de tijd van het Hof niet te verspillen zou ik de staat graag ter zitting een aanbod willen doen betreffende deze memorie. Als de staat ermee instemt om afstand te doen van zijn rechten en duizend dollar in het fonds van de verdediging stort, zal ik geen repliek houden, geen sancties vragen en dan kunnen we allemaal naar huis.'

Paul Williams sprong zo snel overeind dat zijn bril op tafel viel. 'Edelachtbare, dit is ongehoord...'

Rechter Walters keek de volle rechtszaal in, in stilte denkend aan zijn even volle agenda, en maakte vervolgens een vermoeid gebaar naar beide mannen. 'Wilt u even hier komen?'

Naast de balie staand zei Fiske: 'Rechter Walters, ik probeer slechts de staat een gunst te bewijzen.'

'De staat heeft geen gunsten van meneer Fiske nodig,' zei Williams vol afkeer.

'Kom nu toch, Paulie. Duizend dollar, dan kun je een biertje gaan drinken voordat je terug moet naar je baas om hem uit te leggen waarom je het hebt verknald. Ik wil het bier zelfs voor je betalen.'

'Je krijgt geen cent van ons, nog in geen tienduizend jaar,' zei Williams uit de hoogte.
'Wel, meneer Williams, dit verzoek is een beetje ongewoon,' zei rechter Walters. Bij de rechtbanken in Richmont werden memories ingediend voor of tijdens de zitting. En er waren geen lange toelichtingen bij nodig. De trieste waarheid was dat de meeste misdrijven goed in de wet waren vastgelegd. Slechts in het ongebruikelijke geval dat de rechter niet zeker was van een bepaling nadat hij de mondelinge toelichting van de advocaat had aangehoord, vroeg hij om een geschreven toelichting om die te bekijken voor hij tot een oordeel kwam. Derhalve was rechter Walters een beetje van zijn stuk gebracht door de ongevraagde en lange toelichting die was ingediend door de staat.
'Dat weet ik, edelachtbare,' zei Williams. 'Zoals ik echter al zei, dit is een ongewone situatie.'
'Ongewoon?' zei Fiske. 'Zeg maar gerust stapelgek, Paulie.'
Rechter Walters kwam ongeduldig tussenbeide. 'Meneer Fiske, ik heb u al eerder gewaarschuwd met betrekking tot uw onorthodoxe gedrag in mijn rechtszaal en ik zal niet aarzelen u te berispen wegens minachting, mochten uw gedragingen in de toekomst dat nodig maken. Ga door met uw repliek.'
Williams ging weer zitten en John liep naar de lessenaar. 'Edelachtbare, ondanks het feit dat de "spoed"-memorie van de staat midden in de nacht naar mijn kantoor werd gefaxt en ik geen tijd heb gehad om een werkelijk goede repliek voor te bereiden, geloof ik dat u, wanneer u wilt kijken naar elke tweede paragraaf op de pagina's vier, zes en negen van het memorandum van de staat, tot de conclusie zult komen dat de feiten die daarin worden genoemd, in het bijzonder met betrekking tot het strafblad van verdachte, de verklaringen van de agenten die hem hebben gearresteerd en de twee verslagen van ooggetuigen die aanwezig waren op de plaats van het misdrijf dat, naar wordt aangenomen, door mijn cliënt is gepleegd, niet verenigbaar zijn met het rapport dat over deze zaak is opgesteld. Voorts werd het belangrijke precedent dat door de staat op pagina tien wordt aangehaald, zeer onlangs vernietigd door een vonnis van het opperste gerechtshof van Virginia. Ik heb de onderhavige gegevens bij mijn repliek gevoegd en de verschillen aangestreept zodat u ze gemakkelijk kunt vinden.'
Terwijl rechter Walters naar het voor hem liggende dossier keek, boog John zich over naar Williams en zei: 'Dat komt er nu van wanneer je deze rotzooi midden in de nacht opstelt.' John gooide zijn toelichting voor Williams op de tafel. 'Omdat ik ongeveer vijf minuten de tijd had om je instructie te lezen, dacht ik dat ik je hiermee een dienst zou

bewijzen. Je kunt nu tegelijk met de rechter lezen.'
Walters was gereed met het doornemen van het dossier en keek naar Williams met een blik die staal had kunnen buigen.
'Ik hoop dat de staat hier een gepast antwoord op heeft, meneer Williams, hoewel ik er geen flauw idee van heb wat het zou kunnen zijn.'
Williams stond op uit zijn stoel. Toen hij probeerde iets te zeggen, kwam hij plotseling tot de ontdekking dat zijn stem hem, tegelijk met zijn overmoed, in de steek liet.
'Nou?' zei rechter Walters vol verwachting. 'Zeg alstublieft iets, anders voel ik er veel voor om het verzoek van meneer Fiske betreffende sancties toe te kennen nog voor ik die gehoord heb.'
Toen John van opzij naar Williams keek, verzachtte zijn gelaatsuitdrukking enigszins. Je wist nooit wanneer je een wederdienst nodig zou hebben. 'Edelachtbare, ik ben ervan overtuigd dat de feitelijke en wettelijke onjuistheden in het verzoek van de staat eerder te wijten zijn aan de overwerkte advocaten, dan aan opzet. Ik wil mijn voorstel tot een schikking zelfs halveren tot vijfhonderd dollar, maar dan wil ik wel graag dat er een persoonlijke verontschuldiging van de landsadvocaat in het verslag wordt opgenomen. Ik had vannacht echt wel wat slaap kunnen gebruiken.' Die laatste opmerking bracht gelach in de rechtszaal teweeg.
Plotseling dreunde een stem achter uit de zaal: 'Rechter Walters, als ik mag interrumperen, de staat zal dat aanbod accepteren.'
Iedereen keek naar de plek waar de aankondiging vandaan kwam. Er stond een kleine, bijna kale, dikke man in een pak van gestreept cloqué, zijn gesteven boord knelde om zijn harige nek. 'We nemen het aanbod aan,' zei de man nogmaals met een raspende stem, waarin zowel het vriendelijke dialect doorklonk van iemand die zijn hele leven in Virginia had gewoond, als de schorheid van iemand die zijn hele leven had gerookt. 'En we bieden het Hof onze verontschuldigingen aan voor het in beslag nemen van uw kostbare tijd.'
'Ik ben blij dat u toevallig langskwam, meneer Graham,' zei rechter Walters.
Bobby Graham, advocaat voor de stad Richmond, knikte kort, voor hij vertrok door de dubbele glazen deuren. Hij had John geen verontschuldiging aangeboden, maar de advocaat van de verdachte besloot er niet op aan te dringen. In de rechtszaal kreeg je zelden alles waar je om vroeg.
Rechter Walters zei: 'Het verzoek van de staat is verworpen met afstand van recht.' Hij keek naar Williams. 'Meneer Williams, ik geloof dat jij dat biertje maar moet gaan drinken met meneer Fiske, hoewel ik denk

dat jij degene bent die moet betalen, jongeman.'
Toen de volgende zaak werd geopend, knipte John zijn aktetas dicht en liep de rechtszaal uit, met Williams vlak naast zich.
'Je had mijn eerste aanbod moeten aannemen, Paulie.'
'Ik zal dit niet vergeten, Fiske,' zei Williams nijdig.
'Doe dat vooral niet.'
'We zullen Jerome Hicks toch opbergen,' zei Williams venijnig. 'Reken daar maar op.' Voor Paulie Williams en voor de meeste van de andere landsadvocaten die John tegenover zich kreeg, waren zijn cliënten zoiets als hun persoonlijke vijanden voor het leven, die niets anders verdienden dan de zwaarste straffen. In sommige gevallen hadden ze gelijk, wist hij. Maar niet in alle.
'Weet je waar ik aan denk?' vroeg John aan Paulie. 'Ik denk eraan hoe snel tienduizend jaar voorbij kunnen gaan.'
Toen John uit de rechtszaal op de tweede verdieping kwam, passeerde hij politieagenten met wie hij had samengewerkt toen hij nog agent was in Richmond. Een paar glimlachten en knikten hem goedendag, anderen weigerden hem aan te kijken: hij was een verrader van hun gelederen, hij had zijn penning en zijn pistool ingeruild voor een pak en een aktetas. Kletsmajoor voor de andere kant. Je kunt van ons naar de hel lopen, broer Fiske.
Fiske keek naar een groep jonge, zwarte mannen, hun haar zo kort afgeschoren dat ze kaal leken, hun broek tot op het kruis hangend zodat hun boxershorts zichtbaar waren, dikke jacks met het embleem van hun bende, lompe sportschoenen zonder veters. Hun openlijke minachting voor het stelsel van de rechterlijke macht was duidelijk; ze zagen er allemaal hetzelfde uit en ze waren onverbiddelijk chagrijnig.
Deze jonge mannen dromden samen om hun advocaat, een blanke, mollige, bezwete pennenlikker, in een duur krijtstreeppak waar vuile manchetten onderuit kwamen en met zachte leren instappers aan zijn voeten. Zijn bril wiebelde een beetje op zijn neus terwijl hij er bij zijn groepje padvinders iets probeerde in te hameren. Hij sloeg met zijn vuist in zijn vlezige handpalm terwijl de jonge negers, met hun buik ingetrokken onder hun zijden hemden, gespannen luisterden. Het is de enige keer dat ze deze man nodig zullen hebben, dat ze de moeite nemen om niet minachtend of door het vizier van een geweer naar hem te kijken. Tot de volgende keer dat ze hem nodig hebben. En dat zullen ze. In dit gebouw is hij de magiër. Hier kan Michael Jordan deze blanke niet aanraken. Zij zijn Lewis en Clark. Hij is hun Sacajewea. Roep de mystieke woorden, Sac. Laat ze ons niet te grazen nemen.
Fiske wist wat het pak zei, hij wist het alsof hij de lippen van de man kon

lezen. De advocaat was gespecialiseerd in de verdediging van bendeleden voor elke misdaad die ze verkozen te begaan. De beste strategie: keihard zwijgen. Niets gezien, niets gehoord, niets onthouden. Pistoolschoten? Waarschijnlijk de uitlaat van een auto. Onthou dit goed, jongens: gij zult niet doden, maar als gij zult doden dan zult gij elkaar niet verlinken. Hij slaat met zijn vlakke hand op zijn aktetas om het te benadrukken. De groep gaat uiteen en het spel begint.
In een ander gedeelte van de hal, in een nis met ingebouwde, met grijze vloerbedekking beklede banken, zaten drie prostituees, werkende tieners van de nacht. Een gemengd gezelschap: een zwarte, een Aziatische, een blanke, wachtend op hun beurt om voor de rechter te verschijnen. De Aziatische was nerveus, kennelijk had ze behoefte aan een kalmerende joint of de prik van een naald. De anderen waren geroutineerder, zag Fiske. Ze liepen heen en weer, gingen weer zitten, lieten een dijbeen zien en wiebelden af en toe met hun borsten wanneer er een paar goeie, ouwe jongens of wildebrassen langskwamen. Waarom zou je geen zaken doen terwijl je bij de rechtbank was? Dit was tenslotte Amerika.
Fiske nam de lift naar beneden en liep juist langs de metaaldetector en het röntgenapparaat, tegenwoordig standaarduitrusting in praktisch elk gerechtsgebouw, toen Bobby Graham naar hem toe kwam, een onaangestoken sigaret in de hand. Zowel persoonlijk als beroepsmatig mocht John de man niet. Als officier van justitie koos Graham zaken uit, gebaseerd op de krantenkoppen die ze hem zouden opleveren. En hij nam nooit een zaak op zich waaraan hij echt hard moest werken om te winnen. Het publiek houdt niet van officieren van justitie die verliezen.
'Alleen maar een klein voorafgaand verzoek in een routinezaak. De grote man kan zijn tijd wel beter gebruiken, vind je ook niet, Bobby?' zei Fiske.
'Misschien had ik er een voorgevoel van dat je een van mijn baby-advocaten zou opvreten en uitspugen. Het zou niet zo gemakkelijk zijn gegaan als je een echte advocaat tegenover je had gehad.'
'Iemand als jij?'
Met een wrang lachje stak Graham de onaangestoken sigaret in zijn mond. 'Hier wonen we in wat verdomme de tabakshoofdstad van de wereld is, met de grootste sigarettenfabriek van de planeet op een paar passen afstand, en je mag niet eens roken in deze zalen der gerechtigheid.' Hij kauwde op het uiteinde van zijn Pall Mall zonder filter, hoorbaar de nicotine opzuigend. Juist omdat ze hier in Richmond, Virginia, waren, hadden ze in het gerechtsgebouw plaatsen waar wel gerookt mocht worden, maar toevallig niet waar Graham stond.

De officier van justitie veroorloofde zich een triomfantelijk gegrinnik. 'O, tussen twee haakjes, Jerome Hicks is vanmorgen opgepakt, verdacht van moord op een vent in Southside. Zwart tegen zwart, en er waren drugs bij betrokken. Wow, wat een verrassing. Blijkbaar wilde hij zijn voorraad coke aanvullen en wilde hij die niet via de normale kanalen aanschaffen. Maar jouw man wist niet dat we zijn doelwit onder observatie hielden.'
Vermoeid leunde John tegen de muur. Overwinningen in de rechtszaal waren vaak hol, in het bijzonder wanneer je cliënt zijn criminele opwellingen niet onder controle kon houden. 'O, ja? Dat hoor ik voor het eerst.'
'Ik moest hier toch naartoe voor een voorbespreking, dus ik vond dat ik je maar even op de hoogte moest brengen. Als collega's onder elkaar.'
'Juist,' zei John droog. 'Als dat zo is, waarom liet je Paulie dan dat verzoek indienen?' Toen Graham niet reageerde, beantwoordde John zijn eigen vraag. 'Alleen om mij door een hoepel te laten springen?'
'Een man moet toch een beetje lol hebben in zijn werk.'
Fiske balde zijn vuist, maar ontspande die weer even snel. Graham was het niet waard. 'Zijn er ooggetuigen?'
'O, een stuk of zes. Het moordwapen is gevonden in Jeromes auto, met Jerome zelf. Het scheelde niet veel of hij had twee agenten overreden in zijn haast om weg te komen. Zijn vingerafdrukken, bloed, de drugs, de hele santenkraam. Die vent had natuurlijk om te beginnen nooit op borgtocht vrijgelaten mogen worden. In elk geval, ik denk erover om die hele krakkemikkige aanklacht wegens verspreiding, waarvoor jij hem vertegenwoordigt, te laten schieten om me uitsluitend te concentreren op deze nieuwe ontwikkeling. Ik wil er alles uit halen wat erin zit. Hicks is een slechterik, John. Ik denk dat we voor deze zaak de doodstraf zullen eisen.'
'De doodstraf? Kom nou toch, Bobby.'
'Het opzettelijk en met voorbedachten rade doden van een persoon tijdens een beroving staat gelijk aan moord met voorbedachten rade staat gelijk aan de doodstraf. Zo staat het tenminste in mijn wetboek van Virgina.'
'Het kan me geen reet schelen wat de wet zegt. Hij is pas achttien.'
Grahams gezicht verstrakte. 'Dat klinkt vreemd uit de mond van een advocaat, en nog wel een die bij de rechtbank werkt.'
'De wet is een zeef waar ik mijn feiten doorheen moet gieten, omdat mijn feiten altijd blijven hangen.'
'Het is uitschot. Als ze uit de buik van hun moeder komen, gaan ze al op zoek om mensen kwaad te doen. We zouden eigenlijk moeten

beginnen met het bouwen van babygevangenissen, voor de rotzakjes echt iemand kunnen vermoorden.'
'Jerome Hicks' hele leven kan worden samengevat...'
'Ja hoor, geef de schuld maar weer aan zijn straatarme jeugd,' viel Graham hem in de rede. 'Het oude liedje.'
'Je hebt gelijk. Hetzelfde oude liedje.'
Glimlachend schudde Graham zijn hoofd. 'Hoor eens, ik ben ook niet geboren met een zilveren lepel in mijn mond. Als je mijn geheim wilt weten: ik heb me uit de naad gewerkt. Als ík het kan, kunnen zij het verdomme ook. Basta.'
Fiske begon bij hem vandaan te lopen. Hij keek achterom. 'Laat me het arrestatierapport inzien, dan bel ik je.'
'We hebben niets te bespreken.'
'Hem de doodstraf bezorgen maakt jou nog geen procureur-generaal, Bobby, dat weet je. Je moet hoger mikken.' John draaide zich om en wandelde weg.
Graham draaide de sigaret tussen zijn vingers rond. 'Probeer eens een echte baan te zoeken, Fiske.'

Een half uur later had John Fiske in de gevangenis van een van de voorsteden een bespreking met een cliënt. Voor zijn werk moest hij vaak Richmond uit, naar Henrico, Chesterfield, Hanover, zelfs naar Goochland. Hij was er niet overmatig blij mee dat zijn werk zich zo uitbreidde, maar het ging net als met de opkomende zon. Die zou ook doorgaan tot de dag waarop hij voorgoed ermee zou ophouden.
'Ik moet je spreken over een bekentenis in ruil voor strafvermindering, Derek.'
Derek Brown, of DB1, zoals hij op straat bekendstond, was een neger met een lichte huid. Zijn armen zaten vol tatoeages met haat, obsceniteiten en poëzie. Hij had genoeg tijd in de gevangenis doorgebracht om een fanatiek sportbeoefenaar te worden, dikke aderen lagen als wormen op zijn biceps. John had Derek eens een keer zien basketballen op het sportterrein van de gevangenis, met zijn hemd uit, gespierd en met nog meer tatoeages op zijn rug en zijn schouders. Uit de verte leek het verdomme wel een act uit een musical. Hij sprong de lucht in als een opstijgend straalvliegtuig, soepel glijdend, tegengehouden door iets wat John niet kon zien. De bewaarders en de andere gevangenen keken vol bewondering toe. De jongeman ramde de bal erin en eindigde met een high-five met alle anderen. Maar nooit goed genoeg om op de universiteit te spelen, laat staan in de NBA. En nu zaten ze elkaar hier aan te kijken in de districtsgevangenis.

'De officier van justitie biedt opzettelijke mishandeling, als misdrijf is dat klasse drie.'
'Waarom niet klasse zes?'
Fiske staarde hem aan. Deze jongens waren zo vaak door de gerechtelijke molen gegaan dat ze het wetboek van strafrecht beter kenden dan de meeste advocaten.
'Klasse zes is "in een opwelling". Dat gaat voor jou niet op.'
'Hij had een pistool. Ik kan niks tegen Pack beginnen wanneer hij een blaffer heeft en ik niet. Ben je gek, of zo?'
Fiske zou niets liever doen dan zijn hand uitsteken om die hooghartige blik van zijn smoel te vegen. 'Sorry, de officier van justitie wil niet verder gaan dan klasse drie.'
'Hoe lang is dat?' zei Derek koel. Zijn oren waren, voorzover John het kon bekijken, zeker twaalf keer gepierced.
'Vijf, met inbegrip van het voorarrest.'
'Flauwekul. Vijf jaar omdat ik iemand een beetje heb toegetakeld met een zakmes?'
'Een stiletto van vijftien centimeter. Je hebt hem verdomme tien keer gestoken. In het bijzijn van getuigen.'
'Shit, hij zat aan mijn mokkel. Mag ik die soms niet verdedigen?'
'Je boft dat je niet tegen moord met voorbedachten rade aan kijkt, Derek. De dokters zeggen dat het een wonder is dat de man niet op straat is doodgebloed. En als Pack niet zo'n gevaarlijke slijmbal was, zou je er niet afkomen met opzettelijke mishandeling. Je had ook verzwaarde opzettelijke mishandeling kunnen krijgen. Dat betekent twintig jaar tot levenslang. Dat weet je.'
'Hij rotzooide met mijn grietje.' Derek boog naar voren en liet zijn knokkels kraken om de absolute logica van zowel zijn juridische als zijn morele positie te benadrukken.
Derek had een goedbetaalde baan, wist Fiske, al was die dan illegaal. Hij was eerste luitenant bij de op één na grootste drugsverspreidingsorganisatie in Richmond. Daarom noemden ze hem op straat DB1. Turbo was de baas, amper vierentwintig jaar oud. Zijn bende was goed georganiseerd, er heerste een ijzeren discipline en er werd een schijn van legaliteit opgehouden met witwasoperaties, een café, een bank van lening en een hele stal van accountants en advocaten om de drugsgelden weg te werken nadat die waren witgewassen. Turbo was een heel slimme jongen met een goed inzicht in cijfers en in zaken. John had hem altijd willen vragen waarom hij niet probeerde om de baas te worden van een Fortune 500-onderneming. Het leverde bijna evenveel op en het sterftecijfer lag aanzienlijk lager.

Normaal gesproken zou Turbo een van zijn driehonderd dollar per uur rekenende advocaten uit Main of Franklin Street naar Derek hebben gestuurd. Maar Dereks misdrijf had niets te maken met Turbo's organisatie en derhalve bemoeide hij er zich niet mee. Hem doorschuiven naar iemand als John was een vorm van straf voor Derek, omdat hij zo stom was geweest zijn hoofd te verliezen vanwege een vrouw. Turbo had geen enkele reden om bang te zijn dat Derek de zaak zou verlinken. De officier van justitie had het er zelfs niet op aangestuurd, in de wetenschap dat het nutteloos was. Als je praat, sterf je, in of buiten de gevangenis. Dat maakte geen verschil.
Derek was opgegroeid in een keurige middenklassebuurt, bij keurige middenklasse-ouders, voor hij besloot om voortijdig de middelbare school te verlaten en de gemakkelijke weg van de drugshandel in te slaan in plaats van gewoon te werken voor de kost. Hij had alles mee, hij had van alles met zijn leven kunnen doen. Er liepen genoeg Derek Browns rond die de wereld grotendeels apathisch maakten voor de werkelijk afschuwelijke levens van de kinderen die naar de suikerklontjes grepen, verstrekt door mensen als Turbo. Daarom zou John Derek wel eens laat op een avond willen meenemen naar een steegje, met een honkbalknuppel in zijn hand, om de jongeman een paar goede ouderwetse waarden bij te brengen.
'Het kan de officier van justitie geen bal schelen wat hij die avond met je vriendinnetje deed.'
'Ik kan deze onzin niet geloven. Een maat van me heeft vorig jaar iemand gestoken en hij kreeg twee jaar, waarvan de helft voorwaardelijk. Na aftrek van het voorarrest stond hij na drie maanden weer buiten. En ik zou vijf jaar krijgen? Wat ben jij voor een klote-advocaat?'
'Had die maat van je een strafblad?' Was je goeie ouwe maat een van de belangrijkste figuren binnen een van Richmonds criminele organisaties? wilde John vragen en hij zou het ook hebben gedaan als hij niet had geweten dat het verspilde moeite was. 'Ik zal je eens wat zeggen, ik ga tot drie jaar met aftrek.'
Nu leek Derek geïnteresseerd. 'Denk je dat je dat voor elkaar krijgt?'
Fiske stond op. 'Ik weet het niet. Ik ben alleen maar een klote-advocaat.'
Op weg naar buiten keek John door het getraliede raam naar een nieuwe lading gevangenen, die uit de boevenwagen klommen, dicht op elkaar, met ketenen die ritmisch op het asfalt rinkelden. De meesten waren jonge zwarten of Latino's, die elkaar al inschatten. Slaven en meesters. Wie wordt het eerst gestoken of te grazen genomen. De paar blanken keken alsof ze van pure angst zouden doodvallen nog voor ze

bij hun cel waren. Een paar van deze knapen waren waarschijnlijk zoons van mannen die agent John Fiske tien jaar geleden had gearresteerd. Toen waren het niet meer dan jochies geweest; misschien hadden ze gedroomd van iets anders dan de bijstand, een vader die nooit thuis was, een moeder die zich door een uitzichtloos leven worstelde. Misschien ook niet.

De dialoog die hij met veel arrestanten had gevoerd toen hij nog agent was, herhaalde zich voortdurend.

'Ik vermoord je, man. Ik vermoord je hele verdomde familie,' schreeuwden sommigen tegen hem met de sporen van drugs op hun gezicht, terwijl hij hun de handboeien omdeed.

'Ja hoor. Je hebt het recht om te zwijgen. Dat zou ik maar gebruiken.'

'Hou toch op, man. Het was mijn schuld niet. Mijn maat heeft het gedaan. Hij heeft me erin geluisd.'

'Waar is die maat dan? En hoe zit het met het bloed op je handen? Met het pistool tussen je broek? Met de coke nog in je neusgaten? Heeft je vriend dat allemaal gedaan? Mooie vriend.'

Dan keken ze naar het dode lichaam, ze raakten de kluts kwijt en ze begonnen te snotteren. 'Shit! Jezus! Moeder, waar is mijn moeder? Je moet haar bellen. Doe dat voor me, o god, wil je dat doen? Mama! Shit!'

'Je hebt recht op een advocaat.'

En nu was John Fiske dat.

Na nog een paar zittingen in het gerechtsgebouw in het centrum te hebben bijgewoond, verliet John het uit glas en baksteen opgetrokken John Marshall-gerechtsgebouw, genoemd naar de derde opperrechter van het Amerikaanse Hooggerechtshof, wiens geboortehuis er nog steeds aan grensde. Het was nu een museum dat was gewijd aan de herinnering van deze grote Amerikaan, de man uit Virginia. Hij zou zich in zijn graf hebben omgedraaid als hij zou hebben geweten welke gemene daden naast zijn huis werden besproken en verdedigd.

Fiske liep via Ninth Street naar de James-rivier. Nadat het de afgelopen dagen heet en vochtig was geweest, werd het koeler nu er regen op komst was en hij trok zijn regenjas dichter om zich heen. Toen het begon te regenen, begon hij over het trottoir te draven, zijn schoenen klotsten door de modderige plassen die zich in de gaten in het asfalt en het beton vormden.

Tegen de tijd dat hij bij zijn kantoor in Shockoe Slip was gekomen, waren zijn haren en zijn jas doorweekt en stroomde het water in miniatuurbeekjes langs zijn rug. Met twee treden tegelijk rende hij de stoep op en hij ontsloot de deur die toegang gaf tot zijn kantoor. Het bevond

zich in een groot, spelonkachtig gebouw dat vroeger een opslagplaats voor tabak was geweest. De wanden van eiken- en grenenhout hadden nieuwe ribben gekregen om er een aantal kantoren in te kunnen huisvesten. De geur van de tabaksbladeren hing er echter nog steeds. En dit was niet de enige plek waar dat het geval was. Wanneer je over de zuidelijke Interstate 95 langs de Philip Morris-fabriek kwam waar Bobby Graham het over had gehad, kon je bijna high worden van de nicotine zonder zelf ook maar een sigaret op te steken. John had dikwijls de aanvechting gehad om een brandende lucifer uit het raampje te gooien wanneer hij erlangs reed, om te zien of er een explosie zou plaatsvinden.
Fiskes kantoor bestond uit een vertrek met een kleine, aangrenzende badkamer. Die was belangrijk, omdat hij vaker hier sliep dan in zijn flat. Hij hing zijn jas op om uit te lekken en veegde zijn gezicht en haar droog met een handdoek die hij van het rekje in de badkamer pakte. Hij zette koffie en terwijl die doorliep dacht hij na over Jerome Hicks.
Als John zijn werk heel goed deed, zou Jerome Hicks de rest van zijn leven achter de tralies doorbrengen in plaats van een dodelijke injectie te krijgen in de dodencel van de gevangenis in Greene County. De doodstraf voor een achttienjarige zwarte jongen zou Graham niet de begeerde positie van procureur-generaal opleveren. De moord op een zwarte door een zwarte, beiden geboren verliezers, zou nog niet eens de achterpagina van de krant halen.
Als agent in Richmond had John amper het geweld overleefd van de strijd die woedde in de buurt en in de stad, die zich als een tumor uitbreidde tot het formaat van een district, de armzalige getto's en de hoog oprijzende, dollarsverslindende torens in het centrum achter zich liet, zich verspreidde over, om en door de slecht ontworpen barricaden van de voorsteden. Het was niet slechts dit district. Gletsjers van criminele activiteit kwamen uit alle staten aanvloeien. Wanneer die elkaar tegenkomen, waar moet het dan met ons naartoe, vroeg hij zich af.
Abrupt ging John zitten. Het brandende gevoel was langzaam begonnen; dat gebeurde meestal. Hij voelde het van zijn buik omhoog marcheren tot in zijn borst, waarna het zich verder verspreidde. Ten slotte begon de gewaarwording van een onmogelijke hitte als lava door een geul tot in zijn armen te kruipen, helemaal tot in zijn vingers. Wankelend kwam John overeind. Hij deed de deur van zijn kantoor op slot, om daarna zijn das af te doen en zijn overhemd uit te trekken. Eronder droeg hij een T-shirt; hij had altijd zo'n verdomd T-shirt aan. Door de katoenen stof heen raakten zijn vingers het beginpunt van het verdikte litteken aan, na al die jaren nog steeds ruw langs de randen en bobbelig. Het begon net onder zijn navel en volgde het kronkelende pad van de

zaag van de chirurg in een ononderbroken streep die eindigde onder aan zijn nek.
Fiske liet zich op de grond vallen en drukte zich vijftig keer op zonder pauzes, de hitte in zijn borst en zijn ledematen nam toe en verminderde vervolgens weer bij elke herhaling. Een zweetdruppel viel van zijn voorhoofd op de houten vloer. Hij dacht dat hij zijn spiegelbeeld erin kon zien. Het was in elk geval geen bloed. Na het opdrukken deed hij een even groot aantal buikspieroefeningen. Het litteken rimpelde en strekte zich uit bij elke beweging van zijn lichaam, als een slang die onwillig in zijn torso was gegrift. Hij maakte een verplaatsbare stang vast in de deuropening naar de badkamer en trok zich daar een keer of tien aan op. Vroeger kon hij er tweemaal zoveel doen, maar zijn kracht nam langzaam af. Wat onder de ontstoken huid op de loer lag, zou hem uiteindelijk de baas worden en hem doden, maar voor dit moment werd de hitte minder. De fysieke inspanning leek die af te schrikken, liet de indringer weten dat er nog steeds iemand thuis was.
In de badkamer waste hij zich en trok hij zijn overhemd weer aan. Terwijl hij kleine slokjes van zijn koffie nam, keek hij uit het raam. Van hieruit kon hij nauwelijks de loop van de James zien. De rivier zou ruw worden naarmate het harder ging regenen. Hij en zijn broer hadden er vaak op gevaren, of zich er op een warme zomerdag langzaam op laten voortdrijven in binnenbanden van een vrachtauto. Dat was jaren geleden. Vandaag de dag kwam John niet dichter bij het water dan hij nu was. Er was geen tijd meer om te spelen. Daarvoor was geen ruimte meer in zijn verkorte levensperiode. Maar hij hield van wat hij deed, tenminste meestal. Het was niet het leven van een superadvocaat bij het Hooggerechtshof, zoals dat van zijn broer, maar hij schepte een zekere trots in wat hij deed en hoe hij het deed. Wanneer hij stierf, zou hij geen geld hebben en geen geweldige reputatie, maar hij geloofde dat hij redelijk tevreden, redelijk voldaan zou sterven. Hij ging aan het werk.

•5•

Als een broedende havik lag Fort Jackson hoog in het desolate gebied van Zuidwest-Virginia, op vrijwel gelijke afstand van de grens met Tennessee, Kentucky en West-Virginia, midden in een afgelegen mijnstreek. Er waren weinig of geen op zichzelf staande militaire gevangenissen in de Verenigde Staten; gewoonlijk waren ze gekoppeld aan een militaire instelling, zowel uit traditie als om te bezuinigen op de defensie-uitgaven. Bij Fort Jackson hoorde ook een militaire basis; het voornaamste kenmerk van het fort zou echter altijd de gevangenis zijn, waar de gevaarlijkste misdadigers uit het Amerikaanse leger in stilte hun levensdagen aftelden.

Er had nog nooit een ontsnapping uit Fort Jackson plaatsgevonden en zelfs als een gevangene erin zou slagen om vrij te komen zonder een gerechtelijk bevel, zou die vrijheid leeg en van korte duur zijn. Het omringende landschap vertegenwoordigde een veel dreigender gevangenis, met hoekige, door mijnen doorploegde bergen, verraderlijke wegen waar zware, dode takken plotseling omlaag vielen, en een dicht, ondoordringbaar woud vol koperkoppen en ratelslangen. Langs de verontreinigde stroompjes lag hun agressievere neef, de waterslang, op de loer, wachtend tot paniekerige voeten de oever vertrapten. En de onafhankelijke lokale bevolking van de vergeten 'teen' van Virginia – het menselijk equivalent van prikkeldraad – was zeer bedreven in het hanteren van geweer en mes en was niet bang om een van beide te gebruiken. Toch was er ook veel schoonheid te vinden op de zachtglooiende hellingen, in het uitgestrekte woud, het struikgewas en de bloemen, de geur van niet-opgejaagd wild en de stilte van een diepe oceaan.

Advocaat Samuel Rider reed door de hoofdpoort van het fort, kreeg zijn bezoekersbadge en zette zijn auto op het parkeerterrein voor bezoekers. Nerveus liep hij naar de platte, door een stenen muur omgeven ingang van de gevangenis, zijn aktetas licht tikkend tegen zijn blauwe broekspijp. Het vergde twintig minuten om door de toelatingsprocedure te komen, die inhield dat hij zijn identiteitspapieren moest laten zien en dat er moest worden nagegaan of hij op de bezoekerslijst stond. Hij werd gefouilleerd, moest door een metaaldetector lopen en ten slotte werd zijn aktetas nagekeken. De bewaarders keken achterdochtig naar de kleine transistorradio, maar ze stonden toe dat hij die bij zich hield nadat ze hadden gekeken of er niets in meegesmokkeld werd. De standaardregels voor bezoekers werden hem voorgelezen en op elk ervan moest hij een bevestigend, hoorbaar antwoord geven om te bewijzen dat hij ze begreep. Rider wist dat het beleefde vernisje van de bewaarders snel zou verdwijnen als hij zich niet aan ook maar één van die regels hield.

Hij keek om zich heen, niet in staat de drukkende vrees noch zijn buitengewone nervositeit van zich af te schudden, alsof de architect van de

gevangenis erin was geslaagd om deze elementen in de structuur van het gebouw te verwerken. Rider kreeg een wee gevoel in zijn ingewanden en zijn handpalmen werden klam, alsof hij op het punt stond aan boord te stappen van een turboprop met twintig zitplaatsen, terwijl er een orkaan werd voorspeld. Tijdens de Vietnam-oorlog was hij in het leger geweest, maar hij had het land nooit verlaten, was nooit dicht bij de strijd, bij dodelijk gevaar in de buurt gekomen. Het zou toch wel verdomd ironisch zijn als hij nu dood zou neervallen ten gevolge van een hartaanval, terwijl hij op Amerikaanse bodem in een militaire gevangenis stond. Diep ademhalend dwong hij zijn hart om te kalmeren en opnieuw vroeg hij zich af waarom hij was gekomen. Rufus Harms bevond zich niet in een positie om hem, of iemand anders, ergens toe te dwingen. Maar hij was er nu eenmaal. Rider haalde nogmaals diep adem, speldde zijn bezoekersbadge op en greep het troostrijke handvat van zijn aktetas, zijn leren amulet, stevig vast, terwijl een bewaarder hem naar de spreekkamer bracht.
Hij werd een paar minuten alleen gelaten en bekeek het doffe bruin van de muren dat erop leek te zijn aangebracht om degenen die waarschijnlijk toch al met zelfmoordplannen rondliepen, nog dieper in de put te doen raken. Hij vroeg zich af hoeveel mannen deze plek hun thuis noemden, er begraven door hun medemensen en om heel goede redenen. Toch wist hij dat ze allemaal moeders hadden, zelfs de allerslechtsten onder hen. Rider nam aan dat sommigen zelfs vaders hadden, afgezien van het samenkomen van een zaadcel en een eitje. En toch kwamen ze uiteindelijk hier terecht. Als misdadiger geboren? Misschien. Waarschijnlijk zouden ze binnenkort een genetische test uitvinden die je kon vertellen of je kind op de kleuterschool de wedergeboorte is van Ted Bundy. Maar wanneer ze je het slechte nieuws meedelen, wat kun je er dan verdomme aan doen?
Rider hield op met zijn overpeinzingen toen Rufus Harms, uittorenend boven de twee bewaarders die hem op sleeptouw hadden, de spreekkamer binnenkwam. De eerste indruk was die van een meester met zijn slaven, de werkelijkheid was precies het tegenovergestelde. Harms was de grootste man die Rider ooit had ontmoet, een reus die over werkelijk abnormale kracht beschikte. Zelfs nu leek hij de hele ruimte te vullen met zijn enorme gestalte. Zijn borst leek op twee platen gewapend beton die naast elkaar waren opgehangen, en zijn armen waren dikker dan sommige bomen. Harms was geketend aan handen en voeten, zodat hij gedwongen was om de 'gevangenis-schuifel' te doen. Daar was hij goed in; de korte passen waren gracieus.
Harms moest tegen de vijftig lopen, dacht Rider, maar hij zag er min-

stens tien jaar ouder uit, met een gezicht vol littekens en een vreemd misvormd bot onder zijn rechteroog. De jongeman die Rider destijds had vertegenwoordigd, had een gaaf, zelfs knap gezicht gehad. Rider vroeg zich af hoe vaak Rider hier was afgeranseld, welke andere sporen van mishandeling hij onder zijn kleren met zich meedroeg.
Harms ging tegenover Rider zitten aan een houten tafel, zwaar bekrast door duizenden nerveuze, wanhopige nagels. Hij keek Rider nog niet aan, maar hield zijn blik gericht op de bewaarder die in het vertrek bleef.
Rider begreep Harms' onuitgesproken bedoeling. Tegen de bewaarder zei hij: 'Soldaat, ik ben zijn advocaat, dus u moet ons hier wel een beetje ruimte geven.'
Het antwoord werd automatisch gegeven. 'Dit is een maximaal beveiligde instelling en iedere gevangene hier staat bekend als gewelddadig en gevaarlijk. Het is voor uw eigen veiligheid.'
De mannen hier waren gevaarlijk, zowel de gevangenen als de bewaarders. Zo was het nu eenmaal, en Rider wist het.
'Dat begrijp ik,' antwoordde de advocaat. 'Ik vraag u ook niet om weg te gaan, maar ik zou het op prijs stellen als u wat verder weg zou gaan staan. Dat is het recht van advocaat en cliënt, u begrijpt me wel?'
De bewaarder gaf geen antwoord, maar hij trok zich terug in de uiterste hoek van de kamer, om aan te geven dat hij buiten gehoorsafstand zou blijven. Eindelijk keek Rufus Harms Rider aan. 'Heb je de radio meegebracht?'
'Een vreemd verzoek, maar ik heb er gevolg aan gegeven.'
'Pak hem en zet hem aan, als je wilt.'
Rider deed het. Onmiddellijk werd het vertrek gevuld met de klaaglijke klanken van countrymuziek, de tekst klonk vlak en geforceerd in het licht van de echte ellende die hij hier voelde, dacht Rider, niet op zijn gemak.
Toen de advocaat hem een vragende blik toewierp, keek Harms snel de kamer rond. 'Er zijn hier een hoop oren die je niet kunt zien, snap je?'
'Een gesprek tussen een advocaat en zijn cliënt afluisteren is tegen de regels.'
Harms bewoog zijn handen even, zodat de ketenen rinkelden. 'Er zijn een hoop dingen tegen de wet, maar de mensen doen ze toch. Zowel in als buiten dit gebouw. Zo is het toch?'
Rider merkte dat hij knikte. Harms was niet langer een jonge, bange knul. Hij was een man. Een man die alles onder controle had, behalve dan dat hij geen enkel element van zijn bestaan onder controle had. Rider zag ook dat elke beweging van Harms afgemeten was, berekend,

alsof hij schaak speelde, langzaam een hand uitstekend om een stuk aan te raken en die dan weer even behoedzaam terugtrekkend. Hier kon een snelle beweging dodelijk zijn.
De gevangene boog zich voorover en hij begon te spreken, zo zacht dat Rider zich moest inspannen om hem boven de muziek uit te verstaan.
'Bedankt dat je gekomen bent. Het verbaast me dat je het hebt gedaan.'
'Ik was nog veel meer verbaasd om iets van jou te horen. Maar ik denk dat het me ook nieuwsgierig heeft gemaakt.'
'Je ziet er goed uit. De jaren zijn vriendelijk voor je geweest.'
Rider moest erom lachen. 'Ik ben al mijn haar kwijt en ik ben twintig kilo aangekomen, maar evengoed bedankt.'
'Ik zal je tijd niet verknoeien. Ik heb iets waarvan ik wil dat je ermee naar het Hof gaat.'
Rider was duidelijk verbaasd. 'Welk Hof?'
Harms begon zo mogelijk nog zachter te spreken, ondanks de dekking van de muziek. 'Het hoogste wat er is. Het Hooggerechtshof.'
Riders mond viel open. 'Je maakt een grapje.' De blik in Harms' ogen bevestigde die conclusie niet. 'Oké, wat moet ik voor je onder hun aandacht brengen?'
Met soepele bewegingen, ondanks de beperking van zijn boeien, haalde Harms een envelop van onder zijn overhemd vandaan en hield die omhoog. Onmiddellijk kwam de bewaarder aanlopen en griste de brief uit zijn hand.
Rider protesteerde meteen. 'Soldaat, dit is een vertrouwelijke aangelegenheid tussen advocaat en cliënt.'
'Laat het hem maar lezen, Samuel. Ik heb niets te verbergen,' zei Harms vlak, terwijl hij zijn ogen afgewend hield.
De bewaarder maakte de envelop open en las vervolgens vluchtig de inhoud van de brief. Tevredengesteld gaf hij hem aan Harms terug en hij nam zijn plaats achter in de kamer weer in.
Harms overhandigde Rider de envelop. De advocaat bekeek die. Toen hij weer opkeek, had Harms zich nog dichter naar hem toe gebogen en hij sprak minstens tien minuten aan één stuk. Terwijl de woordenstroom over hem heen vloeide, puilden Riders ogen verscheidene malen bijna uit zijn hoofd. Nadat hij was uitgesproken, ging de gevangene rechtop zitten en keek hem aan.
'Je wilt me toch wel helpen?'
Rider kon geen antwoord geven, hij was kennelijk nog bezig met het verwerken van alles wat hij had gehoord. Als de ketenen om zijn middel het niet hadden belemmerd, zou Harms zijn hand hebben uitgestoken om die op Riders hand te leggen, niet bedreigend, maar als een tastbare

smeekbede om hulp van een man die bijna dertig jaar door niemand was geholpen. 'Je doet het toch, Samuel?'
Eindelijk knikte Rider. 'Ik zal je helpen, Rufus.'
Harms stond op en liep naar de deur.
Rider stopte de radio en de envelop in zijn aktetas. De advocaat kon niet weten dat, aan de andere kant van een grote spiegel die aan de muur van de spreekkamer hing, iemand het hele gesprek tussen gevangene en advocaat had gadegeslagen. Deze persoon wreef zich nu over zijn kin, diep verzonken in bezorgde gedachten.

•6•

De *marshal*, het hoofd gerechtelijke diensten van het Hooggerechtshof, Richard Perkins, was volgens de voorschriften van dit Hof gekleed in een antracietgrijze pandjesjas, wat tevens de traditionele kleding was van de advocaten van het kantoor van de advocaat-generaal. Om tien uur 's morgens ging hij staan aan het ene einde van de lange tafel, waarachter negen hooggerugde leren stoelen in verscheidene stijlen en maten stonden, en gaf er een slag op met zijn hamer. Het werd stil in de stampvolle rechtszaal. 'De edelachtbare opperrechter en de bijzittende rechters van de Verenigde Staten.'
Het lange, bordeauxrode gordijn achter de tafel werd op negen plaatsen ter zijde geschoven en eenzelfde aantal rechters verscheen. Ze zagen er stijf en ongemakkelijk uit in hun zwarte toga's, alsof ze waren wakker geschrokken om te ontdekken dat er zich naast hun bed een menigte had verzameld. Terwijl ze hun plaatsen innamen, vervolgde Perkins: 'Hoort, hoort, hoort. Allen die een zaak naar voren willen brengen voor het Hooggerechtshof van de Verenigde Staten, wordt verzocht nader te komen en hun aandacht te schenken, want de zitting neemt nu een aanvang. God zegene de Verenigde Staten en dit edelachtbare Hof.'
Perkins ging zitten en keek de rechtszaal rond, die de afmetingen had van een groot herenhuis. Het bijna vijftien meter hoge plafond maakte dat het oog naar langszwevende wolken zocht. Na enige inleidende zaken en de ceremoniële eedaflegging door nieuwe advocaten bij het

Hooggerechtshof, kon de eerste van de twee zaken die vanochtend op de rol stonden, beginnen. Op woensdagochtend werden er slechts twee zaken behandeld. Middagzittingen vonden uitsluitend plaats op maandag en dinsdag. Op donderdag en vrijdag werden er geen zittingen gehouden. Zo zou het om de twee weken doorgaan, drie dagen per week, tot eind april, wanneer men bij benadering honderdvijftig zittingen verder was waarin de rechters de rol van een moderne Salomo speelden voor de bevolking van de Verenigde Staten.
Aan weerszijden van de rechtszaal waren indrukwekkende friezen aangebracht. Rechts met afbeeldingen van wetgevers uit het tijdperk voor Christus. Links hun tegenhangers uit de periode daarna. Twee legers, gereed om op elkaar af te stormen, misschien om vast te stellen wie het bij het rechte eind had. Mozes versus Napoleon, Hammurabi tegen Mohammed. De wet, het uitspreken van een oordeel, kon zeer pijnlijk, zelfs bloedig zijn. Recht achter de tafel bevonden zich twee uit marmer gehouwen voorstellingen, die de 'majesteit van de wet' en de 'macht van de regering' uitbeeldden. Tussen beide panelen was een tableau met de Tien Geboden aangebracht. Rondom de hele zaal zag men houtsneden met als onderwerp 'het bewaken van de rechten van het volk', 'genieën van wijsheid en staatsmanschap' en 'de verdediging van de mensenrechten'. Als er ooit een zaal had bestaan van perfecte afmetingen voor het aanhoren van hoogst belangrijke zaken, dan leek het erop dat deze omgeving die vertegenwoordigde; het was werkelijk een centrum van gerechtigheid. Topografie kon echter misleidend zijn.
Ramsey zat in het midden achter de tafel; Elizabeth Knight uiterst rechts. Een microfoon hing uit het midden van het plafond aan een statief. De vaders en moeders waren zichtbaar gespannener geworden toen de rechters verschenen. Zelfs hun slungelige, verveelde kinderen gingen wat meer rechtop zitten. Dat was heel begrijpelijk, zelfs voor diegenen die min of meer op bekend terrein waren. Er hing een voelbare sfeer van pure macht, van belangrijke confrontaties die gingen plaatsvinden.
Deze negen in zwarte toga's gehulde rechters vertelden vrouwen wanneer ze volgens de wet hun foetussen konden laten aborteren; ze schreven schoolkinderen voor waar ze moesten studeren; ze spraken zich uit over obsceen taalgebruik; ze verklaarden dat de politie niet op een onredelijke manier huiszoekingen mocht doen of arrestaties mocht verrichten, of bekentenissen uit mensen mocht slaan. Niemand had hen voor deze baan gekozen. Ze behielden die voor het leven, ongeacht bijna elke uitdaging. En de rechters opereerden op zo'n geheim niveau, in zo'n zwart gat, dat het publiek wel moest geloven dat ambtenaren van andere eerbiedwaardige federale instellingen bij hen vergeleken niet

meer waren dan opscheppers. Routinematig behandelden ze onderwerpen waarover actiegroepen in het hele land met elkaar overhoop lagen: bommen gooien naar abortusklinieken, demonstreren bij gevangenissen met ter dood veroordeelden. Ze oordeelden over ingewikkelde zaken die de menselijke beschaving zouden achtervolgen tot die was uitgestorven. En ze leken daarbij zo kalm.
De eerste zaak begon. Het ging over positieve discriminatie in openbare universiteiten, of liever wat er nog van over was. Frank Campbell, de advocaat die voor positieve discriminatie pleitte, had nog maar nauwelijks zijn eerste zin uitgesproken of Ramsey hamerde al.
De opperrechter wees erop dat het Veertiende Amendement onherroepelijk verklaarde dat niemand mag worden gediscrimineerd. Betekende dat niet dat elke positieve vorm van discriminatie door de grondwet niet werd toegestaan?
'Maar dit zijn wijdverbreide misstanden die we moeten proberen te...'
'Waarom staat diversiteit gelijk aan gelijkheid?' vroeg Ramsey abrupt aan Campbell.
'Het zorgt ervoor dat een brede, gevarieerde groep studenten in staat wordt gesteld om verschillende ideeën uit te dragen, verschillende culturen te vertegenwoordigen, wat op zijn beurt ertoe zal bijdragen dat de onwetendheid van stereotiepe opvattingen wordt doorbroken.'
'Baseert u uw hele argument niet op het feit dat zwarten en blanken anders denken? Dat een zwarte die is opgegroeid bij ouders die lesgeven aan een college in een welgesteld gezin in, laten we zeggen, San Francisco, andere waarden en ideeën zal meenemen naar een universiteit dan een blanke die is opgegroeid in precies dezelfde welvarende omgeving in San Francisco?' Het scepticisme droop van Ramseys vraag af.
'Ik denk dat iedereen anders is,' antwoordde Campbell.
'Is het niet zo dat de armsten onder ons meer recht hebben op een helpende hand, in plaats van uit te gaan van huidskleur?' vroeg rechter Knight. Toen ze dit opmerkte, keek Ramsey haar nieuwsgierig aan. 'Toch maakt uw argument geen onderscheid tussen rijkdom en gebrek daaraan, of wel?'
'Nee,' moest Campbell toegeven.
Michael Fiske en Sara Evans zaten in een aparte rij stoelen die haaks op de tafel stond. Michael wierp een snelle blik op Sara terwijl hij luisterde hoe de ondervraging zich ontwikkelde. Ze keek hem niet aan.
'U kunt immers niet om de letter van de wet heen? Dan zouden we volgens u de grondwet op zijn kop moeten zetten,' hield Ramsey vol, nadat hij eindelijk zijn blik van Knight had afgewend.

'Hoe zit het dan met de geest achter deze woorden?' wierp Campbell tegen.
'Geesten zijn zulke amorfe dingen, ik hou me liever met iets concreets bezig.' Ramseys woorden ontlokten hier en daar gelach bij de toehoorders. De opperrechter vervolgde zijn verbale aanval en met dodelijke precisie prikte hij door Campbells aangehaalde uitspraken en redeneertrant heen. Knight zei niets meer. Haar ogen keken recht vooruit, ze was met haar gedachten kennelijk ver buiten de rechtszaal. Toen het rode lichtje aanfloepte om aan te geven dat Campbells tijd om was, rende hij bijna terug naar zijn stoel. Toen de jurist die tegen positieve discriminatie was zijn plaats achter de lessenaar innam en zijn betoog begon, leken de rechters niet eens meer te luisteren.

'Jeetje, is die Ramsey even efficiënt,' merkte Sara op. Ze zat met Michael Fiske in de cafetaria van het gerechtsgebouw. De rechters hadden zich in hun eetzaal teruggetrokken voor hun traditionele lunch na de zitting. 'Hij heeft in niet meer dan vijf seconden gehakt gemaakt van de universiteitsadvocaat.'
Michael slikte een hap van zijn broodje door. 'Hij is de afgelopen drie jaar voortdurend op zoek geweest naar een zaak waarin hij positieve discriminatie onderuit kon halen. Nou, die heeft hij gevonden. Ze hadden er beter aan gedaan tot een schikking te komen voordat de zaak voor de rechter kwam.'
'Geloof je echt dat Ramsey zover zal gaan?'
'Maak je een grapje? Wacht maar tot je de uitspraak hoort. Die zal hij waarschijnlijk zelf schrijven, zodat hij zich erin kan verlustigen. Het is afgelopen, uit.'
'Ik kan zijn logica gedeeltelijk volgen,' zei Sara.
'Natuurlijk. Het is nogal duidelijk. Een conservatieve groep heeft de zaak aanhangig gemaakt, met zorg de vertegenwoordiger van het openbaar ministerie gekozen. Blank, pienter, uit een arbeidersmilieu, harde werker, nooit steun gekregen. En, nog beter, een vrouw.'
'De grondwet zegt dat niemand mag discrimineren.'
'Sara, je weet dat het Veertiende Amendement vlak na de Burgeroorlog werd aangenomen om er zeker van te zijn dat zwarten niet zouden worden gediscrimineerd. Nu wordt er een werktuig van gemaakt om de mensen te verpletteren die erdoor geholpen hadden moeten worden. Nou, de tegenstanders hebben zojuist hun eigen Armageddon gegarandeerd.'
'Wat bedoel je daarmee?'
'Ik bedoel dat de armen die nog hoop koesteren, terug beginnen te

duwen. Armen zonder hoop sláán terug. Dat is niet zo mooi.'
'O.' Ze keek naar Michael, zijn manier van doen was zo intens, zo kwikzilverig. Hij was veel te serieus voor zijn leeftijd. Regelmatig bereed hij zijn stokpaardje, soms op een gênante manier. Het was een van zijn eigenschappen die ze zowel bewonderde als vreesde.
'Mijn broer zou je daar een paar verhalen over kunnen vertellen,' voegde Michael eraan toe.
'Daar ben ik van overtuigd. Ik hoop hem eens te ontmoeten.'
Michael keek haar aan en wendde toen zijn blik af. 'Ramsey ziet de wereld anders dan ze in werkelijkheid is. Hij heeft het in die wereld op eigen kracht zover gebracht en waarom kan ieder ander dat niet? Toch bewonder ik de man. Hij behandelt iedereen gelijk, armen en rijken, de staat en het individu. Hij bedrijft geen vriendjespolitiek, dat moet ik hem nageven.'
'Jij hebt ook heel wat moeten overwinnen.'
'Ja. Ik wil mezelf niet op de borst slaan, maar ik heb een IQ van ver boven de 160. Dat heeft niet iedereen.'
'Ik weet het,' zei Sara droefgeestig. 'Mijn juridische brein zegt dat het correct was, wat er vandaag gebeurde. Mijn hart zegt dat het een tragedie is.'
'Hé, dit is het Hooggerechtshof. Daarvan mag je niet aannemen dat het gemakkelijk is. Tussen twee haakjes, wat probeerde Knight vandaag eigenlijk te doen?' Michael was voortdurend gespitst op alles wat bij het Hof gebeurde, alle interne geheimen, de roddels, de strategieën die door de rechters en hun griffiers werden toegepast om hun filosofieën en gezichtspunten op de zaken die ze te behandelen kregen, naar voren te brengen. Hij had echter het gevoel dat hij in dit geval achter liep, wat het dan ook was geweest waar Knight vanmorgen in de rechtszaal op had gezinspeeld, en dat stoorde hem.
'Michael, het waren maar een paar zinnen.'
'Nou en? Twee zinnen met een ton aan potentieel. Je zag hoe Ramsey erop inging. Is Knight bezig een standpunt in te nemen voor iets wat eraan komt? Iets wat ze vanochtend alvast duidelijk probeerde te maken?'
'Ik kan niet geloven dat je me dat vraagt. Het is vertrouwelijk.'
'We zitten hier allemaal in hetzelfde schuitje, Sara.'
'Dat klopt! En hoe vaak brengen Knight en Murphy dezelfde stem uit? Niet vaak. En dit Hof bestaat uit negen strikt gescheiden afdelingen, dat weet je.'
'Ja, negen koninkrijkjes. Maar als Knight iets van plan is, zou ik het wel graag willen weten.'

'Je hoeft niet alles te weten wat hier omgaat. Jezus, je weet al meer dan alle griffiers én de meeste rechters bij elkaar. Ik bedoel, hoeveel andere griffiers gaan bij het krieken van de dag naar de postkamer om te kijken welke verzoeken er binnenkomen?'
'Ik hou er niet van om dingen half te doen, Sara.'
Ze keek hem aan, stond op het punt iets te zeggen, maar bedacht zich toen. Waarom zou ze het ingewikkelder maken? Ze had hem haar antwoord al gegeven. Het kwam er in werkelijkheid op neer dat ze, hoewel ze zelf erg ambitieus was, zich niet kon voorstellen getrouwd te zijn met een man die er zulke hoogstaande normen op na hield als Michael Fiske. Ze zou die nooit kunnen bereiken, nooit kunnen aanvaarden. Het zou ongezond zijn om het zelfs maar te proberen.
'Nou, ik verklap je geen vertrouwelijke zaken. Je weet net zo goed als ik dat dit Hof opereert als een militaire campagne. Loslippigheid is gevaarlijk. Je moet zorgen voor rugdekking.'
'Wat het grote geheel betreft ben ik het met je eens, maar ik ben bij deze zaak betrokken. Je kent Murphy, hij is van een vorige generatie, aardig, maar een echte linkse rakker. Hij zal alles doen om de armen te helpen. Hij en Knight trekken hierin één lijn, daar is geen twijfel aan. Hij is er altijd op uit om een spaak in Ramseys wiel te steken. Tom Murphy was de baas bij het Hof, tot Ramsey de boventoon ging voeren. Het is niet leuk om altijd aan het kortste eind te trekken wanneer het eind van je carrière in zicht komt.'
Sara schudde haar hoofd. 'Ik kan er echt niet op ingaan.'
Hij zuchtte en begon het eten op zijn bord heen en weer te schuiven. 'We raken op alle punten steeds meer van elkaar verwijderd, vind je niet?'
'Dat is niet waar. Je probeert alleen maar om het erop te laten lijken. Ik weet dat ik je gekwetst heb toen ik nee zei, en dat spijt me.'
Opeens begon hij te grinniken. 'Het is misschien maar beter zo. We zijn allebei zo koppig, het zou er waarschijnlijk op uitdraaien dat we elkaar vermoorden.'
'Een goeie ouwe jongen uit Virginia en een deerntje uit Carolina,' zei ze met een overdreven accent. 'Waarschijnlijk heb je gelijk.'
Met zijn drankje spelend keek hij haar aan. 'Als je denkt dat ik koppig ben, dan zou je toch echt mijn broer eens moeten ontmoeten.'
Sara zag zijn strakke blik niet. 'Dat weet ik wel zeker. Hij was geweldig tijdens dat proces waar we zijn gaan kijken.'
'Ik ben heel trots op hem.'
Nu keek ze hem aan. 'Waarom moesten we dan zo stiekem de rechtszaal in en uit glippen opdat hij niet zou weten dat we er waren?'

'Dat zou je hem moeten vragen.'
'Ik vraag het jou.'
Michael haalde zijn schouders op. 'Hij heeft een probleem met me. Hij heeft me min of meer uit zijn leven gebannen.'
'Waarom?'
'Feitelijk weet ik niet alle redenen. Hij misschien ook niet. Ik weet dat hij zich er niet erg gelukkig onder voelt.'
'Ik heb hem maar even gezien, maar zo'n soort man leek hij me helemaal niet. Depressief, of zoiets.'
'O ja? Welke indruk maakte hij dan op je?'
'Grappig, slim, kan goed met mensen omgaan.'
'Ik zie dat hij goed op je is overgekomen.'
'Hij wist niet eens dat ik er was.'
'Maar je vond hem evengoed aardig, nietwaar?'
'Wat mag dat betekenen?'
'Alleen maar dat ik niet blind ben. En ik heb mijn hele leven al in zijn schaduw gestaan.'
'Jij bent de knappe kop met de onbegrensde toekomst.'
'Hij is een heldhaftige ex-politieman die nu dezelfde mensen verdedigt die hij vroeger placht te arresteren. Hij heeft ook iets van een martelaar over zich, iets wat ik nooit helemaal heb kunnen doorgronden. Het is een goeie jongen die ongelooflijk veel van zichzelf vergt.' Michael schudde zijn hoofd. Al die tijd die zijn broer in het ziekenhuis had gelegen. Niemand wist of hij het zou halen, van dag tot dag, van minuut tot minuut. Hij was nog nooit zo bang geweest als toen hij dacht dat hij zijn broer zou kwijtraken. Maar nu leek het erop dat het toch was gebeurd en niet door de dood. Niet vanwege die kogels.
'Misschien heeft hij het gevoel dat hij in jóuw schaduw leeft.'
'Dat betwijfel ik.'
'Heb je het hem wel eens gevraagd?'
'Zoals ik al zei, we praten niet meer met elkaar.' Hij zweeg, en voegde er vervolgens zacht aan toe: 'Is hij de reden dat je me hebt afgewezen?'
Hij had haar gadegeslagen tijdens het proces waarin zijn broer optrad. Ze was verrukt geweest van John Fiske vanaf het moment dat ze hem zag. Destijds had het een leuk idee geleken, om naar zijn broer te gaan kijken. Nu verwenste hij zichzelf omdat ze het hadden gedaan.
Ze bloosde. 'Ik ken hem niet eens. Hoe zou ik dan iets voor hem kunnen voelen?'
'Vraag je dat aan mij, of aan jezelf?'
'Daar geef ik geen antwoord op.' Haar stem trilde. 'En jij? Hou je van hem?'

Hij ging met een ruk rechtop zitten en keek haar aan. 'Ik zal altijd van mijn broer houden, Sara. Altijd.'

•7•

Zonder iets te zeggen liep Rider langs zijn secretaresse en vluchtte zijn kamer in, waar hij zijn aktetas opende en de envelop eruit pakte. Hij haalde de brief uit de envelop, maar keek er amper naar alvorens hij hem in de prullenmand gooide. In de brief had Rufus Harms zijn testament geschreven, maar dat was niet meer dan een misleiding, iets om de bewaarder te laten lezen. Rider keek naar de envelop en drukte op de knop van de intercom.

'Sheila, kun je me het verwarmingsplaatje brengen en een ketel water?'

'Meneer Rider, ik wil wel thee voor u zetten.'

'Ik hoef geen thee, Sheila. Breng me verdomme die ketel en het plaatje.'

Sheila vroeg niet naar de reden van dit vreemde verzoek en evenmin naar de oorzaak van het slechte humeur van haar baas. Ze bracht de ketel en het kookplaatje en trok zich vervolgens stilletjes terug.

Rider stak de stekker in het stopcontact en binnen enkele minuten wolkte er stoom uit de ketel. Hij pakte de envelop behoedzaam bij de hoeken vast en hield die boven de afkoelende dampen, wachtend tot de envelop zou loslaten, zoals Rufus Harms hem had gezegd. Rider maakte voorzichtig de randen los en weldra had hij alles gladgestreken. In plaats van een envelop had hij nu twee vellen papier; het ene was met de hand beschreven, het andere was een kopie van de brief van het leger.

Terwijl hij het plaatje uitschakelde, verwonderde Rider zich erover hoe het Rufus was gelukt deze kunstgreep uit te voeren: een envelop die feitelijk een brief was en hoe hij bovendien de brief van het leger had gekopieerd om die erin te verbergen. Toen herinnerde hij zich dat Harms' vader bij een drukkerij had gewerkt. Het zou voor Rufus beter zijn geweest als hij de voetsporen van zijn vader had gevolgd en drukker was geworden in plaats van in het leger te gaan, mompelde Rider bij zichzelf.

Hij liet de vellen papier een minuut drogen en daarna ging hij aan zijn bureau zitten om te lezen wat Rufus had geschreven. Het nam niet veel tijd, de opmerkingen waren vrij kort, hoewel veel woorden vreemd gevormd en verkeerd gespeld waren. Rider kon het niet weten, maar Harms had het in bijna volslagen duisternis opgekrabbeld, telkens ophoudend wanneer hij de stappen van de bewaarders dichterbij hoorde komen. Toen hij het had gelezen, was zijn keel kurkdroog. Daarna dwong hij zich om de officiële kennisgeving van het leger te lezen. Een nieuwe slag.

'Grote god!' Hij liet zich achterover in zijn stoel zakken, wreef met een trillende hand over zijn kale hoofd om dan opeens overeind te springen, naar de deur van zijn kamer te rennen en die op slot te doen. De angst verspreidde zich als een muterend virus. Hij kon nauwelijks ademhalen. Hij strompelde terug naar zijn bureau en drukte weer op de intercomknop. 'Sheila, wil je me alsjeblieft wat water en een paar aspirines brengen?'

Een minuut later klopte Sheila aan. 'Meneer Rider,' zei ze door de deur heen, 'hij zit op slot.'

Zachtjes ontsloot hij de deur, hij nam het glas en de aspirines van haar aan en wilde juist de deur weer dichtdoen toen Sheila vroeg: 'Voelt u zich wel goed?'

'Prima, prima,' zei hij en hij werkte haar de deur uit.

Hij keek neer op het papier waarvan Rufus wilde dat hij het zou voorleggen aan het Hooggerechtshof van de Verenigde Staten. Toevallig was Rider lid van de merendeels ceremoniële Supreme Court Bar, louter en alleen op voorspraak van een voormalige collega in het leger, die nu op het departement van Justitie werkte. Als hij precies zou doen wat Rufus vroeg, zou hij de *attorney of record* zijn bij Harms' beroep. Rider wist dat er niets dan een persoonlijke catastrofe uit een dergelijke regeling zou voortkomen. Toch had hij het Rufus beloofd.

Rider ging op de leren bank liggen die in een hoek van zijn kamer stond, sloot zijn ogen en begon met zichzelf te overleggen. Er hadden zoveel dingen niet geklopt op de avond dat Ruth Ann Mosley was vermoord. Harms stond niet bekend als een gewelddadig man, hij weigerde alleen voortdurend orders op te volgen, hetgeen menig meerdere woedend had gemaakt en, in het begin, Rider eveneens verbaasd had doen staan. Dat Harms feitelijk niet in staat was om ook maar de eenvoudigste order op te volgen, was ten slotte gebleken tijdens de periode waarin Rider hem had vertegenwoordigd. Maar zijn ontsnapping uit het militaire strafkamp was nooit verklaard. Omdat hij niets had om ter verdediging aan te voeren, was Rider begonnen over ontoerekeningsvatbaarheid, wat hem net voldoende houvast had gegeven om zijn

cliënt van een mogelijke executie te redden. En daar was het bij gebleven. Er was gerechtigheid geschied. Althans zoveel als men in deze wereld kon verwachten.
Rider keek nog een keer naar de brief van het leger, waarin de aperte leugen uit het verleden nu duidelijk werd onthuld. Deze informatie had ten tijde van de moord in Harms' militaire dossier opgenomen moeten worden, maar dat was niet gebeurd. Dat zou een volkomen aannemelijke verdediging hebben opgeleverd. Er was geknoeid met Harms' militaire dossier, en nu begreep Rider waarom.
Harms wilde zijn vrijheid, hij wilde dat zijn naam werd gezuiverd en hij wilde dat het afkomstig was van het hoogste gerechtshof van het land. Hij weigerde het vooruitzicht van zijn vrijlating toe te vertrouwen aan het leger. Dat had Harms tegen hem gezegd terwijl de countrymuziek zijn woorden had overstemd. Kon hij hem dat kwalijk nemen?
Van Rufus' standpunt uit bezien was alles voor elkaar. Hij moest worden gehoord en hij moest vrij komen. Maar desondanks bleef Rider onbeweeglijk liggen op zijn bank van versleten leer met koperen nagels. Het was niets ingewikkelds. Het was angst, een emotie die naar het scheen veel sterker was dan alle andere die de mensheid waren toebedeeld. Hij was van plan over een paar jaar met pensioen te gaan en zich te vestigen in de flat die hij en zijn vrouw al hadden uitgezocht aan de Golfkust. Hun kinderen waren volwassen. Rider begon genoeg te krijgen van de ijzig koude winters die zich nestelden in de lager gelegen gebieden van de staat, en hij was moe van het steeds weer zoeken naar nieuwe opdrachten, van het ijverig opdelen van zijn werkzaamheden in termijnen van een kwartier. Maar hoe verlokkend dat pensioen ook was, het was niet helemaal voldoende om Rider ervan te weerhouden zijn oude cliënt te helpen. Sommige dingen waren goed en sommige dingen waren verkeerd.
Rider stond op van de bank en ging aan zijn bureau zitten. Eerst had hij gemeend dat de eenvoudigste manier om Rufus te helpen was, wat hij hier had aan een van de kranten te sturen en de zaak te laten overnemen door de machtige pers. Maar voorzover hij wist zou de krant het óf opzij leggen als een brief van een of andere krankzinnige, óf het zo verdraaien dat Rufus erdoor in gevaar zou kunnen komen. Wat Rider tot zijn beslissing had bewogen, was eenvoudig. Rufus was zijn cliënt en hij had zijn advocaat gevraagd namens hem cassatie in te stellen bij het Hooggerechtshof van de Verenigde Staten. Dat zou Rider doen. Hij had Rufus één keer in de steek gelaten, dat zou hem niet weer gebeuren. De man had dringend behoefte aan gerechtigheid en wat was daarvoor een betere plaats dan het hoogste gerechtshof van het land? Als je

daar geen gerechtigheid kon krijgen, waar moest je die verdomme dan vandaan halen, vroeg Rider zich af.
Terwijl hij een vel papier uit zijn bureaula pakte, viel het zonlicht door het raam op zijn vierkanten, gouden manchetknoop, zodat er door de hele kamer heldere puntjes begonnen te dansen. Hij trok zijn oude schrijfmachine naar zich toe, die hij puur uit nostalgische overwegingen had gehouden. Rider was niet op de hoogte van de voorschriften om cassatie in te stellen bij het Hooggerechtshof, maar hij nam aan dat hij tegen de meeste ervan wel zou zondigen. Dat deerde hem niet. Hij wilde het verhaal gewoon kwijt; het van zich afschrijven.
Toen hij klaar was met typen, begon hij datgene wat hij had getypt, samen met Harms' brief en de brief van het leger, in een envelop te stoppen. Toen hield hij ermee op. Paranoia, opgedaan gedurende de dertig jaar van zijn praktijk, liet hem naar het kleine kabinet achter in zijn kantoor lopen, waar hij kopieën maakte van Harms' handgeschreven brief en de brief die hij zelf had getypt. Hetzelfde onbehaaglijke gevoel deed hem besluiten de brief van het leger te houden. Wanneer de zaak aan het rollen kwam, kon hij daar altijd nog mee voor de dag komen, ook weer anoniem. Hij verborg de kopieën in een van zijn bureauladen, die hij afsloot. Daarna stopte hij de originelen weer in de envelop, zocht het adres van het Hooggerechtshof op in zijn juridisch adresboek en vervolgens typte hij een etiket. Hij zette geen afzender op het pakje. Daarna trok hij zijn jas aan, zette zijn hoed op en wandelde naar het postkantoor op de hoek.
Voor hij tijd had om van gedachten te veranderen, vulde hij het formulier in voor een ontvangstbevestiging, gaf het aan de loketambtenaar, betaalde het geringe bedrag en vervolgens keerde hij terug naar zijn kantoor. Toen pas drong het tot hem door. Via het ontvangstbewijs kon het Hof erachter komen wie het pakje had verzonden. Hij zuchtte. Rufus had zijn halve leven hierop gewacht. En in zekere zin had Rider hem destijds laten vallen. De rest van de dag bleef Rider op de bank in zijn kantoor liggen, in het donker, in stilte biddend dat hij juist had gehandeld, maar in zijn hart wetend dat het zo was.

•8•

'Ramseys griffiers blijven maar aan mijn hoofd zeuren over de opmerking die u onlangs hebt gemaakt, rechter Knight, over de armen die recht zouden hebben op een bepaalde voorkeursbehandeling.' Sara keek naar de vrouw die daar zo rustig aan haar bureau zat.

Knight keek een paar papieren door. 'Dat zal wel.'

Ze wisten allebei dat Ramseys griffiers een goedgetrainde commando-eenheid vormden. Ze hadden overal hun voelhoorns uitgestoken, op zoek naar iets wat van belang kon zijn voor de opperrechter en zijn agenda's. Er ontsnapte bijna niets aan hun aandacht. Elk woord en elke uitroep, tijdens een vergadering of in een toevallig gesprek in de wandelgangen, werd plichtsgetrouw genoteerd, geanalyseerd en opgeborgen voor toekomstig gebruik.

'Hebt u met opzet die reactie uitgelokt?'

'Sara, hoewel ik het niet bepaald prettig vind is hier een bepaald proces gaande waar je je doorheen moet worstelen. Sommigen noemen het een spel. Ik geef er de voorkeur aan dat niet te doen. Maar ik kan niet ontkennen dat het er is. Ik maak me niet zo druk om Ramsey, noch om de standpunten die ik denk in te nemen in een aantal zaken en die hij nooit zal steunen. Ik weet het en hij weet het.'

'Dus u hebt een proefballonnetje opgelaten voor de andere rechters.'

'Gedeeltelijk, ja. Een zitting is tevens een openbaar, publiek forum.'

'Voor het publiek dus.' Sara dacht snel na. 'En de media?'

Knight legde de papieren neer en vouwde haar handen ineen terwijl ze de jongere vrouw aanstaarde. 'Dit Hof wordt sterker beïnvloed door de publieke opinie dan menigeen zou durven toegeven. Sommigen hier zouden graag zien dat de status-quo altijd bleef bestaan. Maar het Hof moet verder.'

'En dit houdt verband met de zaken waarvoor u me onderzoek hebt laten doen, over gelijke rechten op onderwijs voor de armen?'

'Ik heb daar grote belangstelling voor.' Elizabeth Knight was opgegroeid in Oost-Texas, in een of andere negorij, maar haar vader had geld. Derhalve had ze een eersteklas opleiding genoten en ze had zich dikwijls afgevraagd hoe haar leven zou zijn verlopen als haar vader arm

was geweest, zoals zovelen van de mensen met wie ze was opgegroeid. Alle rechters brachten hun eigen psychologische bagage mee naar het Hof en Elizabeth Knight vormde daarop geen uitzondering. 'Dat is alles wat ik er nu over wil zeggen.'
'En Blankley?' zei Sara, doelend op de positieve-discriminatiezaak die Ramsey zo grondig de vernieling in had geholpen.
'Daar hebben we natuurlijk nog niet over gestemd, Sara, dus ik kan absoluut niet zeggen hoe het zal aflopen.' De stemmingen vonden plaats onder strikte geheimhouding, zelfs zonder dat er een stenograaf of een secretaresse bij aanwezig was. Voor diegenen echter die de gang van zaken aan het Hof nauwlettend volgden, en voor de griffiers die er dagelijks rondliepen, was het niet moeilijk te voorspellen hoe de stemming zou uitvallen, hoewel rechters in het verleden soms voor verrassingen hadden gezorgd. Aan het gezicht van rechter Knight was echter duidelijk te zien hoe de stemmen in de zaak-Blankley waren verdeeld. Sara kon net zo goed in de kristallen bol kijken als ieder ander. Michael Fiske had gelijk. De enige vraag was, welke gevolgen de uitspraak zou hebben.
'Jammer dat ik er niet zal zijn om te zien welke vruchten mijn onderzoek afwerpt.'
'Dat weet je maar nooit. Je bent teruggekomen voor een tweede termijn. Michael Fiske heeft met Tommy afgesproken dat hij nog een derde jaar zal blijven. Ik zou je graag terug willen hebben.'
'Grappig dat u over hem begint. Michael vroeg ook naar uw opmerkingen tijdens de zitting. Hij dacht dat Murphy blij zou zijn met alles wat u bij elkaar probeerde te schrapen met betrekking tot een voorkeursbehandeling voor de armen.'
Knight glimlachte. 'Michael kan het weten. Hij en Tommy zijn zo dik met elkaar als een griffier en een rechter maar kunnen zijn.'
'Michael weet zo ongeveer meer over het Hof dan alle anderen bij elkaar. Eigenlijk vind ik dat soms wel eens een beetje griezelig.'
Knight keek haar scherp aan. 'Ik dacht dat jij en Michael veel met elkaar omgingen.'
'Dat is ook zo. Ik bedoel, we zijn goede vrienden.' Sara bloosde toen Knight haar bleef aankijken.
'Staat ons soms een aankondiging van jullie tweeën te wachten?' Knight lachte vriendelijk.
'Wat? Nee, nee. We zijn gewoon vrienden.'
'O. Sorry, Sara, ik heb er natuurlijk niets mee te maken.'
'Het geeft niet. We brengen samen nogal wat tijd door. Ik ben ervan overtuigd dat sommige mensen denken dat er meer tussen ons bestaat

dan alleen maar vriendschap. Ik bedoel, Michael is een heel aantrekkelijke man en hij is duidelijk heel bekwaam. Hij gaat een goede toekomst tegemoet.'
'Sara, je moet dit niet verkeerd opvatten, maar het klinkt alsof je probeert jezelf ergens van te overtuigen.'
Sara sloeg haar ogen neer. 'Ja, daar lijkt het wel op.'
'Luister naar iemand die twee getrouwde dochters heeft. Overhaast het niet. Laat de dingen op hun beloop. Je hebt tijd genoeg. Einde van mijn moederlijke raadgeving.'
Sara lachte. 'Dank u.'
'Nou, hoe staat het met de memorie voor het Hof over Chance versus de Verenigde Staten?'
'Ik weet dat Steven er non-stop aan heeft gewerkt.'
'Steven Wright bakt er niet veel van.'
'Hij doet in elk geval erg zijn best.'
'Je moet hem helpen, Sara. Jij bent eerste griffier. Ik had die memorie twee weken geleden al moeten hebben. Ramsey heeft zijn munitie klaarliggen en de jurisprudentie is volkomen aan zijn kant. Ik moet daar toch minstens hetzelfde tegenover kunnen stellen, wil ik een kans maken.'
'Ik zal zorgen dat het de hoogste prioriteit krijgt.'
'Goed.'
Sara stond op om weg te gaan. 'Ik denk dat u het best kunt opnemen tegen de opperrechter.'
De vrouwen lachten tegen elkaar. Elizabeth Knight was bijna een tweede moeder geworden voor Sara Evans, ze had de plaats ingenomen van de moeder die Sara als klein kind had verloren. Toen Sara de deur uit liep, leunde Knight achterover in haar stoel. De positie die ze nu had, was het hoogtepunt van een leven lang hard werken en zich opofferingen getroosten, van geluk en deskundigheid. Ze was getrouwd met een gerespecteerd senator van de Verenigde Staten, een man van wie ze hield en die van haar hield. Ze was een van de slechts drie vrouwen die ooit de toga hadden gedragen van rechter bij het Hooggerechtshof. Ze voelde zich tegelijkertijd nederig en machtig. De president die haar had benoemd, bekleedde zijn ambt nog steeds. Hij had haar beschouwd als een betrouwbare, gematigde juriste. Politiek gezien was ze niet erg actief geweest, dus hij kon niet direct verwachten dat ze zijn partijprogramma zou steunen, maar hij verwachtte waarschijnlijk van haar dat ze zich passief zou opstellen en de oplossing van de echt belangrijke kwesties zou overlaten aan de door de bevolking gekozen vertegenwoordigers. Ze hield er geen diepgewortelde filosofieën op na, zoals Ramsey of

Murphy. Die beoordeelden zaken niet zozeer op de feiten, maar op de brede standpunten die elke zaak vertegenwoordigde. Murphy zou nooit stemmen voor uitstel of herziening van een proces dat de doodstraf zou goedkeuren. Ramsey zou liever doodgaan voor hij zich zou scharen achter een verdachte in een zaak over de rechten van de verdachte. Knight kon niet op die manier kiezen aan welke kant ze stond. Ze bekeek elke zaak, elke partij, zoals die zich voordeed. Ze brak zich het hoofd over de feiten. Hoewel ze nadacht over de bredere impact van de beslissingen van het Hof, maakte ze zich ook zorgen over de eerlijkheid waarmee de partijen die voor de rechters verschenen, werden behandeld. Dat betekende vaak dat zij de zwevende stem was in een groot aantal zaken en dat vond ze niet erg. Ze was geen muurbloempje en ze was hier gekomen om de zaken anders aan te pakken. Pas nu begreep ze hoe groot de invloed was die ze kon hebben. En de verantwoordelijkheid die samenhing met die macht, maakte haar nederig. En bang. Zodat ze klaarwakker naar het plafond lag te staren terwijl haar man naast haar in diepe slaap was verzonken. Toch, dacht ze glimlachend, kon ze geen plek bedenken waar ze liever zou zijn; geen andere manier waarop ze haar leven liever zou doorbrengen.

•9•

John Fiske betrad het gebouw in het West End van Richmond. Officieel heette het een rusthuis, maar eerlijk gezegd was het een oord waar bejaarden naartoe gingen om te sterven. Hij probeerde niet op het gekreun en geroep te letten toen hij met grote stappen door de gang beende. Hij zag de zwakke lichamen, met diepgebogen hoofd en krachteloze ledematen, opgeborgen in hun rolstoelen die als winkelwagentjes tegen de muur waren geplaatst, wachtend op een danspartner die nooit zou komen.

Hij en zijn vader hadden er grote moeite mee gehad om zijn moeder hierheen te laten verhuizen. Michael Fiske had zich er nooit bij willen neerleggen dat het verstand van hun moeder weg was, opgegeten door de ziekte van Alzheimer. Het was gemakkelijk genoeg om van de goede tijden te genieten. De echte waarde van een mens bleek uit hoe hij zich in slechte tijden gedroeg. Zoals John Fiske het bekeek, was zijn broer Mike op een droevige manier gezakt voor die test.

Hij meldde zich aan de balie. 'Hoe gaat het vandaag met haar?' vroeg hij aan de adjunct-directrice. Als geregelde bezoeker van het tehuis kende hij de hele staf.

'Ze heeft wel eens betere dagen gehad, John, maar ze zal vast opfleuren nu jij er bent,' antwoordde de vrouw.

'Goed,' mompelde Fiske, terwijl hij naar de bezoekerskamer liep.

Daar trof hij zijn moeder, zoals altijd gekleed in haar ochtendjas en met pantoffels aan. Haar ogen dwaalden doelloos rond en haar mond bewoog, maar er kwam geen woord uit. Toen John in de deuropening verscheen, keek ze hem aan en er brak een glimlach door op haar gezicht. Hij liep naar haar toe en ging tegenover haar zitten.

'Hoe gaat het met mijn Mikey?' vroeg Gladys Fiske, teder zijn gezicht strelend. 'Hoe is het met mama's schatje?'

Fiske haalde diep adem. Het was de afgelopen twee jaar verdomme elke keer hetzelfde. Hij was Mike, hij zou altijd zijn broer zijn tot zijn moeders laatste levensdag. John Fiske was op de een of andere manier volkomen uit haar geheugen verdwenen, alsof hij nooit geboren was.

Voorzichtig pakte hij haar handen, terwijl hij zijn best deed om de diepe frustratie binnen in zich tot kalmte te brengen. 'Het gaat goed met me. Alles is prima. Met pa gaat het ook goed.' Zachtjes voegde hij eraan toe: 'Met Johnny gaat het ook goed. Hij heeft naar je gevraagd. Dat doet hij altijd.'

Ze keek hem niet-begrijpend aan. 'Johnny?'

Fiske probeerde het telkens weer en elke keer kreeg hij dezelfde reactie. Waarom was ze hem vergeten en niet zijn broer? Er moest een diepgeworteld facet in haar zijn dat de Alzheimer had toegestaan zijn identiteit uit haar leven weg te vagen. Was zijn bestaan dan nooit sterk, nooit belangrijk voor haar geweest? Toch was hij de zoon die er altijd was wanneer zijn ouders hem nodig hadden. Als jongen had hij hen al geholpen en als man was hij ermee doorgegaan. Alles voor hen gedaan, van het afstaan van het grootste deel van zijn inkomen tot op het dak klimmen op een bloedhete dag in augustus, terwijl hij midden in een verdomd moeilijk proces zat, om zijn vader te helpen het dak van hun huis te repareren omdat hij geen geld had om het door iemand anders te laten doen. Mike was altijd het lievelingetje geweest, altijd degene die zijn eigen gang ging, zijn eigen, egoïstische gang, dacht Fiske. Mike werd altijd bejubeld als de knappe jongen, de zoon op wie de familie trots kon zijn. In werkelijkheid waren hun ouders nooit zover gegaan met hun denkbeelden over hun zoons; dat wist Fiske. Maar zijn woede had die waarheid geweld aange-

daan, het slechte versterkt en het goede onderdrukt.
'Mikey?' zei ze nieuwsgierig. 'Hoe gaat het met de kinderen?'
'Het gaat prima, ze zijn braaf en ze groeien als kool. Ze lijken precies op jou.' Moeten doen alsof hij zijn broer was en de vader van een paar kinderen, was zoiets ergs voor John dat hij wel jankend over de vloer had willen rollen.
Ze lachte en streelde hem over zijn haar.
Daar haakte hij op in. 'Je ziet er goed uit. Pa zegt dat je knapper bent dan ooit.' Het grootste deel van haar leven was Gladys Fiske een aantrekkelijke vrouw geweest en haar uiterlijk was heel belangrijk voor haar. De uitwerking van de Alzheimer had, in haar geval, het verouderingsproces versneld. Ze zou verschrikkelijk overstuur raken als ze wist hoe ze er nu uitzag, wist Fiske. Hij hoopte dat zijn moeder zichzelf nog steeds zag als een knappe twintigjarige.
Hij stak haar het pakje toe dat hij had meegebracht. Ze greep het met de gulzigheid van een kind en scheurde het papier eraf. Voorzichtig pakte ze de borstel en daarna begon ze er heel zorgvuldig mee door haar haren te strijken.
'Dat is het mooiste wat ik ooit gezien heb.'
Dat zei ze van alles wat hij voor haar meebracht. Tissues, lippenstift, een plaatjesboek. Het mooiste wat ze ooit had gezien. Mike. Elke keer wanneer hij hier kwam, kreeg zijn broer er een paar punten bij. John dwong zich deze gedachten van zich af te zetten en hij bracht een heel gezellig uurtje door met zijn moeder. Hij hield zoveel van haar. Als het mogelijk was zou hij haar willen wegrukken uit die ziekte die haar verstand had verwoest. Nu dat niet ging, wilde hij alles doen om bij haar te kunnen zijn. Al was dat onder de naam van een ander.

John verliet het rusthuis en reed naar de woning van zijn vader. Toen hij de bekende straat in draaide, keek hij om zich heen naar de uiteenvallende grenzen van de eerste achttien jaar van zijn leven: verwaarloosde huizen met afbladderende verf en scheefgezakte veranda's, doorzakkende draadhekjes en smerige voortuinen die tot de smalle, met scheuren doorploegde straten reikten waar aan weerszijden oude, verroeste Fords en Chevrolets geparkeerd stonden. Vijftig jaar geleden was de buurt een kenmerkende gemeenschap geweest, bevolkt door de generatie van vlak na de Tweede Wereldoorlog met het onverwoestbare vertrouwen dat het leven alleen maar beter kon worden. Voor degenen die de brug naar de welvaart niet waren overgestoken, was de zichtbaarste verandering in hun afgebeulde leven een houten oprit voor een rolstoel, die over de stoep aan de voorkant was neergelegd. Bij het zien van een van

die opritten wist John dat hij aan een rolstoel de voorkeur zou hebben gegeven boven de aftakeling van zijn moeders geest.
Hij reed de oprit in van zijn goed onderhouden ouderlijk huis. Hoe meer de buurt om hem heen in verval raakte, des te harder werkte zijn vader om alles netjes te houden. Misschien om het verleden een beetje langer levend te houden. Misschien in de hoop dat zijn vrouw weer zou thuiskomen, twintig jaar oud en met een frisse, gezonde geest.
De oude Buick stond op het pad. De wagen begon een beetje te roesten, maar de motor was in prima staat dankzij de vaardigheid van zijn eigenaar als automonteur. John zag zijn vader in de garage, gekleed in zijn gewone uitrusting: een wit T-shirt en een blauwe werkbroek, gebukt over een stuk gereedschap. Ed Fiske, die nu gepensioneerd was, voelde zich het prettigst met zijn handen vol smeerolie en de ingewanden van een of andere ingewikkelde machinerie lukraak voor zich uitgespreid.
'Er staat koud bier in de koelkast,' zei Ed, zonder op te kijken.
John opende de oude koelkast die zijn vader in de garage had staan, en haalde er een blikje Miller uit. Hij ging op een gammele, oude keukenstoel zitten en keek toe terwijl zijn vader bezig was, precies zoals hij dat als jongen had gedaan. Hij was altijd gefascineerd geweest door de vaardigheid van zijn vaders handen, door de manier waarop de man als vanzelfsprekend wist waar elk onderdeel thuishoorde.
'Ben vandaag bij mam geweest.'
Met een geoefende tongbeweging rolde Ed de sigaret waaraan hij trok naar zijn rechtermondhoek. Zijn gespierde onderarmen spanden en ontspanden zich terwijl hij een bout vaster aandraaide.
'Ik ga morgen. Ik dacht dat ik me maar eens netjes moest aankleden, wat bloemen voor haar meenemen en een doos met eten, dat Ida zal klaarmaken. Er echt iets bijzonders van maken. Alleen zij en ik.'
Ida German was de naaste buurvrouw. Ze woonde langer dan alle anderen in deze buurt en ze was goed gezelschap voor zijn vader geweest, sinds zijn vrouw weg was.
'Dat zal ze fijn vinden.' John nam een slok bier en glimlachte toen hij eraan dacht hoe die twee daar bij elkaar zouden zitten.
Ed was gereed met waar hij mee bezig was. Hij nam er even de tijd voor om zijn handen schoon te maken, waarbij hij benzine en een oude lap gebruikte om het vet eraf te krijgen. Hij pakte eveneens een biertje, waarna hij op een oude gereedschapskist tegenover zijn zoon ging zitten.
'Heb gisteren Mike nog gesproken,' zei hij.
'O ja?' zei John , zonder veel belangstelling.

'Hij doet het goed, bij het Hof. Je weet dat ze hem gevraagd hebben nog een jaar te blijven. Dan moet hij wel goed zijn.'
'Ik weet zeker dat hij de beste is die ze ooit hebben gehad.' John stond op en liep naar de openstaande deur. Diep ademhalend vulde hij zijn longen met de geur van pasgemaaid gras. Toen hij nog een kind was, maaiden zijn broer en hij elke zaterdag het gras, deden nog een paar karweitjes en dan stapte de hele familie in de enorme stationcar voor de wekelijkse trip naar de A&P-supermarkt. Als ze echt hun best hadden gedaan en het gras niet te kort hadden geknipt, kregen ze limonade uit de automaat die tegen de buitenmuur van de A&P hing, naast het krantenrek. Voor de jongens was het vloeibaar goud. John en zijn broer dachten er de hele week aan dat ze die koude limonade zouden krijgen. Toen ze opgroeiden, konden ze heel goed met elkaar opschieten. Ze brachten samen de ochtendeditie van de *Times Despatch* rond, en deden samen aan sport, hoewel John drie jaar ouder was dan zijn broer. Mike was fysiek zo begaafd dat hij als student in het universiteitsteam had gespeeld. De broertjes Fiske. Iedereen kende hen, respecteerde hen. Dat waren gelukkige tijden. Die tijden waren voorbij. Hij draaide zich om en keek zijn vader aan.
Ed schudde zijn hoofd. 'Wist je dat Mike een baan om les te geven aan een van die hogescholen waar ze rechten studeren, Harvard of zoiets, heeft afgewezen om bij het Hof te blijven? Hij heeft een massa aanbiedingen gekregen van grote advocatenkantoren. Hij heeft ze me laten zien. Jezus, ze noemden bedragen die ik nauwelijks kan geloven.'
'Wat goed van hem.'
Ed gaf plotseling een klap op zijn dij. 'Wat mankeert je toch, Johnny? Wat heb je verdomme tegen je broer?'
'Ik heb niets tegen hem.'
'Waarom kunnen jullie dan verdorie niet meer zo met elkaar overweg als vroeger? Ik heb het er met Mike over gehad. Het komt niet van zijn kant.'
'Hoor eens, pa, hij heeft zijn leven en ik het mijne. Ik herinner me dat jij ook niet zo best kon opschieten met oom Ben.'
'Mijn broer was een nietsnut en een dronkelap. Je broer is geen van beide.'
'Een dronken nietsnut zijn is niet de enige ondeugd in de wereld.'
'Verdomme, ik begrijp je gewoonweg niet, jongen.'
'Je bent niet de enige.'
Ed trapte zijn sigaret uit op de betonnen vloer en leunde tegen een van de steunberen van de garagemuur. 'Jaloezie tussen broers is niet goed. Je zou blij moeten zijn om wat hij van zijn leven heeft gemaakt.'

‘O, dus je denkt dat ik jaloers ben?’
‘Ben je dat dan niet?’
John nam nog een slok bier en keek naar het tachtig centimeter hoge hek met gaas dat zijn vaders kleine achtertuin omheinde. Op het moment was het donkergroen geschilderd. Door de jaren heen had het tal van kleuren gehad. John en Mike hadden het elke zomer geschilderd, in een kleur die was overgebleven van de jaarlijkse schilderbeurt van het kantoor bij het transportbedrijf waar Ed werkte. John keek naar de appelboom die zijn takken uitspreidde in een hoek van de tuin. Hij wees ernaar met zijn bierblikje. ‘Je hebt rupsen. Geef eens een snijbrander.’
‘Ik doe het zelf wel.’
‘Pa, je wilt nog niet eens op een stoel staan.’
John trok zijn jasje uit, haalde een ladder uit de garage en nam de snijbrander aan die zijn vader hem gaf. Hij stak die aan, zette de ladder onder het uitpuilende nest en klom omhoog. Het duurde een paar minuten, maar toen loste het nest langzaam op in de hitte van de vlam. Michael kwam weer naar beneden en doofde de snijbrander, terwijl zijn vader de restanten van het nest bijeenharkte.
‘Nu heb je gezien wat mijn probleem is met Mike.’
‘Wat dan?’ Ed keek verbaasd.
‘Wanneer is Mike voor het laatst hier geweest om je te helpen? Of zomaar, om jou op te zoeken, of mam?’
Ed krabbelde aan zijn baardstoppels en voelde in zijn broekzak naar een volgende sigaret. ‘Hij heeft het druk. Hij komt langs wanneer hij kan.’
‘Dat zal wel.’
‘Hij heeft belangrijk werk te doen voor de regering. Daar, waar hij al die rechters helpt. Het is verdomme het hoogste gerechtshof van het land, dat weet je.’
‘Nou pa, als je het weten wilt, ik heb het ook nogal druk.’
‘Dat weet ik, jongen. Maar...’
‘Ja, ik weet het. Dat is anders.’ John slingerde zijn jasje over zijn schouder en veegde het zweet uit zijn ogen. Het zou niet lang duren voor de muggen kwamen. Daardoor dacht hij aan water. Zijn vader had een caravan op een camping bij de Mattaponi-rivier. ‘Ben je de laatste tijd nog naar de caravan geweest?’
Ed schudde zijn hoofd, opgelucht over de verandering van onderwerp. ‘Nee, maar ik ben wel van plan om er gauw weer eens naartoe te gaan. Een beetje vissen, met de boot eropuit voor het te koud wordt.’
John veegde een nieuwe zweetdruppel van zijn voorhoofd. ‘Geef me een seintje, dan kan ik misschien met je mee.’

Ed keek zijn oudste zoon opmerkzaam aan. 'Hoe gaat het met jou?'
'Met mijn werk? Deze week twee gewonnen, twee verloren. Tegenwoordig is dat een aanvaardbaar gemiddelde.'
'Wees voorzichtig, jongen. Ik weet dat je gelooft in wat je doet en zo, maar het is een ruw stelletje dat jij verdedigt. Sommigen van hen herinneren zich je misschien nog uit de tijd toen je nog bij de politie was. Ik lig er 's nachts wel eens van wakker.'
John glimlachte. Hij hield evenveel van zijn vader als van zijn moeder en op de subtiele manier van een man misschien zelfs wel meer. Het idee dat zijn vader nog steeds niet in slaap kon komen vanwege hem, was erg geruststellend. Hij gaf zijn vader een klap op de rug.
'Maak je maar geen zorgen, pa. Ik blijf altijd op mijn hoede.'
'En de rest?'
John raakte in een onbewust gebaar zijn borst aan. 'Dat gaat prima. Verrek, ik kan wel honderd worden.'
'Ik hoop het voor je, jongen,' zei zijn vader vol overtuiging, toen hij zijn zoon zag weggaan.
Ed schudde zijn hoofd toen hij eraan dacht hoe ver zijn jongens uit elkaar gedreven waren en dat hij niet in staat was er iets aan te doen. 'Verdomme,' was alles wat hij kon bedenken om te zeggen, voor hij weer op de gereedschapskist ging zitten om zijn bier op te drinken.

•10•

Vroeg in de ochtend liep Michael Fiske zachtjes neuriënd door de brede gang met het hoge plafond in de richting van de postkamer van de griffiers. Toen hij het vertrek binnenging, keek een griffier op. 'Je hebt een goed moment uitgezocht, Michael, we hebben net een hele lading binnengekregen.'
'Is er nog bajespost bij?' vroeg Michael, duidend op het steeds toenemende aantal petities van gevangenen. De meeste ervan werden ingediend *in forma pauperis*, wat letterlijk in de vorm van een pauper betekent. Er was een apart ontvangstbewijs ontworpen voor deze petities, het waren er zoveel dat één griffier speciaal belast was met het archiveren ervan. De IFP's, zoals ze door het personeel bij het Hof werden

genoemd, waren gewoonlijk brieven waarom men zich vrolijk kon maken vanwege een of andere belachelijke eis, maar zo nu en dan zat er een zaak tussen die de aandacht van het Hof waard was. Michael wist heel goed dat sommige van de belangrijkste uitspraken van het Hof het gevolg waren van IFP-gevallen, vandaar zijn vroege ochtendritueel om naar goud te zoeken in de stapel paperassen.
'Aan de handschriften te zien die ik tot nu toe heb geprobeerd te ontcijferen, lijken het er me heel wat,' antwoordde de griffier.
Michael sleepte een doos naar een hoek. Deze bevatte een bonte verzameling klachten, neergeschreven ellende, een optocht van vermeende onrechtvaardigheid van wisselende inhoud en omschrijving. Maar geen ervan kon eenvoudig ter zijde worden gelegd. Veel post kwam van ter dood veroordeelden; voor hen was het Hooggerechtshof de laatste hoop voor ze op wettige wijze zouden worden uitgeroeid.
De daaropvolgende twee uur spitte Michael de doos door. Hij was er nu heel bedreven in. Het was net zoiets als erwten doppen, zijn brein zocht de lange documenten af met gemak, moeiteloos door het wettelijke jargon prikkend om de belangrijke punten eruit te lichten, die te vergelijken met zowel lopende zaken als precedenten van vijftig jaar geleden, boven water gekomen uit zijn encyclopedische geheugen, ze daarna op te bergen en door te gaan. Na twee uur had hij echter nog niet veel belangwekkends gevonden.
Hij was juist van plan naar zijn kantoor te gaan, toen zijn hand zich om de simpele, kartonnen envelop sloot. Er zat een etiket op met een getypt adres, maar er stond geen afzender op de envelop. Dat was vreemd, dacht Michael. Mensen die de moeite namen om hun zaak voor te leggen aan het Hof, wilden gewoonlijk dat de rechters wisten waar ze te bereiken waren, voor het zeldzame geval dat er antwoord kwam. Er was echter wel de linkerkant van een ontvangstbevestiging van de posterijen aangehecht. Hij sneed de envelop open en haalde er twee vellen papier uit. Een van de taken van de postkamer was ervoor te zorgen dat alle papieren werden opgeborgen volgens de strikte richtlijnen van het Hof. Voor partijen die verklaarden dat ze behoeftig waren, liet het Hof bepaalde administratiekosten vervallen en nam het zelfs een deel van de kosten van de raadsman op zich, hoewel de advocaat geen rekening zou indienen voor zijn of haar tijd. Het werd blijkbaar beschouwd als een eer om als advocaat voor het Hooggerechtshof te staan. Twee van de formulieren die vereist waren om de status van onvermogende te verkrijgen, waren een verzoek om toestemming de petitie in te dienen als 'pauper', en een affidavit, getekend door de gevangenis, waarop hij onder ede verklaarde dat hij geen geld had.

Geen van beide zat in de envelop, merkte Michael snel op. Het zou teruggegeven moeten worden aan de griffier.
Toen Michael begon te lezen wat er wél in de envelop zat, verdwenen alle gedachten aan eventuele fouten bij de archivering. Toen hij klaar was met lezen, zag hij het zweet van zijn handpalmen op het papier lekken. Eerst wilde Michael de pagina's in de envelop terugstoppen en vergeten dat hij ze ooit had gezien. Maar, alsof hij nu zelf getuige was geweest van een misdrijf, voelde hij dat hij iets moest doen.
'O, Michael, ze hebben net voor je gebeld van Murphy's kantoor,' zei de griffier. Toen Michael geen antwoord gaf, zei de griffier nog eens: 'Michael? Rechter Murphy is naar je op zoek.'
Michael knikte, eindelijk in staat zijn gedachten op iets anders te richten dan op de papieren in zijn hand. Toen de griffier weer verderging met zijn werk, stopte Michael de pagina's terug in de bruine envelop. Even aarzelde hij. Zijn hele carrière bij justitie, zijn hele leven kon in de volgende paar seconden worden beslist. Ten slotte, alsof zijn handen onafhankelijk van zijn gedachten werkten, liet hij de envelop in zijn aktetas glijden. Door dat te doen vóór de petitie officieel aan het Hof was voorgelegd, had hij zojuist, samen met nog enkele andere misdrijven, staatseigendom verduisterd.
Toen hij de postkamer uit rende, kwam hij bijna in botsing met Sara Evans.
Eerst lachte ze, maar haar blik veranderde snel toen ze zijn gezicht zag. 'Michael, wat scheelt eraan?'
'Niets. Alles is oké.'
Ze pakte hem bij de arm. 'Je bent niet in orde. Je trilt en je gezicht is zo wit als een doek.'
'Ik denk dat ik iets onder de leden heb.'
'Nou, dan moet je naar huis gaan.'
'Ik haal wel een paar aspirientjes bij de verpleegkundige. Dan komt het wel goed.'
'Weet je het zeker?'
'Sara, ik moet nu echt gaan.' Toen hij wegliep bleef ze hem bezorgd nakijken.
De rest van de dag verliep voor Michael uiterst traag. Herhaaldelijk betrapte hij zich erop dat hij naar zijn aktetas staarde, denkend aan de inhoud. Laat die avond, toen zijn werk bij het Hof er eindelijk op zat, reed hij razendsnel op zijn fiets terug naar zijn flat aan Capitol Hill. Hij sloot de deur achter zich en haalde de envelop weer tevoorschijn. Uit zijn tas pakte hij nog een blocnote en hij nam alles mee naar de kleine tafel in de eethoek.

Een uur later leunde hij achterover en staarde naar de talloze aantekeningen die hij had gemaakt. Hij opende zijn laptop en schreef deze aantekeningen over op zijn harddisk, veranderend, in elkaar schuivend, er nogmaals over nadenkend terwijl hij ermee bezig was. Dat was een gewoonte van jaren. Hij had besloten dit probleem aan te vallen zoals hij dat bij elk ander vraagstuk zou doen. Hij zou de informatie in de petitie zo zorgvuldig mogelijk natrekken. Het belangrijkste was dat hij zou moeten bevestigen dat de namen die in de petitie werden genoemd ook werkelijk van de mensen waren van wie hij dat aannam. Als het allemaal rechtmatig leek, zou hij de petitie terugbrengen naar de postkamer. Als het duidelijk onzin bleek, het werk van een onevenwichtige geest, of een gevangene die in het wilde weg beschuldigingen uitte, was hij van plan het te vernietigen.
Michael keek uit het raam naar de overkant van de straat met de rij dicht opeenstaande huizen die waren verbouwd tot appartementen, net als dat van hem. Jonge discipelen van de regering huisden in de bijenkorf van deze buurt. De helft was nog aan het werk, de rest lag in bed en had nachtmerries over een lijst van onafgemaakte taken van nationaal belang, althans tot om vijf uur de wekker afliep. De duisternis waar Michael in tuurde werd slechts onderbroken door het schijnsel van de straatlantaarn op de hoek. De wind was in kracht toegenomen en de temperatuur was omlaag gegaan, voortekenen van slecht weer. De boiler in het oude gebouw was nog niet aangezet en door het raam heen werd Michael getroffen door een plotselinge kilte. Hij haalde een sweatshirt uit zijn kast, trok het aan en liep terug om opnieuw naar buiten te kijken.
Hij had nog nooit van Rufus Harms gehoord. Volgens de gegevens in de brief was de man gevangengezet toen Michael pas vijf jaar was. De spelling in de brief was afgrijselijk, de letters en woorden waren onhandig gevormd en leken op de eerste, grappige pogingen van een kind om zich de schrijfkunst meester te maken. De getypte brief verklaarde iets over de achtergrond van de zaak en was duidelijk opgesteld door iemand met een veel betere opleiding. Een advocaat misschien, dacht Michael. Er zat een juridisch tintje aan het taalgebruik, hoewel het erop leek dat degene die het had getypt de bedoeling had gehad zijn beroep en zijn persoonlijke identiteit onbekend te laten blijven. De brief van het leger had, volgens de getypte brief, bepaalde informatie gevraagd van Rufus Harms. Rufus ontkende echter dat hij ooit had deelgenomen aan het programma waarvan de gegevens van het leger blijkbaar aangaven dat hij eraan had meegewerkt. Het was een dekmantel geweest, beweerde Harms, voor een misdaad die was uitgedraaid op een ver-

schrikkelijke gerechtelijke dwaling; een juridisch fiasco dat tot gevolg had gehad dat een kwarteeuw van zijn leven was verdwenen.
Omdat hij het plotseling warm kreeg, drukte Michael zijn gezicht tegen het koele glas en haalde diep adem. De damp bevroor op de ruit. Wat hij deed kwam neer op een flagrante inmenging in iemands recht op het zoeken van zijn gelijk bij het Hof. Zijn hele leven had Michael geloofd in het onvervreemdbare recht van de mens om dat te doen, ongeacht hoe arm of hoe rijk hij was. Het was geen briefje dat kon worden herroepen of waardeloos genoemd. Hij troostte zich min of meer met de wetenschap dat het verzoek toch wel zou worden verworpen via een massa technische gebreken.
Maar dit was een ander geval. Zelfs als het niet waar was, kon het verschrikkelijke schade toebrengen aan de reputaties van een paar heel belangrijke mensen. Als het waar was? Hij sloot zijn ogen. Alstublieft, God, laat het niet waar zijn, bad hij.
Hij draaide zijn hoofd om en keek naar de telefoon, zich afvragend of hij zijn broer zou bellen en hem om raad vragen. John begreep bepaalde dingen soms beter dan zijn jongere broer. Misschien zou hij beter weten hoe deze zaak moest worden aangepakt. Michael aarzelde nog een moment, onwillig om toe te geven dat hij hulp nodig had, in het bijzonder uit die problematische, vervreemde bron. Maar het zou ook een manier kunnen zijn om terug te keren in het leven van zijn broer. De fout kwam niet geheel van één kant; Michael Fiske was volwassen genoeg om te begrijpen dat moeilijk was vast te stellen waar nu precies de schuld lag.
Hij nam de hoorn op en draaide het nummer. Hij kreeg een antwoordapparaat en in zekere zin was hij er blij om. Hij sprak een boodschap in, waarbij hij zijn broer om hulp vroeg, echter zonder te zeggen waarom. Daarna hing hij op en ging weer bij het raam staan. Het was misschien beter dat John niet thuis was geweest om het gesprek aan te nemen. Zijn broer had de neiging zaken slechts in strakke zwartwitlijnen te zien, een veelzeggend detail van de manier waarop hij leefde.
Tegen de vroege ochtenduren sukkelde Michael in slaap. Hij kreeg er steeds meer vertrouwen in dat hij deze mogelijke nachtmerrie aankon, waar het ook op zou uitdraaien.

•11•

Drie dagen nadat Michael Fiske de envelop had meegenomen uit de postkamer, belde Rufus Harms opnieuw met het kantoor van Sam Rider, maar hij kreeg te horen dat de advocaat voor zaken de stad uit was. Toen hij naar zijn cel werd teruggebracht, passeerde hij iemand in de gang.

'Een hoop telefoontjes de laatste tijd, Harms. Ben je een postorderbedrijf begonnen of zo?' De bewaarders lachten luid om de woorden van de man. Vic Tremaine was één meter vijfenzeventig, had witblond, heel kort geknipt haar en een verweerd gezicht, en hij had het model van een geschutskoepel. Hij was de ondercommandant van Fort Jackson en hij beschouwde het als zijn persoonlijke missie om zoveel mogelijk ellende in Harms' leven samen te persen. Harms zei niets, maar bleef geduldig staan terwijl Tremaine hem van top tot teen bekeek.

'Wat moest die advocaat van je? Is hij komen aanzetten met een nieuwe verdediging, omdat je dat kleine meisje hebt afgeslacht? Is dat het?' Tremaine ging dichter bij de gevangene staan. 'Zie je haar nog steeds in je slaap? Ik hoop het. Ik hoor je huilen in je cel, weet je dat?' Tremaines toon was openlijk honend, de spieren van zijn armen en schouders verstrakten bij elk woord en de aderen in zijn nek zwollen op, alsof hij hoopte dat Harms zich niet meer zou kunnen beheersen, dat hij iets zou proberen wat het einde zou betekenen van zijn levenslange gevangenschap hier. 'Je jankt verdomme als een baby. Ik wed dat de mama en papa van dat kleine meisje ook hebben gehuild. Ik wed dat ze hun vingers om je keel wilden klemmen, zoals jij het bij hun kind hebt gedaan. Denk je daar wel eens aan?' Harms vertrok geen spier, zijn lippen bleven vast opeengeklemd, zijn ogen keken langs Tremaine heen. Harms had isolement meegemaakt, schimpscheuten, fysieke en geestelijke mishandeling; alles wat iemand een ander maar kon aandoen uit wreedheid, vrees en haat had hij moeten verduren. Tremaines woorden, wat ze ook inhielden en hoe ze werden gebracht, konden niet door de muur breken die hem omringde, die hem in leven hield.

Tremaine voelde het en deed een stap achteruit. 'Uit mijn ogen met hem.' Toen het groepje verderliep, riep Tremaine hun achterna: 'Ga maar weer in je bijbel lezen, Harms. Dichter bij de hemel zul je niet komen.'

John Fiske haastte zich achter de vrouw aan die snel door de hal van het gerechtsgebouw liep.
'Hé, Janet, heb je een minuutje?'
Janet Ryan was een zeer ervaren officier van justitie, die momenteel haar best deed om een van Fiskes cliënten voor lange tijd achter de tralies te krijgen. Ze was ook aantrekkelijk en gescheiden. Glimlachend draaide ze zich naar hem om. 'Voor jou, twee minuten.'
'Over Rodney...'
'Wacht, je moet even mijn geheugen opfrissen. Ik heb een massa Rodneys.'
'Inbraak, elektronicazaak, noordkant van de stad.'
'Vuurwapen bij betrokken, achtervolging door politie, strafblad, nu weet ik het weer.'
'Ja, dat klopt. Geen van beiden willen we die klootzak voor de rechtbank halen.'
'Ik vertaal het zo, John: jouw zaak stinkt en de mijne is overweldigend.'
Fiske schudde zijn hoofd. 'Je kunt misschien een probleem hebben met een deel van het bewijsmateriaal.'
'Misschien is een grappig woord, vind je ook niet?'
'Ook zitten er gaten in die bekentenis.'
'Dat is altijd zo. Maar het feit ligt er nu eenmaal, jouw man is een beroepsmisdadiger. Ik zal een jury bij elkaar krijgen die hem een hele tijd wil opbergen.'
'Waarom zouden we dan het geld van de belastingbetalers verspillen?'
'Wat is je voorstel?'
'Aanklacht wegens inbraak, diefstal, bezit van gestolen goederen. Niet over het vuurwapen praten. Dan komen we op vijf jaar met aftrek van voorarrest.'
Janet begon door te lopen. 'Ik zie je wel voor de rechtbank.'
'Oké, oké, acht jaar, maar dan moet ik eerst met de man praten.'
Ze draaide zich om en ze telde de punten op haar vingers af. 'Hij bekent alles, ook het bezit van een vuurwapen, hij krijgt tien jaar, vergeet de aftrek maar en hij zit de hele straf uit. Daarna nog vijf jaar voorwaardelijk. Als hij ook maar één keer buiten de pot piest gaat hij er weer achter voor nog eens tien jaar, zonder dat er vragen worden gesteld. Als hij moet voorkomen, kijk je tegen twintig jaar aan. En ik wil nu meteen antwoord.'
'Verdomme, Janet, waar is je mededogen gebleven?'

'Dat bewaar ik voor iemand die het verdient. Bovendien is het een heel gunstige deal. Ja of nee?'
Fiske trommelde met zijn vingers op zijn aktetas.
'Eenmaal, andermaal,' zei Ryan.
'Oké, oké, het is een deal.'
'Prettig zaken met je te doen, John. Tussen twee haakjes, waarom bel je me niet eens een keer. Buiten werktijd?'
'Geloof je niet dat dat belangenverstrengeling kan opleveren?'
'Helemaal niet. Voor mijn vrienden ben ik altijd het lastigst.'
Neuriënd liep ze weg, terwijl John hoofdschuddend tegen de muur geleund bleef staan.
Een uur later kwam hij op zijn kantoor terug en gooide zijn aktetas neer. Hij liep naar de telefoon en luisterde de boodschappen af die naar zijn huis waren doorgebeld, luisterend naar de opgenomen stemmen en tegelijkertijd aantekeningen makend voor een ophanden zijnde zitting. Toen hij de stem van zijn broer hoorde, hield hij zelfs niet op met schrijven. Een vinger schoot uit en wiste de boodschap. Het gebeurde zelden, maar het kwam wel vaker voor dat Mike belde. John had hem nooit teruggebeld. Nu dacht hij dat zijn broer het alleen deed om hem in het harnas te jagen. Zodra deze gedachte bij hem was opgekomen, wist hij dat het niet waar was. Hij stond op en liep naar een boekenkast die uitpuilde van rechtbankverslagen en juridische pillen. Hij haalde er de ingelijste foto uit. Het was een oude opname. Hij was in politie-uniform, Mike stond naast hem. Het trotse, kleine broertje dat net volwassen begon te worden en de grote broer met het strenge gezicht, die in zijn leven al heel wat rottigheid had gezien en verwachtte nog veel meer te zien te krijgen, eer hij ermee ophield. De werkelijkheid was dat hij de lelijke kant van het mensdom uit de eerste hand had meegemaakt en dat nog steeds deed, maar nu zonder uniform. Niets anders dan een aktetas, een goedkoop pak en een grote bek. Kogels, geruild voor woorden. Tot het eind van zijn dagen. Hij zette de foto terug en ging weer zitten. Maar hij bleef naar de foto kijken, opeens niet in staat zich te concentreren.

Een paar dagen later klopte Sara Evans aan de deur van Michael Fiskes kantoor, en opende die. Het vertrek was leeg. Michael had een boek van haar geleend en dat had ze nu nodig. Ze keek de kamer rond, maar zag het nergens liggen. Toen zag ze Michaels aktetas in de ruimte onder zijn bureau staan. Ze pakte hem op. Afgaande op het gewicht wist ze dat er iets in zat. De tas was afgesloten, maar ze kende de combinatie omdat ze Michaels tas vroeger een paar maal had geleend. Ze maakte hem open en zag onmiddellijk de papieren. Ze was van plan hem weer dicht te doen, maar toen bedacht ze zich. Ze haalde de papieren eruit en bekeek vervolgens de envelop waarin ze waren binnengekomen. Geadresseerd aan het kantoor van de griffiers. Ze was net begonnen de handgeschreven pagina en de getypte brief te bekijken, toen ze voetstappen hoorde. Ze schoof de papieren terug, deed de tas op slot en liet die weer onder het bureau glijden. Een ogenblik later kwam Michael binnenstappen.

'Sara, wat doe jij hier?'

Sara deed haar best om gewoon te kijken. 'Ik kwam voor dat boek dat ik je vorige week heb geleend.'

'Dat heb ik thuis.'

'Nou, misschien kan ik dan bij je komen eten en het weer meenemen.'

'Ik heb het nogal druk.'

'We hebben het allemaal druk, Michael. Maar je hebt je de laatste tijd nogal op de achtergrond gehouden. Weet je zeker dat je je goed voelt? Bezwijk je niet onder de inspanning?' Sara lachte naar hem om aan te geven dat ze een grapje maakte. Maar Michael zag er echt uit of hij op instorten stond.

'Het gaat goed met me, heus. Ik zal morgen het boek meenemen.'

'Zo belangrijk is het nu ook weer niet.'

'Ik neem het morgen mee,' zei hij een beetje nijdig. Zijn gezicht werd rood, maar hij kalmeerde snel. 'Ik heb echt een hoop werk te doen.' Hij keek naar de deur.

Sara liep erheen, pakte de knop vast en keek om. 'Michael, als je ergens over wilt praten, dan ben ik er voor je.'

'Ja, goed, dank je.' Hij werkte Sara de deur uit, die hij vervolgens achter haar op slot deed. Daarna ging hij naar zijn bureau en haalde er de tas onder vandaan. Hij keek naar de inhoud en vervolgens naar de deur.

Later die avond reed Sara haar auto de met grind bedekte inrit op en stopte voor het kleine landhuis dat op enige afstand van de George Washington Parkway lag, een werkelijk schitterend stuk weg. Het landhuis was het eerste wat ze ooit had bezeten en ze had er veel werk in gestoken om het op te knappen. Een trap daalde af naar de Potomac, waar haar kleine zeilboot lag afgemeerd. Zij en Michael hadden hun weinige vrije tijd doorgebracht met zeilen, dwars over de rivier de kant van Maryland op en vervolgens noordwaarts onder de Memorial Bridge door tot bij Georgetown. Het was een oase van rust voor hen beiden, omgeven als ze waren door een zee van crises in hun werk. De laatste keer dat ze Michael had gevraagd om mee te gaan zeilen, had hij nee gezegd. Eerlijk gezegd had hij al haar voorstellen van de afgelopen week om samen iets te gaan doen, afgewimpeld. Eerst dacht ze dat het kwam doordat ze zijn huwelijksaanzoek had afgeslagen, maar na de ontmoeting op zijn kantoor wist ze dat dát niet de oorzaak was. Ze deed moeite om zich precies te herinneren wat ze in de aktetas had gezien. Het was een dossier, dat wist ze zeker. En ze had een naam in de getypte brief zien staan. Die luidde Harms. Ze kon zich de voornaam niet meer herinneren. Uit het weinige dat ze had kunnen lezen voor Michael binnenkwam, maakte ze op dat Harms blijkbaar een of ander verzoek bij het Hof indiende. Ze wist niet waar het om ging. Er had geen handtekening onder de getypte brief gestaan.

Ze was rechtstreeks naar de postkamer gegaan om te zien of er een zaak met de naam Harms was geregistreerd. Dat was niet het geval. Ze kon bijna niet geloven dat ze het dacht, maar zou Michael een verzoek hebben meegenomen voor het geregistreerd was? Als dat zo was, was het een zeer ernstig misdrijf. Hij kon ervoor worden ontslagen, zelfs de gevangenis in gaan.

Ze ging naar binnen, verkleedde zich in een spijkerbroek en een T-shirt en daarna liep ze weer naar buiten. Het was al donker. Griffiers van het Hooggerechtshof kwamen zelden thuis terwijl het nog licht was, tenzij het bij zonsopgang was en ze slechts thuiskwamen om zich te verkleden, alvorens weer aan het werk te gaan. Ze daalde de trap af naar de steiger en ging op haar boot zitten. Als hij haar nu maar wilde vertrouwen, zou ze hem kunnen helpen. Ondanks zijn bewering dat het niet waar was, hield Michael zich op een afstand. Hij had haar afwijzing niet goed opgenomen. Wie zou dat wel gedaan hebben, vroeg ze zich af.

Abrupt sprong ze overeind en ze holde naar huis terug, waar ze de telefoon pakte en zijn nummer begon te draaien, maar toen bedacht ze zich. Michael Fiske was een koppige man. Als ze hem confronteerde met wat ze gezien had, zou dat de zaak wel eens veel erger kunnen maken. Ze legde de hoorn weer neer. Hij moest naar haar toe komen. Ze liep weer naar buiten en keek naar het water. Er kwam een straalvliegtuig laag over en automatisch zwaaide ze ernaar. De vliegtuigen vlogen zo laag dat een passagier haar bij daglicht inderdaad had kunnen zien zwaaien. Toen ze haar hand liet zakken, voelde ze zich treuriger dan ze ooit was geweest sinds haar vader was overleden en haar volkomen alleen had achtergelaten.

Na dat verlies was ze een nieuw leven begonnen. Naar de westkust gegaan om rechten te studeren, waarin ze uitblonk, daarna griffier geworden bij het *Ninth Circuit of Appeals* en vervolgens een baan aangenomen bij het Hooggerechtshof. Toen ook had ze de boerderij in

Noord-Carolina van de hand gedaan en dit huis gekocht. Ze liep niet weg voor haar vroegere leven of voor de droefheid die haar overmande, telkens wanneer ze erbij stilstond dat haar ouders er niet meer waren om te zien wat ze deed, of gewoon om met haar te praten en haar te omarmen. Tenminste, ze dacht niet dat ze het deed. Ze had er nog geen idee van wat ze zou gaan doen wanneer de dag aanbrak dat ze het Hooggerechtshof zou moeten verlaten. In de juridische arena kon ze overal terecht. Het probleem was dat ze nog steeds niet wist of de wet wel een deel van haar leven moest worden. Drie jaar rechtenstudie, een jaar bij het gerechtshof, nu begonnen aan haar tweede jaar hier, ze naderde het punt dat ze opgebrand raakte.
Ze dacht aan haar vader, die boer was geweest en tevens vrederechter in het stadje. Hij had geen fraaie rechtszaal. Dikwijls deed hij op een verstandige en eerlijke manier zijn uitspraken terwijl hij op zijn tractor in het veld reed, of wanneer hij zich waste voor het eten. Dat betekende de wet voor Sara, dat was wat die voor de meeste mensen betekende, of althans wat ze zou moeten betekenen. Een zoektocht naar de waarheid en vervolgens het uitspreken van een rechtvaardig oordeel nadat die waarheid was gevonden. Geen verborgen plannen, geen woordspelletjes, gewoon gezond verstand toegepast op de feiten. Ze zuchtte. Maar zo eenvoudig was het nooit. Dat wist zij beter dan de meesten.
Ze ging terug naar binnen, waar ze op een stoel ging staan en een pakje sigaretten dat boven op de keukenkast lag, naar zich toe graaide. Ze ging in de schommelstoel op de achterveranda zitten, vanwaar ze uitzicht had over het water. Ze keek naar de heldere hemel en bepaalde de positie van de Grote Beer. Haar vader was een enthousiast sterrenkundige geweest, zij het dan een amateur, en hij had haar veel sterrenbeelden geleerd. Sara zeilde vaak met de sterren als kompas, een ervaring die ze had opgedaan toen ze in Stanford was. Op een heldere nacht kon je de sterren nooit uit het oog verliezen en daardoor kon je nooit echt verdwalen. Dat was troostrijk. Terwijl ze haar sigaret oprookte, hoopte ze dat Michael wist wat hij deed.
Haar gedachten dwaalden af naar een andere Fiske: John. Michaels opmerking over zijn broer was dicht bij de waarheid gekomen, ondanks haar protesten. Op het allereerste moment dat ze John Fiske had gezien, had het geklikt in haar hart, haar hoofd en haar ziel, op een manier die ze niet kon verklaren. Ze geloofde niet dat belangrijke emoties zo intens en zo snel konden worden opgewekt. Dat gebeurde eenvoudig niet. Daarom voelde ze zich zo verward, omdat het in zekere zin precies was wat er met haar was gebeurd. Elke beweging die John Fiske maakte, elk woord dat hij sprak, elke keer dat hij oogcontact met

iemand maakte, of gewoon maar lachte of zijn wenkbrauwen fronste, had ze het gevoel dat ze altijd naar hem kon blijven kijken en er nooit genoeg van krijgen. Ze lachte bijna omdat het zo absurd was. Maar hoe gek kon iets zijn, wanneer je het zo voelde?
Dat was niet het enige moment geweest waarop ze de man had geobserveerd. Zonder dat Michael het wist, had ze navraag gedaan bij een vriend bij de rechtbank in Richmond, die haar op de hoogte had gebracht van de zaken waarin John gedurende een periode van twee weken moest pleiten. Sara had zich erover verbaasd hoe vaak de man voor de rechtbank verscheen. Ze was er in de zomer, toen het wat rustiger was bij het Hooggerechtshof, nog een keer naartoe gegaan, om John Fiske te zien tijdens een zitting. Hoewel hij haar niet kende, had ze een sjaal omgedaan en een bril opgezet, voor het geval ze later aan hem zou worden voorgesteld, of voor het geval hij haar die eerste keer had gezien, toen ze met Michael naar hem was komen kijken.
Ze had toegeluisterd hoe hij met kracht pleitte voor zijn cliënt. Zodra hij was uitgesproken, had de rechter de man levenslang gegeven. Toen de verdachte was weggeleid om aan zijn gevangenisstraf te beginnen, pakte Fiske zijn tas in en verliet hij de rechtszaal. Buiten de zaal was Sara blijven staan kijken terwijl Fiske had geprobeerd het gezin van de man te troosten. De vrouw was mager en ziekelijk, haar gezicht was overdekt met blauwe plekken en striemen.
Fiske zei een paar woorden tegen de vrouw, omarmde haar en wendde zich daarna tot de oudste zoon, een jongen van veertien, die er nu al uitzag als een regelrecht straatschoffie.
'Jij bent nu de heer des huizes, Lucas. Je moet voor de familie zorgen,' zei Fiske.
Sara keek naar de tiener. De woede op zijn gezicht was pijnlijk om aan te zien. Hoe kon iemand die zo jong was zoveel vijandigheid in zich hebben?
'Uh-huh,' zei Lucas, naar de muur kijkend. Hij zag eruit als een lid van een bende, met een sjaal om zijn hoofd, maar hij droeg kleren die iemand die hamburgers omdraaide bij McDonald's zich niet kon veroorloven.
Fiske ging op zijn hurken zitten om naar de andere zoon te kijken. Enis was zes jaar, een lief en meestal heel spraakzaam jongetje.
'Hoi, Enis, hoe gaat het?' vroeg Fiske, zijn hand uitstekend.
Enis nam die achterdochtig aan. 'Waar is mijn papa?'
'Die moet een poosje weg.'
'Waarom?'
'Hij heeft een...' begon Lucas te zeggen, voor Fiske hem met een stren-

ge blik tot zwijgen bracht. Lucas mompelde een vloek, schudde zijn moeders trillende hand van zich af en beende weg.
Fiske keek weer naar Enis. 'Je papa heeft iets gedaan waar hij niet erg trots op is. Nu gaat hij weg omdat hij er straf voor heeft gekregen.'
'Naar de gevangenis?' vroeg Enis. Fiske knikte.
Terwijl Sara deze woordenwisseling gadesloeg, bedacht ze dat vandaag de dag Fiske, en volwassenen in het algemeen, zich waarschijnlijk dwaas en onhandig voelden in een dergelijke situatie, als spelers uit een tv-serie van de jaren vijftig die probeerden om te gaan met een kind uit het tweede millennium. Zelfs op zesjarige leeftijd wist Enis vermoedelijk al heel wat over het systeem van de rechtspraak. Feitelijk wist het jongetje waarschijnlijk veel meer van de 'slechte' dingen van het leven dan veel volwassenen ooit zouden weten.
'Wanneer komt hij er weer uit?' vroeg Enis.
Fiske keek omhoog naar de vrouw en daarna weer naar het kind. 'Dat duurt nog een hele tijd, Enis. Maar je mama blijft bij je.'
'Goed hoor,' zei Enis zonder veel overtuiging. Hij pakte de hand van zijn moeder en ze vertrokken.
Sara zag dat Fiske het tweetal nog even bleef nakijken. Ze kon bijna voelen wat hij dacht. De ene zoon was misschien al voorgoed verpest; de andere liet zijn vader zonder meer achter, als een straathond.
Ten slotte maakte Fiske zijn das los en hij liep weg.
Sara wist niet precies waarom, maar ze besloot hem te volgen. Fiske hield een traag tempo aan zodat ze hem met gemak in het zicht kon houden. Het café waar hij binnenging was niet meer dan een kleine inham in de muur, met donkere vensters. Sara aarzelde en liep vervolgens naar binnen.
Fiske zat aan de bar. Hij had kennelijk al besteld want de barkeeper schoof hem een glas bier toe. Kalm liep ze naar een nis achterin, waar ze ging zitten. Ondanks het sjofele uiterlijk was het café tamelijk vol en het was nog maar net vijf uur. De bezoekers vormden een interessante mengelmoes van arbeiders en kantoormensen uit het centrum. Fiske zat tussen twee bouwvakkers, die hun gele veiligheidshelmen voor zich op de bar hadden gelegd. Fiske trok zijn jasje uit en ging erop zitten. Zijn schouders waren even breed als die van de gespierde man naast hem. Sara zag dat zijn overhemd was losgeraakt en over zijn broek hing. Zijn donkere haar, dat zijn nek bedekte en het wit van zijn hemd raakte, hield haar blik geruime tijd gevangen.
Hij praatte tegen de mannen aan weerszijden van hem. De arbeiders lachten uitbundig om iets wat Fiske had gezegd en Sara merkte dat ze glimlachte, ook al had ze het niet verstaan. Eindelijk kwam de dienster

langs en Sara bestelde gemberbier. Ze bleef naar Fiske aan de bar kijken. Hij maakte geen grapjes meer. Hij staarde zo intens naar de muur dat Sara zichzelf erop betrapte er ook naar te kijken. Ze zag enkel flessen bier en sterke drank, keurig gerangschikt. Fiske zag kennelijk meer. Hij had al een tweede biertje besteld, en toen het hem werd aangereikt, hield hij het flesje aan zijn lippen tot het leeg was. Het viel haar op dat hij grote handen had, met dikke, sterke vingers. Ze zagen er niet uit als de handen van iemand die al zijn tijd doorbracht met potloodgekrabbel of voor een computerscherm zitten.
Fiske gooide wat geld op de bar, pakte zijn jasje en draaide zich om. Even dacht Sara dat zijn ogen op haar bleven rusten. Hij aarzelde een moment en trok daarna zijn jasje aan. Ze zat in een donker hoekje en ze geloofde niet dat hij haar had gezien, maar waarom had hij geaarzeld? Een beetje nerveus wachtte ze nog een minuut of zo, voor ze opstond en eveneens naar buiten ging, een handjevol kleingeld op het tafeltje achterlatend voor haar drankje.
Ze zag hem niet toen ze weer in de zon stond. Zomaar, als in een droom, was hij weg. In een opwelling liep ze het café weer in, om de barkeeper te vragen of hij John kende. Hij schudde zijn hoofd. Ze had nog wel meer vragen willen stellen, maar aan het gezicht van de man was te zien dat hij niet erg mededeelzaam zou zijn.
De bouwvakkers namen Sara met veel belangstelling op en ze besloot weg te gaan voordat het onplezierig zou worden. Ze liep terug naar haar auto en stapte in. Ergens had ze gehoopt dat ze John tegen het lijf zou lopen, maar toch was ze blij dat het niet was gebeurd. Wat had ze trouwens moeten zeggen? Hallo, ik ben een collega van je broer en ik loop achter je aan?
Die avond was Sara teruggereden naar het noorden van Virginia, ze had nog twee glazen bier gedronken en was daarna in slaap gevallen in de schommelstoel op de achterveranda. Dezelfde waarin ze nu haar sigaret rookte en naar de lucht keek. Dat was de laatste keer dat ze John Fiske had gezien, bijna vier maanden geleden.
Ze kon niet verliefd op hem zijn, want ze kende de man niet eens; een bevlieging was veel waarschijnlijker. Wanneer ze John nooit meer zou ontmoeten, zou haar indruk van hem misschien vanzelf verdwijnen.
Ze geloofde echter niet in voorbeschikking. Als er tussen hen iets zou gebeuren, zou het waarschijnlijk aan haar zijn om de eerste stap te zetten. Ze verkeerde echter totaal in het onzekere over wat die eerste stap zou moeten zijn.
Ze drukte haar sigaret uit en staarde naar de lucht. Ze kreeg zin om te zeilen. Ze wilde de wind in haar haren voelen, waterdruppels op haar

huid, het touw dat haar handpalm schuurde. Maar op dit moment wilde ze geen van deze dingen in haar eentje beleven. Ze wilde ze met iemand delen, met een speciaal iemand. Maar gezien het weinige wat Michael haar over John Fiske had verteld en dat wat ze zelf van de man had gezien, betwijfelde ze of het ooit zover zou komen.

Honderdvijftig kilometer zuidelijker keek John Fiske eveneens een moment naar de lucht, toen hij uit zijn auto stapte. De Buick stond niet op de oprit, maar Fiske was toch al niet gekomen om zijn vader op te zoeken. Het was stil in de straat, op een paar tieners na die twee deuren verder bezig waren aan een Chevrolet met een motor die zo groot was dat het leek alsof hij door de motorkap heen stak.
Fiske was de hele dag bezig geweest met een proces. Hij had zijn zaak, met alle gebreken, gebracht zo goed hij kon. De officier van justitie had de staat met volle inzet vertegenwoordigd. Acht uur touwtrekken en John had nauwelijks tijd gehad om naar het toilet te gaan voor de jury terugkwam met zijn oordeel. Schuldig. Het was de derde keer voor zijn cliënt. Het was voorgoed gebeurd met hem. Het ironische was dat John werkelijk geloofde dat hij onschuldig was aan juist deze aanklacht; niet iets wat hij van de meesten van zijn cliënten kon zeggen. Maar de man had zoveel andere dingen uitgehaald, misschien wilde de jury onbewust het evenwicht herstellen. Tot overmaat van ramp zou hij van ouderdom zijn gestorven, wachtend tot hij de rest van zijn honorarium kreeg. Mensen die levenslang kregen, namen zelden de moeite hun rekeningen te betalen, zeker niet die van hun verliezende advocaten.
Fiske liep de achtertuin in, maakte de zijdeur van de garage open, ging naar binnen en haalde een flesje bier uit de koelkast. De vochtige hitte hing er nog als een zwerm horzels en hij hield het koude flesje tegen zijn slaap om de kou er diep in te laten doordringen. Helemaal achter in de tuin stond een groepje kromgegroeide bomen en een al lang dode wijnrank slingerde zich om roestige palen en draad. Fiske liep erheen en leunde tegen een van de olmen. Hij keek naar een verzonken plek in het gras. Daar lag Bo begraven, de Belgische herder waarmee de broertjes Fiske waren opgegroeid. Hun vader was op een dag met de hond thuisgekomen toen Bo niet groter was dan zijn vuist. Binnen een jaar was hij uitgegroeid tot een dertig kilo wegende zwart-witte schoonheid met een brede borst. De jongens waren dol op het dier, Mike in het bijzonder. Bo liep met hen mee wanneer ze 's morgens de kranten gingen rondbrengen, om de beurt met ieder van de jongens. Ze hadden bijna negen jaar intens plezier aan elkaar beleefd, toen Bo plotseling was getroffen door een beroerte, terwijl Mike met hem speelde. John had

van zijn leven nog nooit iemand zo zien huilen. Noch Mikes moeder, noch zijn vader kon hem troosten. Hij had in de achtertuin zitten janken met zijn armen om de donzige vacht, in een poging de hond weer te laten opstaan, zodat hij weer met hem in de zon kon gaan spelen. Die dag had John zijn broer stevig vastgehouden, samen met hem gehuild en de kop gestreeld van hun geliefde herdershond.
Toen Mike de volgende dag naar school was, was John thuisgebleven om met zijn vader de hond hier te begraven. Toen Mike thuiskwam, hadden ze met zijn allen in de achtertuin een begrafenisdienst voor Bo gehouden. Mike had vol overtuiging iets uit de bijbel voorgelezen en de broers hadden een kleine steen, eigenlijk een brok sintel waar Bo's naam met een pen op was gekrast, aan het hoofd van het eenvoudige graf geplaatst. Het stuk sintel was er nog steeds, maar de inkt was allang verbleekt.
Fiske knielde neer en liet zijn hand door het gras glijden, dat op deze schaduwrijke plek zacht en fijn was. Verdomme, ze hadden zoveel van die hond gehouden. Waarom vervaagde het verleden zo snel? Waarom herinnerde je je altijd dat goede momenten maar zo kort duurden? Hij schudde zijn hoofd en toen schrok hij op van de stem.
'Ik herinner me die oude hond nog alsof het gisteren was.'
Hij keek op naar Ida German, die aan de andere kant van het hek naar hem stond te kijken. Een beetje verlegen stond hij op. 'Het is al een hele tijd geleden, mevrouw German.'
De vrouw rook eeuwig naar rundvlees en uien, en haar huis ook, wist Fiske. Ze was nu bijna dertig jaar weduwe en ze bewoog zich langzaam, haar lichaam was gekrompen, het was gedrongen en dik. De lange ochtendjas bedekte geaderde, vlekkerige benen en opgezette enkels. Maar hoewel ze tegen de negentig liep, was haar geest nog steeds helder en klonken haar woorden kernachtig.
'Voor mij is alles lang geleden. Niet voor jou. Nog niet. Hoe is het met je moeder?'
'Ze redt het wel.'
'Ik was van plan om gauw eens naar haar toe te gaan, maar dit ouwe lijf is niet meer wat het was.'
'Ik weet zeker dat ze u graag zou willen zien.'
'Je vader is een poosje geleden uitgegaan. Naar het Amerikaanse Legioen of de Veteranenvereniging, denk ik.'
'Mooi. Ik ben blij te horen dat hij er eens uit gaat. En ik stel het erg op prijs dat u zulk goed gezelschap voor hem bent.'
'Het is niet leuk om alleen te zijn. Ik heb drie van mijn kinderen overleefd. Het zwaarste wat een ouder in zijn leven kan overkomen, is zijn

baby's begraven. Hoe gaat het met Mike? Ik zie hem weinig.'
'Hij heeft het behoorlijk druk.'
'Wie had kunnen denken dat die kleine vlaskop met zijn bolle wangen het zover zou schoppen. Verbazingwekkend, als je het mij vraagt.'
'Hij heeft het verdiend.' Fiske zweeg even. Dat was hem zo maar ontglipt. Maar zijn broer hád het verdiend.
'Jullie allebei, toch?'
'Ik denk dat Mike het er iets beter heeft afgebracht dan ik.'
'Geloof dat maar niet. Je vader schept aldoor over je op. Ik bedoel, hij praat ook over Mike, maar jij komt bij hem op de eerste plaats.'
'Nou, hij en mama hebben ons goed grootgebracht. Alles voor ons opgeofferd. Zoiets vergeet je niet.' Misschien was Mike het vergeten, maar hij zou dat nooit doen, zei Fiske tegen zichzelf.
'Mike had drie goede voorbeelden om na te volgen.' Fiske keek haar vragend aan. 'Die jongen aanbad de grond waarop je liep.'
'Mensen veranderen.'
'Denk je dat?'
Er begonnen een paar regendruppels te vallen. 'U kunt beter naar binnen gaan, mevrouw German, het lijkt erop dat het gaat gieten.'
'Je weet dat je me Ida kunt noemen, als je wilt.'
Fiske glimlachte. 'Sommige dingen veranderen niet, mevrouw German.'
Hij keek haar na tot ze binnen was. De buurt was lang niet meer zo veilig als vroeger. Hij en zijn vader hadden grendels op haar deuren aangebracht, dievenklauwen in de raamkozijnen en een kijkgaatje in haar voordeur. De ouderen vormden een schietschijf, als het op misdaad aankwam.
Nog een keer keek Fiske neer op Bo's graf, met het visioen van zijn broer die zich de ogen uit het hoofd huilde om een dode hond, verankerd in zijn hoofd.

•12•

'Hoe gaat het, mam?' Michael Fiske raakte het gezicht van zijn moeder aan. Het was vroeg in de ochtend en Gladys had geen goede bui. Haar gezicht betrok en ze rukte haar hoofd achteruit. Even keek hij haar aan, er lag een intense droefheid in zijn ogen bij het zien van de openlijke vijandigheid in haar blik.

'Ik heb iets voor je meegebracht.' Hij maakte de tas open die hij bij zich had en haalde er een in cadeaupapier verpakte doos uit. Toen ze geen aanstalten maakte het pakje te openen, deed hij het voor haar. Hij liet haar de blouse zien, in haar lievelingskleur, lavendel. Hij hield hem haar voor, maar ze wilde hem niet aanpakken. Zo ging het elke keer wanneer hij op bezoek kwam. Ze wilde zelden tegen hem praten, ze was altijd in een slechte stemming. En zijn cadeautjes werden nooit geaccepteerd. Herhaaldelijk probeerde hij haar tot een gesprek te bewegen, maar ze weigerde.

Zuchtend leunde hij achterover. Hij had er met zijn vader over gesproken, dat zijn moeder absoluut weigerde iets met hem te maken te hebben. Maar de oude heer was niet bij machte er iets aan te veranderen. Niemand kon regelen tegen wie Gladys aardig was. Dat was de reden waarom Michaels bezoekjes steeds schaarser waren geworden. Hij had geprobeerd er met zijn broer over te praten, maar John had geweigerd het met hem te bespreken. Zijn moeder zou John nooit zo behandelen, wist Michael. Hij was haar gouden kind. Michael Fiske zou tot president van de Verenigde Staten benoemd kunnen worden of de Nobelprijs winnen, maar in haar ogen zou hij toch altijd op de tweede plaats komen, na zijn oudere broer. Hij legde de blouse op tafel, gaf zijn moeder een vluchtige kus en ging weg.

Het was gaan regenen. Michael zette de kraag van zijn regenjas op en stapte in zijn auto. Hij had een heel lange rit voor de boeg. Het bezoek aan zijn moeder was niet de enige reden waarom hij naar het zuiden was gereden. Nu ging hij op weg naar het zuidwesten van Virginia. Naar Fort Jackson. Om Rufus Harms op te zoeken. Even overwoog hij of hij eerst naar zijn broer zou gaan. John had hem niet teruggebeld, dat was niets nieuws. Maar aan de reis die hij op het punt stond te ondernemen, was enig risico verbonden en Michael zou maar wat graag hebben dat zijn broer hem advies gaf, of zelfs met hem meeging. Toen schudde hij zijn hoofd. John Fiske was een drukbezet advocaat en hij had geen tijd om de staat rond te rijden om achter de wilde theorieën van zijn jongere broer aan te jagen. Hij zou het zelf moeten opknappen.

Zoals ze zo vaak deed, was Elizabeth Knight vroeg opgestaan. Ze deed een paar strekoefeningen op de grond en vervolgens liep ze een poosje op de tredmolen in de logeerkamer van het appartement in Watergate, waar ze woonde met haar echtgenoot, senator Jordan Knight. Ze nam een douche, kleedde zich aan, zette koffie en roosterde brood, en ze bekeek een paar stukken van de rechtbank ter voorbereiding van een zitting die de volgende week zou plaatsvinden. Omdat het vrijdag was, zouden de rechters een deel van de dag in vergadering doorbrengen, waarbij ze zouden stemmen over zaken die ze al hadden gehoord. Ramsey leidde de vergadering met strakke hand. Tot haar teleurstelling werd er weinig gedebatteerd tijdens deze bijeenkomsten. Ramsey placht de belangrijkste punten van elke zaak op te sommen, mondeling zijn stem uit te brengen en daarna te wachten tot de andere rechters hetzelfde deden. Als Ramsey de meerderheid kreeg, en dat gebeurde meestal, nam hij de beslissing. Als dat niet het geval was, besliste de oudste rechter uit de groep die de meerderheid vertegenwoordigde. Meestal was dat Murphy; hij en Ramsey stemden zelden of nooit hetzelfde, ideologische tegenpolen als ze waren.

Terwijl Knight haar koffie opdronk, dacht ze na over haar eerste drie jaar bij het Hof. Het was beslist een wervelwind geweest. Vanwege haar sekse werd ze automatisch niet slechts beschouwd als een voorvechter van vrouwenrechten, maar ook van zaken die per traditie door veel vrouwen werden gesteund. Men hield nooit rekening met deze stereotiepe opvatting, hoewel Knight wist dat het een opvallende vorm ervan was. Ze was rechter, geen politicus. Ze moest elke zaak afzonderlijk bekijken, zoals ze dat ook had gedaan bij de gewone rechtbank. En toch moest zelfs zij toegeven dat het Hooggerechtshof anders was. Het effect van de beslissingen die er werden genomen was zo verstrekkend dat de rechters gedwongen werden niet slechts de zaak in kwestie grondig te bestuderen, maar tevens te zien welke uitwerking de beslissing op anderen had. Dat was voor haar een van de moeilijkste dingen geweest om te leren.

Ze keek het luxueuze appartement rond. Zij en haar man hadden een goed leven samen. Ze werden automatisch beschouwd als het echtpaar dat de meeste macht kon uitoefenen in de hoofdstad. In zekere zin was dat ook zo. Ze droeg die last zo goed mogelijk, zelfs terwijl ze streed tegen het isolement waarmee iedere rechter te maken kreeg. Wanneer je bij het Hooggerechtshof terechtkwam, hielden je vrienden op met je te bellen. De mensen behandelden je anders, ze waren op hun hoede, voorzichtig met wat ze tegen je zeiden. Knight was altijd extravert geweest, een echt gezelschapsdier. Nu was dat veel minder geworden. Ze klampte zich vast aan het beroep van haar echtgenoot als een middel om de schok van deze abrupte verandering op te vangen. Soms voelde ze zich als een non met acht monniken als haar metgezellen voor het leven.

Als in antwoord op haar gedachten kwam Jordan Knight, nog in pyjama, achter haar staan en hij knuffelde haar even.

'Je weet dat er geen wet is die zegt dat je elke morgen bij het krieken van de dag moet opstaan. Nasoezen in bed is goed voor de ziel,' zei hij.

Ze kuste zijn hand en draaide zich om, zodat ze hem op haar beurt kon omhelzen.

'Ik dacht anders dat jij ook geen langslaper was, senator.'

'We moeten allebei toch eens serieus proberen dat wel te zijn, vind ik. Wie weet waar het toe kan leiden? Ik heb horen zeggen dat seks het beste middel is tegen veroudering.'

Jordan Knight was lang en zwaargebouwd, zijn grijze haar werd dun en zijn gebruinde gezicht was doorploegd met rimpels. Volgens de onrechtvaardige manier waarop de wereld de uiterlijke verschijning van mannen en vrouwen bekeek, werd hij als knap beschouwd, zelfs met zijn rimpels en extra pondjes. Hij sloeg een goed figuur op de pagina's van de *Post* en de plaatselijke bladen, en in landelijke tv-shows waar zelfs de meest ervaren politieke experts dikwijls onder de indruk raakten van zijn geestigheid, ervaring en intelligentie.

'Je houdt er interessante ideeën op na.'

Hij schonk zich een kop koffie in terwijl ze haar papieren doornam.

'Is Ramsey nog steeds bezig je over te halen een goed lid van zijn ploeg te worden?'

'O, hij drukt op alle goede knopjes en zegt alle juiste dingen. Ik ben echter bang dat een paar dingen die ik recentelijk heb gezegd, bij hem niet zo goed zijn gevallen.'

'Je moet je eigen gang gaan, Beth, zoals altijd. Jij bent slimmer dan dat hele stel bij elkaar. Verdorie, jíj zou voorzitter moeten zijn.'

Ze legde een arm om zijn brede schouders. 'En jij misschien president?'

Hij haalde zijn schouders op. 'Ik denk dat lid zijn van de Senaat voldoende uitdaging voor me is. Wie weet, misschien is dit wel de laatste ronde voor ondergetekende.'

Ze nam haar arm weg. 'Daar hebben we het nog niet echt over gehad.'
'Ik weet het. We hebben het allebei druk. Er wordt te veel beslag gelegd op onze tijd. Wanneer het wat rustiger wordt, zullen we erover praten. Ik geloof dat dat nodig is.'
'Je klinkt serieus.'
'Een mens kan niet voor eeuwig blijven meelopen in de tredmolen, Beth.'
Ze liet een bezorgd lachje horen. 'Ik ben bang dat ik er mijn leven lang aan vastzit.'
'Dat is het goede aan de politiek. Je kunt altijd besluiten niet meer aan een volgende termijn te beginnen. Of je kunt je zetel verliezen.'
'Ik dacht dat je nog veel meer tot stand wilde brengen?'
'Dat gebeurt niet. Te veel obstakels. Te veel spelletjes. Om je de waarheid te zeggen word ik er een beetje moe van.'
Beth Knight wilde iets zeggen, maar bedacht zich. Zij was stevig verwikkeld in het 'spel' van het Hooggerechtshof.
Jordan Knight nam zijn koffiekopje op en kuste zijn vrouw op de wang. 'Ga ertegenaan, mevrouw de rechter.'
Toen de senator wegliep, wreef ze over haar wang op de plek waar hij haar had gekust. Ze probeerde verder te gaan met het bestuderen van haar papieren, maar ze merkte dat het niet ging. Doodstil bleef ze zitten, haar gedachten vlogen plotseling allerlei verschillende kanten uit.

John Fiske hield de foto van zichzelf en zijn broer vast. Hij had er bijna twintig minuten mee in zijn handen gezeten, hoewel hij er niet al die tijd naar had gekeken. Ten slotte zette hij hem weer op de boekenkast, waarna hij de telefoon pakte en het nummer van zijn broer draaide. Er werd niet opgenomen en Fiske nam niet de moeite een boodschap in te spreken. Vervolgens belde hij naar het Hooggerechtshof, maar hij kreeg te horen dat Michael er nog niet was. Een half uur later belde hij nog eens. Iemand anders vertelde hem dat Michael de hele dag niet aanwezig zou zijn. Dat zou je nu altijd zien, dacht hij bij zichzelf; nu hij eindelijk moed had gevat zijn broer te bellen, kon hij hem niet te pakken krijgen. Was dat het, moed? Hij ging aan zijn bureau zitten en probeerde te werken, maar zijn ogen bleven afdwalen naar de foto.
Eindelijk pakte hij zijn aktetas, blij dat hij naar de rechtbank moest, dankbaar dat hij kon ontsnappen aan een paar zeurende gevoelens.
Gedurende de ochtend had hij twee zittingen vlak achter elkaar. Een won hij overtuigend, bij de andere werd hij in mootjes gehakt door de rechter, die elke gelegenheid om zijn juridische argumenten belachelijk te maken scheen aan te grijpen, terwijl de landsadvocaat er beleefd bij

stond en probeerde om niet te glimlachen. Je moest je professionele façade ophouden, omdat het de volgende keer jouw beurt kon zijn om door de mangel te worden gehaald. Iedereen hier begreep dat. Althans de doorzetters.
Daarna moest hij naar de stadsgevangenis van Richmond en vervolgens naar de districtsgevangenis in Henrico om met cliënten te spreken. Met een van hen besprak hij de strategie voor het ophanden zijnde proces van de man. De gevangene bood aan om te liegen in de getuigenbank. Sorry, dat kun je niet doen, zei Fiske tegen hem. Het gesprek met de volgende cliënt ging over het altijd weer opdoemende schuld bekennen in ruil voor strafvermindering. Maanden, jaren, tientallen jaren. Hoe lang? Poging om op borgtocht te worden vrijgelaten? Uitgesteld vonnis? Help me uit de narigheid, man. Ik heb een vrouw en kinderen. Ik heb mijn werk. Oké, goed dan. Wat betekenen daarmee vergeleken een moord en een beetje rotzooi nu helemaal?
Met de laatste cliënt namen de zaken een totaal andere wending. 'We staan er niet best voor, Leon. Ik denk dat je moet bekennen,' adviseerde Fiske.
'Niks ervan. We laten het voorkomen.'
'Ze hebben twee ooggetuigen.'
'O ja?'
Leon werd ervan beschuldigd een kind te hebben doodgeschoten. Er was een vechtpartij geweest tussen twee bendes skinheads, en het meisje had in de weg gelopen; tegenwoordig een vrij veel voorkomende tragedie. 'Nou, die kunnen me geen last bezorgen als ze niet getuigen, nietwaar?'
'Waarom zouden ze niet getuigen?' zei Fiske effen. Hij had dit al vaker meegemaakt. Hoe dikwijls was het, toen hij nog bij de politie was, niet gebeurd dat een zaak hem door de vingers glipte omdat de getuigen opeens waren vergeten wat ze eerder zo duidelijk hadden gezien en zich hadden herinnerd.
Leon haalde zijn schouders op. 'Je weet wel, er gebeurt wel eens wat. Mensen die zich niet aan hun afspraken houden.'
'De politie heeft hun verklaringen opgenomen.'
Leon keek hem strak aan. 'Goed, dan zullen er lui tegen me getuigen. Dan kun jij ze in het getuigenbankje laten verschijnen, klopt dat?'
'Je kent de wet heel goed,' zei Fiske droog. Hij haalde diep adem. Hij werd zo moe van die spelletjes waarbij getuigen werden geïntimideerd. 'Vooruit, Leon, zeg op. Ik ben je advocaat, het is allemaal vertrouwelijk. Waarom zouden ze niet tegen je getuigen?'
Leon grijnsde. 'Dat hoef jij niet te weten.'

'Ja, dat moet ik wel. Ik heb geen behoefte aan verrassingen. Je weet nooit wat een officier van justitie zal proberen. Geloof me nu maar, ik heb het vaker zien gebeuren. Als zich iets voordoet waarop ik niet ben voorbereid, dan hang je.'
Nu keek Leon een tikje bezorgd. Daar had hij kennelijk niet aan gedacht. 'Vertrouwelijk, hè? Dat heb je zelf gezegd.'
'Dat klopt.' Fiske boog zich naar hem toe. 'Tussen jou, mij en God.'
Leon lachte. 'God? Shit, dat is een goeie.' Hij leunde naar voren en begon zachtjes te spreken. 'Ik heb een stelletje vrienden. Die gaan deze getuigen een bezoekje brengen. Om ervoor te zorgen dat ze de weg naar de rechtbank niet meer weten. Het is allemaal geregeld.'
Fiske liet zich achteroverzakken. 'Verdomme, nu heb je het gedaan.'
'Wat heb ik gedaan?'
'Je hebt me het enige verteld waarmee ik naar de rechter moet stappen.'
'Waar het je het in jezusnaam over?'
'Juridisch, en ethisch, kan ik geen informatie doorgeven die ik van een cliënt heb gekregen.'
'Wat is het probleem dan? Ik ben je cliënt en ik heb je verdomme net die informatie gegeven.'
'Ja, maar je moet weten dat er één belangrijke uitzondering op die regel bestaat. Je hebt me net verteld over een misdaad die je hebt beraamd voor de toekomst. Dat is het enige waarmee ik naar de rechtbank moet. Ik kan je die misdaad niet laten plegen. Ik moet je de raad geven het niet te doen. Dat doe ik bij deze. Als je het al had gedaan, was er niets aan de hand. Wat dacht je wel, om me zoiets te vertellen?' Fiske keek afkeurend.
'Ik wist niet dat dat in de wet stond. Shit, ik ben verdomme geen advocaat.'
'Kom nou, Leon, je kent de wet beter dan de meeste juristen. Maar nu heb je je eigen zaak verpest. Nu moeten we wel bekennen.'
'Wat bedoel je, verdomme?'
'Als we voor de rechtbank staan en de getuigen komen niet opdagen, zal ik de rechter moeten vertellen wat je tegen me hebt gezegd. Als de getuigen wel verschijnen, ga je voor de bijl.'
'Nou, dan zeg je toch gewoon niks.'
'Geen sprake van, Leon. Als ik het niet zeg, en het komt uit, dan raak ik mijn vergunning kwijt. Ik mag je graag, maar geen enkele cliënt is me dat waard. Zonder mijn vergunning kan ik niet werken. En jij bent degene die het heeft verknald man, ik niet.'
'Ik geloof die flauwekul niet. Ik dacht dat je alles aan je advocaat kon vertellen.'

'Ik zal zien wat ik kan doen aan die bekentenis. Je draait voor een tijdje de gevangenis in, Leon, daar kunnen we niet omheen.' Fiske stond op en gaf de gevangene een klap op zijn rug. 'Maak je maar niet ongerust, ik zal er het beste voor je uit slepen wat ik kan.'
Toen Fiske de bezoekerskamer uit liep glimlachte hij. Dat was voor het eerst, die dag.

•13•

Onder het rijden tuurde Michael Fiske nerveus voor zich uit. De weg was slecht onderhouden en de ruitenwissers hadden er moeite mee de neerstromende regen te verwerken. Tot nu toe was hij flink opgeschoten, omdat hij voortdurend over de snelweg had gereden. Toen hij eenmaal van de Interstate 81 af was, was dat abrupt veranderd. Op weg naar het westen passeerde hij plaatsen met namen als Pulaski, Bland en zelfs een oord dat Hungry Mothers State Park heette, wat voor zijn geestesoog een verontrustend beeld had opgeroepen van opeengepakte massa's vrouwen en kinderen die langs de paden door het park om voedsel bedelden. Windvlagen in de buurt van Big A Mountain rukten aan de auto. Hoewel hij in Virginia was geboren en opgegroeid, was Michael nooit westelijk van Roanoke geweest en zelfs daar had hij zich slechts gewaagd om zijn examen rechten te doen.
Hij wierp een blik op de aktetas die op de stoel naast hem lag, waarbij hij diep ademhaalde. Hij had veel geleerd sinds hij Rufus Harms' verzoek om hulp had gelezen.
Harms had een jong meisje vermoord, dat op bezoek was in de militaire basis waar hij gelegerd was tegen het eind van de oorlog in Vietnam. Destijds had hij in het militaire strafkamp gezeten, maar daaruit was hij op de een of andere manier ontsnapt. Er was geen motief, het leek een lukrake gewelddadige actie die was uitgevoerd door een krankzinnige. Deze feiten stonden onomstotelijk vast. Als griffier bij het Hooggerechtshof had Michael veel informatiebronnen waartoe hij zich kon wenden en die had hij allemaal gebruikt om de achtergrondfeiten te verzamelen. Het leger wilde echter niet toegeven dat een programma, zoals beschreven in Harms' verzoekschrift, zelfs maar bestond. Michael

gaf een klap op het stuur. Hadden Harms of zijn advocaat die brief van het leger nu maar bijgesloten, voor het dossier.
Ten slotte was Michael tot de overtuiging gekomen dat hij het verhaal moest horen bij de bron: Rufus Harms. Hij had geprobeerd het langs andere wegen dan directe confrontatie voor elkaar te krijgen. Via de posterijen had hij Samuel Rider opgespoord, maar hij had geen antwoord gekregen op zijn telefoontjes. Was hij de schrijver van de getypte brief? Dat leek Michael zeer goed mogelijk. Hij had naar de gevangenis gebeld om te proberen via de telefoon met Harms te spreken, maar zijn verzoek was afgewezen. Dat had zijn achterdocht nog versterkt. Als een man onschuldig in de gevangenis zat, was het Michaels taak, zijn plícht, verbeterde hij zichzelf, om ervoor te zorgen dat die man vrijkwam.
Er was nog een laatste reden voor deze tocht. Sommige namen die in het verzoekschrift werden genoemd, de mensen die vermoedelijk waren betrokken bij de dood van het meisje, waren namen die Michael heel goed kende. Als bleek dat Harms de waarheid sprak... Michael huiverde terwijl het ene nachtmerrieachtige scenario na het andere door zijn hoofd spookte.
Op de stoel naast hem lagen een wegenatlas en een briefje met aanwijzingen die hij zelf had opgeschreven en die de juiste weg naar de gevangenis aangaven. Om vanochtend bij Fort Jackson aan te komen, had hij kilometers lang gereden over achterafweggetjes en vermolmde houten bruggen, zwart geworden van het weer en uitlaatgassen, door steden die niet groot genoeg waren om die naam waard te zijn, en langs haveloze woontrailers die weggestopt stonden in nauwe rotsspleten langs de uitlopers van de Appalachen. Hij was ingehaald door modderige pickups met miniatuurvlaggetjes van de Confederatie aan hun antennes wapperend, en buksen en jachtgeweren in rekken voor het achterraam. Naarmate hij dichter bij de gevangenis kwam, werden de strakke, verweerde gezichten van de paar mensen die hij zag steeds zwijgzamer; hun ogen waren vervuld van een voortdurende, onherroepelijke achterdocht.
Michael kwam uit een bocht en de gevangenis doemde voor hem op. De stenen muren waren dik, hoog en lang, als van een middeleeuws kasteel dat naar dit ellendige, arme stuk rotsgrond was verplaatst. Even vroeg hij zich af of de stenen waren uitgehakt door de gevangenen, om hun eigen graftombes in elkaar te zetten.
Hij kreeg zijn bezoekerskaart, reed de hoofdingang binnen en werd vervolgens naar het parkeerterrein voor bezoekers verwezen. Bij de ingang meldde hij het doel van zijn bezoek aan een bewaarder.
'U staat niet op de bezoekerslijst,' zei de jonge bewaarder. Minachtend

bekeek hij Michaels donkerblauwe pak en diens intelligente gelaatstrekken. *Een rijke, eigenwijze, knappe stadsjongen*, kon Michael in de ogen van de man lezen.
'Ik heb verscheidene malen gebeld, maar kon nooit iemand bereiken die me de procedure kon uitleggen om op die lijst geplaatst te worden.'
'Dat hangt van de gevangene af. In het algemeen kunt u hem opzoeken, wanneer hij wil dat u komt. Als hij het niet wil, bezoekt u hem niet. Dat is het enige waar deze jongens iets over te vertellen hebben.' De bewaarder grijnsde.
'Als u hem zegt dat er een advocaat is die hem wil spreken, weet ik zeker dat hij me op zijn bezoekerslijst zal zetten.'
'Bent u zijn advocaat?'
'Ik ben op het moment bezig met een verzoekschrift van hem,' zei Michael ontwijkend.
De bewaarder keek in zijn register. 'Rufus Harms,' zei hij, duidelijk verbaasd. 'Die zat hier al voordat ik geboren werd. Wat voor verzoekschrift zou een man als hij na al die tijd nog kunnen indienen?'
'Ik heb niet de vrijheid daarover mededelingen te doen,' zei Michael. 'Mijn werk valt onder de relatie advocaat-cliënt en het is strikt vertrouwelijk.'
'Dat weet ik. Dacht u soms dat ik achterlijk ben?'
'Helemaal niet.'
'Als ik u binnenlaat en later blijkt dat ik dat niet had mogen doen, dan kan ik er een hoop gedonder mee krijgen.'
'Nou, ik dacht dat u het misschien zou willen navragen bij uw superieur. Op die manier is het niet uw beslissing en dan krijgt u ook geen problemen.'
De bewaarder pakte de telefoon. 'Dat was ik al van plan,' zei hij uiterst onvriendelijk.
Hij sprak een paar minuten in de telefoon en vervolgens hing hij op.
'Er komt iemand hierheen.' Michael knikte. 'Waar komt u vandaan?' vroeg de bewaarder.
'Uit Washington, D.C.'
'Wat verdient zo iemand als u eigenlijk?' Het was duidelijk dat, welk bedrag Michael ook noemde, het altijd te hoog zou zijn.
Hij haalde diep adem terwijl hij nadacht over de benadering van de man in uniform. 'Lang niet genoeg.'
De jonge bewaarder sprong snel in de houding en salueerde voor zijn meerdere. Deze officier wendde zich tot de advocaat. 'Wilt u met me meekomen, meneer Fiske?' De man was in de vijftig, met de schrale bouw, een kalme maar serieuze opstelling en heel kort geknipt grijs

haar, die hem bestempelden tot beroepsmilitair.
Michael volgde de afgemeten stappen van de man de gang door, naar een klein kantoor. De volgende vijf minuten legde Michael geduldig uit wat hij kwam doen, zonder echt relevante informatie prijs te geven. Hij was niet voor niets advocaat.
'Als u tegen meneer Harms zegt dat ik hier ben, zal hij me willen spreken.'
De man liet een pen tussen zijn vingers ronddraaien, zijn ogen strak op de jonge advocaat gericht. 'Dit is nogal verwarrend. Nog niet zo lang geleden heeft Rufus Harms al bezoek gehad van zijn advocaat. En dat was u niet.'
'O ja? Heette hij Samuel Rider?' De officier gaf geen antwoord, maar de kortstondige verrassing die hij toonde, maakte dat Michael inwendig moest glimlachen. Zijn ingeving was juist gebleken. Harms' voormalige militaire raadsman had de getypte brief ingesloten. 'Iemand kan meer dan één advocaat hebben, meneer.'
'Niet zo iemand als Rufus Harms. De laatste vijfentwintig jaar heeft hij er helemaal geen gehad. O, zijn broer bezoekt hem vrij regelmatig, maar al die belangstelling voor deze man verbaast ons. Ik neem aan dat u dat kunt begrijpen.'
Michael glimlachte vriendelijk, maar zijn volgende woorden kwamen er resoluut uit. 'Ik hoop dat ú kunt begrijpen dat een gevangene het recht heeft om met een advocaat te spreken.'
De officier bleef hem enkele ogenblikken aankijken. Daarna nam hij de telefoon en zei er iets in. Nadat hij het gesprek had beëindigd, bleef hij Michael aankijken zonder iets te zeggen. Er gingen vijf minuten voorbij voor de telefoon begon te rinkelen. Toen de man neerlegde, knikte hij tegen Michael en zei kortaf: 'Hij wil met u spreken.'

•14•

Toen Rufus Harms in de deuropening van de bezoekersruimte verscheen, wierp hij een verraste blik op de jongeman. Hij schuifelde naar voren. Michael stond op om hem te begroeten maar hij werd meteen afgeblaft door de bewaarder achter Harms.

'Ga zitten.'
Michael deed onmiddellijk wat hem gezegd werd.
De bewaarder bleef nauwlettend toekijken tot Rufus op een stoel tegenover Michael had plaatsgenomen en daarna wendde hij zich tot de advocaat. 'U hebt vooraf instructies gekregen wat betreft de gedragsregels tijdens het bezoek. Voor het geval u er een van bent vergeten, ze zijn daar duidelijk zichtbaar opgehangen.' Hij wees naar een groot bord aan de muur. 'Op geen enkel moment is lichamelijk contact toegestaan. En u dient voortdurend te blijven zitten. Begrijpt u?'
'Ja. Moet u in de kamer blijven? Er bestaat nog zoiets als geheimhouding over wat er tussen cliënt en advocaat wordt besproken. Overigens, moet hij zo vastgeketend blijven?' vroeg Michael.
'Dat zou u niet vragen als u gezien had wat hij een paar van de jongens hier heeft aangedaan. Zelfs wanneer hij geboeid is kan hij uw magere nek binnen twee seconden omdraaien.' De bewaarder ging dichter bij Michael staan. 'Misschien krijgt u in andere gevangenissen wat meer privacy, maar dit is geen gewone gevangenis. We krijgen hier alleen de grootsten en de slechtsten en we hebben onze eigen regels om mee te werken. Dit is een onaangekondigd bezoek, dus u krijgt twintig minuten voor de grote boze wolf hier weer aan het werk moet. Toiletten schoonmaken. En er zijn vandaag een paar heel smerige bij.'
'Dan zou ik het op prijs stellen wanneer u ons liet beginnen,' zei Michael.
De bewaarder zei verder niets en nam zijn positie in, tegen de deur.
Toen Michael naar Rufus keek, zag hij dat de grote man hem strak aanstaarde.
'Goedemorgen, meneer Harms. Ik ben Michael Fiske.'
'Die naam zegt me niets.'
'Dat weet ik, maar ik ben gekomen om u een paar vragen te stellen.'
'Ze zeiden dat u mijn advocaat was. U bent mijn advocaat niet.'
'Dat heb ik ook niet gezegd. Dat hebben ze aangenomen. Ik werk niet samen met meneer Rider.'
Rufus kneep zijn ogen tot spleetjes. 'Hoe weet u van Samuel af?'
'Dat doet echt niet terzake. Ik ben hier om u iets te vragen, omdat ik uw verzoek tot *certiorari* heb ontvangen.'
'Mijn wat?'
'Uw verzoekschrift.' Michael liet zijn stem dalen. 'Ik werk bij het Hooggerechtshof van de Verenigde Staten.'
Rufus' mond viel open. 'Wat doet u hier dan, verdomme?'
Nerveus schraapte Michael zijn keel. 'Ik weet dat dit niet helemaal is zoals het hoort, maar ik heb uw verzoek gelezen en wilde u er een paar

dingen over vragen. Er staat een aantal ernstige beschuldigingen in tegen een paar heel vooraanstaande personen.' Toen hij in Rufus' verwonderde ogen keek, kreeg Michael er plotseling spijt van dat hij was gekomen. 'Ik ben de achtergrond van uw zaak nagegaan en bepaalde dingen begrijp ik niet. Ik wilde u daarover een paar vragen stellen en als het allemaal klopt, kunnen we met uw verzoek aan de gang.'
'Waarom zijn ze er nog niet mee bezig? Het is toch bij het Hooggerechtshof aangekomen?'
'Ja, maar er waren een paar technische onvolkomenheden waardoor het niet kon worden verwerkt. Ik kan proberen u daarbij te helpen. Wat ik echter wil vermijden is een schandaal. U moet begrijpen, meneer Harms, dat het Hof jaarlijks zakken vol verzoekschriften van gevangenen krijgt die geen enkele kans maken.'
Rufus' ogen versmalden zich opnieuw. 'Wilt u daarmee beweren dat ik lieg? Bedoelt u dat? Waarom gaat u niet vijfentwintig jaar hier zitten voor iets wat uw schuld niet was en komt u dan nog eens hier om me dat te vertellen.'
'Ik zeg niet dat u liegt. Integendeel, ik denk dat er iets in zit. Gelooft u me, anders was ik niet hiernaartoe gekomen.' Hij keek de sombere kamer rond. Nog nooit was hij op een dergelijke plek geweest, nog nooit had hij tegenover een man als Rufus gezeten. Hij voelde zich plotseling als een eersteklasser die uit de bus stapt en beseft dat hij nu op de middelbare school zit. 'Gelooft u me,' zei hij nogmaals. 'Ik moet gewoon met u praten.'
'Hebt u iets van een legitimatie bij u waarin staat dat u bent wie u zegt te zijn? De afgelopen dertig jaar heb ik niemand vertrouwd.'
Griffiers bij het Hooggerechtshof kregen geen naamplaatjes. De leden van de bewakingsdienst aan het Hof moesten leren hen op het oog te herkennen. Het Hof gaf echter een officiële lijst uit met de namen van de griffiers en hun foto's. Dat was een van de manieren om de veiligheidsmensen te helpen hun gezichten te onthouden. Michael haalde de lijst uit zijn zak en liet die aan Rufus zien. Deze bekeek hem nauwkeurig, keek naar de bewaarder en vervolgens weer naar Michael. 'Hebt u een radio in uw tas?'
'Een radio?' Michael schudde ontkennend zijn hoofd.
Rufus liet zijn stem nog meer dalen. 'Begin dan te neuriën.'
'Wat?' vroeg Michael verbijsterd. 'Dat kan ik niet. Ik bedoel, ik ben niet bepaald muzikaal.'
Ongeduldig schudde Rufus zijn hoofd. 'Hebt u dan misschien een pen?'
Michael knikte zonder iets te zeggen.

'Haal die dan tevoorschijn en begin ermee op de tafel te tikken. Waarschijnlijk hebben ze nu alles al gehoord wat ze wilden horen, maar we zullen een paar verrassingen voor ze overlaten.'
Toen Michael iets wilde zeggen, voorkwam Rufus dit. 'Niets zeggen, alleen tikken. En luisteren.'
Michael begon met zijn pen op de tafel te tikken. De bewaarder keek zijn kant op, maar zei niets.
Rufus sprak zo zacht dat Michael moeite had hem te verstaan. 'U had hier helemaal niet moeten komen. U weet niet hoeveel risico ik genomen heb om dat papier hiervandaan te krijgen. Als u het leest, zult u weten waarom. De lui hier zouden er geen bliksem om geven een ouwe zwarte gevangene die een klein blank meisje heeft gewurgd, te vermoorden. Neem dat maar van mij aan.'
Michael hield op met tikken. 'Dat is allemaal al een hele tijd geleden. Intussen is er veel veranderd.'
Rufus bromde iets. 'O ja? Waarom klop je niet aan bij de doodkist van Medgar Evers, of van Martin Luther King om hun dat te vertellen? Er zijn dingen veranderd, ja meneer, alles komt nu goed. Geloofd zij de Heer.'
'Dat bedoelde ik niet.'
'Als de mensen over wie ik het heb in die brief zwart waren, en ik blank, en ik zou hier niet zitten, zou u dan hier zijn om mijn verhaal na te trekken?'
Michael sloeg zijn ogen neer. Toen hij weer opkeek, vertoonde zijn gezicht een treurige uitdrukking. 'Misschien niet.'
'Om de bliksem niet! Begin te tikken en hou niet op.'
Michael deed het. 'U kunt me geloven of niet, ik wil u helpen. Als de dingen die u in uw brief beschrijft, gebeurd zijn, dan wil ik ervoor zorgen dat er gerechtigheid geschiedt.'
'Waarom zou u zich verdomme iets aantrekken van een man als ik?'
'Misschien omdat ik me iets aantrek van de waarheid,' zei Michael eenvoudig. 'Als u de waarheid spreekt, geloof me, dan zal ik alles doen wat in mijn macht ligt om u hieruit te halen.'
'Dat is gemakkelijk gezegd, nietwaar?'
'Meneer Harms, ik gebruik graag mijn verstand en mijn vaardigheden om mensen te helpen die minder geluk hebben gehad dan ik. Ik zie dat als mijn plicht.'
'Nou, dat is heel aardig van je, jongen, maar je moet me niet over mijn bol aaien. Dan zou ik je hand er wel eens af kunnen bijten.'
Michael knipperde verward met zijn ogen. Toen drong het tot hem door. 'Het spijt me, ik wilde niet neerbuigend overkomen. Hoor eens,

als u onterecht in de gevangenis zit, dan wil ik u helpen uw vrijheid terug te krijgen. Dat is alles.'
Een minuut lang zei Rufus niets, alsof hij probeerde de oprechtheid van de woorden van de advocaat te peilen. Toen hij ten slotte weer naar voren leunde, stond zijn gezicht zachter, maar hij bleef op zijn hoede.
'Het is niet veilig hier over die dingen te praten.'
'Waar kunnen we anders praten?'
'Ik zou het niet weten. Mensen als ik gaan niet op vakantie. Maar alles wat ik gezegd heb, is waar.'
'U had het over een br...'
'Kop dicht!' zei Rufus. Hij keek om zich heen, waarbij zijn ogen even op de grote spiegel bleven rusten. 'Was die niet bij de papieren die u hebt ontvangen?'
'Nee.'
'Goed, u weet wie mijn advocaat is. U hebt zijn naam straks genoemd.'
Michael knikte. 'Samuel Rider. Ik heb geprobeerd hem te bereiken, maar hij heeft me niet teruggebeld.'
'Harder tikken.'
Michael versnelde het tempo. Rufus keek weer om zich heen en daarna begon hij te praten. 'Ik zal hem zeggen dat hij met u moet praten. Wat u moet weten, zal hij u vertellen.'
'Meneer Harms, waarom hebt u uw verzoek ingediend bij het Hooggerechtshof?'
'Er is toch geen hogere instelling, of wel?'
'Nee.'
'Dat dacht ik al. We krijgen hier kranten. Af en toe tv, radio. Door de jaren heen heb ik naar die lui gekeken. Als je hier zit, denk je veel na over rechtbanken en al die dingen meer. Gezichten veranderen, maar die rechters kunnen alles doen. Alles wat ze willen. Ik heb het gezien. Het hele land heeft het gezien.'
'Uit zuiver juridisch oogpunt bezien zijn er echter andere wegen in de lagere gerechtshoven die u moet bewandelen voor uw beroep daar kan worden gehoord. U hebt bijvoorbeeld niet eens een uitspraak van een lager Hof waartegen u in beroep kunt gaan. Alles bij elkaar genomen kleven er veel gebreken aan uw beroep.'
Rufus schudde vermoeid zijn hoofd. 'Ik zit hier nu mijn halve leven. Zoveel tijd heb ik niet meer over. Ik ben nooit getrouwd geweest, ik zal nooit kinderen hebben. Het laatste wat ik nu wil is me druk maken over advocaten en gerechtshoven en al die dingen meer. Ik wil hier uit, en ik wil hier zo snel mogelijk uit. Ik wil vrij zijn. Die hoge rechters, die kunnen me hieruit halen als ze erin geloven om te doen wat juist is. En het

is juist. U moet teruggaan om hun dat te vertellen. Ze noemen zichzelf rechters, nou, dát is gerechtigheid.'
Michael keek hem vragend aan. 'Weet u zeker dat er geen andere reden is waarom u uw verzoek hebt ingediend bij het Hooggerechtshof?'
Niet-begrijpend keek Rufus hem aan. 'Wat, bijvoorbeeld?'
Michael liet een zucht ontsnappen die hij ongemerkt had ingehouden. Het was zeker mogelijk dat Rufus niet wist welke posities sommige mannen die hij in zijn brief had genoemd, nu bekleedden. 'Laat maar.'
Rufus leunde achterover en hij staarde Michael aan. 'Wat denken die rechters van dit alles? Ze hebben u toch hiernaartoe gestuurd, of niet?'
Michael hield op met tikken en zei nerveus: 'Eigenlijk weten ze niet dat ik hier ben.'
'Wat?'
'Ik heb uw verzoek nog aan niemand laten zien, meneer Harms. Ik... ik wilde me er eerst van overtuigen, ziet u, dat het allemaal klopte.'
'U bent dus de enige die het heeft gezien?'
'Tot nu toe wel, maar zoals ik al zei...'
Rufus keek naar Michaels aktetas. 'U hebt mijn brief toch niet bij u?'
Michael volgde zijn blik naar de tas. 'Nou, ik wilde u er een paar vragen over stellen. Ziet u...'
'God helpe ons,' zei Rufus zo fel dat de bewaarder aanstalten maakte naar hem uit te halen.
'Hebben ze in uw tas gekeken toen u binnenkwam? Want twee van de mannen over wie ik heb geschreven bevinden zich in deze gevangenis. Een van hen heeft verdomme het commando over de hele tent.'
'Zijn ze hier?' Michael verbleekte. Hij had bevestigd gekregen dat de mannen die in het verzoekschrift werden genoemd, in de jaren zeventig in militaire dienst waren. Van twee van hen wist hij wat ze tegenwoordig deden, maar hij had geen moeite gedaan de anderen te lokaliseren. Doodstil bleef hij zitten, zich plotseling realiserend dat hij zojuist een mogelijk fatale fout had begaan.
'Hebben ze die verdomde tas in handen gehad?'
Michael stamelde: 'Een paar minuten. Maar ik heb de documenten in een verzegelde envelop gedaan en het zegel is nog intact.'
'Je hebt ons allebei vermoord!' schreeuwde Rufus. Hij vloog op als een hete geiser, waarbij hij de zware tafel ondersteboven gooide alsof die gemaakt was van balsahout. Michael sprong opzij en gleed op de grond. De bewaarder blies op zijn fluitje en nam Rufus van achteren in de houdgreep. Michael zag dat de reusachtige gevangene, geboeid en wel, de negentig kilo zware bewaarder van zich af schudde als een lastige vlieg. Een zestal andere bewaarders stroomde het vertrek binnen en

stortte zich op de man; er werd driftig met gummiknuppels gezwaaid. Rufus bleef hen vijf minuten lang van zich af werpen als een eland die zich tegenover een troep wolven geplaatst ziet, voordat hij eindelijk neerging. Ze sleepten hem de kamer uit, waarbij hij eerst schreeuwde maar toen moest kokhalzen omdat er een gummiknuppel op zijn keel werd gedrukt. Vlak voor Rufus werd afgevoerd keek hij nog één keer om naar Michael, zijn ogen vol afgrijzen, alsof hij zich verraden voelde.

Na een uitputtende strijd die de hele weg door de gang had voortgeduurd, slaagden de bewaarders erin Rufus op een brancard vast te binden.

'Breng hem naar de ziekenafdeling,' schreeuwde iemand. 'Ik geloof dat hij stuipen heeft.'

Zelfs in de ketenen en de dikke leren riemen zag Rufus nog kans om wilde, draaiende bewegingen te maken zodat de brancard heen en weer schokte. Hij bleef schreeuwen tot iemand hem een prop in zijn mond duwde.

'Schiet op, verdomme,' zei dezelfde man.

De groep rende door de dubbele deuren naar de ziekenafdeling.

'Goeie god!' De dienstdoende arts wees naar een lege ruimte. 'Hierheen, man.'

Ze draaiden de brancard en schoven die op de lege plek. Toen de dokter dichterbij kwam, raakte een van Rufus' schoppende voeten hem bijna in zijn buik.

'Haal dat uit zijn mond,' zei de dokter, wijzend naar de zakdoek die in Rufus' mond gepropt zat. Het gezicht van de gevangene werd donkerpaars.

De bewaarder keek hem waarschuwend aan. 'Wees maar voorzichtig, dok, hij is gek geworden. Als hij u kan bereiken zal hij u aanvallen. Hij heeft al drie van mijn mannen neergeslagen. Stapelgek,' voegde de bewaarder eraan toe, dreigend naar Rufus kijkend. Zodra de prop uit zijn mond was gehaald vulden Rufus kreten de zaal.

'Leg hem aan een monitor,' zei de dokter tegen een van de aanwezige verpleegkundigen. Seconden nadat ze erin waren geslaagd om de sensoren op Harms lichaam te bevestigen, keek de dokter nauwlettend naar het onregelmatige rijzen en dalen van Harms' bloeddruk en hartslag. Hij keek naar een van de verpleegkundigen. 'Haal een infuus.' Tegen een andere zuster zei hij: 'Een ampul lidocaine, stat, voor hij een hartstilstand krijgt of een beroerte.'

Er stond nu een massa mensen om de brancard, zowel bewaarders als medisch personeel.

'Kunt u uw mensen niet wegsturen?' riep de dokter in het oor van een van de bewaarders.
De man schudde zijn hoofd. 'Hij is zo sterk dat hij die riemen misschien kan verbreken en als hij dat doet en wij zijn er niet bij, dan zou hij binnen een minuut iedereen in deze zaal kunnen vermoorden. Geloof maar dat hij ertoe in staat is.'
De dokter bekeek het infuus, dat naast de brancard was gezet. De andere verpleegkundige kwam toegesneld met de ampul lidocaine. De dokter knikte naar de bewaarders. 'We zullen jullie hulp nodig hebben om hem in bedwang te houden. We hebben een goede ader nodig om hem een injectie te geven, en zo te zien krijgen we daarvoor maar één keer een kans.'
De mannen bleven om Rufus heen staan en hielden hem vast. Zelfs met inzet van al hun gecombineerde gewicht was het maar nauwelijks te doen.
Rufus keek hen aan, zo razend, zo doodsbang dat hij nauwelijks zijn verstand bij elkaar kon houden. Net als die nacht toen Ruth Ann Mosley was gestorven. Ze knipten de mouw van zijn overhemd open, zodat zijn pezige onderarm bloot kwam, de aderen waren sterk en lagen er dik bovenop. Hij sloot zijn ogen en toen hij ze weer opendeed, zag hij de glanzende naald zijn kant uit komen. Weer deed hij zijn ogen dicht. Toen hij ze opnieuw opende, was hij niet langer in de ziekenafdeling van Fort Jackson. Hij was in het militaire strafkamp, een kwarteeuw geleden. De deur vloog open en een groep mannen kwam binnen alsof het gebouw van hen was, alsof hij van hen was. Er was er slechts één bij die hij niet van gezicht kende. Hij had verwacht de knuppels weer tevoorschijn te zien komen, de felle slagen op zijn ribben, zijn billen en onderarmen te voelen. Het was een ochtend- en avondritueel geweest. Terwijl hij zwijgend de slagen in ontvangst nam, zei hij in gedachten een gebed uit de bijbel op, zijn geest zorgde ervoor dat hij de lichamelijke kwellingen kon verdragen.
In plaats daarvan werd er echter een pistool tegen zijn hoofd gezet. Er werd hem gezegd dat hij op de grond moest knielen en zijn ogen moest sluiten. Toen was het gebeurd. Hij herinnerde zich de verbazing, de schok die hij had gevoeld toen hij opkeek naar het grijnzende, triomfantelijke groepje. Het lachen verging hun echter toen Rufus een minuut later overeind kwam, de mannen van zich af gooide alsof ze gewichtloos waren, zijn celdeur uit stormde, de dienstdoende bewaarder ondersteboven liep en als een wildeman het strafkamp uit rende.
Rufus knipperde met zijn ogen. Hij was nu weer terug in de ziekenafdeling, kijkend naar de gezichten van degenen die zich over hem heen

bogen. Hij zag de naald dichter bij zijn arm komen. Als enige keek hij opzij. Toen zag hij de tweede naald die door het zakje van het infuus prikte, zodat de vloeistof uit de injectiespuit in de lidocaine-oplossing terechtkwam.
Vic Tremaine had zijn taak kalm en efficiënt verricht, alsof hij bloemen water gaf in plaats van een moord te begaan. Hij keek zelfs niet naar zijn slachtoffer. Rufus rukte zijn hoofd naar achteren en zag de naald die de dokter vasthield. Die was juist op het punt zijn huid te doorboren, om het gif dat Tremaine had gekozen om hem mee te doden, wat het dan ook mocht zijn, in zijn lichaam te spuiten. Ze hadden hem al de helft van zijn leven afgenomen. Hij was niet van plan om hen de rest te laten nemen. Nog niet.
Rufus berekende het moment zo goed mogelijk.
'Shit!' gilde de dokter, toen Rufus zich losrukte van de riem, de hand van de dokter greep en die naar zich toe trok. De infuusstandaard viel om; het zakje met de vloeistof kwam op de grond terecht en barstte open. Een woedende Tremaine nam de gelegenheid te baat uit de ziekenafdeling te verdwijnen. Rufus voelde plotseling een beklemming op zijn borst en zijn ademhaling ging moeizaam. Toen de dokter weer overeind gekrabbeld was, keek hij naar Rufus. De gevangene lag zo stil dat de dokter op de monitor moest kijken om zeker te weten dat hij nog leefde. Terwijl hij naar de grafieken keek die tot een gevaarlijk laag niveau waren gedaald, zei hij: 'Niemand kan zoveel spanning verdragen. Hij is waarschijnlijk in een shock geraakt.' Hij wendde zich tot een verpleegkundige. 'Laat een Medi-vac-helikopter komen.' Daarna keek hij naar de hoofdbewaarder. 'We zijn er hier niet op ingericht om een dergelijke situatie aan te kunnen. We zullen hem stabiliseren en hem dan per helikopter overbrengen naar het ziekenhuis in Roanoke. Maar we moeten voortmaken. Ik neem aan dat u een bewaarder met hem meestuurt.'
De bewaarder wreef over zijn gekneusde kaak en keek naar de roerloze Rufus. 'Ik zou een heel peloton meesturen als het in die verdomde heli paste.'

•15•

Geëscorteerd door een gewapende bewaarder liep Michael Fiske wankelend de gang in. Aan het eind van de gang stond de officier in uniform die hem eerder die ochtend had ondervraagd. Michael zag dat hij twee vellen papier vasthield.
'Meneer Fiske, ik heb me bij onze eerste ontmoeting niet aan u voorgesteld. Mijn naam is kolonel Frank Rayfield, ik ben hier de commandant.'
Michael bevochtigde zijn lippen. Frank Rayfield was een van de mannen die Rufus in zijn verzoekschrift had genoemd. Destijds had de naam Michael niets gezegd. In deze gevangenis betekende het dat hij zou moeten sterven. Wie had kunnen denken dat ze juist hier zouden opduiken? Maar nu hij erover nadacht, was dit een perfecte plaats voor hen om Rufus Harms goed in het oog te houden.
Terwijl hij zijn blik weer op Rayfield richtte, vroeg Michael zich af waar ze zijn lichaam zouden dumpen. Plotseling merkte hij dat hij, zoals hij dat als kind had gedaan, wenste dat zijn grote broer hem te hulp zou komen. Hij bleef versuft kijken toen Rayfield hem de papieren overhandigde en de bewaarder beduidde dat hij kon vertrekken. Toen Michael de documenten had aangepakt, begon Rayfield zich te verontschuldigen.
'Ik ben bang dat mijn mensen een tikje overijverig zijn geweest. Gewoonlijk maken we geen fotokopieën van documenten in een verzegelde envelop.' Feitelijk was het zo dat Rayfield zelf de envelop had geopend. Niemand anders had de inhoud gezien.
Michael keek neer op de papieren in zijn hand. 'Ik begrijp het niet, de envelop was nog steeds verzegeld.'
'Het is een heel gewone envelop. Ze hebben gewoon een nieuwe genomen en die verzegeld.'
Inwendig verwenste Michael zichzelf omdat hij zoiets vanzelfsprekends over het hoofd had gezien.
Rayfield begon te lachen.
'Wat is er zo grappig?' vroeg Michael.
'Dit is de vijfde keer dat Rufus Harms mijn naam heeft genoemd in een of andere onzinnige aanklacht, meneer Fiske. Neem me niet kwalijk,

maar wat kan ik anders doen dan erom lachen?'
'Pardon?'
'Hij is echter nooit zover gegaan als tot het Hooggerechtshof van de Verenigde Staten. Daar bent u toch van?'
'Daar hoef ik niet op te antwoorden.'
'Oké. Maar als het zo is, dan is uw aanwezigheid hier een beetje ongewoon.'
'Dat is mijn zaak.'
'En het is míjn zaak om deze gevangenis op strakke, militaire manier te leiden,' snauwde Rayfield terug. Daarna werd zijn stem vriendelijker. 'Ik kan het u echter niet kwalijk nemen. Harms is een slimme jongen. Het lijkt erop dat hij deze keer zijn voormalige militaire advocaat heeft gestrikt om hem te helpen. Sam Rider had beter moeten weten.'
'U zegt dat Rufus Harms er een gewoonte van maakt om ongegronde beschuldigingen in te dienen?'
'Dacht u dat dat ongewoon is bij gevangenen? Ze zoeken gewoon iets om de tijd te doden. Hoe dan ook, vorig jaar beschuldigde hij de president van de Verenigde Staten, de minister van Defensie en ondergetekende van samenzwering om hem een moord in de schoenen te schuiven, waarvan minstens zes mensen getuige waren.'
'Werkelijk?' Michael keek sceptisch.
'Ja, werkelijk. Uiteindelijk werd de aanklacht ingetrokken, maar het kostte een paar duizend dollar overheidsgeld aan landsadvocaten om het voor elkaar te krijgen. Ik weet dat iedereen naar de rechter kan stappen, meneer Fiske. Maar een ongegronde aanklacht is een ongegronde aanklacht en, eerlijk gezegd, heb ik er m'n buik van vol.'
'Hij zei anders in zijn verzoekschrift...'
'Ja, ik heb het gelezen. Twee jaar geleden verklaarde hij dat hij tijdens de oorlog was blootgesteld aan gifgas, Agent Orange, en dat dát had gemaakt dat hij het deed. Zal ik u eens wat zeggen? Rufus Harms is nooit blootgesteld aan Agent Orange, omdat hij nooit gevochten heeft. Het grootste deel van zijn tweejarige loopbaan in het leger heeft hij in het strafkamp doorgebracht, onder andere wegens insubordinatie. Dat is geen geheim, u kunt het zo nagaan als u dat wilt. Als u het al niet hebt gedaan.' Hij keek naar Michael, die zijn ogen neergeslagen hield. 'Nou, neem die papiertjes mee, ga terug naar Washington en stop ze in de gerechtelijke molen. Het zal worden ingetrokken, zoals al die andere. Het zal verdomd gênant zijn voor een paar onschuldige mensen, maar zo gaat het in Amerika. Ik denk dat ik daarom voor dit land heb gevochten: om al die vrijheden veilig te stellen. Zelfs wanneer er misbruik van wordt gemaakt.'

'U laat me dus gaan?'
'U bent hier geen gevangene. Ik heb een massa echte gevangenen waar ik me druk om moet maken, met inbegrip van de man die zojuist drie van mijn bewaarders in elkaar heeft geslagen. U zult een paar vragen moeten beantwoorden; een van mijn mannen komt zo dadelijk hier om u die te stellen. Het heeft betrekking op wat er in de spreekkamer is gebeurd. Dat hebben we nodig voor ons rapport van het incident.'
'Het betekent dus dat het officieel wordt vastgelegd. Mijn aanwezigheid hier, alles.'
'Dat klopt. Het was uw keuze hier te komen, niet de mijne. U zult de consequenties moeten dragen.'
'Dat weet ik. Maar ik had hier niet op gerekend.'
'Tja, het leven zit vol kleine verrassingen.'
'Hoor eens, moet u hier werkelijk rapport van opmaken?'
'Uw aanwezigheid hier is toch al officieel vastgelegd, meneer Fiske, ongeacht wat er in de spreekkamer is gebeurd. U staat in het bezoekersregister en er is u een nummer toegekend.'
'Ik geloof dat ik dit niet helemaal overdacht heb.'
'Ik neem aan van niet. U hebt zeker weinig ervaring met militaire aangelegenheden?' Terwijl Michael voor hem bleef staan en zich ellendig voelde, dacht Rayfield een ogenblik na. 'Hoor eens, we moeten rapport opmaken, maar onder deze omstandigheden hoef ik het niet officieel in het dossier te zetten. Misschien kan uw aanwezigheid hier in de gevangenis ook onvermeld blijven.'
Michael slaakte een zucht van verlichting. 'Kunt u dat doen?'
'Misschien. U bent advocaat. Wat dacht u van een *quid pro quo?*'
'U bedoelt?'
'Ik gooi het verslag weg en u gooit dat verzoekschrift weg.' Hij zweeg even om de jongeman aan te kijken. 'Dat zou de regering een nieuwe advocatenrekening besparen. Ik bedoel, God heeft iedereen het recht gegeven genoegdoening te zoeken bij de rechtbank, maar dit wordt een beetje te dol.'
Michael wendde zijn blik af. 'Ik moet erover nadenken. Het had trouwens nogal wat technische onvolkomenheden. Misschien hebt u gelijk.'
'Ik heb gelijk. Ik ben er niet op uit uw carrière in de vernieling te helpen. We vergeten gewoon dat dit ooit gebeurd is. En hopelijk zal ik niets over deze zaak in de kranten lezen. Als dat gebeurt, dan moet uw bezoek aan deze gevangenis misschien ook naar buiten komen. Als u me nu wilt verontschuldigen.' Rayfield draaide zich plotseling om en liep weg, een zichtbaar verontruste Michael Fiske achterlatend.

Rayfield ging rechtstreeks naar zijn kantoor. Rufus' verdenkingen waren gegrond geweest; onder de tafel in de bezoekerskamer was een afluistermechanisme geplaatst, zo gemaakt dat het onzichtbaar was in de vlam van het hout. Rayfield luisterde nog een keer naar het gesprek tussen Michael en Rufus. Een deel ervan was onverstaanbaar door het tikken van Michaels pen. De radio had het hele gesprek tussen Rider en Rufus gestoord. Rufus was niet gek. Maar Rayfield had genoeg gehoord en gelezen om te weten dat ze hier waarschijnlijk te maken hadden met een groot probleem. En zijn gesprek met Michael had het dilemma niet opgelost, althans niet blijvend. Hij nam de telefoon en voerde een gesprek. In beknopte zinnen gaf Rayfield de feiten door aan degene die aan de andere kant luisterde.
'Grote hemel, ik kan het niet geloven.'
'Ik weet het.'
'Is dat vandaag allemaal gebeurd?'
'Nou, ik had je al verteld dat Rider hier is geweest, maar inderdaad, al deze gebeurtenissen hebben vandaag plaatsgevonden.'
'Waarom heb je hem verdomme binnengelaten om Harms te spreken?'
'Als ik dat niet had gedaan, denk je dan niet dat hij nog veel achterdochtiger zou zijn geworden? Wat moest ik doen, toen ik had gelezen wat Harms in zijn verdomde brief aan het Hof had geschreven?'
'Je had je van die klootzak moeten ontdoen voor er zoiets kon gebeuren. Je hebt er vijfentwintig jaar de tijd voor gehad, Frank.'
'Dat was het plan vijfentwintig jaar geleden ook al, dat hij dood moest,' blafte Rayfield terug. 'En kijk nu eens wat er is gebeurd. Tremaine en ik hebben ons halve leven doorgebracht met op die vent te letten.'
'Jullie tweeën doen het nu niet bepaald voor niets. Hoeveel bedraagt jouw aardige appeltje voor de dorst tot nu toe? Een miljoen? Je pensioen kan heel leuk worden. Maar dat gebeurt niet als dit uitlekt, voor geen van ons.'
'Niet dat ik niet heb geprobeerd de vent om zeep te helpen. Verdomme, Tremaine probeerde het vandaag nog, in de ziekenboeg, maar het lijkt godbetert wel of die kerel een zesde zintuig heeft. Rufus Harms is zo gemeen als een slang wanneer hij met zijn rug tegen de muur staat. De bewaarders willen niet tot het uiterste gaan en dan hebben we nog mensen die over onze schouder meekijken, onaangekondigde inspecties, de verdomde ACLU. Die schoft wil gewoon niet dood. Waarom kom je het zelf niet een keer proberen?'
'Goed, goed, het heeft geen zin dat we hier ruzie over maken. Weet je zeker dat we allemaal worden genoemd in de brief? Hoe kan dat? Hij wist niet eens wie ik was.'

Rayfield aarzelde geen moment. De man met wie hij sprak, werd níet in Rufus' brief genoemd, maar hij was niet van plan hem dat te vertellen. Iedereen zat in hetzelfde schuitje. 'Hoe moet ik dat nu weten? Hij heeft vijfentwintig jaar de tijd gehad om erover na te denken.'
'Hoe heeft hij die brief naar buiten gesmokkeld?'
'Daar breek ik me nog steeds het hoofd over. De bewaarder heeft hem bekeken. Het was zijn testament, zei hij.'
'Toch heeft hij het op de een of andere manier naar buiten gebracht.'
'Sam Rider is erbij betrokken. Dat staat vast. Hij had een radio meegenomen en het geluid daarvan stoorde de microfoon die we hadden geïnstalleerd, zodat ik niet kon horen wat ze met elkaar bespraken. Dat had me moeten waarschuwen dat er iets werd bekokstoofd.'
'Ik heb die vent nooit vertrouwd. Als hij geen ontoerekeningsvatbaarheid had bepleit, was Harms allang dood geweest, met de welwillende toestemming van het leger.'
'De tweede brief die we in Fiskes tas vonden, was op een schrijfmachine getypt. Er stonden geen initialen onderaan, je weet wel, zoals wanneer hij door een privé-secretaresse is getikt, dus Rider heeft het waarschijnlijk zelf gedaan. Het waren trouwens alle twee originelen.'
'Verdomme, waarom nu? Na al die tijd?'
'Harms kreeg een brief van het leger. Daar verwees hij naar in zijn verzoekschrift. Misschien heeft dat zijn geheugen opgefrist. Ik kan je wel zeggen dat hij zich tot nu toe niet kon herinneren wat er is gebeurd, tenzij hij het de laatste vijfentwintig jaar voor zich heeft gehouden.'
'Waarom zou hij dat doen? En waarom zou het leger hem in godsnaam een brief sturen, na al die tijd?'
'Ik weet het niet,' zei Rayfield nerveus. Hij wist het wel. Dat stond in Rufus' verzoekschrift. Maar die troefkaart hield hij nog even voor zichzelf.
'Die geheimzinnige brief van het leger heb je natuurlijk niet?'
'Nee. Ik bedoel, nog niet.'
'Die moet in zijn cel zijn, hoewel ik me niet kan voorstellen hoe die erdoorheen geglipt is.' De stem klonk opnieuw beschuldigend.
'Soms denk ik dat de man een goochelaar is,' zei Rayfield.
'Heeft hij nog meer bezoekers gehad?'
'Alleen zijn broer, Josh Harms. Die komt zo ongeveer eens per maand.'
'Hoe is het nu met Rufus?'
'Het ziet ernaar uit dat hij er bijna geweest is. Een beroerte, of een hartaanval. Zelfs als hij het haalt, zal hij nooit meer de oude worden.'
'Waar is hij?'
'Op weg naar het ziekenhuis in Roanoke.'

'Waarom heb je hem verdomme laten gaan?'
'Op bevel van de dokter. Die is verplicht het leven van de man te redden, gevangene of niet. Als ik ertegen in zou zijn gegaan, denk je dan niet dat het verdacht had geleken?'
'Nou, blijf erbovenop zitten en bid dat zijn hart het begeeft. Als dat niet gebeurt, zorg er dan voor.'
'Kom nou, wie zou hem geloven?'
'Dat kon je nog wel eens verbazen. En die Michael Fiske? Is hij de enige die er verder van af weet? Behalve Rider?'
'Dat klopt. Tenminste, dat denk ik. Hij kwam hier om Harms' verhaal na te trekken. Had het tegen niemand gezegd, tenminste, dat zei hij tegen Harms. Daar hebben we geluk mee gehad,' zei Rayfield. 'Ik heb een heel verhaal opgehangen, dat Harms een van die gevangenen was die constant naar de rechter willen stappen. Ik denk dat hij erin getrapt is. We hebben grip op hem omdat hij er grote problemen mee kan krijgen dat hij hier is geweest. Ik geloof niet dat hij het verzoekschrift zal doorsturen.'
De stem aan het andere eind ging een paar decibels omhoog. 'Ben je gek geworden? Fiske zal geen keus meer gelaten worden in deze zaak.'
'Godallemachtig, hij is griffier bij het Hooggerechtshof. Dat heb ik hem tegen Harms horen zeggen.'
'Dat weet ik. Dat weet ik verdomme ook wel. Maar ik zal je precies vertellen wat je gaat doen. Jij gaat je ontdoen van Fiske en Rider. En je doet het pronto.'
Rayfield verbleekte. 'Wil je dat ik een griffier van het Hooggerechtshof vermoord, en een advocaat? Toe nou, ze hebben hier geen enkel bewijs voor. Ze kunnen ons niets maken.'
'Dat weet je niet. Je weet niet wat er in de brief van het leger stond. Je weet niet welke nieuwe informatie Fiske of Rider intussen hebben losgekregen. En Rider is al dertig jaar advocaat. Hij zou niets hebben doorgestuurd waarvan hij dacht dat het onterecht was. Niet naar het Hooggerechtshof. En misschien weet je het niet, maar griffiers van dat Hof zijn nu niet bepaald achterlijk. Fiske is niet helemaal daarheen gereden omdat hij dacht dat Harms gestoord was. Uit wat jij me verteld hebt, blijkt dat er heel precies in die brieven stond wat er in het strafkamp is gebeurd.'
'Dat is zo,' moest Rayfield toegeven.
'Zie je nu wel. Maar dat is niet het grootste probleem in deze hele zaak. Let wel, Harms is géén gevangene die aldoor naar de rechter wil. Hij heeft nog nooit een verzoekschrift ingediend bij een rechtbank. Als Fiske je verhaal natrekt, zal hij erachter komen dat je hebt gelogen. En

wanneer dat gebeurt, en ik moet geloven dat het zal gebeuren, dan komt alles in de openbaarheid.'
'Ik had ook niet veel tijd om een plan te bedenken,' zei Rayfield driftig.
'Dat zeg ik ook niet. Maar door tegen hem te liegen is hij wel een risicofactor geworden. En dan hebben we nog een probleem.'
'Dat is?'
'Alles wat Harms in zijn verzoekschrift verklaart, is toevallig waar. Ben je dat vergeten? De waarheid is een raar ding. Je begint hier en daar te zoeken en plotseling begint de hele muur van leugens in te storten. En waar denk je dat die belandt? Wil je echt dat risico lopen? Want wanneer die muur valt, is de enige plek waar jij je pensioen zult doorbrengen, in Fort Jackson. Maar dan wel aan de andere kant van de celdeur. Hoe klinkt dat, Frank?'
Rayfield haalde moeizaam adem en keek op zijn horloge. 'Shit, ik zou veel liever weer in Vietnam zijn.'
'Ik denk dat we het met zijn allen een beetje te gemakkelijk hebben opgevat. Nou, het wordt tijd je geld te verdienen, Frank. Jij en Tremaine regelen het maar. En terwijl je daarmee bezig bent, moet je één ding goed bedenken: of we overleven dit allemaal met elkaar, of we gaan met elkaar ten onder.'

Een half uur later verliet Michael, na zijn afrondende gesprek met Rayfields assistent, de gevangenis en liep naar zijn auto. Wat was hij stom geweest. Hij had er veel zin in de papieren van Harms te verscheuren, maar dat zou hij niet doen. Misschien liet hij ze toch wel behandelen. Hij voelde medelijden met Rufus Harms. Al die jaren in de gevangenis hadden hun tol geëist. Toen Michael het parkeerterrein afreed, kon hij niet weten dat het grootste deel van zijn radiatorvloeistof was afgetapt in een emmer en ergens vlakbij in het bos was weggegooid.
Vijf minuten later zag hij tot zijn ergernis dat er stoom onder de motorkap van zijn auto vandaan kwam. Hij stapte uit, lichtte voorzichtig de kap op en deinsde terug toen een wolk stoom hem omhulde. Kwaad vloekend keek hij om zich heen: geen auto en geen mens te zien. Even dacht hij na. Hij kon lopend teruggaan naar de gevangenis, vragen of hij de telefoon mocht gebruiken en een takelwagen bellen. Tot overmaat van ramp begon het nog harder te regenen.
Toen hij recht vooruit keek, verbeterde zijn humeur. Uit de richting van de gevangenis kwam een bestelauto aanrijden. Hij zwaaide met zijn armen om de wagen te laten stoppen. Intussen keek hij om naar de auto, waar de stoom nog steeds vanaf spoot. Gek, dacht hij, hij had de wagen juist laten nakijken voor hij deze reis ondernam. Toen hij weer

naar de bestelauto keek die uit de richting van de gevangenis kwam, begon zijn hart sneller te kloppen. Hij keek om zich heen, draaide zich vervolgens om en begon bij de bestelwagen vandaan te hollen. Deze voerde de snelheid op en haalde hem al snel in, om daarna zijn weg te blokkeren. Hij wilde juist het bos in rennen, toen het raampje omlaag werd gedraaid en het pistool op hem werd gericht.
'Stap in,' beval Vic Tremaine.

•16•

Het was zaterdagmiddag toen Sara Evans naar Fiskes flat reed en de auto's bekeek die in de straat ervoor geparkeerd stonden. Zijn auto was er niet bij. Hij had zich vrijdag ziek gemeld, iets wat hij bij haar weten nog niet eerder had gedaan. Ze had naar zijn flat gebeld, maar er werd niet opgenomen. Ze zette haar auto neer, liep het gebouw in en klopte aan zijn deur. Er kwam geen antwoord. Ze had geen sleutel. Ze liep om het gebouw heen naar de achterkant en klom de brandtrap op, vanwaar ze door het raam van zijn kleine keuken keek. Niets. Ze probeerde de deur, maar die zat op slot. Daarna reed ze terug naar het Hof, haar bezorgdheid was tienvoudig toegenomen. Michael was niet ziek, dat wist ze. Dit had iets te maken met de papieren die ze in zijn aktetas had gezien, dat wist ze zeker. In stilte bad ze dat hij er niet tot over de oren in zat. Dat hij in veiligheid was en dat hij maandag weer aan het werk zou gaan.
De rest van de dag bleef ze aan het werk en daarna ging ze nog laat uit eten met een paar van de andere griffiers in een restaurant bij Union Station. Ze wilden allemaal over het werk praten, behalve Sara. Gewoonlijk deed ze enthousiast mee aan het ritueel, maar vandaag was ze er niet voor in de stemming. Op een bepaald moment had ze wel gillend de zaak uit kunnen rennen, ziek van de eindeloze strategieën die werden bepaald, de voorspellingen, de keuze van de zaken, de subtielste nuances die uitentreuren werden geanalyseerd; ballonnetjes met niets dan lucht.
Later die avond bleef ze talmen op de achterveranda van haar huis. Toen nam ze een besluit. Ze stapte aan boord van haar boot om een late

zeiltocht op de rivier te maken. Ze telde de sterren, maakte er in gedachten grappige plaatjes van. Ze dacht aan het huwelijksaanzoek dat Michael haar had gedaan en aan de redenen waarom ze het had afgewezen. Haar collega's zouden verbaasd staan als ze wisten dat ze het had gedaan. Ze vormden een geweldig stel, zouden ze zeggen. Ze zouden een dynamisch, heerlijk leven hebben samen, met de vrijwel absolute zekerheid dat hun kinderen heel intelligent, ambitieus en atletisch begaafd zouden zijn. Sara zelf had lacrosse gespeeld op de universiteit, hoewel Michael de betere atleet was van hun tweeën.
Ze vroeg zich af met wie hij uiteindelijk zou trouwen. Of hij ooit zou trouwen. Misschien bleef hij, omdat ze hem had afgewezen, de rest van zijn leven wel vrijgezel. Onder het zeilen moest ze erom lachen. Ze sloeg zichzelf veel te hoog aan. Over een jaar zou Michael iets ongelooflijk fantastisch doen. Ze mocht blij zijn als hij zich over vijf jaar nog herinnerde wie ze was.
Toen ze haar boot had afgemeerd en de zeilen had afgedekt, bleef ze even staan om nog een laatste briesje op te vangen dat van het water haar kant op kwam, voor ze terugging naar huis. Een ongehaast ritje van amper twintig minuten zou haar in de machtigste stad van de wereld brengen, naar haar baan te midden van de indrukwekkendste verzameling juridische grootheden van haar tijd. En toch was het enige wat ze nu wilde, behaaglijk onder de dekens kruipen met het licht uit en doen alsof ze er nooit meer naar terug hoefde. Hoewel ze haar hele leven redelijk ambitieus was geweest, was er opeens niet meer die drang om iets anders noemenswaardigs te bereiken in haar werk. Het leek wel alsof ze al haar energie had opgebruikt om te komen waar ze nu was. Trouwen en moeder worden? Wilde ze dat? Ze had geen broers of zusters en als kind was ze tamelijk verwend. Ze was er niet aan gewend kinderen om zich heen te hebben, maar iets trok haar in die richting. Iets heel sterks. Toch was ze er niet zeker van. En zou ze dat zo langzamerhand niet moeten zijn?
Toen ze naar binnen ging, zich uitkleedde en in bed stapte, bedacht ze dat er om een gezin te stichten om te beginnen één ding nodig was: iemand vinden van wie ze kon houden. Ze had pas een gelegenheid laten schieten om dat te doen met een werkelijk uitzonderlijke man. Zou er een volgende kans komen? Wilde ze op dit moment een man in haar leven? Soms was die ene kans alles wat je kreeg. Eén kans. Dat was haar laatste gedachte voor ze in slaap viel.

•17•

Het was maandag en John Fiske zat aan zijn bureau, waar hij weer een arrestatierapport van een van zijn cliënten doornam. Hij was zo langzamerhand buitengewoon bedreven geworden in dit proces. Hij was pas halverwege het rapport en nu al kon hij voorspellen welke straf de man kon verwachten. Nou, het was prettig om ergens goed in te zijn.
Een klopje op de deur van zijn kamer liet hem schrikken. Met zijn rechterhand trok hij de bovenste lade van zijn bureau open. Er lag een 9 mm-pistool in, een aandenken uit zijn politiedagen. Zijn clientèle was niet bepaald betrouwbaar. Dus, hoewel hij hen met vuur verdedigde, was hij niet zo naïef hun zijn rug toe te keren. Sommigen van zijn cliënten waren stoned of dronken bij hem aan de deur gekomen, met een grief tegen hem vanwege iets wat hij in hun ogen fout had gedaan. Hij voelde zich derhalve een stuk veiliger met het harde staal tegen zijn handpalm.
'Binnen, de deur is niet op slot.'
De politieman in uniform die kwam binnenstappen, toverde een glimlach om Fiskes lippen tevoorschijn en hij schoof de bureaula weer dicht.
'Hé, Billy, hoe gaat het?'
'Het kon beter, John,' zei rechercheur Billy Hawkins.
Terwijl Hawkins naar hem toe liep en vervolgens ging zitten, zag Fiske de veelkleurige vlekken op het gezicht van zijn vriend. 'Wat is er in vredesnaam met je gebeurd?'
Hawkins raakte een van de blauwe plekken aan. 'Een vent in een café sloeg op tilt, een paar avonden geleden. Hij heeft me een paar rake klappen verkocht.' Snel liet hij erop volgen: 'Daar ben ik niet voor gekomen, John.'
Fiske kende Hawkins als een aardige vent, die niet ondersteboven raakte van de voortdurende werkdruk. Hij was even betrouwbaar en serieus in zijn werk als hij buiten diensttijd informeel en vriendelijk was.
Hawkins keek nerveus naar Fiske.
'Er is toch niets met Bonnie, of met de kinderen?' vroeg Fiske.
'Het gaat niet over *mijn* familie, John.'
'O?' Terwijl hij naar Hawkins' zorgelijke gezicht keek, voelde Fiske zijn maag samentrekken.

'Verdomme, John, je weet hoe erg we het vonden wanneer we naar de naaste familieleden moesten, en die kenden we niet eens.'
Langzaam stond Fiske op, zijn mond was droog geworden. 'Naaste familie? O god, niet mijn moeder? Mijn vader?'
'Nee John, die niet.'
'Zeg me in vredesnaam wat je me moet vertellen, Billy.'
Hawkins bevochtigde zijn lippen en begon snel te spreken. 'We hebben een telefoontje gekregen van de politie in D.C.'
Even keek Fiske verbaasd. 'D.C.?' Zodra hij het had gezegd, verstrakte zijn hele lichaam. 'Mike?'
Hawkins knikte.
'Was het een auto-ongeluk?'
'Geen ongeluk.' Hawkins zweeg even en schraapte zijn keel. 'Het was moord, John. Het ziet ernaar uit dat het een uit de hand gelopen roofoverval is. Ze hebben hem in zijn auto gevonden, in een steeg. In een slechte buurt, heb ik begrepen.'
'Je hebt het toch nog niet aan mijn vader verteld?'
Hawkins schudde zijn hoofd. 'Ik dacht dat je dat zelf zou willen doen. Helemaal nu je moeder niet in orde is.'
'Ik zal het doen,' zei Fiske.
Zijn gedachten werden onderbroken door Hawkins' volgende woorden.
'De inspecteur die met het onderzoek is belast, vraagt om een identificatie door een familielid, John.'
Hoe vaak had Fiske tegen een diepbedroefde bloedverwant hetzelfde moeten zeggen?
'Ik ga wel.'
'Ik vind het zo erg voor je, John.'
'Ik weet het, Billy, ik weet het.'
Nadat Hawkins was vertrokken, liep Fiske naar de foto van hem en zijn broer, en pakte die. Zijn handen trilden. Het was niet mogelijk, wat Hawkins hem zojuist was komen vertellen. Hij had twee schotwonden overleefd en bijna een half jaar in het ziekenhuis gelegen en het grootste deel van die tijd waren zijn moeder en zijn jongere broer niet van zijn zijde geweken. Als John Fiske dat kon overleven, als hij nu, op dit moment, in leven kon zijn, hoe kon zijn broer dan dood zijn? Hij zette de foto weer terug en probeerde in beweging te komen om zijn jas te pakken, maar zijn benen waren gevoelloos. Hij kon niets anders doen dan blijven staan.

•18•

Langzaam deed Rufus Harms zijn ogen open. De kamer was vaag verlicht, schemerig. Hij was er echter aan gewend zonder hulp van licht te zien, door de jaren heen was hij er een soort expert in geworden. De jaren die hij in de gevangenis had doorgebracht hadden tevens zijn gehoor gescherpt, zodat hij iemand bijna kon horen denken. Die twee dingen deed je veel in de gevangenis: luisteren en denken.
Voorzichtig bewoog hij zich in zijn ziekenhuisbed. Zijn armen en benen waren nog steeds vastgebonden. Hij wist dat er een bewaarder vlak voor de deur van zijn kamer stond. Rufus had hem nu al verscheidene keren gezien, wanneer mensen zijn kamer in en uit waren gelopen. De bewaarder was geen politieagent; hij was in gevechtstenue en hij was gewapend. Beroepsmilitair, of misschien een reservist, dat wist Harms niet zeker. Hij haalde voorzichtig adem. In de loop van de laatste twee dagen had Harms geluisterd naar de artsen die hem hadden onderzocht. Hij had geen hartaanval gehad, hoewel hij er naar het scheen dichtbij was geweest. Hij kon zich niet herinneren hoe de artsen het hadden genoemd, maar zijn hartslag was onregelmatig genoeg geweest om hem nog een poosje op de intensive care te laten blijven.
Hij dacht terug aan zijn laatste uur in de gevangenis. Hij vroeg zich af of Michael Fiske nog uit de gevangenis had kunnen wegkomen voor ze hem hadden gedood. Het was ironisch dat Rufus' bijna-hartaanval zijn leven had gered. Hij was tenminste Fort Jackson uit. Voor het ogenblik althans. Maar wanneer zijn toestand verbeterde, zouden ze hem terugsturen. En dan zou hij sterven. Tenzij ze hem hier al te pakken namen.
Hij had goed gelet op de dokters en de verpleegkundigen die hem behandelden. Iedereen die hem medicijnen toediende, kreeg zijn speciale aandacht. Hij vertrouwde erop dat hij, als hij meende dat hij in gevaar verkeerde, de zijkanten van het ziekenhuisbed eraf kon rukken. Op dit moment kon hij niets anders doen dan proberen weer op krachten te komen, te wachten, goed uit te kijken en te hopen. Als hij zijn vrijheid niet kon terugkrijgen via het Hooggerechtshof, dan zou hij het op een andere manier moeten zien te regelen. Hij ging niet terug naar Fort Jackson. Niet zolang hij nog ademhaalde.

De volgende twee uur zag hij mensen komen en gaan. Telkens wanneer zijn kamerdeur openging, keek hij naar de bewaarder op de gang. Een jonge knul, die er heel zelfbewust uitzag in zijn uniform en met zijn pistool. De bewaarders waren met hem meegevlogen in de helikopter, maar geen van hen was de man die nu voor zijn deur op wacht stond. Waarschijnlijk rouleerden ze. Wanneer de deur openging, knikte de bewaarder glimlachend tegen degene die binnenkwam of wegging, in het bijzonder wanneer die persoon jong was en een vrouw. Zo nu en dan had de bewaarder de kamer in gekeken en dan had Rufus twee emoties in zijn ogen gelezen: haat en angst. Dat was goed. Dat betekende dat hij een kans maakte. Beide konden leiden tot dat ene wat Rufus wanhopig graag wilde dat de bewaarder zou doen: een fout maken.

Omdat ze slechts één bewaarder hadden neergezet, moesten ze wel denken dat hij nog tot weinig in staat was, dacht Rufus, maar dat was niet zo. De monitoren met hun cijfertjes en op en neer gaande lijnen zeiden hem niets. Het waren in metaal gevatte aasgieren, die wachtten tot hij zou instorten voor ze zouden toeslaan. Hij voelde zijn kracht echter terugkomen, dat was iets tastbaars. Hij kneep zijn handen dicht en ontspande ze weer, verwachtend dat het niet lang zou duren voordat hij zijn armen weer helemaal kon bewegen.

Twee uur later hoorde hij de deur naar binnen opengaan en het licht werd aangeknipt. De verpleegkundige had een metalen klembord bij zich en ze glimlachte tegen hem terwijl ze zijn monitor controleerde. Ze was midden veertig, schatte hij. Knap, met een gevuld figuur. Aan haar brede heupen te oordelen had ze verscheidene kinderen gebaard.

'Het gaat vandaag beter met u,' zei ze, toen ze merkte dat hij naar haar keek.

'Het spijt me dat te horen.'

Met open mond staarde ze hem aan. 'U kunt het geloven of niet, maar een massa mensen in dit ziekenhuis zou graag een dergelijke prognose horen.'

'Waar ben ik eigenlijk?'

'In Roanoke, Virginia.'

'Ik ben nog nooit in Roanoke geweest.'

'Het is een aardige stad.'

'Niet zo aardig als u,' zei Rufus met een verlegen lachje. De woorden waren hem onwillekeurig ontglipt. Het was bijna dertig jaar geleden dat hij zo dicht bij een vrouw was geweest. De laatste vrouw die hij in levenden lijve had gezien was zijn moeder, die naast hem stond te huilen toen ze hem afvoerden naar de gevangenis. Nog geen week later was ze ge-

storven. Er was iets in haar hersenen geknapt, had zijn broer hem verteld. Maar hij wist dat zijn moeder was gestorven aan een gebroken hart. Hij trok zijn neus op toen de geur tot hem doordrong. Die leek niet thuis te horen in een ziekenhuis. Eerst begreep Harms niet dat hij gewoon de geur van de verpleegkundige rook, een mengeling van een licht parfum, vochtinbrengende lotion en vrouw. Verdomme. Wat was hij nog meer vergeten van het echte leven? Toen hij dit dacht welde er een traan op in de hoek van zijn rechteroog.
Ze keek op hem neer met opgetrokken wenkbrauwen, een hand op haar heup. 'Ze hebben me gezegd dat ik voorzichtig moest zijn als ik bij u in de buurt was.'
Hij keek haar aan. 'Ik zou u nooit iets doen, zuster.' Zijn stem klonk plechtig, oprecht. Bij het zien van de traan die nu bijna uit zijn oog drupte, wist ze niet goed wat ze verder nog kon zeggen.
'Kunt u niet op die kaart zetten dat ik doodga, of zoiets?'
'Bent u mal? Dat kan ik niet doen. Wilt u niet beter worden?'
'Zodra dat gebeurt, ga ik meteen terug naar Fort Jackson.'
'Dat lijkt me geen prettig oord.'
'Ik heb er twintig jaar lang in dezelfde cel gezeten. Het is leuk om voor de verandering eens iemand anders te zien. Er is daar niet veel te doen, behalve je hartslag tellen en naar het beton staren.'
Ze keek verbaasd. 'Twintig jaar? Hoe oud bent u?'
Rufus dacht een ogenblik na. 'Eerlijk gezegd weet ik het niet precies. Niet ouder dan vijftig.'
'Kom nou, weet u niet eens hoe oud u bent?'
Hij bleef haar strak aankijken. 'De enige gevangenen die een kalender bijhouden, zijn degenen die er op een dag weer uit komen. Ik heb levenslang, zuster. Ik kom er nooit meer uit. Wat doet het er dan toe hoe oud ik ben?' Hij zei het als zoiets vanzelfsprekends, dat de verpleegkundige haar wangen rood voelde worden.
'O.' Haar stem trilde. 'Ik denk dat ik begrijp wat u bedoelt.'
Even bewoog hij zijn lichaam. De boeien rinkelden tegen de metalen zijkanten van het bed. Ze deed een stap achteruit.
'Wilt u iemand voor me bellen, zuster?'
'Wie? Uw vrouw?'
'Ik heb geen vrouw. Mijn broer. Hij weet niet waar ik ben. Dat wil ik hem graag laten weten.'
'Ik denk dat ik dat eerst aan de bewaarder moet vragen.'
Rufus keek langs haar heen. 'Dat bleke jongetje daarbuiten? Wat heeft hij met mijn broer te maken? Hij ziet eruit alsof hij niet eens alleen naar de wc kan.'

Ze lachte. 'Nou, ze hebben hem anders toch hiernaartoe gestuurd om zo'n grote man als u te bewaken, nietwaar?'
'Mijn broer heet Joshua. Joshua Harms. Hij wordt Josh genoemd. Ik kan u zijn telefoonnummer geven, als u een potlood hebt. U hoeft hem alleen maar te bellen en te zeggen waar ik ben. Ik voel me hier een beetje eenzaam. Hij woont niet ver hiervandaan. Wie weet, misschien komt hij me dan wel opzoeken.'
'Het kan hier eenzaam zijn,' zei ze een beetje droefgeestig. Ze keek naar hem, naar zijn grote, sterke lichaam, vol slangetjes en elektroden. En de boeien... die hielden haar aandacht gevangen.
Rufus zag haar kijken. Hij was tot de ontdekking gekomen dat iemand die in de boeien was geslagen die uitwerking op mensen had.
'Wat hebt u eigenlijk gedaan? Waarvoor zit u in de gevangenis?'
'Hoe heet u?'
'Waarom?'
'Ik wil het gewoon graag weten. Ik ben Rufus. Rufus Harms.'
'Dat weet ik. Het staat op uw kaart.'
'Nou, ik heb geen kaart om uw naam op te lezen.'
Ze aarzelde even, keek om de hoek van de deur en vervolgens weer naar hem. 'Ik heet Cassandra,' zei ze.
'Wat een mooie naam.' Zijn ogen dwaalden over haar figuur. 'Hij past bij u.'
'Dank u. Wilt u me niet vertellen wat u hebt gedaan?'
'Waarom wilt u dat weten?'
'Zomaar, uit nieuwsgierigheid.'
'Ik heb iemand gedood. Een hele tijd geleden.'
'Waarom hebt u dat gedaan? Probeerden ze u kwaad te doen?'
'Nee.'
'Waarom hebt u het dan gedaan?'
'Ik wist niet wat ik deed. Ik had mijn verstand verloren.'
'O ja?' Ze ging nog iets verder achteruit toen ze dit zei. 'Zeggen ze dat niet allemaal?'
'Toevallig is het in mijn geval waar. Wilt u mijn broer voor me bellen?'
'Ik weet het niet. Misschien.'
'Hoor eens, ik zal u het nummer geven. Als u het niet wilt doen, ook goed. Als u het wel doet, dan ben ik u heel dankbaar.'
Ze keek hem bevreemd aan. 'U klinkt niet als een moordenaar.'
'Daar moet u voorzichtig mee zijn. Het zijn de vriendelijke mensen die je ten slotte iets aandoen. Dat heb ik vaak genoeg meegemaakt.'
'Dus ik moet u niet vertrouwen?'
Zijn ogen hielden haar blik vast. 'Dat moet u zelf uitmaken.'

Even dacht ze hierover na. 'Wat is het nummer van uw broer?'
Ze schreef het telefoonnummer op, liet het papiertje in haar zak glijden en maakte aanstalten weg te gaan.
'Zuster Cassandra?' Ze draaide zich om. 'U hebt gelijk, ik ben geen moordenaar. Komt u nog maar eens terug om met me te praten, als u dat wilt, tenminste.' Hij slaagde erin zwakjes te lachen en liet de boeien rinkelen. 'Ik ga nergens heen.'
Van de andere kant van de kamer keek ze naar hem en hij dacht dat hij even een glimlach om haar mond zag verschijnen. Toen draaide ze zich om en liep de deur uit. Rufus rekte zijn hals om te kijken of ze iets tegen de bewaarder zei, maar ze liep direct langs hem heen. Rufus liet zich achteroverzakken en staarde naar het plafond. Diep ademhalend nam hij de geur die ze had achtergelaten, in zich op. Enkele ogenblikken later verspreidde zich een lachje over zijn gezicht. En daarna, eindelijk, kwamen de tranen.

•19•

Het was een ongebruikelijke bijeenkomst van alle griffiers en rechters. Hoofd gerechtelijke diensten Richard Perkins en het hoofd van de politie van het Hooggerechtshof, Leo Dellasandro, waren er ook, uitdrukkingloos de tafel in het grote vertrek langs kijkend. Elizabeth Knights ogen waren vochtig en ze bette ze voortdurend met een zakdoek.
Sara Evans keek naar de rechters met hun ernstige gezichten. Haar ogen bleven op Thomas Murphy rusten. Murphy was klein en kwabbig, met wit haar en bossige wenkbrauwen. De jukbeenderen in zijn brede gezicht waren amandelvormig. Hij gaf nog steeds de voorkeur aan driedelige kostuums en droeg grote, opvallende manchetknopen. Het was echter niet zijn kleding die Sara's aandacht trok; eerder was het zijn uitdrukking van diepe rouw. Snel keek ze naar de overige personen in de kamer: Michael Fiske was er niet bij. Ze voelde het bloed naar haar hoofd stijgen. Toen Harold Ramsey aan het hoofd van de tafel opstond, was zijn lage stem vreemd zacht; ze kon hem niet echt goed verstaan maar ze wist precies wat hij zei, alsof ze het van zijn lippen kon lezen.
'Dit is vreselijk, vreselijk nieuws. Ik kan me feitelijk niet herinneren dat

ik ooit zoiets heb meegemaakt.' Ramsey keek het vertrek rond, met van spanning gebalde vuisten en zijn grote lichaam trilde.
Hij haalde diep adem. 'Michael Fiske is dood.'
De rechters wisten het kennelijk al. Alle griffiers hielden echter gezamenlijk de adem in.
Ramsey wilde nog iets zeggen, maar toen zweeg hij. Hij gaf Leo Dellasandro een teken, die naar voren kwam terwijl de voorzitter op zijn stoel neerzeeg.
Dellasandro was ongeveer één meter vijfentachtig, met een breed gezicht, platte wangen, een mopsneus en een laag vet over een gespierde gestalte. Zijn gezicht was olijfkleurig en hij had weerbarstig, zwart met grijs haar. Zijn poriën wasemden de geur van sigaren uit. Hij droeg trots zijn uniform, en stond met zijn dikke vingers tussen de riem waaraan zijn pistoolholster hing. De andere geüniformeerde man, die vlak achter hem stond, was Ron Klaus, zijn adjunct. Klaus was goedgebouwd en zag er professioneel uit, zijn heen en weer flitsende blauwe ogen duidden op een spitse geest. Hij en Dellasandro waren de waakhonden van dit gebouw. Ze leken altijd als koppel te opereren. De meeste mensen die bij het Hof werkten, konden zich de een niet zonder de ander voorstellen.
'Er zijn nog slechts weinig details bekend, maar Michael is blijkbaar slachtoffer geworden van een roofoverval. Hij werd in zijn auto aangetroffen in een steeg in Southeast, dicht bij de Anacostia-rivier.'
Een nerveus ogende griffier stak zijn hand op. 'Weten ze zeker dat het een overval was? Had het niets te maken met zijn werk?'
Sara keek nijdig naar hem. Niet de vraag die je echt wilde horen, vijf seconden nadat je had vernomen dat iemand met wie je had gewerkt, om wie je gaf, dood was. Maar ze nam aan dat een gewelddadige dood dat deed met mensen; dat ze instinctmatig vreesden voor hun eigen leven.
Dellasandro hief kalmerend zijn grote handen omhoog. 'We hebben niets gehoord dat ons doet geloven dat zijn dood ook maar iets te maken heeft met het Hof. Uit oogpunt van veiligheid zullen we echter de bewaking hier verscherpen en mocht iemand iets verdachts of iets ongewoons zien, wil die dan contact opnemen met mij of met meneer Klaus. Te zijner tijd zullen we u alle verdere bijzonderheden over deze kwestie meedelen.' Hij keek naar Ramsey, die zijn gebogen hoofd op zijn handen liet rusten. Ramsey maakte geen aanstalten om op te staan en Dellasandro bleef onhandig staan tot Elizabeth Knight overeind kwam.
'Ik weet dat dit een vreselijke schok is voor ons allen. Michael was een van de populairste figuren die hier ooit heeft gewerkt. Zijn verlies treft

ons allen, in het bijzonder degenen die goed met hem bevriend waren.' Ze zweeg en keek even naar Sara. 'Als iemand van u erover wil spreken, kunt u dat te allen tijde doen met uw rechter. Of u kunt bij mij langskomen. Ik weet niet zeker hoe we nu kunnen blijven functioneren, maar het werk van het Hof moet doorgang vinden, ondanks deze afschuwelijke, afschuwelijke...' Knight zweeg opnieuw en ze moest zich aan de tafel vasthouden om niet in elkaar te zakken. Dellasandro pakte haar snel bij de arm, maar ze beduidde hem haar los te laten.
Knight kreeg zich weer voldoende in de hand om de vergadering te sluiten en het vertrek stroomde snel leeg. Op Sara Evans na. Ze bleef als verdoofd zitten, starend naar de plek waar Knight had gestaan. Tranen stroomden onophoudelijk over haar gezicht. Michael was dood. Hij had een verzoekschrift weggenomen, zich meer dan een week heel vreemd gedragen, en nu was hij dood. Vermoord. Een roofoverval, zeiden ze. Ze geloofde niet dat het antwoord zo eenvoudig was. Maar op dit moment deed het er niet toe. Alles wat ertoe deed, was dat ze iemand had verloren die haar heel na stond. Iemand met wie ze, misschien onder andere omstandigheden, graag de rest van haar leven zou hebben gedeeld. Ze legde haar hoofd op tafel en barstte in snikken uit. Vanuit de deuropening keek Elizabeth Knight naar haar.

•20•

Iets meer dan drie uur nadat Billy Hawkins hem was komen vertellen dat zijn broer dood was, liep Fiske door de gangen van het mortuarium van Washington D.C., voorafgegaan door een assistent in een witte jas. Fiske had zijn legitimatiebewijs moeten tonen en de man moeten bewijzen dat hij inderdaad de broer was van Michael Fiske. Daar was hij op voorbereid geweest en hij had foto's meegenomen waar ze samen op stonden. Voor hij de stad uit ging had hij geprobeerd zijn vader te bereiken, maar de telefoon werd niet opgenomen. Fiske was naar het huis gereden, maar er was niemand thuis. Hij had een briefje voor zijn vader achtergelaten, echter zonder te zeggen waar het om ging. Eerst moest hij zeker weten dat het zijn broer was, en de enige manier om dat te bereiken was om te gaan naar waar hij nu was.

Fiske was verbaasd toen ze een kantoor binnenstapten en nog verbaasder toen de assistent van het mortuarium een polaroidfoto uit een dossier haalde en hem die voorhield.

'Ik kom niet om een foto te identificeren. Ik wil het lichaam zien.'

'Dat is niet de procedure die wij hier toepassen, meneer. We zijn bezig een videosysteem te installeren zodat op afstand via de televisie kan worden geïdentificeerd, maar dat is nog niet rond. Tot dan wordt het met een polaroidfoto gedaan.'

'Deze keer niet.'

De man tikte met de foto op zijn handpalm, alsof hij probeerde Fiske nieuwsgierig te maken. 'De meeste mensen doen het liever met behulp van een foto. Dit is heel ongebruikelijk.'

'Ik ben niet de meeste mensen en dat je broer vermoord is, is ook ongebruikelijk. Althans voor mij.'

De man nam de telefoon en gaf instructies om het lichaam gereed te maken om te laten bekijken. Toen opende hij de deur naar zijn kantoor, Fiske beduidend dat deze hem moest volgen. Na een korte wandeling gingen ze een klein vertrek binnen waar het vele malen sterker naar medicijnen rook dan in een ziekenhuis. Midden in de kamer stond een brancard. Onder het witte laken rees een aantal bobbels op: het hoofd, de neus, de schouders, knieën en voeten van het lichaam. Toen Fiske naar de brancard toe liep, klampte hij zich vast aan dezelfde onlogische hoop waar iedereen in zijn positie naar zou snakken: dat de persoon onder het laken niet zijn broer was, dat zijn familie nog steeds redelijk intact zou blijken.

Toen de assistent de rand van het laken pakte, stak Fiske een hand uit naar de metalen zijkant van de brancard en kneep er stevig in. Terwijl het laken werd opgetild en hoofd en bovenlichaam van de overledene zichtbaar werden, sloot Fiske zijn ogen, hief zijn hoofd op en prevelde een stil gebed. Hij ademde diep in, hield die adem vast, opende zijn ogen en keek omlaag. Voor hij het wist, knikte hij.

Hij probeerde een andere kant op te kijken, maar hij kon het niet. Zelfs een vreemde had kunnen kijken naar de vorm van het voorhoofd, de verhouding van ogen en mond, de ronding van de kin, om tot de conclusie te komen dat beide mannen een hechte familierelatie hadden. 'Dat is mijn broer.'

Het laken werd teruggelegd en de assistent gaf Fiske de identificatiekaart om die te tekenen. 'Behalve de voorwerpen die de politie in beslag heeft genomen, zullen we u zijn persoonlijke bezittingen geven.' De assistent keek naar de brancard. 'We hebben een drukke week gehad en we hebben heel wat lichamen hier, maar we kunnen de uitslag van de

autopsie vrij snel hebben. Dit ziet er trouwens tamelijk simpel uit.'
Er vlamde boosheid op in Fiskes gezicht, maar die stierf snel weg. De man werd niet betaald om tactvol te zijn. 'Hebben ze de kogel gevonden waarmee hij is gedood?'
'Alleen door autopsie kan de doodsoorzaak worden vastgesteld.'
'Kom me niet aan met die flauwekul.' De assistent keek geschrokken. 'Ik zag de wond waar de kogel is uitgetreden aan de linkerkant van zijn hoofd. Hebben ze hem gevonden?'
'Nee. Tenminste, nog niet.'
'Ik hoorde dat het een roofoverval was,' zei Fiske. De assistent knikte. 'Hij is in zijn auto gevonden?'
'Ja. Zijn portefeuille was weg. We hebben zijn naam gevonden via het kentekennummer.'
'Als het een overval was, waarom hebben ze de auto dan niet meegenomen? Auto's stelen is op het moment erg in. Sla het slachtoffer net zo lang tot je zijn pincode hebt, vermoord hem, neem de auto mee en ga op bezoek bij een paar banken, verzamel het geld, lever de auto ergens af en ga naar de volgende. Waarom is dat hier niet gebeurd?'
'Daar weet ik niets van.'
'Wie behandelt de zaak?'
'Het is in D.C. gebeurd. Dat moet de afdeling Moordzaken van D.C. zijn.'
'Mijn broer was in dienst van de staat. Het Hooggerechtshof van de Verenigde Staten. Misschien wordt de FBI er ook wel bij gehaald.'
'Nogmaals, ik weet er niets van.'
'Ik zou graag de naam van de rechercheur bij Moordzaken willen hebben.'
De assistent gaf geen antwoord, maar hij maakte een paar aantekeningen in het dossier. Misschien hoopte hij dat Fiske zou weggaan, wanneer hij niets zei.
'Ik wil echt graag die naam hebben, alstublieft,' zei Fiske, een stap naderbij komend.
De assistent zuchtte ten slotte, haalde een visitekaartje uit het dossier en gaf het aan Fiske. 'Buford Chandler. Hij zal trouwens toch wel met u willen praten. Het is een goede vent. Waarschijnlijk grijpen ze de dader wel.'
Fiske keek even naar het kaartje, alvorens hij het in zijn jaszak stopte. Daarna keek hij de assistent met heldere ogen aan. 'O, we krijgen degene die dit gedaan heeft, zeker te pakken.' De vreemde klank in zijn stem deed de assistent opkijken van zijn map. 'Nu wil ik graag even alleen zijn met mijn broer.'

De man keek vluchtig naar de brancard. 'Natuurlijk. Ik blijf buiten wachten. Laat u me maar weten wanneer u zover bent.'
Toen de man was weggegaan, trok Fiske een stoel naast de brancard en ging zitten. Hij had geen traan gelaten sinds hij het nieuws over de dood van zijn broer had gehoord. Hij had tegen zichzelf gezegd dat dat kwam omdat er nog geen positieve identificatie had plaatsgevonden, maar dat was nu wel het geval en nog steeds kwamen er geen tranen. Op weg hierheen had hij zich erop betrapt dat hij nummerborden uit andere staten telde, een spelletje dat de broers als jongens hadden gespeeld. Een spel dat Mike Fiske meestal had gewonnen.
Hij tilde een kant van het laken op en nam een van de handen van zijn broer in de zijne. Die was koud, maar de vingers waren buigzaam. Hij drukte ze zachtjes. Nu keek Fiske naar de betonnen vloer en hij sloot zijn ogen. Toen hij ze enkele minuten later weer opende, lagen er slechts twee tranen op het beton. Snel keek hij op en liet een golf adem ontsnappen. Alles leek geforceerd en plotseling kreeg hij het gevoel dat hij het niet waard was om hier te zijn.
Als agent had hij bij de ouders gezeten van te veel dronken kinderen die tegen een boom of een lantaarnpaal waren gereden. Hij had hen getroost, zijn medeleven betoond, hen zelfs omarmd. Hij had oprecht geloofd dat hij de diepten van hun wanhoop genaderd was, ja, die zelfs had aangeraakt. Vaak had hij zich afgevraagd wat hij zou doen wanneer het hem gebeurde. Hij wist heel duidelijk dat dit het niet was.
Hij dwong zich aan zijn ouders te denken. Hoe moest hij nu precies aan zijn vader zeggen dat diens gouden kind dood was? Aan zijn moeder? Op die laatste vraag bestond tenminste een gemakkelijk antwoord: hij kon en zou het haar niet vertellen.
Fiske, die katholiek was opgevoed maar geen godsdienstig man was, verkoos met zijn broer te praten in plaats van met God. Hij drukte de hand van zijn broer tegen zijn borst. Hij praatte tegen zijn broer over alles wat hem speet, vertelde hem hoeveel hij van hem hield, hoe graag hij zou willen dat hij niet dood was, voor het geval de geest van zijn broer hier nog talmde, wachtend op deze communicatie, deze stille uitbarsting van schuld en spijt van zijn oudere broer. Toen zweeg Fiske, en hij sloot opnieuw zijn ogen. Hij kon elke stevige klop van zijn hart horen, een geluid dat op de een of andere manier in het niet zonk vergeleken bij de stille roerloosheid van het lichaam naast het zijne.
De assistent stak zijn hoofd om de hoek. 'Meneer Fiske, we moeten uw broer naar beneden brengen. Er is al een half uur voorbij.'
Fiske stond op en liep zonder een woord te zeggen langs de assistent. Het lichaam van zijn broer zou naar een afschrikwekkende plaats wor-

den gebracht, waar buitenstaanders in zijn stoffelijke resten zouden wroeten, op zoek naar aanwijzingen wie hem had vermoord. Toen de brancard werd weggereden, liep Fiske naar buiten, de zon tegemoet, zijn broertje achterlatend.

•21•

'Weet je zeker dat je alle sporen hebt uitgewist?'
Rayfield knikte tegen de telefoon. 'Elk bewijs van zijn bezoek hier is vernietigd. Ik heb meteen alle personeelsleden die Fiske hebben gezien, naar andere instellingen overgeplaatst. Zelfs als ze er op de een of andere manier achter zouden komen dat hij hier geweest is, is er niemand meer die hun iets kan vertellen.'
'Niemand heeft gezien dat je het lichaam hebt gedumpt?'
'Vic heeft zijn auto teruggereden. Ik ben hem gevolgd. We hebben een goede plek uitgezocht. De politie zal denken dat het een roofoverval was. Niemand heeft ons gezien. En al zouden ze het wel hebben gedaan, het is geen buurt waar de mensen echt bereid zijn om de politie medewerking te verlenen.'
'Niets in de auto achtergelaten?'
'We hebben zijn portefeuille meegenomen om de nadruk te leggen op beroving. Zijn aktetas ook. En een kaart. Verder was er niets. Natuurlijk hebben we de radiator weer bijgevuld met vloeistof.'
'En Harms?'
'Die ligt nog in het ziekenhuis. Het ziet ernaar uit dat hij er weer bovenop komt.'
'Verdomme. Dat is pech.'
'Maak je daar maar niet druk om. Wanneer hij hier terug is, regelen we het wel. Met zo'n zwak hart weet je nooit wat er met je kan gebeuren.'
'Wacht niet te lang. Kun je hem niet in het ziekenhuis koud maken?'
'Te gevaarlijk. Te veel mensen in de buurt.'
'Je laat hem goed bewaken?'
'Hij ligt aan het bed vastgeketend en heeft dag en nacht een gewapende bewaarder voor zijn deur. Morgenochtend wordt hij ontslagen. Morgenavond is hij dood. Vic is al bezig de details uit te werken.'

'Heeft hij daarginds niemand die hem kan helpen? Dat weet je zeker?'
Rayfield lachte. 'Verrek, niemand weet toch dat hij daar is. Hij heeft niemand. Nooit gehad, en die krijgt hij ook niet meer.'
'Geen fouten, Frank.'
'Ik bel je wanneer hij dood is.'

Fiske zat in de auto en zette de airconditioning aan, die er in zijn veertien jaar oude Ford slechts voor zorgde dat de bedompte lucht langzaam van links naar rechts bewoog. Terwijl het zweet hem van het gezicht droop en vlekken maakte op de boord van zijn overhemd, draaide Fiske ten slotte het raampje omlaag, terwijl hij naar het gebouw staarde. Aan de buitenkant zag het er heel gewoon uit, maar binnen was dat anders. Daar brachten mensen al hun tijd door met uit te zoeken wie andere mensen hadden gedood. Fiske probeerde te beslissen of hij hen zou helpen bij hun achtervolging, of naar huis zou terugrijden. Hij had het stoffelijk overschot van zijn broer geïdentificeerd, zijn officiële taak als naaste bloedverwant was volbracht. Hij kon naar huis gaan, het zijn vader gaan vertellen, de begrafenis regelen, de zaken van zijn broer afhandelen, hem begraven en daarna doorgaan met zijn eigen leven. Dat deden anderen ook.
In plaats daarvan hees Fiske zich uit de auto de broeierige lucht in, waarna hij het gebouw aan Indiana Avenue 300 binnenging, de zetel van de afdeling Moordzaken van de politie. Nadat hij de bewaking was gepasseerd en hem de weg was gewezen door een agent in uniform, bleef hij bij de balie staan. Vanuit het mortuarium had hij nogmaals geprobeerd zijn vader te bellen, maar daar kreeg hij nog steeds geen gehoor. Hij was niet alleen gefrustreerd, maar was nu ook bang dat zijn vader het al van iemand anders had gehoord en op weg was naar de stad.
Hij keek naar het kaartje dat de assistent in het mortuarium hem had gegeven. 'Rechercheur Buford Chandler, alstublieft,' zei hij, naar de jonge vrouw achter de balie kijkend.
'U bent?' De scherpe hoek van haar hals en haar superieure toontje maakten onmiddellijk dat Fiske zin kreeg haar in een van haar eigen bureauladen te stoppen.
'John Fiske. Rechercheur Chandler onderzoekt de... de moord op mijn broer. Zijn naam was Michael Fiske.' Ze keek hem aan, zonder dat haar gezicht liet blijken dat ze van de zaak af wist. 'Hij was griffier bij het Hooggerechtshof,' voegde hij eraan toe.
Ze keek naar een paar papieren op haar bureau. 'En iemand heeft hem vermoord?'

'Ik ben hier toch bij de afdeling Moordzaken?' Ze vestigde haar blik weer op hem, zo mogelijk nog verveelder kijkend. Hij vervolgde: 'Ja, iemand heeft hem vermoord,' hij keek naar het naambordje op haar bureau, 'mevrouw Baxter.'
'Wel, wat kan ik precies voor u doen?'
'Ik wil rechercheur Chandler graag spreken.'
'Verwacht hij u?'
Fiske boog zich naar haar toe en zei op zachte toon: 'Dat niet direct, maar...'
'Dan ben ik bang dat hij er niet is,' zei ze, hem in de rede vallend.
'Ik denk dat u, wanneer u even belt met...' Fiske zweeg, toen ze zich van hem afwendde en op haar computer begon te typen. 'Luistert u eens, ik moet rechercheur Chandler dringend spreken.'
Onder het praten typte ze door. 'Laat mij u dan vertellen hoe het hier toegaat, oké? We hebben veel zaken en weinig rechercheurs. We hebben geen tijd voor iedereen die zomaar komt binnenvallen. We moeten prioriteiten stellen. Ik weet zeker dat u dat wel begrijpt.' Haar stem stierf weg, terwijl ze naar het scherm keek.
Fiske leunde nog verder naar voren tot zijn gezicht nog slechts enkele centimeters van de vrouw was verwijderd. Toen ze omkeek waren hun ogen vlak bij elkaar. 'Laat mij u dan eens iets duidelijk maken. Ik ben uit Richmond gekomen om het lichaam van mijn broer te identificeren op verzoek van rechercheur Chandler. Dat heb ik gedaan. Mijn broer is dood. En op ditzelfde moment is de politiearts bezig een Y-vormige incisie in zijn borst te maken zodat hij zijn inwendige organen er stuk voor stuk uit kan nemen. Dan zal hij een zaag pakken en een driehoek in de vorm van een punt taart uit zijn schedel zagen, ongeveer hier.' Fiske maakte met zijn vinger een denkbeeldige snede over het hoofd van mevrouw Baxter, waarbij hij zich moest beheersen om geen gevolg te geven aan de zeer sterke aandrang om een handvol van het gepermanente, blonde haar van de vrouw uit te rukken. 'Op die manier kan hij de hersenen eruit halen en het spoor volgen van de kogel die hem heeft gedood. Misschien komt hij nog wat fragmenten van de huls tegen. Nu vond ik dat ik hiernaartoe moest gaan om met rechercheur Chandler te praten en te zien of hij en ik een paar aanwijzingen kunnen vinden over degene die hem zou kunnen hebben vermoord.'
Koeltjes zei ze: 'Nou, dat is toch zeker niet uw werk? We hebben al genoeg problemen zonder dat familieleden zich gaan bemoeien met een politieonderzoek. Ik ben ervan overtuigd dat rechercheur Chandler contact met u zal opnemen als hij u nodig heeft.' Ze wendde zich weer van hem af.

Fiske pakte de rand van haar bureau vast en haalde diep adem, terwijl hij zijn best deed kalm te blijven. 'Hoor eens, ik begrijp dat jullie hier tot over de oren in het werk zitten, en het feit dat u niet weet wie ik ben...'
'Ik heb het op het moment erg druk. Als u een probleem hebt, geef ik u de raad het schriftelijk in te dienen.'
'Ik wil alleen maar met de man praten!'
'Moet ik soms iemand bellen om u eruit te laten zetten?'
Fiske liet zijn hand met een klap op het bureau neerkomen. 'Mijn broer is dood! Ik zou het werkelijk op prijs stellen als u die hooghartige houding liet schieten en een greintje meegevoel toonde. En als u zich daar niet toe kunt dwingen, dame, dan doet u maar alsof.'
'Ik ben Buford Chandler.'
Zowel Fiske als Baxter draaide zich om. Chandler was zwart, begin vijftig, met krullend wit haar, een bijpassende snor en een forse, gezette gestalte die er nog op wees dat hij in zijn jeugd aan sport moest hebben gedaan. Hij droeg een lege schouderholster, op zijn overhemd was een veeg geweerolie zichtbaar op de plek waar de kolf had gerust. Hij bekeek Fiske van top tot teen van achter een bril met dubbelfocusglazen.
'Ik ben John Fiske.'
'Dat hoorde ik. Eerlijk gezegd heb ik hier naar het hele gesprek staan luisteren.'
'Dan hebt u ook gehoord wat hij tegen me heeft gezegd, rechercheur Chandler?' zei Baxter.
'Woord voor woord.'
'Hebt u daar niets op te zeggen?'
'Jawel.'
Baxter keek Fiske aan met een voldane trek op haar gezicht. 'Nou?'
'Ik denk dat deze jongeman u een heel goede raad heeft gegeven.' Chandler wenkte met een vinger naar Fiske. 'Wij gaan praten.'
Chandler en Fiske gingen door de drukke gangen op weg naar een klein, volgepropt kantoortje. 'Ga zitten,' zei Chandler, wijzend naar de enige stoel in de kamer behalve die achter zijn bureau. Er lag een stapel dossiers op. 'Leg die maar op de grond.' Waarschuwend hief Chandler zijn vinger op. 'Voorzichtig dat je geen bewijsmateriaal aanraakt. Als ik dezer dagen ook maar een boer laat terwijl ik naar weefselmonsters kijk, krijg ik te horen: "Dit bewijs kan niet worden toegelaten! Laat de klootzak, de massamoordenaar die mijn cliënt is, vrijuit gaan."'
Heel voorzichtig verplaatste Fiske de mappen, terwijl Chandler achter zijn bureau plaatsnam.
'Je moet geen spijt hebben van wat je tegen Judy Baxter hebt gezegd.'

'Dat was ik ook niet van plan.'
Chandler onderdrukte een glimlach. 'Oké, eerst het belangrijkste. Ik vind het heel erg van je broer.'
'Dank u,' zei Fiske op gedempte toon.
'Waarschijnlijk hoor je dat voor het eerst sinds je hier binnen bent, of niet?'
'Om eerlijk te zijn, ja.'
'Dus je bent bij de politie geweest?' merkte Chandler achteloos op. Hij lachte om Fiskes verbaasde gezicht, voor hij verklaarde: 'De gemiddelde burger weet gewoonlijk niets af van Y-incisies en het lichten van een schedel. Zoals je mevrouw Baxter van repliek diende, de manier waarop je je beweegt en je bouw, zou ik zeggen dat je straatagent bent geweest.'
'Verleden tijd?'
'Als je nog in dienst was, zouden de lui in Richmond het me gezegd hebben toen we contact met hen hadden opgenomen. Bovendien ken ik heel weinig politiemensen die in hun vrije tijd een pak dragen.'
'Klopt op alle punten. Ik ben blij dat ze u op deze zaak hebben gezet, rechercheur Chandler.'
'Op die van jou en nog tweeënveertig andere lopende zaken.' Fiske schudde zijn hoofd. 'Snoeien in het budget en zo meer. Ik heb zelfs niet eens meer een collega.'
'Dus met andere woorden: verwacht geen wonderen?'
'Ik zal mijn best doen degene die je broer heeft vermoord, te vinden. Maar ik kan niets garanderen.'
'Wat zou u denken van een beetje onofficiële hulp?'
'Wat bedoel je?'
'Ik heb een hoop moordzaken meegemaakt, samen met de rechercheurs in Richmond. Veel geleerd, veel onthouden. Misschien kan ik uw nieuwe collega worden.'
'Officieel is dat absoluut onmogelijk.'
'Officieel begrijp ik dat volkomen.'
'Wat doe je nu?'
'Ik ben strafpleiter,' zei Fiske. Chandler rolde met zijn ogen. 'En ik ben tevens trots op mijn werk, rechercheur Chandler.'
Chandler knikte over Fiskes schouder in de richting van de deur. 'Doe die even dicht, als je wilt?' Hij bleef zwijgen tot Fiske de deur had gesloten en weer was gaan zitten.
'Nou, tegen beter weten in zal ik je aanbod om te helpen in overweging nemen.'
Fiske schudde zijn hoofd. 'Ik ben nu hier. In aanmerking genomen dat

de opsporing van een moordenaar volgens de statistiek na achtenveertig uur weinig resultaat oplevert, zullen we daar niet ver mee komen.' Fiske dacht dat de man nu wel tegen hem zou uitvallen, maar Chandler bleef kalm.
'Heb je een visitekaartje, waar ik je kan bereiken?' vroeg hij.
Fiske gaf hem zijn kaartje, na zijn privé-nummer er achterop te hebben geschreven.
Op zijn beurt gaf Chandler hem een kaartje met een hele serie telefoonnummers. 'Kantoor, thuis, pieper, fax, mobiele telefoon wanneer ik eraan denk om die mee te nemen, wat ik nooit doe.'
Chandler opende een dossier dat op zijn bureau lag en bekeek de inhoud. Ondersteboven lezend zag John de naam Michael Fiske op het etiket.
'Er is me gezegd dat hij werd gedood tijdens een roofoverval.'
'Daar wees het voorlopig onderzoek in elk geval op.'
Fiske hoorde de eigenaardige klank in zijn stem. 'Is dat oordeel veranderd?'
'Het was om te beginnen slechts een voorlopige conclusie.' Hij sloot het dossier en keek Fiske aan. 'De feiten van deze zaak, tenminste zoals we die tot dusver kennen, zijn tamelijk eenvoudig. Je broer werd gevonden op de voorste stoel van zijn auto, in een steeg dicht bij de Anacostia, van dichtbij aan de rechterkant door het hoofd geschoten. De kogel is aan de linkerzijde uitgetreden en lijkt van vrij zwaar kaliber te zijn. We hebben het projectiel nog niet gevonden, maar het zoeken duurt voort. De moordenaar kan het hebben opgezocht en meegenomen, opdat we geen ballistisch onderzoek zouden kunnen doen als we ooit een wapen vinden, om te zien of ze met elkaar overeenkomen.'
'Het moet een koelbloedig iemand zijn geweest om in een steeg naar een huls te lopen zoeken met een lijk op een paar meter afstand.'
'Dat ben ik met je eens. Maar nogmaals, misschien vinden we de kogel nog.'
'Ik begrijp dat zijn portefeuille ontbrak?'
'Laten we het anders zeggen: er werd geen portefeuille op hem gevonden. Was het zijn gewoonte om er geen bij zich te dragen?'
Fiske keek even een andere kant op. 'We hebben elkaar de laatste paar jaar niet vaak gezien, maar ik denk dat u kunt aannemen dat hij er een bij zich had. U hebt die dus ook niet in zijn appartement gevonden?'
'Je moet me een beetje tijd gunnen, John. Het lichaam van je broer werd pas gisteren gevonden.' Chandler sloeg zijn notitieboekje open en pakte een pen. 'De steeg waar hij werd aangetroffen ligt in een buurt waar veel drugs worden gebruikt, en die ook om andere redenen slecht

bekendstaat. Was hij, voorzover je weet, een drugsgebruiker? Af en toe of anderszins?'
'Nee. Hij gebruikte geen drugs.'
'Maar dat kun je niet zeker weten, nietwaar? Je hebt net gezegd dat jullie elkaar weinig zagen. Klopt dat?'
'Mijn broer had bij alles wat hij deed altijd hoogstaande doelen voor ogen, en dan overtrof hij zichzelf nog. Drugs waren daarbij niet aan de orde.'
'Enig idee waarom hij in die buurt kan zijn geweest?'
'Nee, maar hij zou ergens anders ontvoerd kunnen zijn en vervolgens daarheen gebracht.'
'Is er een reden waarom iemand hem dood zou wensen?'
'Ik kan er niet een bedenken.'
'Geen vijanden? Jaloerse vrienden? Geldproblemen?'
'Nee. Maar nogmaals, ik ben misschien niet de meest geschikte persoon om dat aan te vragen. Hebt u al enig idee van het tijdstip van zijn dood?'
'Tamelijk vaag. Ik wacht op de officiële bevestiging. Waarom?'
'Ik kom net uit het mortuarium. Ik heb aan zijn hand gevoeld. Die was zacht, soepel. De rigor was allang voorbij. In welke conditie werd het lichaam gisteravond gevonden?'
'Laten we zeggen dat het daar al een tijdje had gelegen.'
'Dat is verrassend. Uit wat u zei maak ik op dat het geen afgelegen buurt is.'
'Dat is zo, maar in die wijk zijn dode lichamen in stegen niet zó ongewoon. Daar staat tegenover dat het bij ongeveer negenennegentig procent van de moorden in die buurt om zwarte slachtoffers gaat, om de doodeenvoudige reden dat er geen blanken komen.'
'U bedoelt dat mijn broer er zou zijn opgevallen. Is er geld van de ATM-bank opgenomen? Zijn er aankopen gedaan met zijn creditcard?'
'We zijn nog bezig dat alles na te trekken. Wanneer heb je je broer het laatst gesproken?'
'Hij heeft me een week geleden gebeld.'
'Wat zei hij?'
'Ik was niet thuis. Hij heeft een boodschap ingesproken. Zei dat hij ergens mijn advies voor nodig had.'
'Heb je hem teruggebeld?'
'Pas kortgeleden.'
'Waarom heb je gewacht?'
'Het stond niet boven aan mijn lijstje van urgente zaken.'
'O nee?' Chandler liet de pen tussen zijn vingers ronddraaien. 'Vertel

me eens, mocht je je broer eigenlijk wel?'
Fiske keek hem recht aan. 'Iemand heeft mijn broer vermoord. Ik wil degene die het heeft gedaan, te pakken krijgen. Meer heb ik er niet over te zeggen.'
De blik in Fiskes ogen was voor Chandler aanleiding door te zetten. 'Misschien wilde hij praten over iets wat met zijn werk te maken had? Weet je, wat deze zaak belangwekkend maakt, is het beroep van je broer.'
'U bedoelt dat de moord verband kan houden met iets bij het Hooggerechtshof?'
'Het is een gok, absoluut, maar wat je me zo-even verteld hebt over het telefoontje van je broer, doet het iets minder op een gok lijken dan een minuut geleden.'
'Ik betwijfel of hij mijn advies nodig had voor de nieuwste abortuskwestie.'
'Waarover dan? Hoe hij een vrouw moest versieren?'
'Dan hebt u geen foto van hem gezien. Daar had hij geen hulp bij nodig.'
'Die heb ik wel gezien, maar doden komen nu eenmaal niet voordelig uit op een foto. Toch zei hij dat hij je advies nodig had. Misschien wás het een juridische kwestie.'
'Nou, u kunt altijd nog naar het Hooggerechtshof gaan om te zien of daar een samenzwering aan de gang is.'
'We moeten daarbij wel voorzichtig te werk gaan.'
'We?'
'Ik weet zeker dat je broer daar persoonlijke bezittingen heeft en het zou niet ongebruikelijk zijn voor een naaste bloedverwant om een bezoek te brengen aan zijn werkplek. Ik neem aan dat je er wel eens bent geweest?'
'Eén keer, toen Mike net begon. Mijn vader en ik.'
'En je moeder?'
'Alzheimer.'
'Dat spijt me.'
'Nog andere ontwikkelingen?'
Ten antwoord stond Chandler op, nam zijn jasje van een kleerhanger die aan de deur hing en trok het aan. 'Ik wil je meenemen naar de auto van je broer.'
'En daarna?'
Chandler keek op zijn horloge, alvorens glimlachend te zeggen: 'Dan hebben we nog juist genoeg tijd om naar het Hooggerechtshof te gaan, meneer de advocaat.'

•22•

Rufus keek naar de deur, die langzaam openging. Hij bereidde zich voor op de aanblik van een massa mannen in groen gevechtstenue die op hem af zouden komen, maar de spanning gleed van hem af toen hij zag wie het was.
'Tijd om me weer te controleren?'
Cassandra kwam naast het bed staan. 'Is dat niet de plicht van iedere vrouw, altijd maar weer mannen controleren?' De woorden waren grappig, haar toon niet. Ze keek naar de monitoren en maakte een paar aantekeningen op zijn kaart, waarbij ze af en toe naar hem keek.
'Het geeft me een goed gevoel. Ik ben er niet aan gewend.' Hij zorgde ervoor zijn boeien niet te laten rammelen toen hij zich een beetje oprichtte.
'Ik heb uw broer gebeld.'
Rufus' gezicht werd ernstig. 'O ja? Wat zei hij?'
'Hij zei dat hij u zou komen opzoeken.'
'Heeft hij ook gezegd wanneer?'
'Zo gauw mogelijk. Om precies te zijn, vandaag.'
'Wat hebt u hem allemaal verteld?'
'Ik heb tegen hem gezegd dat u ziek was, maar dat u snel beter werd.'
'Heeft hij verder nog iets gezegd?'
'Ik begreep dat hij een man van weinig woorden is,' merkte Cassandra op.
'Ja, zo is Josh nu eenmaal.'
'Is hij net zo groot als u?'
'Nee. Het is een klein kereltje. Zowat één meter vijfentachtig, niet veel zwaarder dan negentig kilo.' Cassandra schudde haar hoofd en wilde weggaan. 'Hebt u tijd om even te gaan zitten en met me te praten?' vroeg Rufus.
'Ik heb eigenlijk pauze. Ik kwam alleen om u dat van uw broer te vertellen. Ik moet nu weg.' Het klonk een beetje onvriendelijk.
'Is alles goed met u?'
'Al zou dat niet zo zijn, dan kunt u er toch niets aan doen.' Haar toon was nu scherp, ruw.

Rufus nam haar een ogenblik aandachtig op. 'Ligt hier ergens een bijbel?'
Verbaasd draaide ze zich om. 'Waarom?'
'Ik lees elke dag in de bijbel. Dat doe ik al zolang ik me kan herinneren.'
Ze keek naar het nachtkastje naast het bed, liep erheen en haalde er een bijbel uit. 'Ik kan hem niet aan u geven. Ik mag niet zo dichtbij komen. De mensen van de gevangenis hebben me daar nadrukkelijk op gewezen.'
'U hoeft hem niet aan me te geven. Ik zou het op prijs stellen als u me er iets uit voorlas, als u dat zou willen.'
'Voorlezen?'
'Het hoeft niet,' zei hij snel. 'Misschien bent u niet eens geïnteresseerd in de bijbel, of in naar de kerk gaan.'
Ze keek op hem neer, een hand op haar heup, de andere om de groene bijbel geklemd. 'Ik zing in het koor. Mijn man, God hebbe zijn ziel, was hulpgeestelijke.'
'Dat is heel mooi, Cassandra. En uw kinderen?'
'Hoe weet u dat ik kinderen heb? Omdat ik niet mager ben?'
'Nee, nee.'
'Wat dan?'
'U ziet eruit als iemand die van klein grut houdt.'
Zijn woorden verbaasden haar en een snelle glimlach brak door op haar bewolkte gezicht. 'Ik zal echt voor u moeten oppassen.' Ze merkte dat hij naar de bijbel keek alsof hij dorst had en wilde drinken, en zij het koudste, meest verfrissende glas water van de wereld vasthield.
'Wat wilt u dat ik lees?'
'Psalm 103.'
Cassandra twijfelde nog even, maar toen pakte ze een stoel en ging zitten.
Rufus ging weer achterover op bed liggen. 'Dank je, Cassandra.'
Onder het lezen keek ze van opzij naar hem. Hij had zijn ogen gesloten. Ze las nog een paar woorden, keek weer op en zag zijn lippen bewegen en daarna stilhouden. Ze keek naar de volgende zin, probeerde hem snel te onthouden en las die voor terwijl ze Rufus gadesloeg. Geluidloos zei Rufus elk woord mee op hetzelfde moment dat zij het uitsprak. Ze hield op, maar hij ging door tot het eind van de zin. Toen ze niet verderging, opende hij zijn ogen. 'Kent u die psalm uit uw hoofd?' vroeg ze.
'Ik ken bijna de hele bijbel uit mijn hoofd. Alle Psalmen en Spreuken.'
'Dat is nogal indrukwekkend.'
'Ik heb tijd genoeg gehad om eraan te werken.'

'Waarom wilde u dan dat ik de psalm voorlas, als u die toch al kent?'
'Het leek erop dat u ergens mee zat. Ik dacht dat het lezen van de Schrift u misschien een beetje zou helpen.'
'Mij helpen?' Cassandra keek neer op de bladzijde en las in stilte. 'Hij die vergeeft wat gij hebt misdreven. Hij die geneest al waar ge aan krank gaat. Hij die verlost van de groeve van uw leven. Hij die u kroont met genade en erbarmen.' Haar werk was deprimerend. Met de dag kreeg ze minder vat op haar drie tienerkinderen. Ze was aan de verkeerde kant van de veertig, meer dan twintig kilo te zwaar en er was geen geschikte man te bekennen. Dit alles bij elkaar maakte dat ze, kijkend naar deze gevangene, deze geketende man die in de gevangenis zou sterven, bijna in tranen uitbarstte vanwege zijn vriendelijkheid, zijn ongevraagde meegevoel met haar zorgen.
Psalm 103 had ook voor Rufus een speciale aantrekkingskracht, één zin in het bijzonder. Hij sprak hem geluidloos uit: 'Gerechtigheid schept Hij, de Heer, doet recht aan elk die verdrukt wordt.'

'Is dat zijn auto?' vroeg Chandler, toen ze op het parkeerterrein van het politiebureau bij de zilverkleurige Honda uit 1987 kwamen.
Fiske knikte. 'Die hebben we hem gegeven toen hij afstudeerde. We hebben er allemaal aan meebetaald, mijn ouders en ik.'
'Ik heb vijf broers, maar zoiets hebben ze voor mij nooit gedaan.'
Chandler ontsloot het portier aan de kant van de bestuurder en deed een stap achteruit, zodat Fiske naar binnen kon kijken.
'Waar hebt u de autosleutels gevonden?'
'Op een van de voorstoelen.'
'Nog andere persoonlijke bezittingen?' Chandler schudde ontkennend zijn hoofd. Fiske bekeek de bestuurdersstoel, het dashboard, de voorruit en de zijraampjes. Zijn verbazing was duidelijk. 'Is de auto schoongemaakt?'
'Nee. Hij is nog net als toen we hem vonden, op de inzittende na.'
Fiske richtte zich op en keek de rechercheur aan.
'Als je een zwaar kaliber pistool tegen iemands slaap drukt en de trekker overhaalt in een kleine ruimte zoals deze, dan zou je bloedspatten, botsplinters en stukjes weefsel krijgen op de stoel, het stuur en de ramen. Ik zie niet meer dan een paar vlekken hier en daar, waarschijnlijk waar zijn hoofd tegen de rugleuning heeft gerust.'
Chandler keek geamuseerd. 'O ja?'
Fiskes kaak verstrakte. 'Ik vertel u niets wat u niet al wist. Ik neem aan dat dit weer zo'n kleine test van u was?'
Chandler knikte langzaam. 'Zou kunnen. Zou ook een andere reden

kunnen zijn. Weet u nog dat ik zei dat ik vijf broers had?'
'Ja.'
'Nou, ik begon met zes. Een van mijn broers werd vijfendertig jaar geleden vermoord. Hij werkte bij een benzinestation. Er kwam een of ander stuk tuig binnen die hem doodschoot voor de twaalf dollar in de kassa. Ik was destijds pas zestien, maar ik kan me alle bijzonderheden nog herinneren alsof het vijf minuten geleden was. In ieder geval, de meeste familieleden die hun geliefden moeten identificeren, komen niet mijn kantoor binnenstappen om hun diensten aan te bieden. Ze hebben verdriet en ze troosten elkaar en dat is heel goed. O, ze gaan een poosje tekeer, zeggen dat ze de klootzak die het gedaan heeft willen grijpen, maar ze willen niet echt bij de gang van zaken worden betrokken. Ik bedoel maar, wie zou dat willen? Het is een smerig karwei. En gewoonlijk hebben ze geen politieachtergrond. Als ik dat allemaal bij elkaar optel, denk ik dat jij iemand bent die echt een bijdrage kan leveren. En dat heb je zojuist bewezen. Ik kan je woede begrijpen, John, of je je broer nu graag mocht of niet. Iemand heeft je iets afgenomen, iets belangrijks, heeft het in feite van je geroofd. Het is vijfendertig jaar geleden en ik voel die woede nog steeds.'
Fiske keek naar al die andere auto's. Hij nam aan dat elk brok metaal op zijn beurt wachtte om de geheimen van een andere tragedie prijs te geven. Daarna wendde hij zich tot Chandler. 'Ik denk dat woede wel voldoende is.' Zachtjes voegde hij eraan toe, naar de grond kijkend: 'Tot zich iets anders voordoet.' Uit zijn toon sprak niet veel hoop.
'Dat lijkt me redelijk.' Chandler ging verder met zijn analyse. 'De afwezigheid van al dat materiële bewijsmateriaal dat je zojuist hebt opgenoemd, brengt me in de war.'
'Het ziet er niet naar uit dat hij in de auto werd vermoord.'
'Dat klopt. Het lijkt erop dat hij ergens anders werd gedood en dat zijn lichaam daarna voor in de auto werd geplaatst. Die simpele conclusie leidt ons tot een heel nieuw scala van mogelijkheden.'
'We hebben het dan over iets wat veel opzettelijker is dan een lukrake beroving.'
'Mogelijk, hoewel een stelletje tuig hem ontvoerd kan hebben, hem uit zijn auto heeft gesleurd, misschien om geld op te nemen bij een ATM-automaat. Hij weigert, ze vermoorden hem. Dan worden ze bang en zetten hem weer in zijn auto.'
'Dan zou er toch bewijsmateriaal te vinden moeten zijn bij de geldautomaat. Is daar iets gevonden?'
'Nee, maar er zijn heel wat ATM-automaten.'
'Die door heel wat mensen worden bezocht. Als het minstens een dag

geleden is, zou je toch denken dat iemand iets gezien moet hebben.'
'Dat zou je denken, maar daar kun je niet zeker van zijn. We proberen de bewegingen en de verblijfplaats van je broer gedurende de afgelopen achtenveertig uur vast te stellen. Twee dagen geleden is hij voor het laatst gezien bij zijn flat. Daarna, *nada*.'
'Als iemand bij hem in de auto is gestapt, zijn er dan geen vingerafdrukken te vinden? De meeste knapen die op zoek zijn naar ATM-betaalpasjes, zijn niet zo slim om handschoenen te dragen.'
'Dat onderzoeken we nog.'
'Zal ik je nog eens iets laten zien?'
'Ga je gang.'
Fiske hield het portier open en wees naar de binnenzijde van de drempel, naar het gedeelte dat je niet ziet wanneer de deur dicht is. Chandler voelde in zijn zakken naar zijn bril, zette die op en zag waarnaar Fiske wees. Chandler trok een paar rubberen handschoenen aan die hij uit zijn jaszak haalde en pakte voorzichtig het kleine stukje kleverig plastic. Hij legde het op zijn handpalm en bekeek het nauwkeurig.
'Je broer had zijn auto pas een onderhoudsbeurt laten geven bij Wal-Mart.'
'Er staat op dat de olie weer ververst moet worden na drie maanden of vijfduizend kilometer, naargelang van wat zich het eerst voordoet. Ze zetten de volgende datum en de volgende kilometerstand op die sticker om je eraan te herinneren wanneer je weer naar de garage moet. Wanneer je van de datum op die sticker drie maanden aftrekt, is mijn broer drie dagen voor zijn lichaam werd gevonden, bij de garage geweest. Kijk nu eens naar de kilometerstand waarop de volgende beurt moet plaatsvinden en trek daar vijfduizend kilometer af. Dan krijg je ongeveer de stand van de kilometerteller op dit moment.'
Chandler maakte snel de berekening. 'Zesentachtigduizend vijfhonderddrieënveertig.'
'Kijk nu naar de stand van de teller van de auto.'
Chandler bukte zich in de auto en keek. Weer rekende hij het snel uit zijn hoofd uit. Met licht opengesperde ogen keek hij Fiske aan. 'Iemand heeft de afgelopen drie dagen met deze auto ongeveer twaalfhonderd kilometer gereden.'
'Dat klopt,' zei Fiske.
'Waar is hij verdomme geweest?'
'Op de sticker staat niet bij welke Wal-Mart-garage hij geweest is, maar het was er waarschijnlijk een vlak bij zijn huis. U kunt eens rondvragen, misschien kunnen ze ons iets nuttigs vertellen.'
'Ik kan niet geloven dat we dit over het hoofd hebben gezien,' zei

Chandler. Hij liet de sticker in een plastic zakje met een ritssluiting glijden dat hij uit zijn jaszak had gehaald, en schreef een paar dingen op de buitenkant. 'O, John?'
'Ja?'
Hij hield het dichtgeritste zakje omhoog. 'Geen testen meer, oké?'

•23•

Een half uur later liepen Chandler en Fiske door de hoofdingang van het Hooggerechtshof.
Vanbinnen was het gebouw groot en intimiderend. Wat Fiskes aandacht echter het meest gevangen hield was de stilte, zo buitengewoon dat het bijna verontrustend leek. Er ging een bijna hallucinerende werking van uit, wanneer hij probeerde te bedenken dat aan de andere kant van de deuren een heel andere wereld functioneerde. Fiske dacht aan de laatste doodstille plek waar hij was geweest: het mortuarium.
Hij vroeg: 'Wie gaan we hier eigenlijk opzoeken?'
Chandler wees naar een groepje mannen dat doelbewust door de hal op hen af kwam lopen. 'Die daar.' Bij hun nadering hadden hun gezamenlijke voetstappen in deze akoestische tunnel het effect van kanongebulder. Een van de mannen was in burger, de beide anderen waren in uniformen en hadden pistolen bij zich.
'Rechercheur Chandler?' De man in het pak stak zijn hand uit. 'Ik ben Richard Perkins, hoofd gerechtelijke diensten van het Hooggerechtshof van de Verenigde Staten.' Perkins was ongeveer één meter vijfenzeventig, mager, met de flaporen van een jongen en wit haar dat recht over zijn voorhoofd was gekamd als een bevroren waterval. Hij stelde zijn metgezellen voor. 'Hoofd politie, Leo Dellasandro en zijn naaste medewerker, Ron Klaus.'
'Prettig kennis te maken,' zei Chandler. Hij zag dat Perkins afwachtend naar Fiske keek en voegde eraan toe: 'John Fiske. De broer van Michael Fiske.'
Ze haastten zich alle drie om hun medeleven te betuigen.
'Een tragedie. Een zinloze tragedie,' zei Perkins. 'Michael werd hier zeer gerespecteerd. We zullen hem erg missen.'

Fiske slaagde erin dankbaar te kijken bij al deze instant-sympathie.
'Hebt u Michael Fiskes kantoor afgesloten, zoals ik heb verzocht?' vroeg Chandler.
Dellasandro knikte. 'Het was moeilijk, omdat hij het deelde met een andere griffier. Twee personen in een kantoor is hier de norm.'
'Laten we hopen dat we het niet lang tot verboden gebied hoeven te verklaren.'
'We kunnen naar mijn kantoor gaan, als u dat wilt, en uw lijst nalopen, rechercheur Chandler,' bood Perkins aan. 'Dat is aan het eind van de gang.'
'Laten we dat maar doen.'
Toen Fiske met hen mee begon te lopen, bleef Perkins staan en keek Chandler aan.
'Het spijt me. Ik ging ervan uit dat meneer Fiske hier was om een andere reden, die niets met uw onderzoek te maken had.'
'Hij helpt me met wat achtergrondinformatie over zijn broer,' zei Chandler.
Perkins keek Fiske aan met een in Fiskes ogen niet erg vriendelijke blik.
'Ik wist niet eens dat Michael een broer had,' zei Perkins. 'Hij heeft het nooit over u gehad.'
'Dat geeft niet, hij heeft me ook nooit iets over u verteld,' antwoordde Fiske.
Perkins' kantoor lag aan het eind van de gang die naar de rechtszaal leidde. Het was ingericht in ouderwetse, koloniale stijl, de architectuur en het vakmanschap uit een tijdperk van een regering die niet bezwaard werd door een nationale schuld van talloze miljarden en tekorten bij de bank.
Aan een kleine tafel in Perkins' kantoor zat een man van achter in de veertig. Zijn blonde haar was heel kort geknipt en zijn lange, smalle gezicht drukte een onmiskenbare autoriteit uit. Zijn zelfverzekerde manier van doen gaf aan dat hij het prettig vond om autoritair op te treden. Toen hij opstond, zag Fiske dat hij meer dan één meter tachtig lang was en eruitzag alsof hij veel tijd in de sportschool doorbracht.
'Rechercheur Chandler?' De man stak een hand uit en hield met de andere zijn legitimatiebewijs omhoog. 'Warren McKenna, speciaal agent van de FBI.'
Chandler keek naar Perkins. 'Ik wist niet dat de FBI hierbij gehaald was.'
Perkins wilde iets zeggen, maar McKenna was hem voor. 'Ik ben ervan overtuigd dat u weet dat het openbaar ministerie en de FBI wettelijk het recht hebben een volledig onderzoek in te stellen naar de moord op iemand die in dienst is van de regering van de Verenigde Staten. Het

bureau is echter niet van plan het onderzoek over te nemen of u voor de voeten te lopen.'
'Dat is prettig, want zodra ik ook maar heel even onder ongewenste druk word gezet, word ik gek.' Chandler glimlachte.
McKenna vertrok geen spier. 'Ik zal proberen dat in gedachten te houden.'
Fiske stak zijn hand uit. 'John Fiske, agent McKenna. Michael Fiske was mijn broer.'
'Gecondoleerd, meneer Fiske. Ik weet dat dit verdomd beroerd voor u moet zijn,' zei McKenna, terwijl hij hem de hand drukte. Daarna richtte de FBI-agent zijn aandacht weer op Chandler. 'Als de omstandigheden een actievere rol voor het bureau noodzakelijk maken, dan verwachten we uw volledige medewerking. Bedenk wel dat het slachtoffer een regeringsambtenaar was.' Hij keek het vertrek rond. 'In dienst bij een van de meest gerespecteerde instellingen ter wereld. Misschien een van de meest gevreesde.'
'Vrees als gevolg van onwetendheid,' merkte Perkins op.
'Niettemin gevreesd. Na Waco, het World Trade Center en Oklahoma City hebben we geleerd extra voorzichtig te zijn.'
'Jammer dat jullie het niet sneller hebben geleerd,' zei Chandler droog. 'Maar bekvechten over ons grondgebied is tijdverspilling. Ik geloof in eerlijk delen, oké?'
'Natuurlijk,' zei McKenna.
Chandler stelde een half uur lang vragen, voornamelijk om te proberen vast te stellen of een of andere zaak waaraan Michael Fiske voor het Hof had gewerkt, tot zijn moord kon hebben geleid. Van ieder van de vertegenwoordigers van het Hof kreeg hij hetzelfde antwoord: 'Onmogelijk.'
McKenna stelde heel weinig vragen, maar luisterde oplettend naar hetgeen Chandler vroeg.
'De precieze details van zaken die door het Hof worden behandeld, worden zo voor het publiek afgeschermd dat er geen enkele mogelijkheid bestaat dat iemand zou kunnen weten waar een bepaalde griffier al dan niet aan werkt.' Perkins sloeg met zijn vlakke hand op het tafelblad om dat punt te benadrukken.
'Tenzij die griffier het aan iemand vertelde.'
Perkins schudde zijn hoofd. 'Ik wijd hen persoonlijk in omtrent de gang van zaken betreffende veiligheid en vertrouwelijkheid, als deel van hun opleiding. De ethische regels die op hen van toepassing zijn, zijn heel stringent. Ze krijgen zelfs een handboek over het onderwerp. Het is niet toegestaan dat er iets naar buiten wordt gebracht.'

Chandler leek niet overtuigd. 'Wat is de gemiddelde leeftijd van de griffiers? Vijfentwintig, zesentwintig?'
'Zoiets.'
'Het zijn jonge mensen, die bij het hoogste gerechtshof van het land werken. Wilt u me vertellen dat het onmogelijk is dat ze loslippig zijn? Zelfs als ze een meisje willen imponeren?'
'Ik loop lang genoeg mee om te weten dat het nooit verstandig is het woord onmogelijk te gebruiken.'
'Ik ben rechercheur bij Moordzaken, meneer Perkins, en gelooft u mij maar, ik zit met hetzelfde probleem.'
'Kunnen we ons weer tot het onderwerp bepalen?' zei Dellasandro. 'Uit wat ik over de zaak weet, lijkt het erop dat roof het motief was.' Hij spreidde zijn handen en keek verwachtingsvol naar Chandler. 'Hoe kan het Hof daar iets mee te maken hebben. Hebt u zijn flat al doorzocht?'
'Nog niet. Ik stuur er morgen een team heen.'
'Hoe weten we dat het geen verband houdt met zijn privé-leven?' vroeg Dellasandro.
Iedereen keek naar Chandler, wachtend op een antwoord. De rechercheur keek naar zijn aantekeningen zonder ze echt te zien. 'Ik wil gewoon alle mogelijkheden nagaan. De werkplek van het slachtoffer van een moord bekijken en vragen stellen, is zeker niet ongebruikelijk, heren.'
'Zeker,' zei Perkins. 'U kunt op onze volledige medewerking rekenen.'
'Kunnen we dan nu een kijkje nemen in het kantoor van meneer Fiske?' zei Chandler.

•24•

De man sloop als een kat de gang door. Hij was één meter vijfentachtig, slank maar krachtig gebouwd met brede schouders, die uitwaaierden van een dikke nek. Hij had een lang, smal gezicht; zijn huid was kastanjebruin en glad, afgezien van diepe rimpels bij de ogen en de mond, als de lijnen van een vingerafdruk. Op zijn hoofd had hij een verkreukelde Virginia Tech-honkbalpet. Een korte, zwart met grijze baard omlijstte zijn kaak. Hij was gekleed in een versleten spijkerbroek en een verbleekt

denimhemd met transpiratievlekken, waarvan de mouwen waren opgerold, zodat een paar dikke, geaderde onderarmen zichtbaar waren. Uit de borstzak van het overhemd stak een pakje Pall Mall. Hij kwam aan het eind van de gang en sloeg de hoek om. Zodra hij dit deed, kwam de soldaat die naast de deur van de laatste kamer aan de gang zat, overeind en stak zijn hand op.
'Sorry, meneer, dit gedeelte is verboden voor iedereen behalve het noodzakelijke medische personeel.'
'Mijn broer ligt daar,' zei Joshua Harms. 'Ik kom hem opzoeken.'
'Ik ben bang dat dat onmogelijk is.'
Harms keek naar het naamplaatje van de soldaat. 'Ik ben bang dat dat niet klopt, soldaat Brown. In de gevangenis ga ik aldoor bij hem op bezoek. Nu laat je me daar binnen, hoor je me?'
'Ik denk het niet.'
'Nou, dan ga ik de directeur van dit ziekenhuis en de plaatselijke politie en de verdomde commandant van Fort Jackson optrommelen en tegen hen zeggen dat je een familielid hebt geweigerd een stervende bloedverwant op te zoeken. Dan zullen ze je allemaal om de beurt een schop onder je kont geven, jongeman. Heb ik al gezegd dat ik bijna drie jaar in Vietnam ben geweest en dat ik genoeg medailles heb gekregen om jouw hele verdomde lijf mee vol te hangen? En nu laat je me erin, of moeten we het op die andere manier regelen? Ik wil antwoord en ik wil het nú.'
Een uit het veld geslagen Brown keek een minuut om zich heen, niet zeker wat hij nu moest doen. 'Ik moet iemand bellen.'
'Nee, dat doe je niet. Je kunt me fouilleren, maar ik ga daar naar binnen. Ik blijf niet lang. Maar het moet wel nu meteen.'
'Hoe heet u?'
'Josh Harms.' Hij haalde zijn portefeuille tevoorschijn. 'Hier heb je mijn rijbewijs. Ik ben door de jaren heen heel wat keren in de gevangenis geweest, maar ik herinner me niet dat ik jou daar heb gezien.'
'Ik werk niet in de gevangenis,' zei hij. 'Ik doe hier tijdelijk dienst. Ik zit bij de reserve.'
'De reserve? Moet die een gevangene bewaken?'
'Het gevangenispersoneel dat met uw broer is meegevlogen, is eerder vandaag teruggegaan. Morgenochtend sturen ze een paar vervangers om me af te lossen.'
'Halleluja. Kunnen we dit nu afhandelen?'
Soldaat Brown staarde hem nog een paar seconden aan. 'Wilt u zich omdraaien?' zei hij ten slotte.
Josh deed wat hem werd gevraagd. Brown begon hem af te tasten. Vlak

voor hij bij de zak aan de voorkant van zijn broek kwam, zei Josh: 'Schrik niet, maar daar zit een zakmes in. Haal het eruit en bewaar het voor me. Pas er goed op, jongen, ik ben erg gehecht aan dat mes.'
Soldaat Brown was klaar met fouilleren en richtte zich op. 'U hebt tien minuten, niet meer. En ik ga met u mee naar binnen.'
'Als je meegaat, verlaat je je post. Je verlaat je post in het leger, of in de reserve, en dan loopt het net zo met je af als met mijn broer.' Hij keek naar het jongensachtige gezicht. Een zogenaamde weekendsoldaat, dacht hij. Zat waarschijnlijk van maandag tot vrijdag punten te slijpen, voordat hij zijn gevechtstenue aantrok en zijn pistool pakte, op zoek naar avontuur. 'En laat me je dit zeggen, de gevangenis is niet direct een plek waar iemand als jij thuishoort.'
Soldaat Brown slikte nerveus. 'Tien minuten.'
De twee mannen keken elkaar strak aan. 'Vriendelijk bedankt,' zei Josh Harms, die er geen woord van meende.
Hij liep de kamer in en trok de deur achter zich dicht.
'Rufus,' zei hij zacht.
'Ik had niet gedacht dat je zo vlug zou komen, broer.'
Joshua liep tot bij het bed en keek op hem neer. 'Wat is er in godsnaam met je gebeurd?'
'Ik denk niet dat je dat wilt weten.'
'Het heeft zeker allemaal te maken met die verdomde brief die je hebt gekregen?' Hij trok een stoel bij het bed.
'Hoe lang heeft de bewaarder je gegeven?'
'Tien minuten, maar ik maak me over hem geen zorgen.'
'Tien minuten is niet genoeg om je veel te vertellen. Maar ik zal je dit zeggen. Als ik terugga naar Fort Jackson, vermoorden ze me zodra ik binnen ben.'
'Wie zijn "ze"?'
Rufus schudde zijn hoofd. 'Als ik het je vertel, komen ze ook achter jou aan.'
'Ik ben nu toch bij je, of niet? Die babysoldaat op de gang is stom, maar niet zó stom. Hij zal me op de bezoekerslijst zetten. Dat weet je.'
Rufus slikte moeizaam. 'Ik weet het. Misschien had ik je niet moeten vragen te komen.'
'Ik ben er nu. Dus begin maar te praten.'
Rufus dacht er een minuut over na. 'Hoor eens, Josh, over die brief van het leger. Toen ik die had gelezen, herinnerde ik me alles weer wat er die nacht gebeurd is. Ik bedoel, alles. Het leek net of iemand het rechtstreeks in mijn hoofd schoot.'
'Heb je het nu over het meisje?'

Rufus knikte al. 'Alles. Ik weet waarom ik het heb gedaan. En het is een feit dat het niet mijn schuld was.'
Zijn broer keek hem sceptisch aan. 'Toe nou, Rufus, je hebt dat meisje vermoord. Daar kun je niet omheen.'
'Doden en van plan zijn om te doden zijn twee verschillende dingen. Trouwens, ik heb mijn advocaat van destijds...'
'Je bedoelt die misselijke nietsnut van een advocaat.'
'Heb je de brief gelezen?'
'Natuurlijk. Die werd toch bij mij thuis bezorgd? Ik denk dat dat het laatste burgeradres was dat het leger van je had. Groot, stom bedrijf, ze wisten niet eens dat je in een van hun eigen verdomde gevangenissen zat.'
'Nou, ik heb Rider iets voor me laten versturen. Naar het Hof.'
'Wat heeft hij verstuurd?'
'Een brief die ik heb geschreven.'
'Een brief? Hoe heb je die eruit gekregen?'
'Op dezelfde manier waarop jij de brief van het leger hebt binnengesmokkeld.'
Beide mannen glimlachten.
Rufus zei: 'Ze hebben een drukkerij in de gevangenis. De machines zijn heet en smerig, dus de bewaarders geven je een beetje ruimte. Zo heb ik mijn goocheltruc kunnen uithalen.'
'Dus je denkt dat het Hof je zaak opnieuw zal bekijken? Daar zou ik mijn leven niet onder durven verwedden, broertje.'
'Het lijkt er niet op dat het Hof niets zal doen.'
'Nou zeg, dat is een grote verrassing.'
Rufus keek langs zijn broer heen naar de deur. 'Wanneer komen de gevangenisbewaarders terug?'
'Morgenochtend, zei die jongen.'
'Nou, dat betekent dat ik hier vanavond weg moet.'
'De vrouw die me belde, zei dat je een soort hartaanval had gehad. Kijk eens hoe je erbij ligt, aan al die apparaten. Hoe ver denk je dat je kunt lopen?'
'Hoe ver denk jij dat ik kan lopen als ik dood ben?'
'Denk je echt dat ze zullen proberen je te vermoorden?'
'Ze willen niet dat dit uitlekt. Je zei toch dat je de brief van het leger had gelezen?'
'Ja.'
'Nou, ik heb nooit deelgenomen aan dat programma waar ze het over hadden.'
Josh keek hem scherp aan. 'Hoe bedoel je dat?'

'Net wat ik zei. Iemand heeft me op de lijst gezet. Ze wilden dat het leek alsof ik eraan meedeed, om elkaar te dekken voor wat ze met me hadden gedaan. Waarom ik dat meisje had vermoord. Voor het geval iemand het controleerde, denk ik dat ze het moesten doen. Toen dachten ze dat ik de doodstraf zou krijgen.'
Josh liet het langzaam bezinken, tot de waarheid tot hem doordrong. 'Godalmachtig! Waarom zouden ze zoiets doen?'
'Moet je dat nog vragen? Ze hadden de pest aan me. Ze dachten dat ik de grootste klootzak van de hele wereld was. Ze wilden me dood hebben.'
'Als ik had geweten wat er allemaal gebeurd was, zou ik vast en zeker teruggekomen zijn en een hoop herrie hebben geschopt.'
'Jij had het te druk met proberen te voorkomen dat de Vietcong je aan flarden schoot. Maar als ik nu naar de gevangenis terugga, zullen ze er voor zorgen dat ze me deze keer te grazen nemen.'
John keek naar de deur en vervolgens naar de ketenen waarmee zijn broer was vastgeklonken.
'Ik heb jouw hulp hierbij nodig, Josh.'
'Dat heb je zeker, Rufus.'
'Je hoeft me niet te helpen. Je kunt je omdraaien en meteen weglopen. Dan hou ik nog steeds van je. Je hebt me al die jaren bijgestaan. Wat ik vraag is niet eerlijk, ik weet het. Je hebt hard gewerkt, je hebt een goed leven voor jezelf opgebouwd. Ik zou het begrijpen.'
'Dan ken je je broer niet.'
Langzaam stak Rufus zijn arm uit en pakte de hand van zijn broer. Ze hielden elkaar stevig vast, alsof ze probeerden elkaar kracht en vastberadenheid te geven voor datgene wat komen ging.
'Heeft iemand je zien binnenkomen?'
'Niemand, behalve de bewaarder. Ik ben niet precies door de voordeur gekomen.'
'Dan kan ik doen alsof ik je knock-out sla en hier op eigen houtje uit lopen. Ze weten dat ik gestoord ben. Ze zullen denken dat ik mijn eigen broer zou vermoorden zonder me twee keer te bedenken.'
'Flauwekul. Dat slaat nergens op, Rufus. Je zou verdomme niet weten waar je naartoe moest. Ze zouden je binnen tien minuten te pakken hebben. Ik heb bijna twee jaar reparatiewerk gedaan in dit ziekenhuis en ik ken het als mijn broekzak. De deur waardoor ik ben binnengekomen, hoort op slot te zijn, maar de verpleegkundigen hebben het slot afgeplakt. Ze gaan daar stiekem heen om een sigaretje te roken.'
'Hoe zou je het dan willen doen?'
'We gaan achteruit via dezelfde weg waarlangs ik binnen ben gekomen.

Achter in de hal, links. We komen niet langs een zusterpost, of zoiets. Mijn truck staat pal voor de deur. Ik heb een vriend die een halfuurtje hiervandaan woont. Ik heb nog wat van hem te goed. Ik laat mijn truck in een van zijn oude schuren achter en leen zijn auto voor een tijdje. Hij zal geen vragen stellen en hij zal nergens antwoord op geven als de politie langskomt. We gaan ervandoor en we kijken niet om.'
'Weet je zeker dat je dit wilt doen? En je kinderen dan?'
'Die zijn allemaal de deur uit. Ik zie ze niet vaak.'
'Hoe moet het met Louise?'
Josh keek even naar de grond. 'Louise is vijf jaar geleden de deur uit gelopen en sinds die tijd heb ik haar niet meer gezien.'
'Dat heb je me nooit verteld!'
'Wat had je eraan kunnen doen als ik het wel had gezegd?'
'Het spijt me.'
'Ik heb spijt van een hele hoop dingen. Ik ben niet de gemakkelijkste man om mee te leven. Kan niet zeggen dat ik het een van allen kwalijk neem.' Josh haalde zijn schouders op. 'Dus het is weer jij en ik, net als vroeger. Dat zou mama fijn hebben gevonden, als ze nog leefde.'
'Weet je het zeker?'
'Dat moet je me niet nog een keer vragen, Rufus.'
Rufus hief zijn geboeide handen op. 'Wat moeten we hiermee?'
Zijn broer was al bezig om iets uit zijn schoen te halen. Toen hij weer overeind kwam, had hij een smalle strook metaal vast die aan één kant licht gebogen was.
'Je wilt me toch niet vertellen dat die jongen je niet heeft gefouilleerd?'
'Shit, hij wist niet eens waar hij moest kijken. Toen hij mijn zakmes te pakken had, dacht hij dat hij me al mijn geváárlijke wapens had afgenomen. Hij nam niet eens de moeite in mijn schoenen te voelen.' Josh grinnikte en stak het stukje metaal in het slot van de boeien.
'Denk je dat je het open kunt krijgen?'
Josh hield even op om zijn broer minachtend aan te kijken. 'Als ik aan die verdomde Vietcong kan ontsnappen, kan ik toch zeker wel een paar legerhandboeien openmaken?'

Voor de deur, in de gang, keek soldaat Brown op zijn horloge. De tien minuten waren om. Hij opende de deur van de kamer op een kier. 'Oké, Harms, de tijd is om.' Daarna duwde hij de deur verder open. 'Meneer Harms, hebt u me verstaan? De tijd is om.'
Brown hoorde een zacht gekreun. Hij trok zijn pistool en gooide de deur helemaal open. 'Wat is hier aan de hand?'
Het gekreun werd luider. Zoekend keek Brown om zich heen naar de

lichtschakelaar. Toen struikelde hij ergens over. Hij knielde neer, en terwijl hij de dingen beter ging onderscheiden, voelde hij aan het gezicht van de man.
'Meneer Harms? Meneer Harms? Voelt u zich niet goed?'
Josh deed zijn ogen open. 'Met mij is alles goed. En met jou?'
Toen omklemde een grote hand Browns pistool en rukte het los. De andere hand werd tegen zijn mond gedrukt en Brown werd compleet van de grond getild. Een massieve vuist trof hem op zijn kin en sloeg hem knock-out.
Rufus legde Brown in het bed en bedekte hem met het laken. Josh sloeg de ketenen om de armen en benen van de bewusteloze soldaat en sloot ze stevig. Daarna gebruikte hij pleisters en gaas die hij in een van de kasten had gevonden om zijn mond dicht te plakken. Het laatste wat hij deed, was in de zakken van de soldaat voelen en zijn zakmes eruit halen.
Toen Josh zich naar Rufus omdraaide, sloeg deze beide armen om zijn broer en kneep stevig. Josh beantwoordde de omhelzing. Het was voor het eerst in vijfentwintig jaar dat de man dit kon doen. Met vochtige ogen stond Rufus op zijn benen te trillen, toen Josh zich eindelijk van hem losmaakte.
'Nou, niet zo sentimenteel worden. Daar hebben we geen tijd voor.'
Rufus glimlachte. 'Het is nog steeds fijn je vast te houden, Josh.'
Josh legde een hand op de schouder van zijn broer. 'Nooit gedacht dat we nog eens de kans zouden krijgen om dit te doen. Ik zal zoiets nooit meer als vanzelfsprekend aannemen.'
'Wat nu?'
'Vanuit de hal kun je niet zien waar de jongen zat. Maar ze hebben hier een eigen bewakingsdienst.' Josh keek op zijn horloge. 'Toen ik hier werkte, deden ze om het uur een ronde, op het hele uur. Nu is het kwart over. Die jongens draaien een rooster van zes man per uur en het zal ze een zorg zijn of ze ondersteken moeten bewaken, maar op een gegeven moment zullen ze waarschijnlijk merken dat hij weg is. Ben je klaar?'
Rufus had zijn gevangenisbroek en schoenen al aangetrokken, maar het overhemd liet hij uit, de voorkeur gevend aan zijn T-shirt. Eén ding hield hij in zijn hand geklemd: de bijbel. Hij voelde zich nog niet vrij, maar dat was nog slechts een kwestie van seconden. 'Hier heb ik vijfentwintig jaar op gewacht.'

•25•

Chandler keek Michael Fiskes kantoor rond, dat op de eerste verdieping van het gebouw lag. Het was groot, met een hoog plafond en sierlijsten van vijftien centimeter breed. Er stonden twee massief-houten bureaus, beide met een computerwerkstation, langs de muren hingen boekenplanken, vol met wetboeken en verslagen van zaken, en er stond een verplaatsbaar boekenkastje. Voorts stonden er houten kasten en op de bureaus lagen stapels dossiers. De kamer was op een wanordelijke manier georganiseerd, vond hij.

Perkins keek naar Chandler. 'Er moet iemand van het Hof aanwezig zijn terwijl u de boel doorzoekt. Er bevinden zich hier veel vertrouwelijke documenten. Concept-uitspraken, memo's van rechters en van andere griffiers, dat soort dingen, die alle betrekking hebben op nog niet afgehandelde zaken.'

'Goed. We zullen niets weghalen dat verband kan houden met lopende zaken.'

'Hoe weet u of dat zo is of niet?'

'Dat zal ik u vragen.'

'Ik weet er niets van. Ik ben geen advocaat.'

Chandler zei: 'Nou, stuurt u dan iemand die wel op de hoogte is, want ik ga met dit kantoor beginnen.'

'Misschien is het vandaag niet mogelijk. Kan het tot morgen wachten? Ik geloof dat alle griffiers al naar huis zijn. Opperrechter Ramsey vond dat ze niet te lang moesten doorwerken, in aanmerking nemend wat er is gebeurd.'

'Sommige rechters zijn er nog, Richard,' zei Klaus.

Perkins wierp Klaus een onvriendelijke blik toe. Deze keek weer naar Dellasandro. 'Ik wilde de rechters hier niet bij betrekken voor het absoluut noodzakelijk was. Maar ik zal zien wat ik doen kan,' zei Perkins. 'Ik ben bang dat ik deze deur zal moeten afsluiten tot ik terugkom.'

Chandler deed een stap naar Perkins toe. 'Hoor eens even, Richard, ik ben van de politie. Misschien vergis ik me en bedoel je niet wat ik dacht dat je bedoelde met die vreselijk stomme opmerking.'

Perkins' gezicht werd rood, maar hij sloot de deur niet af. Nadat hij

Klaus een teken had gegeven om met hem mee te gaan, liepen ze weg. Dellasandro bleef achter en praatte met McKenna.

Chandler liep naar Fiske toe. 'Ik krijg het gevoel dat dit allemaal allang bekokstoofd is voordat wij hier kwamen.'

'McKenna kende uw naam voordat u was voorgesteld.'

'Ze hebben blijkbaar al wat spitwerk verricht.'

'Tja, ik denk dat u hun dat niet kwalijk kunt nemen.'

'Ik ga met McKenna praten,' zei Chandler. 'Je weet nooit wanneer we een gunst nodig kunnen hebben van de FBI.'

Fiske stond tegen de muur geleund en keek op zijn horloge. Hij had zijn vader nog steeds niet kunnen bereiken.

Er ging een deur open in de gang, een eindje bij het kantoor van zijn broer vandaan, en een jongeman kwam naar buiten.

Fiske knikte in zijn richting. 'Drukke tent.'

'Bent u van de politie?'

Fiske schudde zijn hoofd en stak zijn hand uit. 'Slechts een waarnemer. Ik ben John Fiske. Mike was mijn broer.'

De jongeman werd bleek. 'O god, het is verschrikkelijk. Verschrikkelijk. Mijn deelneming.' Hij drukte Fiskes hand. 'Ik ben Steven Wright.'

Hebt u Mike goed gekend?'

'Niet echt. Ik ben deze termijn pas begonnen, als griffier voor rechter Knight. Ik weet dat iedereen met hem wegliep.'

Fiske keek naar de deur waaruit Wright was gekomen. 'Is dat uw kantoor?' Wright knikte. 'Ik geloof dat er heel wat drukte is geweest in de kamer van mijn broer.'

'Dat kun je wel zeggen. De hele dag hebben er mensen in en uit gelopen.'

'Zoals meneer Perkins? Commissaris Dellasandro?'

'En die meneer daar.' Fiske keek naar wie hij wees.

'Dat is agent McKenna van de FBI,' zei hij.

Wright schudde bedroefd zijn hoofd. 'Ik heb nooit iemand gekend die...' Hij zweeg verlegen.

'Het geeft niet. Ik begrijp wat u bedoelt.' Plotseling werd Fiskes aandacht getrokken door een tweetal mensen die naar hem toe kwamen lopen. Eigenlijk voornamelijk door een van hen. Ondanks haar onmiskenbare schoonheid zag de vrouw eruit als de kwajongen van de buren, dacht Fiske. Iemand met wie je kon voetballen, of schaken. Om ten slotte te verliezen.

Sara Evans keek naar Fiske. Ze had hem eerder het gebouw zien binnenkomen en had geraden waarvoor hij hier was. Daarom was ze in de buurt gebleven, voor het geval ze een van de griffiers nodig hadden om

mee te praten. Daarom had Perkins haar zo snel 'gevonden'. Vlak voor Fiske bleef ze staan, wat tot gevolg had dat Perkins ook stilhield.
'O,' zei hij. 'John Fiske, dit is Sara Evans.'
'Bent u Michaels broer?'
'Laat me eens raden, hij heeft het nooit over me gehad,' zei Fiske.
'Eerlijk gezegd heeft hij dat wel gedaan.'
Ze gaven elkaar een stevige hand. Het wit van haar ogen vertoonde rode vlekken, evenals het puntje van haar neus. Haar stem klonk vermoeid. Fiske merkte op dat ze een zakdoek in haar andere hand geklemd hield. Hij had het gevoel dat ze elkaar al eens eerder hadden ontmoet.
'Ik vind het heel, heel erg van Michael,' zei ze.
'Dank u. Het was een enorme schok.' Fiske knipperde met zijn ogen. Was er iets in haar ogen, toen hij dat zei? Iets wat betekende dat het voor haar helemaal niet zo'n schok betekende?
Perkins keek naar Steven Wright. 'Ik wist niet dat je op kantoor was.'
'Je had kunnen proberen om te kloppen,' opperde Fiske.
Perkins wierp hem een onvriendelijke blik toe, waarna hij in de richting van Chandler en McKenna liep.
'Hallo, Sara,' zei Wright, terwijl er een glimlach op zijn gezicht doorbrak.
Uit de manier waarop Wright haar aankeek, was het Fiske duidelijk dat hij verliefd was op de vrouw.
'Hallo, Steven? Gaat het een beetje?'
'Ik geloof niet dat er iemand is die vandaag veel werk heeft verzet. Ik ben van plan zo meteen naar huis te gaan.'
Sara keek Fiske aan. 'Iedereen had hoge verwachtingen van uw broer. Het heeft ons allemaal diep getroffen, van de opperrechter tot de lagere regionen. Maar ik weet dat het niet te vergelijken is met uw verlies.'
Ze zei dit op zo'n vreemde toon dat Fiske er te laat op reageerde. Voor hij iets kon zeggen, voegde Perkins zich weer bij hen.
'Goed. Rechercheur Chandler van de afdeling Moordzaken van D.C. wacht op ons, samen met iemand van de FBI,' zei hij tegen Sara.
'Waarom willen ze Michaels kantoor doorzoeken?'
Perkins zei botweg: 'Daar hebben wij niets mee te maken.'
'Het maakt deel uit van het onderzoek, mevrouw Evans,' legde Fiske uit. 'Voor het geval zijn werk verband houdt met de moord.'
'Ik dacht dat het een roofoverval was.'
'Het was een roofoverval, en hoe sneller we rechercheur Chandler ervan kunnen overtuigen dat het absoluut niets met het Hof te maken heeft, des te beter het is,' zei Perkins nors.

'Als dat zo is,' zei Fiske.
'Natuurlijk, maar het ís zo.' Perkins wendde zich tot Sara. 'Zoals ik op weg hiernaartoe heb uitgelegd, bestaat uw taak eruit ervoor te zorgen dat er geen vertrouwelijke documenten worden ingezien of meegenomen.'
'Wat verstaat u precies onder vertrouwelijk?' vroeg ze.
'U weet wel, alles wat te maken heeft met lopende zaken, vonnissen, memo's, dergelijke dingen.'
'Moet ik niet bij die beslissing worden betrokken, Richard,' klonk een nieuwe stem, 'of valt dat buiten mijn jurisdictie?'
Fiske had er geen moeite mee de man te herkennen die naar hen toe kwam. Harold Ramsey kwam aanzeilen als een indrukwekkende oceaanstomer die groots de haven komt binnenvaren.
'Meneer Ramsey, ik had u niet gezien,' zei Perkins nerveus.
'Blijkbaar niet.' Ramsey keek naar Fiske. 'Ik geloof niet dat wij elkaar al eens hebben ontmoet.'
'Michaels broer, John Fiske,' stelde Sara hem voor.
Ramsey stak zijn hand uit; zijn lange, benige vingers schenen zich twee keer om die van Fiske te wikkelen. 'Ik kan u niet zeggen hoe erg ik dit vind. Michael was een heel bijzondere jongeman. Ik weet dat dit een verschrikkelijk verlies moet zijn voor u en uw familie. Als we ook maar iets kunnen doen, laat u het ons dan alstublieft weten.'
Fiske accepteerde Ramseys condoleances. Hij voelde zich als een vreemde tijdens een wake, die onhandig betuigingen van deelneming in ontvangst neemt voor een overledene die hij niet kent.
'Dat zal ik doen,' zei hij ernstig.
Ramsey keek naar Perkins en knikte in de richting van Chandler en McKenna. 'Wie zijn die mannen en wat willen ze?'
Perkins legde de situatie op een redelijk efficiënte manier uit, hoewel duidelijk was dat Ramsey al vijf stappen vooruit had gedacht tegen de tijd dat Perkins zijn verhaal had afgestoken.
'Zou je rechercheur Chandler en agent McKenna alsjeblieft willen vragen om hierheen te komen, Richard?'
Nadat de mannen aan elkaar waren voorgesteld, richtte Ramsey zich tot Chandler. 'Het lijkt me dat de beste manier om dit probleem te benaderen is, om een bijeenkomst te beleggen met rechter Murphy en zijn griffiers, en een mondelinge inventaris te maken van de zaken waar Michael mee bezig was. U moet goed begrijpen dat ik probeer uw recht om deze misdaad te onderzoeken in evenwicht te houden met de verantwoordelijkheid van het Hof om uitspraken geheim te houden, tot het moment waarop ze openbaar worden gemaakt.'

'Oké.' En ik wil niet dat iemand probeert om mij het lek in de schoenen te schuiven, dacht Chandler bij zichzelf.
'Ik zie geen reden waarom u Michaels persoonlijke bezittingen niet zou kunnen bekijken, als hij die hier had. Ik vraag alleen dat alle documenten die betrekking hebben op de werkzaamheden van het Hof, opzij worden gelegd tot u een gesprek met rechter Murphy hebt gehad. Mocht daaruit blijken dat er enig verband zou kunnen bestaan tussen een zaak waaraan Michael werkte en zijn dood, dan kan daarna worden geregeld dat u elke schakel grondig kunt onderzoeken.'
'Goed, edelachtbare,' zei Chandler. 'Ik heb al een kort gesprek gevoerd met rechter Murphy.'
McKenna haastte zich om met het voorstel in te stemmen.
Ramsey richtte zich tot Perkins. 'Richard, zou je rechter Murphy en zijn griffiers willen meedelen dat rechercheur Chandler hen zo spoedig mogelijk wil ontmoeten? Ik neem aan dat morgen na het pleidooi een geschikte tijd is?'
'Prima,' antwoordde Chandler.
'Ik zal er ook voor zorgen dat een raadsman van het Hof beschikbaar is om te assisteren bij het coördineren van bepaalde zaken en om zich bezig te houden met vertrouwelijke informatie die zich zou kunnen aandienen. Sara, jij bent morgen beschikbaar, toch? Jij was goed bevriend met Michael.'
Fiske nam haar op. Hoe goed bevriend? vroeg hij zich af.
Ramsey stak opnieuw zijn hand uit naar Fiske. 'Ik zou het ook op prijs stellen als ik advies kreeg over wat er voor de begrafenis geregeld moet worden.'
Daarna richtte Ramsey zich tot Perkins. 'Richard, als je met rechter Murphy hebt gesproken, kom dan alsjeblieft naar mijn kantoor.' De bedoeling was duidelijk in zijn stem te horen.
Nadat Ramsey en Perkins waren vertrokken, keek Chandler toe terwijl McKenna Michael Fiskes kantoor opnieuw doorzocht. 'Commissaris Dellasandro,' zei Chandler, 'om zo weinig mogelijk te storen, zal ik morgen een heel team meenemen om het kantoor te doorzoeken, zodat we het maar één keer hoeven te doen.'
'Dat stellen we op prijs,' antwoordde Dellasandro.
'Ik wil echter wel dat deze deur op slot blijft tot ik terugkom,' vervolgde Chandler. 'Er mag niemand naar binnen, en dat geldt ook voor u, of meneer Perkins... of wie dan ook.' Hij keek nadrukkelijk naar agent McKenna.
McKenna keek Chandler kwaad aan terwijl Dellasandro met een knik zijn goedkeuring betuigde.

Fiske keek rond en zag Wright naar Chandler staren. Wright sloot heel snel de deur van zijn kantoor, en Fiske hoorde het slot draaien. Slimme vent, dacht hij.
Toen Fiske en Chandler het gebouw wilden verlaten, hield een stem hen tegen.
'Is het goed als ik jullie even uitlaat?' zei Sara.
'Wat mij betreft wel,' zei Chandler. 'John?'
Fiske haalde zijn schouders op.
Chandler glimlachte toen ze verderliepen. 'Waarom heb ik het gevoel dat we zojuist in aanwezigheid van de Almachtige hebben verkeerd?'
Sara glimlachte. 'De baas heeft dat effect op mensen.'
'Dus u bent griffier onder rechter Knight?' vroeg Fiske.
'Ik ben bezig met m'n tweede jaar.'
Toen ze een hoek omsloegen, botsten ze bijna tegen Elizabeth en Jordan Knight op.
'O, rechter Knight, we hadden het net over u,' zei Sara. Ze stelde iedereen aan elkaar voor.
'Senator,' zei Chandler, 'we stellen zeer op prijs wat u allemaal doet voor het district. Zonder de speciale bijdrage die u er zojuist voor de politie hebt doorgedrukt, zou ik mijn moordonderzoeken op de fiets moeten uitvoeren.'
'We hebben, zoals u weet, nog veel meer te doen. De problemen hebben zich gedurende lange tijd opgestapeld en het zal vermoedelijk even lang duren om ze op te lossen,' zei Knight op de toon die hij voor politieke campagnes gebruikte. Hij keek naar Fiske en zijn stem werd zachter. 'Het spijt me van je broer, John. Ik kende hem niet persoonlijk. Ik kom niet dikwijls bij het Hof. Als ik te vaak met mijn vrouw ga lunchen, denken de media dat ik haar beslissingen probeer te beïnvloeden. Ik denk wel eens dat ze vergeten dat we een huis en een bed delen. Maar ik wil jou en je familie mijn oprechte deelneming betuigen.'
Fiske bedankte hem, eraan toevoegend: 'Het doet misschien niet terzake, maar ik heb op u gestemd.'
'Elke stem telt mee.' Hij keek zijn vrouw aan en schonk haar een warme glimlach. 'Net als hier, nietwaar, mevrouw de rechter? Hoe zei Brennan het ook weer? Je hebt vijf stemmen nodig om iets te bereiken. God, als ik me slechts over vijf stemmen druk hoefde te maken, dan zou ik tien kilo lichter zijn en was mijn haar nog steeds dik en zwart.'
Elizabeth Knight lachte niet. Haar ogen waren even rood als die van Sara en haar huid was bleker dan gewoonlijk. 'Sara,' zei ze, 'ik wil je morgen graag spreken na de middagzitting.' Knight schraapte haar

keel. 'En ik wil graag dat jij met Steven Wright praat over de memorie voor de zaak-Chance. Ik moet hem uiterlijk morgen hebben. Al moet hij er de hele nacht aan doorwerken, ik móet hem hebben.' Haar stem klonk bijna schril.
Sara leek geschrokken. 'Ik zal het hem meteen zeggen, rechter Knight.'
Knight greep een van Sara's handen. 'Dank je.' Ze slikte moeizaam. 'Wil je er ook alsjeblieft aan denken dat het diner voor rechter Wilkinson morgenavond om zeven uur bij mij thuis plaatsvindt?'
'Het staat in mijn agenda,' zei Sara een beetje terughoudend.
Ten slotte keek Elizabeth Knight Fiske aan. 'Uw broer was een zeer begaafd advocaat, meneer Fiske. Ik weet dat het misschien ongevoelig lijkt om deze details nu te bespreken, maar het werk van het Hof kan niet worden stilgelegd.' Een beetje vermoeid liet ze erop volgen: 'Die les heb ik lang geleden al geleerd. Nogmaals, ik vind het heel erg voor u.' Ze keek op haar horloge. 'Jordan, je zult nog te laat komen voor je vergadering op de Hill. En ik moet nog wat werk afmaken.' Ze keek Fiske aan. 'Ik hoop dat u ons wilt excuseren?'
Fiske haalde zijn schouders op. 'Zoals u zei, de machine stopt voor niemand.'
Nadat de Knights waren vertrokken, merkte Sara op: 'Rechter Knight is hard, maar rechtvaardig.' Ze wierp een snelle blik op Fiske. 'Ik weet zeker dat ze het niet zo bedoelde.'
'Nee, dat zal wel niet,' zei Fiske.
Chandler kwam tussenbeide. 'Och, ze heeft waarschijnlijk drie keer zo hard moeten werken als een man, om te bereiken wat ze nu is. Zo'n ervaring vergeet je niet gemakkelijk.'
'Dat is een heel geëmancipeerde opvatting,' zei Sara.
'Als u mijn vrouw zou kennen, zou u het begrijpen.'
Glimlachend zei Sara: 'Ramsey en Knight hebben heel verschillende ideeën, hoewel ze de neiging hebben bij veel zaken op dezelfde manier te stemmen. Hij lijkt haar op een overdreven manier tegemoet te komen. Misschien houdt hij er niet van de confrontatie met een vrouw aan te gaan. Hij is van een andere generatie.'
'Ik denk niet dat sekse er iets mee te maken heeft,' merkte Fiske botweg op.
'Ze is een uitmuntend juriste,' zei Sara verdedigend.
Ze hoorden allemaal de pieper. Chandler haalde het apparaat tussen zijn riem vandaan en keek naar het nummer op het schermpje. 'Kan ik hier ergens bellen?' vroeg hij Sara.
Ze ging hem voor naar een telefoon.
Een minuut later voegde Chandler zich weer bij hen, vermoeid zijn

hoofd schuddend. 'Een paar nieuwe klanten die ik moet ondervragen. Kogelwonden in het hoofd. Wat ben ik toch een bofkont.'
'Kan ik met u meerijden naar het bureau, dan kan ik mijn auto daar ophalen,' vroeg Fiske.
'Eigelijk moet ik de andere kant op.'
'Ik breng u wel,' zei Sara snel. Beide mannen keken haar aan. 'Ik ben uitgewerkt voor vandaag. Niet dat ik veel heb gepresteerd.' Ze keek naar de grond en lachte een beetje treurig. 'Het ironische is dat Michael het daar niet mee eens zou zijn. Ik heb nooit iemand gezien die zo toegewijd was en zo hard werkte.' Ze keek Fiske strak aan, alsof ze haar woorden extra wilde benadrukken.
'Ga ergens iets eten, of zo,' stelde Chandler voor. 'Jullie hebben vast veel om over te praten.'
Fiske keek om zich heen, duidelijk niet op zijn gemak bij dit voorstel, maar uiteindelijk knikte hij. 'Gaan we?'
'Een minuut.' Lusteloos schudde ze haar hoofd. 'Ik moet Steven nog gaan vertellen dat hij de hele nacht moet doorwerken,' zei ze, en ze liep weg.
Chandler zei: 'John, probeer zoveel mogelijk uit te vinden als je kunt. Ze was goed bevriend met je broer. In tegenstelling tot jijzelf,' voegde hij eraan toe.
'Ik ben niet echt goed in spioneren,' zei Fiske, die zich schuldig voelde om zoiets achter de rug van de vrouw om te beramen. Maar hij moest zich er eigenlijk niets van aantrekken; hij kende haar niet eens.
Alsof hij raadde wat Fiske dacht, zei Chandler: 'John, ik weet dat ze pienter is, en knap, en dat ze heeft samengewerkt met je broer en dat ze kapot is van zijn dood. Maar één ding moet je goed bedenken.'
'Dat is?'
'Het zijn geen redenen om haar te vertrouwen.' Na die laatste opmerking liep Chandler weg.

•26•

Jordan Knight stond in de deuropening van de werkkamer van zijn vrouw naar haar te kijken. Elizabeth Knight zat met gebogen hoofd aan

haar bureau. Verscheidene boeken lagen opengeslagen voor haar, maar ze las er blijkbaar niet in.
'Waarom hou je het niet voor gezien, schat?'
Ze schrok op. 'Jordan, ik dacht dat je al naar je vergadering was.'
Hij liep naar haar toe en bleef naast haar staan, met een hand haar nek masserend. 'Die heb ik afgezegd. En nu is het tijd om naar huis te gaan.'
'Maar ik heb nog werk te doen. We lopen allemaal achter. Het is zo moeilijk...'
Hij stak een hand onder haar arm en hielp haar opstaan. 'Beth, hoe belangrijk het ook is, het is niet zó belangrijk. We gaan naar huis,' zei hij vastbesloten.
Een paar minuten later werden ze met een dienstauto naar hun appartement gebracht. Na een ontspannende douche, een hapje eten en een glas wijn begon Elizabeth Knight zich eindelijk min of meer normaal te voelen. Ze ging op bed liggen. Haar man kwam de slaapkamer in en ging naast haar zitten. Hij legde haar voeten op zijn schoot en begon ze te masseren.
'Ik denk wel eens dat we te veel van onze griffiers vergen. Dat we hen te hard laten werken. Dat we te veel van hen verwachten,' zei ze na een poosje.
'O, ja?' Jordan Knight omvatte haar kin met een hand. 'Wat is dit nu? Probeer je jezelf de schuld te geven van de dood van Michael Fiske? Hij was niet nog laat op kantoor de avond dat hij waarschijnlijk is vermoord. Je vertelde me zelf dat hij zich ziek had gemeld. Dat hij in een of andere steeg in een slechte buurt was, heeft niets te maken met jou of het Hof. Iemand, een of ander stuk tuig van de straat, heeft hem vermoord. Misschien was het een roofoverval, of misschien was hij op het verkeerde moment op de verkeerde plaats, maar jij had er niets mee te maken.'
'De politie denkt dat het een roofoverval was.'
'Ik weet dat ze nog maar net met het onderzoek zijn begonnen, maar het krijgt de hoogste prioriteit.'
'Een van de griffiers vroeg vandaag of de dood van Michael Fiske op de een of andere manier in verband staat met het Hof.'
Jordan Knight dacht hier even over na. 'Ik neem aan dat het mogelijk is, maar ik zou niet weten hoe.' Opeens keek hij bezorgd. 'Als het echter zo blijkt te zijn, zal ik ervoor zorgen dat je extra bescherming krijgt. Ik zal morgen bellen en dan heb je je eigen agent van de geheime dienst of de FBI, vierentwintig uur per dag.'
'Jordan, dat hoef je niet te doen.'

'Wat, mag ik er niet voor zorgen dat de een of andere gek je niet van me afneemt? Daar denk ik veel over na, Beth. Sommige uitspraken van het Hof zijn heel impopulair. Jullie worden allemaal zo nu en dan met de dood bedreigd. Dat kun je niet ontkennen.'
'Dat doe ik ook niet. Ik probeer er gewoon niet aan te denken.'
'Goed, maar je moet het me niet kwalijk nemen als ik het wel doe.'
Glimlachend streelde ze zijn gezicht. 'Je zorgt veel te goed voor me, weet je dat?'
Hij lachte terug. 'Wanneer je iets kostbaars bezit, is dat de enige manier.'
Ze kusten elkaar teder en daarna trok Jordan de dekens over haar heen, deed het licht uit en ging weg om nog wat werk af te maken in zijn studeerkamer. Elizabeth Knight kon nog niet meteen slapen. Ze bleef in het donker liggen staren, overmand door een reeks van emoties. Op het moment dat die haar dreigden te overweldigen, viel ze dankbaar in slaap.

'Ik kan me niet voorstellen wat jij doormaakt, John. Ik weet hoe ellendig ik me voel, en ik heb Michael maar betrekkelijk kort gekend.'
Ze zaten in Sara's auto en waren zojuist de brug over de Potomac over gereden, Virginia in. Fiske vroeg zich af of ze probeerde de indruk te wekken dat ze hem maar weinig informatie kon verstrekken.
'Hoe lang hebben jullie samengewerkt?'
'Een jaar. Michael heeft me overgehaald er een tweede jaar aan vast te knopen.'
'Ramsey zei dat jij en Michael goed bevriend waren. Hoe goed?'
Ze keek hem scherp aan. 'Waar stuur je op aan?'
'Ik wil alleen maar feiten over mijn broer verzamelen. Ik wil weten wie zijn vrienden waren. Of hij met iemand uitging.' Hij keek haar van opzij aan, om haar reactie te peilen. Als ze er een had, liet ze het niet merken. 'Je woonde maar twee uur bij hem vandaan en je wist niets van zijn leven?'
'Is dat jouw mening, of die van iemand anders?'
'Ik kan zelf mijn eigen gevolgtrekkingen maken.'
'Nou, dat is dan tweerichtingsverkeer.'
'De gevolgtrekkingen, of de rit van twee uur?'
'Beide.'
Een paar minuten later reden ze het parkeerterrein op van een restaurant in Noord-Virginia. Ze gingen naar binnen, kregen een tafeltje aangewezen en bestelden iets te eten en te drinken. Een minuut later nam Fiske een slok van zijn Corona; Sara nipte aan een margarita.
Fiske veegde zijn mond af. 'Kom jij ook uit een advocatenfamilie? We

hebben de neiging in groepjes te werken.'
Glimlachend schudde ze haar hoofd. 'Ik kom van een boerderij in Noord-Carolina. Een stadje met één stoplicht. Maar mijn vader had wel iets met de rechterlijke macht te maken.'
Fiske leek matig geïnteresseerd. 'Hoe kwam dat?'
'Hij was vrederechter in dat district. Officieel was zijn rechtszaal een kleine ruimte, achter in de gevangenis. Maar meestal behandelde hij zaken terwijl hij midden in het veld op zijn John Deere-tractor zat.'
'Komt je interesse voor de rechtspraak daarvandaan?'
Sara knikte. 'Mijn vader zag er, op zo'n stoffig landbouwwerktuig, meer uit als een rechter dan sommige anderen die ik in de fraaiste rechtszalen heb gezien.'
'Met inbegrip van die waar je nu werkt?'
Sara knipperde met haar ogen en wendde plotseling haar blik af. Fiske voelde zich schuldig vanwege die opmerking. 'Ik wed dat je vader een goede vrederechter was. Gezond verstand, eerlijke beslissingen. Een man die met beide benen op de grond stond.'
Ze keek hem aan om te zien of hij het sarcastisch bedoelde, maar Fiskes gezicht stond oprecht. 'Dat was hij zeker. Hij had voornamelijk te maken met stropers en verkeersovertredingen, maar ik geloof niet dat iemand wegliep met het gevoel dat hij oneerlijk was behandeld.'
'Zie je hem vaak?'
'Hij is zes jaar geleden gestorven.'
'Het spijt me dat te horen. Leeft je moeder nog?'
'Ze stierf vóór mijn vader. Het leven op het platteland kan hard zijn.'
'Broers of zusters?'
Ze schudde haar hoofd en scheen opgelucht toen het eten werd gebracht.
'Ik bedenk net dat ik vandaag nog niet heb gegeten,' zei Fiske en hij nam een grote hap.
'Dat overkomt mij ook vaak. Ik heb vanmorgen een appel gegeten.'
'Niet goed.' Zijn blik gleed over haar heen. 'Je hebt niet veel overtollig vet op je lichaam.'
Ze bekeek hem. Ondanks zijn brede schouders en gevulde wangen leek hij bijna mager, de boord van zijn overhemd lag losjes om zijn hals en zijn middel was een beetje te smal voor zijn lengte. 'Jij ook niet.'
Twintig minuten later schoof Fiske zijn lege bord opzij, waarna hij achteroverleunde. 'Ik weet dat je het druk hebt, dus ik zal niet te veel van je tijd in beslag nemen. Mijn broer en ik zagen elkaar niet vaak. Er is een leemte aan informatie die ik moet opvullen, als ik wil uitzoeken wie dit heeft gedaan.'

'Ik dacht dat dát het werk was van rechercheur Chandler.'
'Onofficieel is het mijn taak.'
'Je achtergrond als politieman?' vroeg Sara. Fiske trok zijn wenkbrauwen op. 'Michael heeft me veel over je verteld.'
'O ja?'
'Ja. Hij was heel trots op je. Van agent tot strafpleiter. Michael en ik hebben daar een paar interessante gesprekken over gevoerd.'
'Hoor eens even, ik vind het niet prettig dat iemand die ik niet ken, gesprekken over mijn leven heeft gevoerd.'
'Er is geen reden om je kwaad te maken. We vonden gewoon dat het een interessante verandering in je carrière was.'
Fiske haalde zijn schouders op. 'Als agent bracht ik al mijn tijd door met misdadigers van de straat te halen. Nu verdien ik mijn brood door hen te verdedigen. Om je de waarheid te zeggen begon ik medelijden met hen te krijgen.'
'Ik geloof niet dat ik ooit een agent dat heb horen toegeven.'
'O nee? Met hoeveel agenten heb je te maken gehad?'
'Ik trap het gaspedaal stevig in. Ik krijg een massa bekeuringen.' Ze lachte plagend. 'Nee, serieus, waarom heb je die overstap gemaakt?'
Afwezig speelde hij even met zijn mes. 'Ik arresteerde een vent die een blok coke bij zich had. Hij was loopjongen voor een stel drugsdealers, een heel ondergeschikte rol, hij hoefde het spul alleen maar van punt A naar punt B te brengen. Ik had een andere aanleiding om hem aan te houden en te fouilleren. Ik vind de coke en dan zegt die knaap tegen me, met de woordkeus van een eersteklasser, dat hij dacht dat het een stuk kaas was.' Nu keek Fiske Sara recht in het gezicht. 'Het is toch niet te geloven? Hij zou beter af geweest zijn als hij had beweerd dat hij niet wist hoe het in zijn bezit was gekomen. Dan had zijn advocaat tenminste nog kunnen proberen redelijke twijfel wat betreft de aanklacht over het in bezit hebben, aan te voeren. Proberen een jury wijs te maken dat iemand die eruitziet, doet en praat als een slijmbal, werkelijk dacht dat een brok ellende met een waarde van tienduizend dollar een stuk kaas was, nou, dan kom je in de problemen.' Hij schudde zijn hoofd. 'Je kunt tien van die knapen in de gevangenis stoppen en er staan er honderd te wachten om hun plaats in te nemen. Ze kunnen nergens anders heen. Als ze het konden, zouden ze het doen. De kwestie is, je geeft de mensen geen hoop, het kan hun niet schelen wat ze zichzelf of een ander aandoen.' Sara glimlachte. 'Wat is er zo grappig?' vroeg hij.
'Je klinkt net als je broer.'
Fiske zweeg en wreef met zijn hand over een waterkring op de tafel. 'Heb je veel tijd met Mike doorgebracht?'

'Ja, vrij veel.'
'Ook buiten het werk?'
'We zijn samen wat gaan drinken, gaan eten, uit geweest.' Ze nam een slokje bier en glimlachte opnieuw. 'Ik ben nog nooit verhoord.'
'Een verhoor kan wel eens erg pijnlijk zijn.'
'Echt waar?'
'Ja, zoals bijvoorbeeld deze vraag: iets zegt me dat Mikes dood voor jou niet helemaal als een verrassing kwam.'
Sara liet onmiddellijk haar zorgeloze houding varen. 'Dat is niet waar. Ik was ontzet.'
'Maar niet verbaasd?'
De dienster kwam langs en vroeg of ze een nagerecht wilden hebben, of koffie. Fiske vroeg om de rekening.
Een paar minuten later zaten ze weer in de auto, op weg naar het District. Het was zachtjes begonnen te regenen. Oktober was een grillige maand in deze streken, wat het weer betrof. Het kon heet, koud of gematigd zijn op elk willekeurig moment. Nu was het buiten erg warm en vochtig en Sara had de airconditioning voluit gezet.
Fiske keek haar afwachtend aan. Ze ving zijn blik op, haalde moeizaam adem en daarna begon ze langzaam te spreken.
'De laatste tijd leek Michael nerveus, afwezig.'
'Was dat ongewoon?'
'De afgelopen zes weken hebben we de ene memorie na de andere geproduceerd. Iedereen staat onder hoogspanning, maar Michael bloeide op onder die omstandigheden.'
'Geloof jij dat het iets te maken heeft met een zaak van het Hof?'
'Michael leefde praktisch voor het Hof.'
'Jij niet?'
Ze keek hem scherp aan, maar zei niets.
'Zijn er grote, controversiële zaken in behandeling?'
'Elke zaak is groot en controversieel.'
'Heeft hij nooit met je gepraat over iets specifieks?'
Sara staarde voor zich uit, maar weer gaf ze er de voorkeur aan niet te antwoorden.
'Alles wat je me kunt vertellen, zal helpen, Sara.'
Ze begon wat langzamer te rijden. 'Je broer deed soms eigenaardig. Wist je dat hij er een gewoonte van had gemaakt om in alle vroegte naar de postkamer van de griffiers te gaan, om er als eerste bij te zijn voor het geval zich een interessante zaak voordeed?'
'Dat verbaast me niets. Hij deed nooit iets half. Hoe worden de verzoekschriften gewoonlijk verwerkt?'

'In de postkamer van de griffiers worden de brieven geopend en gesorteerd. Elk verzoek gaat naar een analist die zich ervan overtuigt dat het in overeenstemming is met de regels van het Hof, enzovoort. Als het met de hand geschreven is, zoals dat met de meeste *in forma pauperis* verzoeken het geval is, letten ze er zelfs op of het handschrift wel leesbaar is. Dan gaat de informatie naar een database onder de achternaam van degene die het verzoek heeft ingediend. Ten slotte wordt er een kopie van het verzoek gemaakt, die naar de kantoren van alle rechters wordt gestuurd.'
'Mike heeft me wel eens verteld hoeveel verzoeken er bij het Hof binnenkomen. De rechters kunnen die onmogelijk allemaal lezen.'
'Dat doen ze ook niet. De verzoeken worden verdeeld over de kantoren van de rechters en het is de taak van de griffiers om er memories over op te stellen. We krijgen in een week bijvoorbeeld ongeveer honderd verzoeken binnen. Er zijn negen rechters, dus elk kantoor krijgt er ruwweg een stuk of twaalf. Van de twaalf die er bij rechter Knight binnenkomen, zou ik drie memories kunnen schrijven. Die memorie circuleert onder alle kantoren. Dan bekijken de griffiers van de andere rechters mijn memorie en adviseren hun rechter of het Hof certificatie moet toekennen of niet.'
'Jullie hebben als griffier wel veel macht.'
'Op sommige gebieden, maar niet echt wat de uitspraken betreft. Een concept-uitspraak van een griffier is meestal een recapitulatie van de feiten van de zaak en een samenvatting van voorbeelden. De rechters gebruiken de griffiers om het saaie werk te doen, de papierwinkel. De meeste invloed hebben we op het selecteren van de verzoeken.'
Fiske keek nadenkend. 'Dus een rechter zou misschien de feitelijke documenten die bij het Hof werden ingediend, niet eens onder ogen krijgen alvorens te besluiten of de zaak gehoord zal worden of niet? Hij leest alleen de memorie en het advies van de griffier.'
'Misschien zelfs niet eens de memorie, alleen de aanbeveling van de griffier. De rechters hebben gewoonlijk twee keer per week een bespreking. Daar worden alle verzoeken die door de griffiers zijn geselecteerd, besproken en er wordt over gestemd om te kijken of er minstens vier stemmen vóór zijn, het minimumaantal dat vereist is om de zaak te behandelen.'
'Dus de eerste die feitelijk een verzoek dat bij het Hof wordt ingediend, onder ogen krijgt, zou iemand in de postkamer van de griffiers zijn?'
'Dat is gewoonlijk het geval.'
'Wat bedoel je met "gewoonlijk"?'
'Ik bedoel dat er geen garantie is dat alles altijd volgens het boekje gaat.'

Fiske dacht hier even over na. 'Wil je daarmee zeggen dat mijn broer een verzoek kan hebben meegenomen voor het in de postkamer kon worden verwerkt?'
Sara kreunde gesmoord, maar ze beheerste zich snel. 'Ik kan je dit alleen vertellen als het onder ons blijft, John.'
Hij schudde zijn hoofd. 'Ik ben niet van plan je iets te beloven waaraan ik me niet kan houden.'
Sara zuchtte. In beknopte zinnen vertelde ze Fiske hoe ze de papieren in de aktetas van zijn broer had gevonden. 'Ik was niet echt van plan om te snuffelen. Maar hij gedroeg zich zo vreemd en ik maakte me ongerust over hem. Op een ochtend kwam ik hem tegen, toen hij uit de postkamer kwam. Hij was erg afwezig. Ik denk dat hij toen het verzoek had meegenomen dat ik in zijn tas aantrof.'
'Wat je hebt gezien, waren dat originelen of kopieën?'
'Originelen. Een van de bladzijden was met de hand geschreven, de andere was getypt.'
'Worden er gewoonlijk originelen rondgestuurd?'
'Nee. Alleen kopieën. En de gekopieerde stukken zitten zeker niet in de originele envelop waarin ze binnenkwamen.'
'Ik herinner me dat Mike me heeft gezegd dat griffiers soms dossiers mee naar huis nemen, zelfs originelen.'
'Dat klopt.'
'Misschien was dat hier het geval.'
Ze schudde haar hoofd. 'Het was geen gewoon dossier. Er stond geen afzender op de envelop, en de getypte pagina was niet ondertekend. Ik dacht dat de handgeschreven bladzijde een *in forma pauperis*-verzoek moest zijn, maar voorzover ik heb gezien zat er geen verzoek of bewijs van onvermogen bij.'
'Heb je een naam op de papieren zien staan, iets waaruit bleek wie erbij betrokken was?'
'Ja. Daarom wist ik dat Mike een verzoek had meegenomen.'
'Hoe dan?'
'Ik kon een blik werpen op de eerste zin van de getypte bladzijde. Daar stond de naam in van degene die het verzoek had ingediend. Zodra ik uit Michaels kantoor was weggegaan, ben ik gaan zoeken in de database. Er stond geen verzoek in onder die naam.'
'Hoe luidde die?'
'De achternaam was Harms.'
'Voornaam?'
'Die heb ik niet gezien.'
'Herinner je je nog iets anders?'

'Nee.'
Fiske leunde achterover in zijn stoel. 'De kwestie is dat Mike, als hij het verzoek heeft meegenomen, er zeker van moest zijn dat niemand contact zou opnemen over de verdwijning van het dossier. De advocaat die het opstuurde, bijvoorbeeld, als het een advocaat was.'
'Nou, er zat een papiertje voor ontvangstbevestiging op de envelop. De afzender moet bericht hebben ontvangen dat de brief bij het Hof was bezorgd.'
'Oké. Waarom één handgeschreven bladzijde en één getypte?'
'Twee verschillende mensen. Misschien wilde de ander zich niet bekend maken, maar toch Harms helpen.'
'Van alle verzoeken die bij het Hof binnenkomen, pakt Mike juist deze. Waarom?'
Nerveus keek ze hem van opzij aan. 'O god, als nu eens blijkt dat dit iets te maken had met Michaels dood. Ik had nooit gedacht...' Plotseling leek het erop dat ze in tranen zou uitbarsten.
'Ik zal hier tegen niemand iets over zeggen. Voor het ogenblik. Jij hebt, vanwege Mike, een risico genomen. Dat waardeer ik.' Er volgde een lange stilte, tot Fiske zei: 'Het wordt laat.'
Terwijl ze verderreden, zei Fiske: 'We hebben kunnen vaststellen dat Mike de laatste paar dagen ongeveer twaalfhonderd kilometer in zijn auto heeft afgelegd. Enig idee waar hij geweest kan zijn?'
'Nee. Ik geloof niet dat hij graag autoreed. Hij kwam op de fiets naar zijn werk.'
'Hoe dachten de andere griffiers over hem?'
'Ze hadden zeer veel respect voor hem. Hij was ongelooflijk gemotiveerd. Ik denk dat alle griffiers bij het Hooggerechtshof dat zijn, maar Michael leek het niet van zich af te kunnen zetten. Ik beschouw mezelf ook als een harde werker, maar ik geloof dat het goed is om wat evenwicht in je leven te bewaren.'
'Zo is Mike altijd geweest,' zei Fiske, een beetje vermoeid. 'Hij begon met perfectie en werkte van daaruit omhoog.'
'Dat moet in de familie zitten. Michael vertelde me dat jij als jongen bijna aldoor twee of drie baantjes tegelijk had.'
'Ik heb graag wat zakgeld.'
Het geld was nooit lang in Fiskes zak gebleven. Het was naar zijn vader gegaan, die ondanks veertig jaar keihard te hebben gewerkt, nooit meer had verdiend dan een armzalige vijftienduizend dollar per jaar. Nu ging het naar zijn moeder en de torenhoge rekeningen voor haar verpleging.
'Je bent ook naar college gegaan, terwijl je bij de politie werkte.'
Fiske trommelde ongeduldig met zijn vingers op het raampje van de

auto. 'De goeie oude Virginia Commonwealth-universiteit, het Stanford van de volgende eeuw.'
'En je hebt rechten gestudeerd.' Fiske keek haar nijdig aan. 'Word alsjeblieft niet boos, John. Ik ben gewoon nieuwsgierig.'
Fiske haalde zijn schouders op. Ik liep stage bij een strafpleiter in Richmond. Daar heb ik een hoop geleerd. Ik studeerde af en werd toegelaten tot de orde van advocaten.' Droog liet hij erop volgen: 'Dat is de enige manier om advocaat te worden als je te dom bent om hoog genoeg te scoren op de LSATS's.'
'Je bent niet dom.'
'Bedankt, maar hoe kun jij dat nu weten?'
'We hebben een van je processen bijgewoond.'
Hij draaide zijn hoofd en keek haar aan. 'Sorry?'
'Afgelopen zomer zijn Michael en ik in Richmond geweest. We waren aanwezig in de rechtszaal toen je pleitte.' Ze was niet van plan hem te vertellen dat ze nog een tweede keer naar de rechtbank was gegaan om hem te zien.
'Waarom hebben jullie me niet laten weten dat jullie er waren?'
Sara haalde haar schouders op. 'Michael dacht dat het je van streek zou maken.'
'Waarom zou ik van streek raken bij het zien van mijn broer?'
'Dat moet je mij niet vragen. Hij was jouw broer.' Toen Fiske niets zei, vervolgde Sara: 'Ik was echt onder de indruk. Ik denk dat jij me hebt gemotiveerd om later strafpleiter te worden. Ten minste voor een poosje, om het te proberen, om te zien hoe dat echt is.'
'O. Denk je dat je dat graag zou willen doen?'
'Waarom niet? De advocatuur kan nog steeds een nobel beroep zijn. De rechten van anderen verdedigen. De armen. Ik zou graag iets over een paar van je zaken willen horen.'
'Werkelijk?'
'Absoluut,' zei ze enthousiast.
Hij ging wat gemakkelijker zitten en deed of hij diep nadacht. 'Eens kijken, Ronald James bijvoorbeeld. Dat was zijn echte naam, maar hij werd liever Papa Achterdeur genoemd. Dat had te maken met de keuze van zijn seksuele positie bij de zes vrouwen die hij op brute wijze had verkracht. Ik onderhandelde voor de zitting voor die man, ook al hadden alle zes de vrouwen hem geïdentificeerd tijdens een confrontatie bij de politie. Maar ik had een voordeel. Vier van de vrouwen konden het niet aan om Achterdeur in de rechtszaal onder ogen te komen. Dat is wat angst voor iemand doet. Of mét iemand. Het vijfde slachtoffer had in haar verleden een paar nare dingen uitgehaald, die we mis-

schien konden hebben gebruikt om haar geloofwaardigheid in twijfel te trekken. De laatste vrouw wilde niets liever dan hem aan het kruis nagelen. Maar één goede getuige is niet hetzelfde als een half dozijn. Resultaat: de officier van justitie kreeg het benauwd en Achterdeur kreeg twintig jaar met een kans op voorwaardelijke invrijheidstelling. Dan hadden we Jenny, een aardig kind dat haar grootmoeder met een bijl de schedel had ingeslagen omdat ze, zoals ze huilend verklaarde, van die stomme, ouwe taart niet met haar vriendinnen naar het winkelcentrum mocht. Jenny's moeder, de dochter van de vrouw die Jenny had vermoord, betaalt mijn rekening in termijnen van twee dollar per maand.'

'Ik denk dat ik begrijp wat je wilt zeggen,' zei Sara kortaf.

'Ik wil je niet ontmoedigen. De man voor wie ik net vrijspraak heb gekregen wegens inbraak, betaalde mijn rekening volledig, waarschijnlijk met het geld dat hij had ontvangen van de heler die de gestolen spullen had gekocht. Ik heb geleerd geen vragen te stellen. Dus ik kan weer een maand huur betalen, en ik heb al een hele tijd geen van mijn cliënten met een pistool hoeven bedreigen. En morgen komt er altijd weer een nieuwe dag.' Fiske leunde achterover. 'Grijp je kans, mevrouw Evans.'

'Je vindt het echt leuk om mensen te shockeren, nietwaar?'

'Je hebt erom gevraagd.'

'Waarom doe je het dan in godsnaam?'

'Iemand moet het toch doen.'

'Dat was niet precies het antwoord dat ik verwachtte, maar laten we er maar over ophouden,' zei ze schor. 'Bedankt dat je mijn ballonnetje hebt doorgeprikt. Dat stel ik erg op prijs.'

'Als ik je ballonnetje heb doorgeprikt, móet je me ook bedanken,' zei hij, nu wat kalmer. 'Hoor eens, Sara, ik ben geen nobele ridder. De meeste van mijn cliënten zijn schuldig. Dat weet ik, dat weten zij, dat weet iedereen. Negentig procent van mijn zaken wordt om diezelfde reden voor de zitting onderhandeld. Als er werkelijk iemand naar me toe zou komen en zeggen dat hij onschuldig was, zou ik waarschijnlijk dood neervallen als gevolg van een hartaanval. Ik verdedig niemand, ik onderhandel over het vonnis. Het is mijn taak ervoor te zorgen dat de tijd die ze in de gevangenis moeten doorbrengen, in de juiste verhouding staat tot wat ieder ander krijgt. In de zeldzame gevallen dat ik naar de rechtbank ga, is het de kunst zo'n rookgordijn op te trekken dat de jury geen zin meer heeft om het allemaal uit te zoeken, en het opgeeft. Het is niet zo dat ze echt willen discussiëren over het lot van iemand die ze niet eens kennen en om wie ze geen bliksem geven.'

'Goh, wat is er toch met de waarheid gebeurd?'
'Ik zoek niet naar de waarheid. Soms is de waarheid de grootste vijand van de advocaat. Je kunt die niet verdraaien. Als ik me bij de waarheid hou, verlies ik negen van de tien keer. Nu word ik niet betaald om te verliezen, maar ik probeer eerlijk te zijn. Dus overdag dansen we een beetje heen en weer, 's nachts worden de tonijnnetten uitgegooid en wordt er een partij verse vis gevangen, en dan komen we allemaal terug en dansen we opnieuw. En zo gaat het maar door.'
'Is dat jouw kijk op het ware leven?' zei ze.
'Maak je maar geen zorgen, dat krijg jíj nooit te zien. Jij gaat lesgeven op Harvard, of je gaat werken bij een advocatenkantoor in New York met een gouden naambordje op de deur. Als ik daar ooit in de buurt kom, zal ik naar je wuiven vanuit de vuilnisbak.'
'Wil je nu alsjeblieft ophouden?' riep Sara uit.
Zwijgend reden ze door, tot Fiske iets te binnen schoot.
'Als je me tijdens de zitting al had gezien, waarom deed je, toen Perkins ons in het Hof aan elkaar voorstelde, dan alsof je me niet kende?'
Sara haalde snel adem. 'Ik weet het niet. Ik denk dat ik, in het bijzijn van Perkins, geen handige manier kon bedenken om je te laten weten dat ik je al eens had gezien.'
'Waarom moest dat handig zijn?'
'Je weet wat er wordt gezegd over een eerste indruk.' Ze schudde haar hoofd nu, bij die gedachte. Jezus!
Terwijl Fiske naar haar keek, verdween zijn laatste restje vijandigheid snel. 'Hoor eens, laat mijn cynisme je enthousiasme niet de kop indrukken.' Zacht liet hij erop volgen: 'Daar heeft niemand het recht toe. Het spijt me.'
Sara keek hem aan. 'Ik denk dat je je er meer bij betrokken voelt dan je wilt toegeven.' Fiske zei niets. Sara aarzelde een moment, weifelend of ze het hem zou vertellen of niet. 'Je kent een jongetje, Enis, is het niet?'
Fiske staarde haar aan. 'Ik zag je met hem praten.'
Ten slotte drong het tot hem door. 'Het café. Ik wist dat ik je eerder had gezien. Wat deed je daar? Volgde je me?'
'Ja.'
Haar openhartigheid overrompelde Fiske. 'Waarom?' vroeg hij rustig.
'Dat is een beetje moeilijk uit te leggen. Ik geloof niet dat ik dat nu kan opbrengen. Ik wilde je niet bespioneren. Ik weet hoe moeilijk het voor je was om met Enis en zijn familie te praten.'
'Het beste wat hun ooit is overkomen. De volgende keer zou de vent hen wel eens vermoord kunnen hebben.'
'Maar toch, om zo je vader kwijt te raken...'

'Hij was Enis' vader niet.'
'Sorry, ik dacht dat hij het was.'
'O, Enis is wel zijn zoon. Maar dat maakt iemand nog niet tot een vader. Vaders doen niet met hun gezin wat deze vent heeft gedaan.'
'Wat gebeurt er nu met hen?'
Schouderophalend zei Fiske: 'Ik geef Lucas nog twee jaar, dan vinden ze hem in een of ander steegje doorzeeft met kogels. Wat het echt treurig maakt, is dat hij het zelf ook weet.'
'Misschien verrast hij je wel.'
'Ja. Misschien.'
'En Enis?'
'Ik weet het niet. En ik wil er niet meer over praten.'
Ze bleven zwijgen tot ze voor het gebouw van de afdeling Moordzaken stilhielden.
'Mijn auto staat hier recht voor geparkeerd.'
Sara keek hem verbaasd aan. 'Dan heb je geboft. In de twee jaar die ik nu in deze stad woon, heb ik geloof ik nog nooit een vrije parkeerplaats in die straat gevonden.'
Fiske staarde naar een plek. 'Ik had kunnen zweren dat ik hem daar had neergezet.'
Sara keek uit het raampje. 'Je bedoelt, vlak naast dat bordje met het wegsleepteken?'
Fiske sprong de auto uit, net toen het harder begon te regenen. Hij keek eerst naar het bordje en toen naar de plek waar zijn auto had gestaan. Hij stapte weer in, leunde achterover en sloot zijn ogen. Waterdruppels lagen op zijn gezicht en zijn haar. 'Ik kan niet geloven wat er vandaag allemaal gebeurt.'
'Er is een nummer dat je kunt bellen om je auto terug te krijgen.' Sara pakte de mobiele telefoon en toetste de cijfers in, die ze van het bordje aflas. De telefoon ging tien keer over, maar er nam niemand op. Ze legde het apparaat neer. 'Het ziet er niet naar uit dat je vanavond je auto terugkrijgt.'
'Ik kan niet naar bed voor mijn vader het weet.'
'O.' Even dacht ze na. 'Nou, dan zal ik je erheen rijden.'
Fiske keek naar de neerstromende regen. 'Weet je het zeker?'
Ze startte de motor. 'Laten we je vader gaan zoeken.'
'Kunnen we eerst nog even ergens anders heen?'
'Natuurlijk, zeg maar waar.'
'Naar de flat van mijn broer.'
'John, ik weet niet of dat wel zo'n goed idee is.'
'Ik denk dat het een geweldig idee is.'

‘We kunnen er niet in.’
‘Ik heb een sleutel,’ zei Fiske. Ze keek verbaasd. ‘Ik heb hem geholpen met de verhuizing toen hij bij het Hof begon te werken.’
‘Zou de politie het niet hebben verzegeld, of zoiets?’
‘Chandler zei dat hij het appartement morgen zou doorzoeken.’ Hij keek haar aan. ‘Jij blijft in de auto. Als er iets gebeurt, rij je gewoon weg.’
‘Als degene die Michael heeft vermoord, daar nu eens is?’
‘Heb je een krik in de achterbak?’
‘Ja.’
‘Dan is dit mijn geluksdag.’
Sara slaakte een zucht. ‘Ik hoop dat je weet wat je doet.’
Ik ook, zei Fiske bij zichzelf.

•27•

Toen ze bij Michael Fiskes appartement aankwamen, zette Sara de auto op een parkeerplaats om de hoek. ‘Maak de achterklep vanbinnen open,’ zei Fiske en hij stapte uit.
Ze hoorde dat hij een poosje in de kofferbak rommelde. Even schrok ze toen hij voor haar raampje verscheen. Snel draaide ze het omlaag.
‘Doe de portieren op slot, laat de motor lopen en hou je ogen open, oké?’ zei hij.
Ze knikte. In zijn ene hand hield hij de krik, in de andere een zaklantaarn.
‘Als je zenuwachtig wordt of zo, ga dan gewoon weg. Ik ben een grote jongen. Ik kom wel in Richmond.’
Koppig schudde ze haar hoofd. ‘Ik blijf hier.’
Toen ze hem om de hoek zag verdwijnen, kreeg ze opeens een idee. Ze wachtte ongeveer een minuut om hem de gelegenheid te geven het gebouw binnen te gaan. Daarna reed ze de hoek om, terug naar Michaels straat, waar ze tegenover de rij huizen parkeerde. Ze pakte haar mobiele telefoon en hield die bij de hand. Als ze iets zag wat ook maar in het minst verdacht leek, zou ze naar het appartement bellen om Fiske te waarschuwen. Een goed plan voor noodgevallen, maar ze hoopte dat

ze het niet zou hoeven toe te passen.

Fiske deed de deur achter zich dicht, knipte de zaklantaarn aan en keek om zich heen. Er waren geen tekenen dat iemand de woning had doorzocht.
Hij ging de kleine keuken binnen, die door een bar van een centimeter of tachtig van de zitkamer was gescheiden. In een van de keukenladen zocht en vond hij een paar plastic zakjes, die hij over zijn handen schoof, om geen vingerafdrukken achter te laten. Een deur leidde naar de berging, maar Fiske schonk er geen aandacht aan. Zijn broer was geen type voor keurige rijtjes blikvoer.
Hij liep de zitkamer door en bekeek de inhoud van de kleine kleerkast, maar in de jaszakken was niets te vinden. Vervolgens ging hij naar de eenpersoonsslaapkamer die zich achter in de flat bevond. De vloeren waren bedekt met afgesleten planken en het gekraak volgde hem bij elke stap. Hij duwde de deur open en keek naar binnen. Het bed was niet opgemaakt en overal lagen kleren verspreid. Hij voelde in de zakken. Niets. In een hoek stond een klein bureau. Hij doorzocht het grondig, maar vond niets. Er was een snoer in een stopcontact in de wand gestoken en hij fronste zijn voorhoofd toen hij het andere uiteinde opraapte. Hij keek naast het bureau, maar zag niet wat hij er had verwacht: de laptop waar het snoer aan vast had moeten zitten. En zijn broers aktetas; die had Fiske nota bene zelf voor Mike gekocht toen deze zijn rechtenbul had gehaald. In gedachten nam hij zich voor om Sara naar zowel de computer als de aktetas te vragen.
Toen hij gereed was met de slaapkamer, liep hij de gang weer in, terug naar de keuken, intussen de krik stevig vasthoudend. Met een plotselinge ruk trok hij de deur van de berging open terwijl hij de krik omhooghield, en hij liet het licht recht in de kleine ruimte schijnen.
De man vloog eruit en trof Fiske met zijn schouder midden in diens maag. Fiske kreunde, de zaklantaarn viel uit zijn hand, maar hij hield stand en slaagde erin de krik dwars over de hals van de man te leggen. Hij hoorde een kreet van pijn, maar de man herstelde zich sneller dan Fiske had verwacht, tilde hem op en smeet hem over de bar. Fiske kwam hard terecht, zodat hij geen gevoel meer had in zijn schouder. Toch kon hij zich opzij laten rollen en de benen onder de man vandaan schoppen toen die langs hem holde, op weg naar de deur. Weer zwaaide hij met de krik, maar hij miste in het donker en raakte de grond in plaats van de indringer. Een vuist beukte op zijn kaak. Fiske haalde uit en raakte eveneens stevig vlees.
Enkele seconden later was de man overeind gekrabbeld en de deur uit

gerend. Eindelijk kon Fiske ook overeind komen en, terwijl hij zijn schouder vasthield, naar de deur hollen. Hij hoorde voetstappen de trap af kletteren, rende de man achterna en hoorde de voordeur van het gebouw met veel lawaai opengaan. Tien seconden later stond Fiske op straat. Hij keek links en rechts. Er werd getoeterd.
Sara draaide haar raampje naar beneden en wees naar rechts. In de regen sprintte Fiske snel die kant uit en sloeg de hoek om. Sara wilde wegrijden, maar ze moest wachten tot er twee auto's waren gepasseerd. Daarna vloog ze met gierende banden achter hem aan. Ze sloeg de hoek om en racete langs het volgende blok, maar er was niemand te zien. Ze liet de auto achteruitrijden en sloeg daarna een zijstraat in en nog een, terwijl ze steeds nerveuzer werd. Toen ze Fiske midden op straat naar lucht zag staan happen, slaakte ze een kreet van opluchting. Ze sprong uit de auto en rende naar hem toe.
'John, godzijdank dat alles goed is met je.'
Fiske was razend omdat de man was ontsnapt. Stampvoetend liep hij in kringetjes rond. 'Verdomme! Shit!'
'Wat is dat allemaal?'
Fiske kalmeerde. 'Boeven: één, goeie jongens: nul.'
Sara sloeg een arm om zijn middel en leidde hem naar de auto. Ze sjorde hem naar binnen, waarna ze achter het stuur ging zitten en wegreed.
'Je moet naar een dokter.'
'Nee! Het is maar een klap. Heb je die vent gezien?'
Sara schudde haar hoofd. 'Niet echt. Hij kwam zo snel naar buiten rennen, ik dacht eerst dat jij het was.'
'Mijn lengte? Iets bijzonders aan zijn kleding? Blank, zwart?'
Sara dacht even diep na, in een poging zich voor ogen te halen wat ze had gezien. 'Ik weet niet hoe oud hij was. Hij was bijna net zo lang als jij. Hij had donkere kleren aan en een masker op, geloof ik.' Ze zuchtte. 'Het ging zo snel. Waar was hij?'
'In de berging. Ik hoorde hem niet toen ik voor de eerste keer de flat rondliep, maar toen ik weer naar buiten wilde gaan, hoorde ik de vloer kraken.' Hij wreef over zijn schouder. 'En nu het moeilijkste.' Hij nam haar mobiele telefoon en haalde een kaartje uit zijn portefeuille. 'Chandler vertellen wat er is gebeurd.'
Fiske liet Chandler oppiepen en de rechercheur belde een paar minuten later terug. Toen Fiske tegen hem zei wat hij had gedaan, moest hij de hoorn een eind van zijn oor af houden.
'Een beetje over zijn toeren?' vroeg Sara.
'Ja, zoals de vulkaan op Sint Helena een béétje uitbarstte.' Fiske bracht de hoorn weer bij zijn oor. 'Hoor eens, Buford...'

'Wat dacht je verdomme wel?' bulderde Chandler. 'Je bent agent geweest.'
'Zo dacht ik. Alsof ik nog bij de politie was.'
'Nou, je bent verdomme geen agent meer.'
'Wil je een beschrijving van de vent of niet?'
'Ik ben nog niet met je klaar.'
'Dat weet ik, maar daar heb je later nog alle tijd voor.'
'Geef me verdomme die beschrijving,' zei Chandler.
Toen Fiske was uitgesproken, zei de rechercheur: 'Ik zal er nu meteen een politieauto naartoe sturen om het appartement te laten bewaken en ik zal een team van de technische opsporingsdienst zo snel mogelijk een onderzoek laten instellen.'
'De aktetas van mijn broer was niet in zijn flat. Lag die in zijn auto?'
'Nee. Ik heb je toch al gezegd dat we geen persoonlijke eigendommen hebben gevonden.'
Fiske keek Sara aan. 'Ligt de tas in zijn kantoor? Ik kan me niet herinneren die daar te hebben gezien. En zijn laptop evenmin.'
Ze schudde haar hoofd. 'Ik kan me niet herinneren de aktetas te hebben gezien. En zijn laptop nam hij meestal niet mee naar kantoor, aangezien we allemaal een PC op ons bureau hebben.'
Fiske sprak weer in de telefoon. 'Het lijkt erop dat zijn tas weg is. Zijn computer ook. Ik heb alleen het snoer ervan gevonden.'
'Had die man misschien een van beide dingen bij zich?'
'Hij had niets bij zich, dat weet ik zeker. Hij heeft me een flinke dreun verkocht met een van die lege handen.'
'Oké, dus we hebben een verdwenen aktetas, een verdwenen computer en een stommeling van een ex-politieagent die ik het liefst nu meteen zou willen arresteren.'
'Toe nou. Je mensen hebben mijn auto al weggesleept.'
'Geef me mevrouw Evans even.'
'Waarom?'
'Doe het!'
Fiske overhandigde een stomverbaasde Sara de telefoon.
'Ja, rechercheur Chandler?' zei ze, terwijl ze nerveus aan een pluk haar draaide.
'Mevrouw Evans,' begon hij beleefd, 'ik dacht dat u eenvoudig meneer Fiske naar zijn auto zou brengen en misschien ergens iets met hem zou gaan eten. Niet dat u zich zou bezighouden met het opnemen van een James Bond-film.'
'Maar ziet u, zijn auto was weggesleept en...'
Chandler veranderde snel van toon. 'Ik kan het niet waarderen dat jullie

tweeën mijn werk bemoeilijken. Waar zijn jullie nu?'
'Ongeveer anderhalve kilometer bij Mikes flat vandaan.'
'En waar gaan jullie naartoe?'
'Naar Richmond. Om Johns vader te gaan vertellen dat Michael dood is.'
'Oké, dan rijdt u hem naar Richmond, mevrouw Evans. Verlies hem niet uit het oog. Als hij weer voor Sherlock Holmes wil spelen, dan belt u me op en dan kom ik meteen om hem zelf overhoop te schieten. Is dat duidelijk?'
'Ja, rechercheur Chandler. Volkomen.'
'En ik verwacht jullie alle twee morgen in D.C. terug. Is dat ook begrepen?'
'Ja. We komen terug.'
'Goed, Tonto, geef me nu de Lone Ranger maar weer.'
Fiske pakte de telefoon aan. 'Hoor eens, ik weet dat het stom was, maar ik probeerde alleen maar te helpen.'
'Doe me een lol en probeer niet meer te helpen, tenzij ik erbij ben. Oké?'
'Oké.'
'John, er hadden vanavond allerlei dingen kunnen gebeuren, voornamelijk vervelende. Niet alleen met jou, maar ook met mevrouw Evans.'
Fiske wreef over zijn schouder en keek naar de vrouw. 'Dat weet ik,' zei hij zacht.
'Condoleer je vader van me.'
Fiske legde de telefoon neer.
'Kunnen we nu naar Richmond?' vroeg Sara.
'Ja. Nu kunnen we naar Richmond.'

•28•

In de pick-up van zijn vriend reed Josh Harms over de landweg. Het dichte bos aan weerszijden van de smalle wegen gaf hem een bepaald gevoel van veiligheid. Afzondering, een buffer tussen hem en degenen die hem konden lastigvallen, was het enige constante doel in zijn leven geweest. Als zeer ervaren timmerman werkte hij alleen. Wanneer hij niet werkte, ging hij jagen of vissen; ook weer alleen. Hij hield er niet van om met andere mensen te praten en zelf begon hij hoogst zelden een gesprek. Dat alles was nu veranderd. De verantwoordelijkheid die hij kortgeleden op zich had genomen, was nog niet helemaal tot hem doorgedrongen, maar hij wist dat die groot was. Hij wist ook dat hij de juiste beslissing had genomen.

Er hing een caravan achter de truck en daarin werd zijn broer verondersteld te rusten, al betwijfelde Josh of de man echt zou kunnen slapen. De achterkant van de caravan was gevuld met eten en flessen water voor een maand, twee jachtgeweren en een semi-automatisch pistool, net zo een als hij achter zijn riem had gestopt. Dat arsenaal was onbetekenend in vergelijking met wat er snel achter hen aan zou komen, maar hij had wel eerder grote risico's genomen en die overleefd.

Hij stak een sigaret op en blies de rook recht uit het raampje. Ze waren al driehonderd kilometer van Roanoke verwijderd en hij wilde de afstand tussen hen en hun achtervolgers zo groot mogelijk maken. De ontsnapping zou nu wel ontdekt zijn, wist hij. Er zouden wegversperringen zijn opgericht, maar hij nam aan dat ze dat niet zover deze kant uit zouden doen. Ze hadden een voorsprong, maar het gat zou zich snel sluiten. De jongens in het groen waren enorm in het voordeel, in mankracht en in uitrusting. Maar Josh had de afgelopen jaren in deze streek gevist en gejaagd. Hij kende alle leegstaande hutten, alle verborgen dalen, de kleinste open plek in het overigens dichte woud. Zijn overlevingsinstinct was aangescherpt, zowel doordat hij hier moest vechten voor zijn bestaan als door het ontwijken van de dood, aan de andere kant van de wereld, in Vietnam.

Zelfs met zijn uitgesproken wantrouwen voor alles wat op gezag leek, overtrad hij de wet niet snel. Hij had nooit geloofd dat zijn broertje een dolgedraaide moordenaar was. Rufus had nooit in het leger moeten gaan; hij was er niet voor uit het goede hout gesneden. Het was ironisch dat Josh, als dienstplichtige, de met medailles behangen oorlogsheld was. Zijn broer had zich vrijwillig aangemeld en die had zijn diensttijd grotendeels in het strafkamp doorgebracht. Josh was niet opgewonden geraakt van het feit dat hij een geweer moest hanteren voor een land dat hem en alle anderen met zijn huidskleur op een geweldige manier had laten vallen. Maar tijdens de gevechten had hij zich onderscheiden. Hij had het gedaan voor zichzelf en voor de mannen die bij hem waren. Er was geen enkele andere reden voor. Een andere motivatie om te vechten en om mensen te doden met wie hij geen persoonlijk conflict had, had hij niet.

Josh ging langzamer rijden en sloeg een zandweg in die dieper de bossen in leidde. Rufus had hem bijgepraat over een paar details van wat er vijfentwintig jaar geleden was gebeurd, wat die mannen met hem hadden gedaan. Josh voelde zijn gezicht gloeien nu hij zich een voorval herinnerde dat hij diep had weggestopt. Dat zweepte de woede, de haat in hem op. Wat hun stadje in Alabama het gezin Harms had aangedaan toen het nieuws over Rufus' misdaad bekend werd. Destijds had hij geprobeerd zijn moeder te beschermen, maar hij had gefaald. Laat me het nu opnemen tegen de mannen die mijn broer dit hebben aangedaan. Hoor je dat, God? Luister je?

Zijn plan was dat ze zich een poosje zouden schuilhouden, om weer verder te trekken wanneer de opwinding wegstierf. Misschien proberen om de Mexicaanse grens over te trekken en dan te verdwijnen. Josh liet niet zoveel achter. Een ontwricht gezin, een timmermansbedrijf dat geen winst opleverde. Hij bedacht dat Rufus de enige familie was die hij nog had. En hij was zeker alles wat Rufus ooit zou hebben. Ze waren een kwart eeuw van elkaar gescheiden geweest. Nu, op middelbare leeftijd, kregen ze de kans nader tot elkaar te komen dan broers gewoonlijk waren in deze periode van hun leven. Als Josh en Rufus dit konden overleven. Hij gooide de sigaret naar buiten en bleef doorrijden.

Achter in de caravan lag Rufus inderdaad niet te slapen. Hij lag op zijn rug, met een zwart dekkleed deels over zich heen getrokken. Dat was het werk van Josh, het kleed was zo gemaakt dat het niet afstak tegen de donkere omtrekken van het veldbed. Om hem heen stonden dozen met voedsel opgestapeld, vastgemaakt met elastische koorden. Ook het werk van Josh, een muur die iedereen belette om naar binnen te kijken. Hij probeerde zich een beetje uit te rekken, zich te ontspannen. De beweging van de pick-up voelde onprettig aan. Hij had niet meer in een burgerauto gereden sinds Richard Nixon president was. Was dat echt zo? Hoeveel presidenten geleden was dat? Het leger had hem altijd per helikopter van de ene gevangenis naar de andere vervoerd. Blijkbaar wilden ze niet dat hij te dicht bij de weg kwam, bij de vrijheid. Wanneer je uit een helikopter wilt ontsnappen, kun je niet veel kanten op, behalve naar beneden.

Rufus probeerde tussen het karton door naar de voorbijglijdende nacht te kijken. Het was te donker. Vrijheid. Vaak had hij zich afgevraagd hoe het zou zijn. Hij wist het nog steeds niet. Hij was te bang. Mensen, veel mensen, die naar hem op zoek waren. Die hem wilden doden. En nu zijn broer. Zijn vingers voelden het onbekende materiaal van de ziekenhuisbijbel. De bijbel die zijn moeder hem had gegeven, lag nog in zijn cel. Die had hij al die jaren vlak bij zich gehouden, telkens en telkens weer had hij zich tot de Schrift gewend om troost in

zijn hele ellendige bestaan. Zonder die bijbel had hij een leeg gevoel in zijn hoofd en in zijn hart. Nu was het te laat. Hij voelde dat zijn hartslag versnelde. Hij nam aan dat het geen goed teken was, te veel spanning. Uit zijn hoofd begon hij troostwoorden op te zeggen uit de overvloed die de bijbel te bieden had. Hoeveel nachten had hij niet de Spreuken voor zich heen opgezegd, alle eenendertig hoofdstukken, de honderdvijftig psalmen, elk ervan veelbetekenend en krachtig, elk met een speciale bedoeling, met inzicht in de elementen van zijn bestaan. Toen hij gereed was met 'lezen' kwam hij half overeind en schoof het raampje open. Vanuit deze hoek kon hij het gezicht van zijn broer weerspiegeld zien in de achteruitkijkspiegel.
'Ik dacht dat je sliep,' zei Josh.
'Kan ik niet.'
'Hoe gaat het met je hart?'
'Mijn hart baart me geen zorgen. Als ik doodga, komt dat niet door mijn hart.'
'Tenzij er een kogel dwars doorheen gaat.'
'Waar gaan we naartoe?'
'Naar een plekje in niemandsland. Ik geloof dat we daar een poosje moeten blijven, de zaak laten afkoelen en dan gaan we weer verder, wanneer het donker is. Ze denken waarschijnlijk dat we naar het zuiden gaan, naar de Mexicaanse grens, dus we gaan naar het noorden, richting Pennsylvania, tenminste voorlopig.'
'Klinkt goed.'
'Hé, je zei dat Rayfield en die andere klootzak...'
'Tremaine. Ouwe Vic.'
'Ja. Je zei dat die je al die tijd in de gaten hebben gehouden. Hoe komt het dat ze dat na al die jaren nog steeds volhielden? Dachten ze niet dat je, als je je iets herinnerde, dat wel eerder zou hebben gezegd? Tijdens je proces, bijvoorbeeld?'
'Daar heb ik over nagedacht. Misschien dachten ze dat ik me toen niets kon herinneren, maar dat het me op een dag te binnen zou schieten. Niet dat ik iets kon bewijzen, maar dat ik iets zou zeggen waardoor ze in moeilijkheden konden komen of wat mensen zou aansporen om het te onderzoeken. Het eenvoudigst zou zijn geweest om me te vermoorden. Dat hebben ze geprobeerd, maar het lukte niet. Misschien dachten ze dat ik de boel belazerde, dat ik me van de domme hield in de hoop dat ze minder goed zouden opletten, en dat ik dan zou gaan praten. Zolang zij in de gevangenis waren, hadden ze me aardig onder de duim. Ze lazen mijn post, ze controleerden de mensen die me kwamen opzoeken. Als iets er vreemd uitzag, werd ik overgeplaatst. Misschien vonden

ze het beter om het zo te doen. Maar na al die jaren zijn ze, denk ik, een beetje lui geworden. Ze hebben toegestaan dat Samuel en die vent van het Hof bij me op bezoek kwamen.'
'Zoiets dacht ik al. Maar ik heb die brief van het leger aan jou nog steeds. Ik wist niet dat er zoveel ellende zou ontstaan, maar ik wilde ook niet dat zij hem zouden lezen.'
Ze bleven beiden een poosje zwijgen. Josh was van nature teruggetrokken en Rufus was er niet aan gewend iemand te hebben om tegen te praten. Hij vond de stilte zowel bevrijdend als drukkend. Er was nog zoveel dat hij wilde zeggen. Tijdens de bezoeken van een half uur die Josh elke maand aan de gevangenis bracht, praatte hij en zijn broer luisterde meestal, alsof hij de opeenstapeling van woorden en gedachten in Rufus' hoofd aanvoelde.
'Ik geloof niet dat ik het je ooit gevraagd heb, maar ben je nog wel eens thuis geweest?'
Josh ging verzitten. 'Thuis? Welk thuis?'
Rufus schrok op. 'Waar we geboren zijn, Josh!'
'Waarom zou ik daar verdomme naar terug willen?'
'Mama's graf is er toch?' zei Rufus zacht.
Josh dacht er even over na. Toen knikte hij. 'Ja, het is er nog. Zij had de grond gekocht, de begrafenispolis stond op haar naam. Ze konden het niet maken om haar níet daar te begraven, hoewel ze het wel degelijk hebben geprobeerd.'
'Is het een mooi graf? Wie onderhoudt het?'
'Hoor eens, Rufus, mama is dood, oké? Al een hele tijd. Er is geen enkele manier waarop ze zou kunnen weten hoe haar graf eruitziet. En ik ga niet helemaal naar Alabama om een paar dorre blaadjes van die verdomde grond weg te vegen, niet na wat er daarginds is gebeurd. Niet na wat die stad de familie Harms heeft aangedaan. Ik hoop dat ze er allemaal voor zullen branden in de hel, tot de laatste man. Als God bestaat, en daar heb ik zo mijn twijfels over, dan zou de grote baas daarvoor moeten zorgen. Als jij je druk wilt maken om de doden, ga je je gang maar. Ik hou me bezig met dat waar het op aan komt: jou en mij in leven houden.'
Rufus bleef zijn broer gadeslaan. Er is een God, wilde hij tegen hem zeggen. Diezelfde God had Rufus al die jaren overeind gehouden, toen hij niets anders wilde dan zich oprollen en wegzinken in vergetelheid. En je moest de doden en hun laatste rustplaats respecteren. Als hij dit overleefde, zou Rufus zijn moeders graf verzorgen. Ooit zouden ze elkaar weerzien. Tot in eeuwigheid.
'Ik praat elke dag tegen God.'

Josh kreunde. 'Dat is mooi. Ik ben blij dat hij iemand gezelschap houdt.'
Het werd weer stil, tot Josh zei: 'Zeg, hoe heette die man die bij je op bezoek is geweest?'
'Samuel Rider?'
'Nee, nee, die jonge vent.'
Harms dacht even na. 'Michael nog wat.'
'Je zei dat hij van het Hooggerechtshof was?' Rufus knikte. 'Nou, die hebben ze vermoord. Michael Fiske. In elk geval, ik denk dat ze hem vermoord hebben. Ik zag het op de tv, vlak voordat ik je kwam halen.'
Rufus sloeg zijn ogen neer. 'Verdomme. Ik was al bang dat dat zou gebeuren.'
'Het was ook stom van hem om naar de gevangenis te gaan.'
'Hij probeerde me alleen maar te helpen. Verdomme,' zei Rufus nog eens. Daarna bleef hij zwijgen, terwijl de pick-up verderreed.

•29•

Op aanwijzing van John reed Sara naar de buurt waar zijn vader woonde, aan de rand van Richmond. Ze zette de auto op het grind van de oprit neer. Er zaten bruine plekken in het gras na weer een hete, van vocht doortrokken zomer in Richmond, maar aan de voorzijde van het huis lagen zorgvuldig onderhouden bloembedden, die er goed uitzagen omdat ze voortdurend water hadden gekregen.
'Ben je in dit huis opgegroeid?'
'Het is het enige huis dat mijn ouders ooit hebben bezeten.' Hoofdschuddend keek John om zich heen. 'Ik zie zijn auto niet.'
'Misschien staat hij in de garage.'
'Daar is geen ruimte. Hij is veertig jaar automonteur geweest en heeft een massa rotzooi verzameld. Hij zet de auto altijd op de oprit.' Hij keek op zijn horloge. 'Verdomme, waar zit hij toch?' Hij stapte uit en Sara volgde zijn voorbeeld.
Over het autodak heen keek hij naar haar. 'Je kunt hier blijven, als je dat wilt.'
'Ik ga met je mee naar binnen,' zei ze vlug.

Fiske pakte zijn sleutel, deed de voordeur open en ze liepen naar binnen. Hij deed het licht aan en ze liepen door de kleine zitkamer de aangrenzende eetkamer in, waar Sara een verzameling foto's op de eettafel nauwgezet bestudeerde. Er was er een van Michael in football-uniform; een beetje bloed op zijn gezicht, grasvlekken op zijn knieën en bezweet. Heel sexy. Ze betrapte zich erop dat ze het dacht en keek een andere kant op. Plotseling voelde ze zich schuldig.
Ze keek naar een paar andere foto's. 'Jullie hebben allebei heel wat sporten beoefend.'
'Mike was de geboren atleet van de familie. Elk record dat ik vestigde, verbrak hij. Met gemak.'
'Echt een sportief gezin.'
'Hij was ook degene die de afscheidsspeech voor zijn klas heeft gehouden, hij had een GPA van boven de vier punt nul en een bijna volmaakt resultaat in de SAT's en LSAT's.'
'Je klinkt als een trotse grote broer.'
'Er waren heel wat mensen trots op hem,' zei Fiske.
'En jij?'
Hij keek haar strak aan. 'Ik was trots op hem vanwege bepaalde dingen en niet zo trots vanwege andere. Zo goed?'
Sara pakte een foto. 'Zijn dit je ouders?'
Fiske kwam naast haar staan. 'Toen waren ze dertig jaar getrouwd. Voordat mam ziek werd.'
'Het lijkt een gelukkig stel.'
'Ze waren gelukkig,' zei hij snel. Het gaf hem een onbehaaglijk gevoel haar te zien kijken naar deze voorwerpen uit zijn verleden. 'Wacht hier maar even.' John liep naar de achterkamer, die vroeger de gezamenlijke slaapkamer van de broers was geweest en waarvan nu een klein werkkamertje was gemaakt. Hij luisterde het antwoordapparaat af. Zijn vader had zijn boodschappen niet gehoord. Hij wilde net de kamer verlaten, toen hij de honkbalhandschoen op de plank zag liggen. Hij raapte hem op. De handschoen was van zijn broer, de voering was gescheurd maar het leer zat goed in de olie. Duidelijk het werk van zijn vader. Mike was linkshandig, maar er was geen geld geweest om een speciale handschoen voor hem te kopen, dus had Mike geleerd om de bal te fielden, zijn handschoen uit te trekken en te gooien. Hij was er zo goed in geworden dat hij het sneller kon dan een rechtshandige werper. John dacht terug aan dat blijk van efficiency, er was geen hindernis geweest die zijn broer niet kon overwinnen. Hij legde de handschoen weer neer en voegde zich bij Sara.
'Hij heeft niet naar mijn boodschappen geluisterd.'

'Enig idee waar hij naartoe gegaan kan zijn?'
Fiske dacht even na en knipte vervolgens met zijn vingers. 'Meestal zegt pap het tegen mevrouw German.'
Toen hij was weggegaan, keek Sara de kamer nog eens rond. Ze zag een kleine, ingelijste brief die op een houten zuiltje stond. Er was een medaille aan gehangen. Ze pakte het lijstje op om de brief te lezen. De medaille was voor bewezen diensten, uitgereikt aan agent John Fiske, en in de brief stond het feit vermeld. Ze keek naar de datum die erboven stond. Elf jaar geleden. Door snel te rekenen kwam ze tot de conclusie dat de onderscheiding moest zijn uitgereikt toen John de politie had verlaten. Ze wist nog steeds niet waarom hij dat had gedaan. Toen ze de achterdeur open hoorde gaan, zette ze brief en medaille snel terug.
Fiske kwam de kamer binnen. 'Hij is naar de caravan.'
'Welke caravan?'
'Bij de rivier. Daar gaat hij altijd vissen.'
'Kun je naar de caravan bellen?'
Fiske schudde zijn hoofd. 'Geen telefoon.'
'Oké, dan rijden we erheen. Waar staat hij?'
'Je hebt al meer dan genoeg gedaan.'
'Ik vind het niet erg, John.'
'Het is ongeveer anderhalf uur rijden hiervandaan.'
'De nacht begint toch al op te schieten.'
'Vind je het goed dat ik rij? Het is een tamelijk onbegaanbare weg.'
Ze gooide hem de sleutels toe. 'Ik dacht dat je het nooit zou vragen.'

•30•

'Laten we dit even vaststellen: afgezien van al het andere wat er is gebeurd, heb je hem laten ontsnappen.'
'Om te beginnen, ik heb hem niets laten doen. Ik dacht dat de man een verdomde hartaanval had. Hij was vastgeketend aan dat klotebed. Er stond een gewapende bewaarder voor zijn deur en niemand was verondersteld te weten dat hij daar was,' snauwde Rayfield in de telefoon. 'Ik weet nog steeds niet hoe zijn broer erachter is gekomen.'
'Zijn broer is een soort oorlogsheld, begrijp ik. Uitstekend getraind in allerlei ontsnappingsmethoden. Dat is geweldig.'

'Het is gunstig voor ons.'
'Waarom leg je me dat niet eens uit, Frank?'
'Ik heb mijn mannen opdracht gegeven te schieten om te doden. Zodra ze de kans krijgen, jagen ze hun allebei een kogel in het lijf.'
'En als hij het voor die tijd aan iemand vertelt?'
'Wat moet hij vertellen? Dat hij een brief van het leger heeft gekregen waar iets in staat waarvan hij op geen enkele manier kan aantonen dat het niet waar is? Nu zitten we met een dode griffier van het Hooggerechtshof. Dat maakt ons werk een stuk moeilijker.'
'Nou, we zouden ook een dode advocaat uit een provinciestadje hebben, maar gek genoeg heb ik zijn overlijdensbericht nog nergens gelezen.'
'Rider is de stad uit gegaan.'
'O, mooi is dat. Dan wachten we gewoon tot hij terug is van vakantie en dan hopen we maar dat hij niet met de FBI gaat praten.'
'Ik weet niet waar hij is,' zei Rayfield nijdig.
'Het leger heeft een inlichtingendienst, Frank. Wat dacht je ervan om die in te schakelen? Ontdoe je van Rider en concentreer je vervolgens op het zoeken naar Harms en zijn broer. En wanneer je ze gevonden hebt, stop je ze anderhalve meter onder de grond. Ik hoop dat ik duidelijk genoeg ben geweest.' De telefoon zweeg.
Rayfield gooide de hoorn op de haak en keek naar Vic Tremaine.
'Dit loopt uit de hand.'
Tremaine haalde zijn schouders op. 'We nemen eerst Rider te grazen en dan die twee klootzakken. Daarna zijn we overal van af,' zei hij met zijn knarsende stem, die perfect aangepast leek om mannen te commanderen tijdens het gevecht.
'Ik ben er niet blij mee. We zitten niet midden in een oorlog.'
'Dit ís oorlog, Frank.'
'De moord heeft jou geen slapeloze nachten bezorgd, nietwaar, Vic?'
'Het enige wat voor mij telt, is het succes van mijn missie.'
'Wilde je me vertellen dat je, vlak voordat je de trekker overhaalde en Michael neerschoot, niets voelde?'
'Missie volbracht.' Tremaine legde zijn handen plat op Rayfields bureau en leunde voorover. 'Frank, we hebben samen veel meegemaakt, zowel tijdens gevechten als elders. Maar laat me je iets vertellen. Ik heb dertig jaar in het leger gezeten, waarvan de laatste vijfentwintig in verschillende militaire gevangenissen als deze, terwijl ik een burgerbaan had kunnen krijgen tegen een veel hoger salaris. We hebben met zijn allen een afspraak gemaakt die was bedoeld om ons te beschermen omdat we lang geleden een stommiteit hebben uitgehaald. Ik heb me aan mijn

deel van de afspraak gehouden. Ik ben babysitter geweest voor Rufus Harms terwijl de anderen een normaal leven konden leiden.
Nu heb ik, naast mijn legerpensioen, meer dan een miljoen dollar op een offshore-rekening staan. Voor het geval je het vergeten bent, jij hebt hetzelfde appeltje voor de dorst. Dat is onze compensatie voor al die jaren dat we deze klotebaan hebben gehad. En na alles wat ik heb doorgemaakt, laat ik me door niets en niemand tegenhouden om van dat geld te genieten. Het beste wat Rufus Harms ooit voor me gedaan heeft, is ontsnappen. Omdat ik nu een waterdichte reden heb om hem overhoop te schieten zonder dat iemand vragen gaat stellen. En zodra die klootzak zijn laatste adem heeft uitgeblazen, gaat het uniform dat ik nu aanheb in de mottenballen. Voorgoed.'
Tremaine richtte zich op. 'En, Frank, ik zal iedereen vernietigen die ook maar in de verste verte probeert om dat te beletten.' Zijn ogen werden zwarte stippen toen hij het volgende woord uitsprak. 'Iedereen.'

•31•

Onderweg stopte John bij een winkel die de hele nacht geopend bleef. Sara bleef in de auto wachten. Een verroest Esso-uithangbord zwaaide rammelend heen en weer als gevolg van de zuiging van een langsrijdende vrachtauto en maakte haar aan het schrikken. Toen hij weer bij de auto terugkwam, staarde Sara naar de twee plastic verpakkingen met zes blikjes Budweiser. 'Ben je van plan je verdriet te verdrinken?'
Hij schonk geen aandacht aan de vraag. 'Wanneer we daar zijn aangekomen, kun je op geen enkele manier alleen terug. Het is echt niemandsland; ik verdwaal er zelfs nog wel eens.'
'Ik wil best in de auto slapen.'
Ongeveer een half uur later begon John langzamer te rijden, sloeg een smalle grindweg in en passeerde een klein, donker huisje. 'Hier moet je je melden en entreegeld betalen voor je het terrein op rijdt,' legde hij uit. 'Ik doe het morgen wel, voor we vertrekken.'
Hij reed voorbij het huisje naar het midden van het terrein. Sara keek naar de caravans, die keurig in rijen stonden. De meeste waren versierd met slingers kerstboomverlichting en hadden vlaggenstokken die aan de

caravan of de veranda waren bevestigd, of in beton waren gegoten. De lichtjes zorgden er samen met het maanlicht voor dat het gebied verrassend goed verlicht was. Ze passeerden bedden met laatbloeiers zoals vlijtige liesjes, en rode en roze dahlia's. Dichte ranken clematis sierden de zijkanten van sommige van de wagens. Overal zag ze tuinbeelden van metaal, marmer of kunststof. Er stond een aantal grills, gemaakt van lavablokken, en er was een grote vuurplaats; de gemengde geur van gebraden vlees en houtskool hing uitnodigend in de warme, vochtige lucht.
'Het lijkt wel een sprookjesstadje, gebouwd door kabouters,' zei Sara. Ze keek naar de talrijke vlaggenmasten en voegde eraan toe: 'Vaderlandslievende kabouters.'
'Veel van de bewoners zijn leden van het American Legion en de Veteranenbond. Mijn vader heeft een van de hoogste vlaggenmasten. In de Tweede Wereldoorlog zat hij bij de marine. De kerstboomverlichting die ze het hele jaar door laten hangen, is een heel oude traditie.'
'Zijn Michael en jij hier vaak geweest?'
'Mijn vader had maar een week vakantie, maar mam bracht ons hier 's zomers voor een paar weken naartoe. Een paar oude mannen leerden ons zeilen, zwemmen en vissen. Dingen waar pa nooit tijd voor had. Sinds hij met pensioen is, heeft hij dat ingehaald.'
Hij liet de auto voor een van de caravans stilhouden. De kerstverlichting brandde helder en de wagen was geschilderd in een rustgevende, zachtblauwe kleur. De Buick van zijn vader, met op de bumper een sticker 'Steun uw plaatselijke politie', stond naast de caravan geparkeerd. Voor de wagen was een bed met grote fuchsia's aangelegd. Naast de Buick stond een golfkarretje. De vlaggenmast voor de caravan rees meer dan tien meter omhoog.
Fiske keek naar de Buick. 'Hij is tenminste hier.' Nou, dat is het dan, John. Geen uitstel meer, dacht hij.
'Is er een golfterrein in de buurt?'
Fiske keek haar van opzij aan. 'Nee. Waarom?'
'Wat moet hij dan met het golfkarretje?'
'De eigenaren van het caravankamp kopen ze tweedehands, bij golfcourses. De wegen hier zijn vrij smal en hoewel je met de auto tot bij je caravan kunt komen, kun je er niet mee over het terrein rijden. De mensen hier zijn voor het merendeel bejaard. Ze gebruiken de golfkarretjes om zich te verplaatsen.'
Fiske pakte het bier en stapte uit. Sara maakte geen aanstalten hem achterna te komen. Vragend keek hij haar aan.
'Ik dacht dat je liever alleen met je vader wilde spreken.'
'Na alles wat we vanavond hebben meegemaakt, vind ik dat je er recht

op hebt mee te gaan. Maar als je niet wilt, heb ik er begrip voor.' Hij keek naar de caravan en voelde dat zijn zenuwen het langzaam begaven. 'Ik zou je gezelschap wel kunnen gebruiken.'
Ze knikte. 'Oké, geef me een minuut.'
Sara klapte de zonneklep met het spiegeltje omlaag en keek naar haar gezicht en haar haren. Ze trok een lelijk gezicht en pakte haar tas, om er met behulp van lippenstift en een borstel het beste van te maken. Ze was bezweet en plakkerig, haar jurk kleefde aan haar lichaam en als gevolg van de regen en de vochtige lucht was haar kapsel hopeloos. Het mocht dan niet belangrijk zijn hoe ze eruitzag, maar ze voelde zich zo'n vijfde wiel aan de wagen dat het enige wat ze kon bedenken, was zich een beetje op te knappen.
Zuchtend klapte ze de zonneklep weer op, deed het portier open en stapte uit. Terwijl ze de houten veranda op liepen, streek ze haar jurk glad en frutselde nog wat aan haar haren.
Fiske merkte het en zei: 'Het zal hem weinig kunnen schelen hoe je eruitziet. Niet nadat ik het hem heb verteld.'
Ze zuchtte. 'Dat weet ik. Ik denk dat ik er gewoon niet al te rampzalig wil uitzien.'
Nadat hij diep had ademgehaald, klopte Fiske op de deur. Hij wachtte en klopte nog eens. 'Pa.' Hij wachtte weer even en klopte nogmaals, nu wat harder. 'Pa,' riep hij, terwijl hij bleef kloppen.
Eindelijk hoorden ze iets bewegen in de caravan en toen ging het licht aan. De deur werd geopend en Fiskes vader, Ed, tuurde naar buiten. Sara bekeek hem goed. Hij was even groot als zijn zoon en heel mager, hoewel er sporen zichtbaar waren van het krachtige spierstelsel van zijn zoons. Zijn onderarmen waren enorm, als dikke stukken zongebruind hout. Sara kon het zien omdat hij een T-shirt met korte mouwen droeg. Hij was diepgebruind, zijn gezicht was gerimpeld en begon uit te zakken, maar ze kon zien dat hij een knappe jongeman moest zijn geweest. Zijn dunner wordende haar krulde en was bijna helemaal grijs, afgezien van een paar zwarte plekken bij de slapen. Haar ogen bleven even rusten op zijn bakkebaarden, een overblijfsel uit de jaren zeventig, dacht ze. Zijn broek stond een eindje open, de gesp hing los zodat zijn onderbroek duidelijk zichtbaar was, en hij liep op blote voeten.
'Johnny? Wat doe jij in vredesnaam hier?' Op zijn gezicht brak een brede lach door. Toen hij Sara in het oog kreeg, leek hij te schrikken. Snel draaide hij zich om, zodat hij met zijn rug naar hen toe stond. Ze zagen dat hij worstelde om zijn broek dicht te maken. Toen keerde hij zich om en keek hen aan.
'Pa, ik moet met je praten.'

Ed Fiske keek opnieuw naar Evans.
'Sorry. Sara Evans, Ed Fiske,' zei John.
'Hallo, meneer Fiske,' zei Sara, pogend tegelijkertijd vriendelijk en neutraal te klinken. Verlegen stak ze haar hand uit.
Hij drukte die. 'Zeg maar Ed, Sara. Prettig kennis te maken.' Nieuwsgierig keek hij zijn zoon aan.
'Wat is er loos? Gaan jullie trouwen of zo?'
Fiske keek zijdelings naar Evans. 'Nee, hoor! Ze heeft met Mike samengewerkt bij het Hooggerechtshof.'
'O. Verdorie, waar zijn mijn manieren, kom binnen. Ik heb de airco aan, het is buiten zo broeierig.'
Ze gingen naar binnen. Ed wees naar een versleten bank en John en Sara gingen zitten. Ed trok een metalen stoel uit de kleine eethoek naar zich toe en nam tegenover hen plaats.
'Sorry dat het zo lang duurde. Ik was net in slaap gesukkeld.'
Sara keek de kleine ruimte rond. De caravan was betimmerd met dun triplex, dat donkere vlekken vertoonde. Verscheidene opgezette vissen, die op plankjes waren bevestigd, hingen aan de wand. Tegen een van de andere wanden hing een geweer aan een rekje. In de hoek zag ze een lange, ronde hoes waar een stuk van een werphengel uit stak. Op de eettafel lag een opgevouwen krant. Ernaast was een kleine kookhoek met een gootsteen en een koelkastje. In een van de hoeken stond een oude leunstoel, met daartegenover een kleine tv. Er was één raam. Tegen het plafond was een airconditioninginstallatie gemonteerd, die de ruimte heerlijk koel hield. Ze huiverde zelfs, toen haar lichaam langzaam aan de temperatuur wende. De grond was belegd met goedkoop, bobbelig linoleum, deels bedekt door een dun vloerkleed.
Sara snoof en begon vervolgens te kuchen. Ze kon bijna de sigarettenrook zien, die was blijven hangen. Als in antwoord op haar gedachten, nam Ed een pakje Marlboro van een wankel tafeltje en stak met een routinegebaar een sigaret in zijn mond. Hij nam er even de tijd voor om die aan te steken, waarna hij de rook naar het door nicotine verkleurde plafond blies. Van hetzelfde tafeltje pakte hij een asbakje en hij tikte de sigaret af. Daarna legde hij zijn handen op zijn knieën en leunde naar voren. Ze zag dat zijn vingers abnormaal dik waren, de nagels waren gespleten en op sommige plekken zat er iets onder wat op olie leek. Toen herinnerde ze zich dat hij monteur was geweest.
'Nou, wat brengt jullie zo laat hier?'
Fiske overhandigde het draagtasje met bier aan zijn vader. 'Geen goed nieuws.'
Fiske senior verstrakte en keek met half dichtgeknepen ogen naar hen

door de rook. 'Het is niet je moeder. Daar ben ik pas nog geweest, ze maakt het goed.' Zodra hij dit had gezegd, wierp hij Sara een snelle blik toe. De uitdrukking op zijn gezicht was duidelijk: ze hád met Mike samengewerkt.
Hij keek naar John. 'Waarom vertel je me verdomme niet wat je me moet vertellen, jongen.'
'Mike is dood, pa.' Toen hij het had gezegd, leek het alsof hij het nieuws voor het eerst hoorde. Hij voelde zijn gezicht warm worden, alsof hij te dicht bij een vuur was gekomen. Misschien had hij gewacht tot hij zijn vader zag, om zijn verdriet met hem te delen. Dat kon hij toch wel geloven?
Fiske voelde dat Sara naar hem keek, maar hij hield zijn blik op zijn vader gericht. Bij het zien van de ontzetting die bezit nam van de man, merkte John dat hij nauwelijks kon ademhalen.
Ed nam de sigaret uit zijn mond en liet de asbak vallen. Zijn vingers trilden. 'Hoe is het gebeurd?'
'Een roofoverval. Tenminste, dat denken ze.' John wachtte even en liet er dan op volgen, omdat hij wist dat zijn vader erop wachtte: 'Iemand heeft hem doodgeschoten.'
Ed rukte een van de blikjes bier uit het plastic en trok het lipje open. Hij dronk het bijna in één teug leeg, waarbij zijn adamsappel op en neer bewoog. Daarna drukte hij het blikje tegen zijn been plat en smeet het tegen de wand. Hij stond op en ging voor het raampje naar buiten staan kijken. De sigaret bungelde uit zijn mondhoek, zijn grote handen openden en sloten zich, de aderen op zijn armen zwollen op en werden weer kleiner.
'Heb je hem gezien?' vroeg hij, zonder zich om te draaien.
'Ik heb vanmiddag het lichaam geïdentificeerd.'
Woedend draaide zijn vader zich om. 'Vanmiddag? Verdomme, waarom heb je zo lang gewacht om het me te komen zeggen, jongen?'
Fiske stond op. 'Ik heb de hele dag geprobeerd je te pakken te krijgen. Ik heb boodschappen ingesproken op je antwoordapparaat. Ik wist pas dat je hier was toen ik het van mevrouw German hoorde.'
'Daar had je moeten beginnen,' snauwde zijn vader. 'Ida weet altijd waar ik ben. Dat weet je.' Hij balde zijn vuist en deed een stap naar hen toe.
Sara, die tegelijk met Fiske was opgestaan, deinsde terug. Ze keek naar het geweer en vroeg zich plotseling af of het geladen was.
Fiske ging dichter bij zijn vader staan. 'Pa, zodra ik het hoorde, heb ik je gebeld. Toen ben ik naar je huis gegaan. Daarna moest ik naar het mortuarium. Het was geen pretje om Mikes lichaam te moeten identifice-

ren, maar ik heb het gedaan. En de rest van de dag is er van alles gebeurd.' Hij slikte een paar maal, opeens voelde hij zich schuldig omdat de boze reactie van zijn vader hem meer verdriet deed dan de dood van zijn broer. 'Laten we geen ruziemaken over het tijdstip, goed? Dat brengt Mike niet terug.'

Bij het luisteren naar deze woorden leek alle woede uit Ed weg te vloeien. Kalme, redelijke woorden, die niets deden om het verdriet dat hij voelde te verklaren of te verlichten. De woorden die dat konden, waren nog niet uitgevonden, noch degene die ze kon overbrengen. Ed ging weer zitten, zijn hoofd zwaaide losjes van de ene naar de andere kant. Toen hij weer opkeek, stonden er tranen in zijn ogen. 'Ik heb altijd gezegd dat je niet achter slecht nieuws aan hoeft te jagen, dat het je altijd sneller bereikt dan iets goeds.' Hij sprak met een brok in zijn keel. Afwezig drukte hij zijn sigaret uit op het vloerkleed.

'Ik weet het, pa, ik weet het.'

'Hebben ze degene die het gedaan heeft, gepakt?'

'Nog niet. Ze zijn ermee bezig. De rechercheur die met het onderzoek is belast, is een prima vent. Ik help hem zo'n beetje.'

'D.C.?'

'Ja.'

'Ik heb het nooit prettig gevonden dat Mike daar was.'

Hij keek kwaad naar Sara, die het bloed naar haar hoofd voelde stijgen onder die beschuldigende blik.

Met een dikke vinger wees hij naar haar. 'Ze vermoorden je daar om niks. Stomme idioten.'

'Pa, dat gebeurt tegenwoordig overal.'

Sara slaagde erin haar stem te vinden. 'Ik mocht uw zoon graag en ik had veel respect voor hem. Iedereen bij het Hof vond hem geweldig. Ik vind dit heel, heel erg.'

'Hij wás geweldig,' zei Ed. 'Verdomd, dat was hij. Nooit begrepen hoe we zo'n jongen als Mike hebben kunnen voortbrengen.'

Fiske keek naar de vloer. Sara zag de gekwelde uitdrukking op zijn gezicht.

Ed keek het inwendige van de caravan rond, herinneringen aan mooie momenten met zijn gezin grijnsden hem uit alle hoeken aan. 'Hij had de hersens van zijn moeder.' Even trilde zijn onderlip. 'Die ze vroeger had dan.' Een zachte snik ontsnapte aan zijn mond en hij gleed op de vloer.

Fiske knielde naast zijn vader neer en sloeg zijn armen om hem heen, hun schouders schokten in hetzelfde ritme.

Sara stond erbij en wist niet wat ze moest doen. Het bracht haar in verlegenheid om zo'n intiem moment mee te maken en ze vroeg zich af of het niet beter zou zijn om op te staan en naar haar auto te vluchten. Ten slotte sloeg ze alleen maar haar ogen neer en sloot ze. Haar stille tranen drupten op het kleed.

Een half uur later zat Sara op de veranda, waar ze kleine slokjes uit een blikje lauw bier nam. Ze was blootsvoets, haar schoenen stonden naast haar. Afwezig wreef ze over haar tenen en staarde een duisternis in die zo nu en dan werd onderbroken door het oplichten van een vuurvliegje. Ze sloeg een mug van zich af en veegde vervolgens een straaltje zweet weg dat kronkelend over haar been liep. Terwijl ze het bierblikje tegen haar voorhoofd gedrukt hield, overwoog ze naar de auto te gaan, de airconditioning hoog te zetten en te proberen te slapen.
De deur ging open en Fiske kwam tevoorschijn. Hij had zich omgekleed en droeg nu een verbleekte spijkerbroek en daaroverheen een hemd met korte mouwen. Hij liep eveneens op blote voeten. Aan zijn vingers bungelde een plastic strip met twee blikjes bier. Hij ging naast haar zitten.
'Hoe gaat het met hem?'
Fiske haalde zijn schouders op. 'Hij slaapt, of althans dat probeert hij.'
'Wil hij met ons mee wanneer we teruggaan?'
Fiske schudde zijn hoofd. 'Hij komt morgenavond naar mijn huis.' Hij keek op zijn horloge en besefte dat het niet lang zou duren voor de ochtend aanbrak. 'Ik bedoel, vanavond. Ik moet op de terugweg langs mijn appartement om schone kleren op te halen.'
Sara keek naar haar jurk. 'Vertel eens, waar heb je deze vandaan?'
'Die had ik hier achtergelaten toen ik de laatste keer ben gaan vissen.'
Ze veegde haar voorhoofd af. 'God, wat is het klam.'
Fiske keek in de richting van het bos. 'Bij het water staat een koel briesje.' Hij liep met haar naar het golfkarretje. Toen ze over de stille zandpaadjes reden, gaf hij haar een biertje. 'Deze is koud.'
Ze trok het open. Het voelde heerlijk aan toen ze het dronk en ze werd er iets minder treurig van. Ze hield het blikje tegen haar wang.
Het smalle weggetje leidde door een warboel van lage dennen, hulst, eikenbomen en berken waarvan de bast gerafeld was als potloodslijpsel. Toen kwamen ze op open terrein en kon Sara een houten steiger zien, waar verscheidene boten lagen afgemeerd. Ze zag hoe het houten bouwsel op en neer ging met de beweging van het water.
'Het is een drijvende steiger; hij ligt op lege tweehonderd-litervaten,' verklaarde Fiske.
'Dat dacht ik al. Is dat een scheepshelling?' vroeg ze, wijzend naar een

plek waar de weg steil naar het water afliep.
Fiske knikte. 'De mensen komen met hun auto langs een andere weg hierheen. Pa heeft een kleine motorboot. Die daar.' Hij wees naar een witte boot met rode strepen, die op het water heen en weer deinde. 'Meestal trekken ze de boten er 's avonds uit. Hij moet het vergeten zijn. Hij heeft hem goedkoop op de kop getikt; we zijn een jaar bezig geweest hem op te knappen. Het is geen jacht, maar je komt ermee waar je naartoe wilt.'
'Welke rivier is dit?'
'Weet je nog dat we, toen we over de 95 reden, borden hebben gezien naar de rivieren de Matta, de Po en de Ni?' Sara knikte. 'Nou, in de buurt van Fort A.P. Hill, ten zuidoosten van Fredericksburg, stromen ze samen en dan wordt het de Mattaponi genoemd.' Hij keek naar het water. Er waren weinig dingen waarvan je zo ontspande als varen, en daar kon hij nadenken. 'Het is volle maan, de boot heeft navigatielichten en een richtingzoeker en ik ken dit deel van de rivier heel goed. Bovendien is het veel koeler op het water.' Vragend keek hij haar aan.
Sara aarzelde niet. 'Dat klinkt goed.'
Ze liepen naar de boot en Fiske hielp haar met instappen.
'Weet je hoe je moet losgooien?' vroeg hij.
'Ik heb aan wedstrijden meegedaan toen ik in Stanford studeerde.'
Fiske keek toe terwijl ze met handige bewegingen de knopen losmaakte en de lijn losgooide. 'Dan moet de oude Mattaponi wel erg saai lijken.'
'Het hangt ervan af met wie je vaart.'
Ze ging naast John zitten, die zijn hand in een kastje naast de stuurstoel stak en er een bos sleutels uit haalde. Hij startte de motor en langzaam voeren ze bij de steiger vandaan. Toen ze het midden van het vaarwater hadden bereikt, gaf hij meer gas, tot ze met een redelijke snelheid vooruitkwamen. Op het water was de temperatuur bijna tien graden lager. John hield met een hand het stuur vast en met de andere zijn bier. Sara trok haar benen onder zich en richtte zich daarna zo ver op dat haar bovenlichaam boven het lage windscherm uit kwam. Ze spreidde haar armen en liet de wind vat op haar krijgen.
'Dit is heerlijk.'
Fiske tuurde over het water. 'Mike en ik deden wedstrijdjes op de rivier. Op sommige plaatsen wordt die tamelijk breed. Een paar maal heb ik gedacht dat een van ons tweeën vast en zeker zou verdrinken. Maar één ding hield ons altijd gaande.'
'Wat was dat?'
'We konden de gedachte dat de ander zou winnen niet verdragen.'
Sara liet zich weer zakken en draaide haar stoel zo dat ze hem kon aan-

kijken. Intussen streek ze haar haren uit haar gezicht.
'Mag ik je een heel persoonlijke vraag stellen?'
Fiske verstrakte enigszins. 'Dat hangt ervan af.'
'Je zult het niet verkeerd opvatten?'
'Dat doe ik al.'
'Waarom konden jij en Michael niet beter met elkaar overweg?'
'Er bestaat geen wet die zegt dat broers goed met elkaar moeten kunnen opschieten.'
'Maar jij en Mike lijken zoveel dingen gemeen te hebben. Hij sprak zo waarderend over je en jij was kennelijk trots op hem. Ik begrijp dat jullie meningsverschillen hadden. Ik begrijp alleen niet waar het is misgegaan.'
Fiske zette de motor af en liet de boot drijven. Hij deed het licht uit en de maan werd hun enige lichtbron. De rivier was erg rustig en ze bevonden zich op een van de breedste gedeelten. John schoof zijn broekspijpen omhoog, liep naar de zijkant van de boot en ging op de rand zitten, met zijn voeten in het water.
Sara ging naast hem zitten, ze sjorde haar rok een stukje omhoog en liet haar benen in het water bungelen.
Fiske bleef over de rivier staren en dronk intussen van zijn bier.
'John, ik probeer echt niet om me ergens mee te bemoeien.'
'Ik ben nu niet in de stemming om erover te praten, oké?'
'Maar...'
Fiske maaide met zijn hand door de lucht. 'Sara, dit is niet de plaats om erover te praten, en zeker niet de tijd.'
'Oké, sorry. Ik voel me er gewoon erg bij betrokken. Bij jullie allemaal.'
Ze bleven zitten terwijl de boot verderdreef. Het gesjirp van krekels vanaf de oever drong nauwelijks tot hen door.
Eindelijk verroerde John zich. 'Weet je, Virginia is zo mooi. Je vindt er water, bergen, bos, strand, geschiedenis, cultuur, moderne centra en oude slagvelden. De mensen doen het wat kalmer aan, ze genieten hier een beetje meer van het leven. Ik kan me niet voorstellen dat ik ergens anders zou willen wonen. Verrek, ik ben nergens anders geweest.'
'Ze hebben er ook heel aardige caravanparken,' zei Sara.
Fiske glimlachte. 'Dat ook, ja.'
'Betekent je reisbeschrijving dat het onderwerp van jou en je broer officieel is afgesloten?' Sara kon haar tong wel afbijten toen ze het had gezegd. Stomme grote mond, berispte ze zichzelf.
'Ik denk het wel.' Abrupt stond John op. De boot schommelde en Sara belandde bijna in de rivier. Fiskes hand schoot uit en greep haar bij de arm. Terwijl hij haar stevig vasthield, keek hij op haar neer. Ze keek naar

hem op met ogen die even groot waren als de maan boven hen, haar benen gespreid en zachtjes in het water zwevend, haar jurk nat waar de rivier die had bereikt.
'Zullen we gaan zwemmen?' zei Sara. 'Om af te koelen?'
'Ik heb geen zwembroek,' zei hij.
'Mijn kleren zijn nat genoeg.'
Hij trok haar in de boot en startte vervolgens de motor, waardoor de rust werd verstoord. 'Oké.'
'Waarom kunnen we hier niet zwemmen?'
'De stroom is een beetje te sterk.'
Hij keerde de boot en voer terug in de richting van de steiger. Op drie kwart van de afstand wendde hij de steven naar de oever. Deze liep op dit punt geleidelijk af naar het water en toen ze dichterbij kwamen, kon Sara de olievaten onderscheiden die ongeveer zeven meter uit elkaar dreven. Toen ze nog meer genaderd waren, zag ze dat ze met touw aan elkaar waren verbonden en zo een groot, rechthoekig zwembad vormden.
Vlak bij een van de vaten zette John de motor af en hij liet de boot uitlopen tot hij zijn hand kon uitsteken en het grote vat aanraken. Daarna bond hij een lijn aan een haak die op het vat was gelast en liet als extra zekerheid een klein anker vallen, wat eigenlijk een met beton volgestort verfblik was.
'Op het diepste punt tussen de touwen is het iets meer dan drie meter. Er staat een hek van gaas omheen, dat helemaal tot de bodem reikt. Als de stroom vat op je krijgt, kom je dus niet in de oceaan terecht.'
Toen Sara haar jurk begon uit te trekken, draaide John zich snel om.
Ze lachte. 'John, doe niet zo preuts. Mijn bikini laat meer zien dan dit.'
In slipje en beha dook ze van het schip af, om even later watertrappelend boven te komen.
Ze riep: 'Ik zal me wel omdraaien, als je te verlegen bent.'
'Ik geloof dat ik hier maar blijf zitten.'
'Kom nou, ik zal je niet bijten.'
'Ik ben een beetje te oud om naakt te zwemmen, Sara.'
'Het water is echt fantastisch.'
'Dat zal wel.' Hij maakte nog steeds geen aanstalten om zich bij haar te voegen.
Met een teleurgesteld gezicht draaide ze zich ten slotte om en zwom bij hem vandaan, haar armen sneden met krachtige slagen door het gladde wateroppervlak.
Terwijl John haar nakeek, liet hij zijn vinger afwezig over de lengte van de wond glijden, waarbij hij de twee ronde bobbels verbrand vlees voel-

de waar de kogels zijn lichaam waren binnengedrongen. Haastig trok hij zijn hand terug en ging zitten.
De naam Harms bleef maar door zijn hoofd spoken. Een *in forma pauperis* verzoekschrift was waarschijnlijk afkomstig van een gevangene, als het handgeschreven document dat tenminste was. Hij ging verzitten en keek nogmaals in Sara's richting. In het maanlicht kon hij haar maar net onderscheiden. Ze liet zich drijven in het ondiepe gedeelte. Of ze naar hem keek of niet, kon hij niet zien.
Hij keek de rivier af. Zijn gedachten namen hem mee naar het verleden. Er was geplas in het water, de twee jongens zwommen uit alle macht; eerst lag de een wat voor en daarna de ander. De ene keer won Mike, de andere keer John. Daarna zwommen ze zo hard mogelijk terug. Dag na dag werden ze bruiner, magerder en sterker. Zoveel plezier. Geen echte zorgen, geen hartzeer. Zwemmen, rondstruinen in het bos, broodjes met worst en mayonaise voor de lunch, 's avonds hotdogs aan spiezen die gemaakt waren van rechtgebogen kleerhangers, boven de houtskool geroosterd tot het velletje openbarstte. Verdomme, zoveel plezier. John wendde zijn ogen van het water af en dwong zichzelf zich te concentreren.
Als Harms een gevangene was, zou het niet moeilijk zijn hem te vinden. Als voormalig politieman wist Fiske dat er geen groep mensen beter was geregistreerd dan Amerika's gevangenispopulatie van bijna twee miljoen. Het land wist misschien niet waar al zijn kinderen of zijn daklozen waren, maar het hield de verblijfplaats van de veroordeelden nauwkeurig bij. De meeste informatie zat nu trouwens in computers. Toen hij opkeek, zag hij Sara naar de boot toe zwemmen. Wat hij niet zag was de gloed van een brandende sigaret. Iemand zat op de oever naar hen te kijken.
Een paar minuten later hielp Fiske Sara in de boot. Zwaar ademend ging ze op het dek zitten. 'Ik heb een hele tijd niet meer zo lang gezwommen.'
Fiske stak haar een handdoek toe die hij uit de kleine kajuit had gehaald, waarbij hij zijn ogen afwendde. Snel droogde ze zich af en ze liet de jurk weer over haar hoofd glijden. Toen ze hem de handdoek teruggaf, raakten hun armen elkaar en hij keek naar haar. Ze haalde nog steeds diep adem na haar zwemtocht, haar knipperende oogleden hadden iets hypnotisch.
Een ogenblik bestudeerde hij zwijgend haar gezicht. Daarna keek hij langs haar heen naar iets aan de hemel. Ze draaide haar hoofd om, teneinde ook te kunnen kijken. Roze tongen likten aan de donkere randen van de lucht, toen de dag aanbrak. Overal waar ze keken was de zachte

gloed van het komende licht zichtbaar. De bomen, de bladeren, het water, alles werd overdekt met een gouden glans, terwijl de boot zachtjes heen en weer schommelde.
'Het is mooi,' zei ze met gedempte stem.
'Ja, dat is het,' zei hij.
Toen ze weer naar hem keek stak ze haar hand uit, eerst langzaam, met haar ogen zijn gezicht afzoekend naar een reactie op wat ze deed. Haar vingers raakten zijn kin en sloegen zich eromheen, zijn baardstoppels voelden ruw aan tegen haar huid. Haar hand gleed omhoog, over zijn wangen, naar zijn ogen en vervolgens strelend over zijn haar. Elke aanraking was teder en ongehaast. Toen ze bij zijn nek kwam, voelde ze hem ineenkrimpen. Haar lippen trilden toen ze zijn vochtige ogen zag. Ze nam haar hand weg en deed een stap achteruit.
Opeens keek John weer uit over het water, alsof hij nog steeds twee jongens uit alle macht zag zwemmen. Hij wendde zich tot haar. 'Mijn broer is dood, Sara,' zei hij eenvoudig. Zijn stem trilde licht. 'Op dit moment ben ik een beetje in de war.' Hij probeerde nog iets anders te zeggen, maar de woorden wilden niet komen.
Sara liep langzaam bij hem vandaan en ging in een van de stoelen zitten. Ze veegde met haar hand langs haar ogen en pakte toen verlegen de zoom van haar jurk, in een poging die glad te strijken, er iets van het water uit te wringen. De wind was toegenomen en de rivier liet hen op en neer dansen. Ze keek naar John op.
'Ik mocht je broer echt heel graag. En ik vind het zo verdomd naar dat hij er niet meer is.' Ze keek naar haar voeten, alsof ze daar de juiste woorden kon vinden. 'Het spijt me, wat ik net gedaan heb.'
Hij sloeg zijn ogen neer. 'Ik had het je eerder kunnen zeggen.' Hij keek naar haar, verbijstering stond op zijn gezicht te lezen. 'Ik weet niet waarom ik dat niet gedaan heb.'
Ze stond op en trok zijn armen om haar schouders. 'Ik heb het een beetje koud. We moesten maar eens teruggaan, vind je niet?'
Fiske haalde het anker op terwijl Sara de lijn losgooide. Daarna startte hij de motor en voeren ze terug naar de steiger, niet in staat elkaar aan te kijken, uit angst voor wat er zou kunnen gebeuren, voor wat hun lichamen zouden kunnen doen ondanks de woorden die zojuist waren uitgesproken.
Op de oever was de eigenaar van de gloeiende sigaret meteen weggegaan toen Sara dicht tegen John aan was gaan staan.

•32•

Fiske en Sara legden de boot vast, waarna ze zwijgend naar het golfkarretje liepen en instapten. Bij het horen van voetstappen keek Fiske om.
'Pa? Wat doe jij hier?'
Zijn vader gaf geen antwoord, maar bleef naar hen toe lopen. Fiske ging met uitgestrekte armen op hem af. 'Pa, is alles goed met je?'
Vanuit het golfkarretje zat een verbaasde Sara het aan te kijken.
De mannen stonden minder dan een meter bij elkaar vandaan, toen Fiske senior uithaalde en zijn zoon een stomp op zijn kaak gaf.
'Schoft!' schreeuwde Ed.
Fiske viel achterover toen Ed zich op zijn zoon stortte en er met beide vuisten op los beukte. Fiske duwde zich van zijn vader af en deed wankelend een paar passen achteruit, terwijl het bloed hem uit mond en oren liep. 'Wat mankeert je?' schreeuwde hij.
Sara was bezig uit te stappen, maar ze verstijfde toen Ed naar haar wees.
'Haal die slet hiervandaan. Sodemieter op, hoor je me!'
'Pa, waar heb je het in godsnaam over?'
Woedend vloog Ed opnieuw op zijn zoon af. Ditmaal deed Fiske een stap opzij en sloeg beide armen om zijn vader heen. Hij hield hem stevig vast terwijl zijn vader wilde pogingen deed zich los te rukken, uit alle macht proberend hem opnieuw te raken.
'Ik heb jullie verdomme gezien. Halfnaakt, elkaar kussend, terwijl je broer ergens dood op een snijtafel ligt. Je broer!' Hij schreeuwde zo hard dat zijn stem brak.
Fiskes stem werd schor toen hij begreep wat zijn vader had gezien. Of dacht dat hij had gezien. 'Pa, er is niets gebeurd.'
'Schoft.' Hij probeerde zijn zoon aan de haren te trekken, aan zijn kleren, alles om hem weer aan te vallen. 'Jij harteloze schoft,' bleef hij maar roepen. Zijn gezicht werd paarsrood, zijn ademhaling werd steeds moeizamer en zijn bewegingen werden ongecoördineerd.
'Hou op, pa. Hou op! Je krijgt nog een hartaanval.'
Tijdens de hevige worsteling gleden beide mannen telkens uit op de losse steentjes.
'Dat mijn eigen zoon zoiets doet. Ik heb geen zoon. Allebei mijn zoons

zijn dood. Allebei mijn zoons zijn dood!' Ed spuwde deze woorden uit toen zijn woede een climax bereikte.
Fiske liet zijn vader los. De oude man draaide een halve slag om en viel uitgeput op de grond. Hij probeerde op te staan, maar zakte weer in elkaar. Als gevolg van zijn uitbarsting vertoonde zijn T-shirt zweetvlekken, en de gecombineerde lucht van alcohol en tabak hing om hem heen. Fiske stond hijgend over hem heen gebogen, zijn bloed vermengd met zilte tranen.
Een geschokte Sara stapte uit het karretje, knielde bij Ed neer en legde zacht een hand op zijn schouder. Ze wist niet wat ze moest zeggen.
Blindelings haalde Ed uit met zijn arm en hij trof haar op haar dij. Ze snakte naar adem, zoveel pijn deed het.
'Ga weg! Jullie alle twee. NU!' schreeuwde Ed.
Fiske pakte Sara bij de arm en rukte haar overeind. 'We gaan, Sara.' Hij keek naar zijn vader. 'Pa, neem het karretje mee terug.' Toen ze het bos in liepen, konden Fiske en Sara de kreten van de oude man nog steeds horen.
Onder het lopen zei Sara, terwijl haar been pijn deed en de tranen haar half verblindden: 'O, mijn god, John, het is allemaal mijn schuld.'
Fiske gaf geen antwoord. Hij stond vanbinnen in brand. Zo erg was het nog nooit geweest, en hij was bang. De emotieloze waarschuwingen van tal van dokters overspoelden hem. Hij begon steeds sneller te lopen, tot Sara moest draven om hem bij te houden.
'John, John, zeg alsjeblieft iets.'
Ze stak haar hand uit om het bloed van zijn kin te vegen, maar snel duwde hij haar hand weg. Zonder te waarschuwen begon hij te rennen.
'John!' Sara begon eveneens te hollen, maar ze had nog nooit iemand gezien die zo'n snelheid kon maken als Fiske. 'John,' gilde ze, 'kom alsjeblieft terug. Stop! Alsjeblieft!'
Een ogenblik later was hij de hoek van het bospad omgeslagen en verdween volkomen uit haar zicht.
Met een branderig gevoel in haar borst ging ze langzamer lopen. Toen hield ze stil op een open plek en liet zich zwaar op de met dennennaalden bedekte grond vallen. Daar bleef ze zitten. Snikken welden op in haar borst, haar dij deed pijn en begon al blauw te worden op de plek waar Ed haar had geraakt.
Een minuut later schrok ze op, toen een hand op haar schouder viel. Doodsbang keek ze op, ervan overtuigd dat Ed was gekomen om haar ook in elkaar te slaan, om de herinnering aan zijn dode zoon te verduisteren.

Fiske haalde hijgend adem, zijn T-shirt was doordrenkt van het zweet en het bloed op zijn gezicht begon al te stollen. 'Gaat het?'
Ze knikte en stond op, haar tanden op elkaar klemmend toen de pijn in haar been toenam. Als Eds blinde uitval naar haar been al zoveel pijn deed, kon ze zich nauwelijks voorstellen wat John moest voelen na die gerichte klap op zijn gezicht. Ze leunde tegen hem aan toen hij zich bukte, haar rok omhoogschoof en haar dijbeen bekeek.
Fiske schudde zijn hoofd. 'Hij wist niet wat hij deed. Het is flink gekneusd. Het spijt me.'
'Ik heb het verdiend.'
Met behulp van John slaagde ze erin tamelijk gewoon te lopen.
'Het spijt me, John,' zei ze. 'Dit... dit is een nachtmerrie.'
Toen ze de caravan naderden, hoorde ze hem iets zeggen. Eerst dacht ze dat hij tegen haar sprak, maar dat was niet zo.
Hij zei het nog een keer, op zachte toon, terwijl zijn ogen recht vooruit staarden en hij ongelovig zijn hoofd schudde. 'Het spijt me zo.'
De verontschuldiging was niet voor haar bestemd, wist Sara instinctmatig. Misschien voor de schreeuwende man, ginds bij de steiger. En misschien voor de dode broer?
Toen ze bij de caravan waren gekomen, ging Sara op de treden van de veranda zitten terwijl Fiske naar binnen ging. Even later kwam hij terug met wat ijs en een rol papieren handdoeken. Ze hield het ijs, in een papieren handdoek gerold, tegen haar gekneusde dijbeen en met behulp van een ijsblokje en een andere handdoek veegde ze het bloed van zijn gezicht en maakte ze de snee in zijn lip schoon. Toen ze klaar was stond hij op en liep de treden af, in de richting van het zandpad.
'Waar ga je naartoe?' vroeg ze.
'Mijn vader halen,' zei hij, zonder om te kijken.
Ze keek hem na tot hij in het bos was verdwenen. Toen hij weg was, hinkte Sara de caravan in om zich in het badkamertje te wassen. Ze zag Fiskes pak en zijn schoenen, en bracht die naar haar auto. Ze liet haar hand over het gladde, metalen oppervlak van de vlaggenmast glijden en vroeg zich af of Ed het zou kunnen opbrengen om morgen de vlag te hijsen. Misschien zou hij die halfstok hangen, ter nagedachtenis aan zijn zoon. Misschien om te rouwen over béide zoons?
Bij die gedachte begon ze te beven. Ze liep van de vlaggenmast weg en ging tegen haar auto geleund staan. Nerveus keek ze naar het bos, alsof ze verwachtte dat er plotseling allerlei verschrikkingen uit de diepten zouden komen aanstormen.
Uit de caravan van de buren kwam een oudere vrouw, die stil bleef staan toen ze Sara zag.

Sara lachte verlegen tegen haar. 'Ik ben... eh... een vriendin van John Fiske.'
De vrouw knikte. 'O. Goedemorgen.'
'U ook goedemorgen.'
De vrouw verdween over het weggetje in de richting van het huisje.
Gespannen keek Sara weer naar het bos, terwijl ze haar handen ineengeklemd hield. 'Kom terug, John. Kom alsjeblieft terug.'
Een kwartier later kwam het golfkarretje in zicht. John reed. Zijn vader lag ineengedoken achterin, zo te zien sliep hij.
Fiske reed tot bij de caravan, stapte uit, tilde zijn vader voorzichtig op en legde hem over zijn schouder. Hij liep het trapje op en verdween in de wagen. Een paar minuten later kwam hij naar buiten, met het geweer bij zich.
'Hij slaapt,' zei Fiske.
'Waar is dat voor?' Sara wees naar het wapen.
'Dat laat ik niet hier bij hem.'
'Je denkt toch niet dat hij op iemand zou gaan schieten?'
'Nee, maar ik wil evenmin dat hij de loop in zijn mond steekt en de trekker overhaalt. Geweren, alcohol en slecht nieuws zijn geen goede combinatie.' Hij legde het geweer op de achterbank van de auto. 'Je kunt mij beter laten rijden.'
'Je kleren liggen in de kofferbak.'
Ze stapten in en een minuut later stonden ze voor het huisje van de kampbeheerder. John ging naar binnen en betaalde vier dollar entreegeld. Ook kocht hij een paar broodjes en pakjes sinaasappelsap.
De vrouw die Sara had gegroet, was er ook. 'Ik heb je vriendin gezien, John. Heel lief meisje.'
'Eh-heh.'
'Gaan jullie alweer weg?'
'Ja.'
'Ik wed dat je vader wel had gewild dat jullie langer waren gebleven.'
Fiske betaalde voor zijn inkopen en wachtte niet op een tasje. 'Die weddenschap wil ik wel aannemen,' zei hij tegen de verbaasde vrouw, voor hij naar de auto terugliep.

•33•

Samuel Rider kwam vroeg op kantoor, nadat hij een paar dagen voor zaken de stad uit was geweest. Sheila was er nog niet. Dat was maar goed ook, want Rider wilde alleen zijn. Hij nam de telefoon en belde naar Fort Jackson, zei dat hij de advocaat was van Harms en dat hij hem wilde spreken.

'Die is hier niet meer.'

'Pardon? Hij heeft levenslang, waarheen precies is hij dan overgeplaatst?'

'Het spijt me, maar die informatie mag ik niet via de telefoon geven. Als u hier zelf naartoe wilt komen of schriftelijk een officieel verzoek om informatie wilt indienen...'

Rider smeet de hoorn op de haak en zakte ineen in zijn stoel. Was Rufus dood? Hadden ze op de een of andere manier ontdekt waar hij mee bezig was? Toen Rider het verzoekschrift had ingediend bij het Hooggerechtshof, had Rufus optimaal beveiligd moeten worden.

Rider omklemde de rand van zijn bureau met zijn vingers. Als het bij het Hof was terechtgekomen. Hij rukte zijn bureaula open en haalde er het witte reçu uit met het nummer. Het groene reçu had naar zijn kantoor teruggestuurd moeten worden. Sheila! Hij vloog overeind en rende naar Sheila's bureau. Gewoonlijk werden alle groene reçu's in de bijpassende mappen gedaan. Er was echter geen dossier aangelegd voor Rufus Harms. Wat kon ze met dat verdomde papiertje hebben gedaan?

Als in antwoord op zijn gedachten kwam de secretaresse binnenlopen, verbaasd kijkend toen ze hem zag.

'Tjee, meneer Rider, wat bent u verschrikkelijk vroeg.'

Rider probeerde zijn stem achteloos te laten klinken. 'Ik probeer wat achterstallig werk in te halen.' Hij liep bij haar bureau vandaan, maar ze had al begrepen wat hij van plan was.

'Zoekt u iets?'

'Nu je het zegt, ja. Ik had een brief verstuurd, met een ontvangstbevestiging, en toen schoot me te binnen dat ik jou daar niets van had gezegd. Stom van me.'

Haar volgende woorden ontlokten hem een inwendige zucht van verlichting.
'Dus dat was het. Eerst dacht ik dat ik vergeten had om een dossier aan te leggen. Ik was van plan u ernaar te vragen, maar toen ging u weg.'
'Dus je hebt het teruggekregen,' zei Rider, pogend niet te laten merken hoe graag hij het wilde zien.
Sheila trok een la van haar bureau open en haalde er een groen reçu uit. 'Het Hooggerechtshof van de Verenigde Staten,' zei ze vol ontzag, terwijl ze hem het papiertje toeschoof. 'Ik weet nog dat ik dacht, wat hebben wij daar mee te maken?'
Rider trok zijn beste advocatengezicht. 'Niets, Sheila, het ging over een bijeenkomst van de juridische medewerkers. Wij hoeven niet naar Washington te kijken voor ons dagelijks brood.'
'O, hier zijn de telefonische boodschappen die zijn binnengekomen terwijl u de stad uit was. Ik heb geprobeerd ze op volgorde van belangrijkheid te leggen.'
Hij gaf een vriendelijk kneepje in haar hand. 'Je bent een toonbeeld van efficiëntie,' zei hij galant.
Ze lachte en begon in haar bureau te rommelen.
Rider liep naar zijn kamer terug, sloot de deur achter zich en keek naar het reçu. Het verzoekschrift was afgeleverd. Daar stond de handtekening. Maar waar was Rufus dan?
Rider had zich erop voorbereid het grootste deel van de ochtend door te brengen met besprekingen over de mogelijke ontwikkeling van een winkelcentrum op een groot terrein, dat sinds de jaren veertig was gebruikt als autokerkhof. Een van de mannen die hij zou spreken, was eerder die ochtend met een zakenvliegtuigje uit Washington in Blacksburg, Virgina, aangekomen en vervolgens per auto naar Riders kantoor gereden. Met alles wat hij aan zijn hoofd had kostte het Rider grote moeite zich normaal te gedragen toen de man even later op zijn kantoor verscheen. Zijn bezoeker had een exemplaar van de *Washington Post* van die ochtend bij zich. Terwijl de man een kop koffie van Sheila aannam, liet Rider zijn ogen vluchtig over de koppen dwalen. Een ervan trok zijn aandacht. De man zag wat Rider deed.
'Verdomd jammer,' zei hij, met een knikje naar het verhaal waar Riders aandacht naar uitging. 'Een van de beste en de briljantste,' zei hij, terwijl Rider geluidloos de kop nog een keer las: MEDEWERKER VAN HOOGGERECHTSHOF VERMOORD.
'Kende u hem?' vroeg Rider. Er kon geen verband bestaan. Geen denken aan.
'Nee. Maar als hij daar griffier was, weet je dat hij bij de top moest

horen. Vermoord nog wel. Dat toont weer eens aan in wat voor gevaarlijke tijden we leven. Niemand is meer veilig.'
Rider bleef hem even aanstaren en keek daarna weer naar de krant en de foto bij het artikel. Michael Fiske, dertig jaar. Hij was afgestudeerd aan de universiteit van Columbia en daarna naar de juridische faculteit van Virginia gegaan, waar hij hoofdredacteur was geweest van de *Law Review*. Hij was oudste griffier geworden bij rechter Thomas Murphy. Geen verdachten, geen aanwijzingen behalve een ontbrekende portefeuille. Niemand is meer veilig. Hij greep de krant stevig vast terwijl hij naar de korrelige, deprimerende foto van de vermoorde man keek. Het kon niet waar zijn. Er was echter maar één manier om daarachter te komen.
Hij verontschuldigde zich en glipte zijn kamer binnen, waar hij de griffie van het Hooggerechtshof belde.
'We hebben geen zaak onder die naam, meneer, noch op de gewone, noch op de IFP-lijst.'
'Maar ik heb een reçu waaruit blijkt dat het bij jullie is bezorgd.' De stem aan de andere kant herhaalde plichtmatig de mededeling.
'Hebben jullie geen manier om na te gaan welke post er is binnengekomen?' Het beleefde antwoord dat Rider ontving, viel niet goed. Hij schreeuwde in de telefoon: 'Rufus Harms rot weg in die verdomde militaire gevangenis en jullie weten niet eens waar de post blijft die jullie binnenkrijgen!' Hij smeet de hoorn op het toestel.
Ergens tussen het moment waarop het verzoek van Rufus Harms in de postkamer was binnengekomen en het ogenblik waarop het feitelijk in het officiële systeem had moeten worden ingevoerd, was het blijkbaar verdwenen. Evenals Rufus Harms. Rider kreeg het opeens koud.
Hij keek nogmaals naar de krant. En er was een griffier van het Hooggerechtshof vermoord. Het leek allemaal zo vergezocht, maar dat was het verhaal dat Rufus hem had verteld, ook geweest. Toen werd hij zo mogelijk nog harder getroffen door een volgende gedachte: als ze Rufus en de griffier hadden vermoord, zou het daar beslist niet bij blijven. Als ze in handen hadden wat Rider bij het Hof had ingediend, dan moesten ze ook weten dat Rider een rol in dit alles had gespeeld. Dat betekende dat hij als volgende op hun lijst kon staan.
Kom nou, je begint gewoon spoken te zien, zei hij bij zichzelf. Toen begon het hem eindelijk te dagen. De stapel telefonische boodschappen die Sheila had verzameld terwijl hij weg was geweest. Hij had die even doorgebladerd, teruggebeld naar wie hem het belangrijkst leek. De naam. De verdomde naam.
Hij graaide in zijn bureau tot hij het stapeltje roze papiertjes vond. Zijn

handen vlogen erdoor, kijkend, zoekend, uiteindelijk de stapel door elkaar gooiend in zijn toenemende bezorgdheid, tot hij het vond. Hij keek naar de naam en het bloed trok langzaam weg uit zijn gezicht. Michael Fiske had hem gebeld. Twee keer.
O, mijn god. In een lawine van gedachten vlogen beelden van zijn vrouw, de flat in Florida, zijn volwassen kinderen, al die jaren van declarabele uren hem door het hoofd. Verdomme, hij was niet van plan te wachten tot ze achter hem aan kwamen. Hij drukte de knop van de intercom in en zei tegen Sheila dat hij zich niet goed voelde, en vroeg haar dat door te geven aan zijn bezoeker en aan de andere heren die weldra zouden arriveren, en om hen zo goed mogelijk van dienst te zijn.
'Ik kom vandaag niet meer terug,' zei hij tegen haar, terwijl hij haastig door de receptieruimte liep. Ik hoop dat ik op een keer terugkom. En niet in een doodkist, voegde hij er in stilte aan toe.
'Goed, meneer Rider. Pas goed op uzelf.'
Hij moest bijna lachen om haar opmerking. Hij had naar huis gebeld voor hij van kantoor wegging, maar zijn vrouw was er niet. Onder het rijden had hij al besloten wat hij zou gaan doen. Ze hadden samen met de gedachte gespeeld om een late herfstvakantie te nemen, misschien naar de eilanden te gaan, om nog een laatste maal te genieten van zon en zee, voor het begon te vriezen. Misschien zouden ze nu een poosje wegblijven. Hij wilde zijn spaargeld liever uitgeven om in leven te blijven, dan om het uitzicht te kopen van een zonsondergang in Florida waarvan hij misschien nooit zou kunnen genieten.
Ze konden naar Roanoke rijden, daar een binnenlandse vlucht nemen naar Washington, of naar Richmond. Van daaruit konden ze alle kanten op. Hij zou het aan zijn vrouw uitleggen, zeggen dat dit gewoon een spontane opwelling was. Iets waarvan ze had gezegd dat hij die nooit kreeg en ook nooit zou krijgen. Die goeie ouwe standvastige, betrouwbare Sam Rider. Deed niets anders met zijn leven dan hard werken, zijn rekeningen betalen, zijn kinderen opvoeden, van zijn vrouw houden en proberen tussen de bedrijven door een beetje geluk te pakken te krijgen. God, ik ben al bezig om mijn overlijdensbericht te schrijven, realiseerde hij zich.
Hij verkeerde niet in de positie om Rufus te helpen, maar hij nam aan dat de man waarschijnlijk toch al dood zou zijn. Het spijt me, Rufus, zei hij bij zichzelf. Maar jij bent nu op een veel betere plek, veel beter dan die waar die schoften je op deze aarde hadden weggestopt.
Een plotseling opkomende gedachte liet hem bijna omdraaien. Hij had de kopieën van de stukken die hij voor Rufus had ingediend, op kantoor

laten liggen. Zou hij teruggaan? Ten slotte besloot hij dat zijn leven meer waard was dan een paar velletjes papier. Wat kon hij er trouwens nu nog mee doen?
Hij concentreerde zich op de weg. Tussen zijn kantoor en zijn huis was niet veel meer dan winderige wegen, vogels en zo nu en dan een hert of een zwarte beer. De eenzaamheid had Rider nooit zorgen gebaard. Tot nu toe. Op dit moment maakte die hem doodsbang. Hij had thuis een geweer dat hij gebruikte om kwartels te schieten. Hij wilde dat hij het bij zich had.
Hij nam een haarspeldbocht, een roestige reling was het enige dat zich tussen hem en een val van honderdvijfenzeventig meter bevond. Toen hij op de rem trapte om zijn snelheid te verminderen, bleef de adem hem in de keel steken. De remmen, o god, hij kon niet remmen! Hij begon te schreeuwen. Toen pakten de remmen. Hou je kop erbij, Sam, zei hij tegen zichzelf. Een paar minuten later nam hij de laatste bocht en zag zijn brievenbus. Na nog een minuut reed hij de auto zijn garage in. De wagen van zijn vrouw stond er al.
Terwijl hij langs haar auto liep, keek hij naar de stoel van de bestuurder. Zijn voeten leken in de betonnen vloer weg te zakken. Zijn vrouw lag met het gezicht naar beneden voorin. Zelfs vanaf de plek waar hij stond kon Rider het bloed zien dat uit een hoofdwond stroomde. Dat zou de één na laatste herinnering zijn die Rider zou hebben. Er verscheen een hand die een grote doek tegen zijn gezicht drukte met een misselijkmakende, medicinale geur. Een andere hand drukte iets in Riders hand. Terwijl de advocaat ernaar keek met ogen die al dicht begonnen te vallen, zag en voelde hij het nog warme pistool. Zijn vingers werden eromheen gewikkeld door een paar in rubberen handschoenen gestoken handen. Het was Riders pistool, dat hij gebruikte op de schietvereniging. Het wapen waarvan hij nu wist dat het was gebruikt om zijn vrouw te vermoorden. Aan de warmte van het metaal te oordelen, moesten ze het hebben gedaan zodra hij de oprit op kwam rijden. Ze moesten hem hebben opgewacht. Hij boog zijn hoofd achterover en staarde in de koude, heldere ogen van Victor Tremaine, terwijl hij steeds verder wegzonk in een diepe bewusteloosheid. Deze man had haar gedood, maar hij, Rider, zou ervan worden beschuldigd. Niet dat het veel uitmaakte. Hij was ook dood. Na dit te hebben gedacht, sloot Samuel Rider voor de laatste keer zijn ogen.

•34•

Onder het rijden over de George Washington Parkway, ten zuiden van Old Town Alexandria, ving John een glimp op van een fietser, die als een schim achter de rij bomen langs flitste die naast het asfaltfietspad stonden dat evenwijdig liep aan de rivier. Fiske stootte Sara aan om haar wakker te maken en ze zei tegen hem waar ze van de Parkway moesten afslaan. Ze wierp hem een snelle blik toe. Tijdens het terugrijden was het gevecht met zijn vader niet ter sprake gekomen. Het was alsof ze stilzwijgend waren overeengekomen er niet over te praten.
Op aanwijzing van Sara nam Fiske een andere asfaltweg om vervolgens rechts af te slaan, een grindweg in die steil afliep tot bij het water. Hij hield stil voor het kleine, houten landhuis dat daar keurig en streng afstak tegen de rommelige achtergrond van bomen, braamstruiken en wilde bloemen, als een domineesvrouw op een uit de hand gelopen picknick van de kerk. Het hout was bedekt met een vijftig jaar oude laag witte verf; het bouwsel had zwarte luiken en een brede, terracottakleurige stenen schoorsteen. John zag een eekhoorn over de telefoonlijn rennen, op het dak springen en zigzaggend tegen de schoorsteen op hollen.
Een blikvanger in een hoek van het terrein was een maagdenpalm in volle bloei, waarvan de bast de structuur en de kleur had van hertenleer. Tegen de andere kant van het huis stond een hulstboom van ruim zeven meter, rode besjes piepten als versiering tussen de donkergroene bladeren uit. Ertussen stond een haag van braamstruiken, de grond eronder lag bezaaid met donkerrode bladeren. Achter het huis zag Fiske de trap die schuin naar het water liep. Hij dacht dat hij de mast van een zeilboot op en neer zag deinen. Hij pakte de schone kleren, die hij bij zijn flat had opgehaald, van de achterbank en ze stapten uit.
'Mooi huis,' merkte Fiske op.
Sara rekte zich uit en geeuwde hartgrondig. 'Toen ik de baan van griffier bij het Hof kreeg, ben ik hiernaartoe gevlogen om woonruimte te zoeken. Ik was van plan eerst iets te huren, maar toen vond ik dit huis en ik werd er meteen verliefd op. Dus ik ging terug naar Noord-Carolina, verkocht de boerderij, en kocht dit.'

'Het moet je zwaar zijn gevallen je ouderlijk huis te verkopen.'
Sara schudde haar hoofd. 'De twee mensen die het belangrijk voor me maakten, waren dood. Er was alleen een groot stuk land over waar ik niets mee kon doen.'
Terwijl ze zich nog steeds uitrekte, liep ze naar het huis. 'Ik ga koffie zetten.' Ze keek op haar horloge en kreunde. 'Ik kom te laat op de zitting. Eigenlijk zou ik moeten bellen, maar ik durf het niet.'
'Ik weet zeker dat ze het, gezien de omstandigheden, zullen begrijpen.'
'Dacht je dat?' zei ze weifelend.
Fiske aarzelde. 'Heb je hier een kaart?'
'Waarvan?'
'Het oostelijk deel van de Verenigde Staten.'
Ze dacht even na. 'Kijk eens in het handschoenenkastje.'
Hij deed wat ze zei en vond de kaart. Toen ze het huis in liepen, vroeg ze: 'Wat wil je opzoeken?'
'Ik heb nagedacht over die twaalfhonderd kilometer die Mike in zijn auto heeft afgelegd.'
'Wil je kijken wat er twaalfhonderd kilometer hiervandaan ligt?'
'Nee, zeshonderd.' Sara keek niet-begrijpend. 'Zeshonderd heen, maar hij, of iemand anders, heeft terug moeten rijden naar D.C.'
'Het kan ook een aantal kortere ritten zijn geweest, honderd kilometer hier en daar.'
Fiske schudde zijn hoofd. 'Menselijke resten in een kofferbak zijn niet zo plezierig op een hete dag. Zo heb ik er een paar gevonden,' voegde hij er grimmig aan toe.
Terwijl Sara in de keuken bezig was koffie te zetten, keek Fiske uit het raam dat uitzicht bood op de rivier. Van deze hooggelegen plek kon hij nu de houten steiger zien en de zeilboot die er lag afgemeerd.
'Ga je vaak zeilen?'
'Zwart of met melk?'
'Zwart.'
Ze pakte twee bekers. 'Niet zo vaak als vroeger. Toen ik nog in Noord-Carolina woonde, was er maar weinig water in de buurt. Soms ging ik vissen met mijn vader, of zwemmen in een meertje, een paar kilometer verderop. Maar in Stanford kreeg ik de smaak te pakken. Je weet niet hoe groot iets kan zijn tot je de Stille Oceaan hebt gezien. Daarbij vergeleken valt alles wat je daarvoor hebt meegemaakt, in het niet.'
'Ik ben er nooit geweest.'
'Mocht je er ooit naartoe gaan, dan zeg je het maar. Ik wil je graag rondleiden.' Ze streek het haar uit haar ogen, schonk koffie in en gaf hem zijn beker.

'Dat zal ik op mijn lijstje zetten,' zei hij droog.
'Ik heb maar één badkamer, dus we zullen om de beurt moeten douchen.'
'Ga jij maar eerst. Ik wil de kaart graag bekijken.'
'Als ik over twintig minuten niet beneden ben, moet je op de deur bonzen. Dan sta ik waarschijnlijk te slapen onder de douche.'
Fiske keek op de kaart, dronk zijn koffie en zei niets. Op de trap bleef Sara staan.
'John?' Hij keek op. 'Ik hoop dat je me kunt vergeven voor wat er vannacht is gebeurd.' Ze zweeg, alsof ze wilde nadenken over wat ze zojuist had gezegd. 'Het probleem is dat ik niet denk dat ik vergeving verdien.'
Fiske zette de beker neer en keek naar haar. Het zonlicht viel in een flatteuze hoek door het raam, precies op haar gezicht; het accentueerde de glinstering in haar ogen, de sensuele lijnen van haar lippen. Haar haren hingen sluik neer door het rivierwater en het zweet, en omdat ze erop had geslapen. Het beetje make-up dat ze droeg, was sinds lang verdwenen, vlekken achterlatend op haar oogleden en wangen, en haar hele lichaam leek de uitputting nabij te zijn. Deze vrouw was de oorzaak van een ernstige, misschien rampzalige breuk tussen hem en zijn vader, een man die hij aanbad. En toch moest Fiske vechten tegen de impuls om haar de kleren van het lijf te rukken en hier op de grond naast haar te gaan liggen.
'Iedereen heeft recht op vergeving,' zei hij eindelijk. Daarna keek hij weer naar de kaart.
Terwijl Sara onder de douche stond, liep Fiske de kamer in die naast de keuken lag. Sara gebruikte die blijkbaar als een soort kantoortje om thuis te kunnen werken. Er stonden een bureau en een computer, er waren planken vol juridische boeken en er was een printer. Hij spreidde de kaart uit op het bureau. Onderaan vond hij de schaalverdeling, die centimeters in kilometers omzette. Hij zocht in de bureaula tot hij een liniaal vond. Met Washington als middelpunt trok hij lijnen naar het noorden, westen en zuiden, waarna hij de eindpunten met elkaar verbond. Het oosten liet hij zitten, omdat zeshonderd kilometer in die richting hem een eind in de Atlantische Oceaan zou laten uitkomen. Hij maakte een lijst van de verschillende staten binnen deze ruwe omtrek, nam de telefoon en belde met Inlichtingen. Binnen een minuut had hij iemand van het Staatsbureau voor het Gevangeniswezen aan de lijn. Hij gaf de man aan de andere kant de naam Harms op en de geografische straal waarbinnen de man zich zou kunnen bevinden. John had bedacht dat zijn broer misschien Harms was gaan opzoeken in de gevangenis. Dat zou het telefoongesprek waarin Michael hem om

advies had willen vragen, verklaren. John Fiske wist veel meer over gevangenissen dan zijn jongere broer.
Toen de vertegenwoordiger van het Bureau weer aan het toestel kwam met de gevraagde gegevens, betrok Fiskes gezicht. 'Weet u zeker dat er geen gevangene van die naam in een van de federale gevangenissen zit in het gebied dat ik u heb genoemd?'
'Ik ben zelfs nog een paar honderd kilometer erbuiten gegaan.'
'Hoe zit het met staatsgevangenissen?'
'Ik kan u de telefoonnummers geven voor elke staat afzonderlijk. U zult die apart moeten bellen. Weet u welke er in dat gebied staan?'
Op de kaart kijkend dreunde Fiske ze op. Het waren er meer dan twaalf. Fiske schreef de nummers op die hem werden verstrekt, en hing op.
Even bleef hij nadenken en vervolgens besloot hij zijn telefonische boodschappen, zowel die van thuis als van zijn werk, af te luisteren. Er was er een bij van een verzekeringsagent. Fiske belde de agent terug, die in het centrum van D.C. was gevestigd.
'Ik vond het heel erg om te lezen dat uw broer is overleden, meneer Fiske,' zei de vrouw.
'Ik wist niet dat mijn broer een levensverzekering had.'
'Soms zijn de begunstigden niet op de hoogte. De maatschappijen zijn feitelijk ook niet verplicht de begunstigden op de hoogte te stellen, ook al weten we dat de verzekerde is overleden. Ronduit gezegd doen verzekeraars er geen moeite voor om polissen uit te betalen.'
'Waarom hebt u me dan gebeld?'
'Omdat ik ontzet was over Michaels dood.'
'Wanneer heeft hij de verzekering afgesloten?'
'Ongeveer een half jaar geleden.'
'Hij had geen vrouw en kinderen. Waar had hij een verzekering voor nodig?'
'Nou, daarom heb ik u gebeld. Hij zei dat u het geld moest krijgen voor het geval hem iets overkwam.'
Fiske kreeg een brok in zijn keel en even hield hij de hoorn een eindje van zich af. 'Onze ouders zouden het geld veel beter kunnen gebruiken dan ik,' kon hij eindelijk uitbrengen.
'Hij vertelde me dat u het geld waarschijnlijk aan hen zou geven, maar hij wilde dat u er iets van voor uzelf zou gebruiken. En hij dacht dat u beter wist hoe u ermee moest omgaan dan uw ouders.'
'O. Nou, over hoeveel geld hebben we het?'
'Een half miljoen dollar.' Ze las hem zijn adres voor om zich ervan te overtuigen dat het nog klopte. 'Ik kan u dit wel zeggen, ik maak heel wat polissen op voor mensen, om heel wat verschillende redenen, die

niet allemaal even goed zijn, maar voor het geval u het niet wist, uw broer hield heel veel van u. Ik wilde dat ik zo goed met mijn broer kon opschieten.'

Toen Fiske het gesprek had beëindigd, merkte hij dat hij op het punt stond in tranen uit te barsten. Dat hij op het punt stond met zijn vuist dwars door de muur te slaan.

Hij stond op, stak de lijst in zijn zak en liep naar buiten, de trap af, langs de verticale begroeiing van kattenstaarten aan één kant en verspreid staande varens aan de andere. Zijn voeten droegen hem naar de kleine steiger. De hemel was diepblauw met een paar verspreide wolken, de wind verfrissend en voor het ogenblik was de lucht niet vochtig. Hij keek naar het noorden, naar de drie verdiepingen hoge villa's van een miljoen dollar aan de buitenste rand van Old Town Alexandria, en vervolgens naar de lange, kronkelige lijn van de Woodrow Wilson-brug. Aan de overkant van het water kon hij de kust van Maryland onderscheiden, een met bomen omzoomd spiegelbeeld van de oever aan de kant van Virginia. Een straalvliegtuig daverde over zijn hoofd, met het landingsgestel uit, op weg naar de op enkele kilometers afstand gelegen luchthaven National Airport. De romp was zo dicht bij de aarde dat Fiske die bijna met een steen had kunnen raken.

Toen het vliegtuig voorbij was en de stilte was weergekeerd, stapte hij op de voorplecht van de zeilboot. Het schip schommelde zachtjes onder hem heen en weer; het zonlicht streelde zijn gezicht. Hij ging zitten, met zijn hoofd tegen de mast geleund, rook het doek van het niet afgedekte zeil en sloot zijn ogen. Hij was zo verdomd moe.

'Je zit daar erg op je gemak.'

Wakker geschrokken keek Fiske om zich heen, voor hij zich omdraaide en Sara op de steiger zag staan. Ze had een zwart, tweedelig pakje aan; een witte, zijden blouse was aan de halslijn zichtbaar. Om haar hals droeg ze een snoer parels, haar haren waren opgestoken in een simpele knot; een spoortje make-up en lichtrode lippenstift gaven kleur aan haar gezicht.

Glimlachend zei ze: 'Jammer dat ik je wakker moest maken. Je sliep zo vredig.'

'Heb je lang naar me staan kijken?' zei Fiske, om zich meteen daarna af te vragen waarom hij het vroeg.

'Lang genoeg. Jouw beurt om te douchen.'

Hij stond op en stapte op de steiger. 'Mooie boot.'

'Ik heb geluk gehad; de rivieroever loopt hier steil af. Daarom hoef ik haar niet in een van de jachthavens te leggen. Ik neem je wel een keer mee, als je dat wilt. We hebben nog tijd genoeg voor ze wordt afgetuigd voor de winter.'

'Misschien.'
Hij liep langs haar naar het huis.
'John?' Hij draaide zich om. Ze legde een hand op de trapleuning en keek naar haar zeilboot, alsof ze hoopte kalmte uit die stille romp te kunnen putten.
'Al zal het het laatste zijn wat ik doe, ik zal het in orde maken met je vader,' zei ze.
'Het is mijn probleem. Dat hoef jij niet te doen.'
'Ja, John, dat moet ik wel,' zei ze vastberaden.

Een half uur later stuurde Fiske de auto over de privé-weg die uitkwam op de Parkway. Bij het zien van de twee zwarte personenauto's die met zwaailichten voor hem gingen rijden, trapte hij hard op de rem. Sara gaf een gil. Fiske sprong de auto uit. Zodra hij de pistolen zag die op hem gericht waren, bleef hij staan.
'Handen omhoog,' blafte een van de mannen.
Fiske stak onmiddellijk zijn handen in de lucht.
Sara stapte nog juist op tijd uit om Perkins uit een van de auto's te zien komen, en agent McKenna uit de andere.
Perkins kreeg Sara in het oog. 'Doe je wapens weg,' zei hij tegen de twee in burger geklede mannen.
McKenna verhief zijn stem. 'Die mannen staan onder mijn bevel, niet onder het jouwe. Ze bergen hun wapens alleen dan op wanneer ik het zeg.' McKenna kwam recht voor Fiske staan.
'Is alles goed met je, Sara?' vroeg Perkins.
'Natuurlijk is alles goed. Wat is hier verdomme aan de hand?'
'Ik heb een dringende boodschap op je apparaat ingesproken.'
'Dat heb ik niet afgeluisterd. Wat is er?'
McKenna's oog viel op het geweer dat op de achterbank lag. Nu trok hij zijn eigen wapen en richtte het op Fiske. Hij bekeek diens gehavende gezicht. 'Houdt deze man u tegen uw wil vast?' vroeg McKenna aan Sara.
'Wil je ophouden met die dramatische flauwekul?' zei Fiske. Hij liet zijn handen zakken en kreeg onmiddellijk een stomp in zijn maag te incasseren van McKenna. Naar adem snakkend liet hij zich op zijn knieën vallen. Sara rende naar hem toe om hem te helpen, zodat hij tegen de autoband kon leunen.
'Hou je handen omhoog tot de dame de vraag heeft beantwoord.' McKenna bukte zich en gaf een ruk aan Fiskes handen. 'Hou verdomme je handen omhoog.'
Sara schreeuwde: 'Nee, in godsnaam, hij houdt me niet gevangen. Hou

op! Laat hem met rust!' Ze duwde McKenna's handen weg.
Perkins deed een stap naar voren. 'Agent McKenna,' begon hij, tot McKenna hem met een kille blik het zwijgen oplegde.
'Hij heeft een geweer in de auto,' zei McKenna. 'Als jij je mensen in de waagschaal wilt stellen, mij best. Zo werk ik niet.'
Er stopte nog een auto, waar Chandler en twee agenten van de politie van Virginia uit stapten, eveneens met getrokken pistolen.
'Iedereen blijft doodstil staan!' riep Chandler luid.
McKenna keek om. 'Zeg je mannen dat ze hun wapens wegdoen, Chandler. Ik heb deze situatie onder controle.'
Chandler liep tot vlak bij McKenna. 'Jij zegt tegen je mannen dat ze nu meteen hun wapens in de holster steken, McKenna. Nu meteen, of ik zal je door deze agenten ter plekke laten arresteren wegens bedreiging met een vuurwapen.' McKenna bewoog zich niet. Chandler bracht zijn gezicht vlak bij dat van de FBI-man. 'Nu, meteen, speciaal agent McKenna, of je kunt de advocaat van het Bureau bellen vanuit een gevangenis in Virginia. Wil je dat dat in je conduitestaat komt?'
Ten slotte bond McKenna in. 'Doe je wapens weg,' beval hij zijn mannen.
'En nu als de bliksem wegwezen,' beval Chandler.
Heel langzaam liep McKenna bij de gevallen John vandaan. Zijn ogen brandden in die van Chandler bij elke achterwaartse stap.
Chandler knielde bij Fiske neer en pakte zijn schouder. 'Gaat het, John?'
Fiske knikte pijnlijk, zijn ogen op McKenna gericht.
'Wil iemand ons nu alsjeblieft vertellen wat er aan de hand is?' riep Sara.
'Steven Wright is dood aangetroffen. Vermoord,' zei Chandler.

•35•

De schuur stond midden in een dicht bos, in een afgelegen deel van Zuidwest-Pennsylvania, dat een inham vormde in West-Virginia. Een modderige strook zand met diepe bandensporen was de enige weg die erheen of ervandaan leidde. Josh kwam de voordeur in, zijn 9 mm stak uit zijn broeksband, rode klei en dennennaalden plakten aan zijn schoenen. De truck stond onder de lommerrijke beschutting van een enorme walnotenboom, maar Josh had het voertuig uit voorzorg ook nog afgedekt met een camouflagenet. Zijn grootste zorg was dat ze vanuit de lucht zouden worden gezien. Gelukkig waren de nachten nog steeds warm. Hij kon het niet riskeren om een vuur aan te leggen; je kon van tevoren niet weten welke kant de rook op zou drijven.

Rufus zat op de grond, met zijn brede rug tegen de muur en de bijbel op zijn schoot. Hij dronk limonade, de restanten van zijn lunch stonden naast hem. Hij had de kleren aangetrokken die zijn broer voor hem had meegebracht.

'Alles oké?'

'Alleen wij en de eekhoorns. Hoe voel je je?'

'Zo gelukkig als de hel en zo bang als de duivel.' Glimlachend schudde Rufus zijn hoofd. 'Het voelt goed om vrij te zijn, om hier te zitten en cola te drinken, om niet elke seconde van mijn leven bang te hoeven zijn dat iemand me te pakken wil nemen.'

'De bewaarders, of de andere gevangenen?'

'Wie denk je?'

'Ik denk allebei. Ik heb ook een tijdje gezeten, dat weet je toch. We zouden er samen wel een boek over kunnen schrijven.'

'Hoe lang blijven we hier?'

'Een paar dagen. Om de zaak een beetje te laten betijen. Daarna gaan we verder, op weg naar Mexico. Daar kunnen we goed leven, voor een tiende van wat het ons hier zou kosten. Na de oorlog ben ik er een paar keer geweest. Er wonen een paar oude strijdmakkers van me. Die kunnen ons helpen het land in te komen en ons ergens te vestigen. We moeten een boot zien te vinden, om wat te vissen, en we kunnen op het strand wonen. Klinkt dat goed?'

'Het zou wat mij betreft nog goed klinken als je zei dat we in het riool moesten wonen.' Rufus stond op. 'Ik heb een vraag.'

Zijn broer leunde tegen de wand en begon een appel in stukken te snijden met zijn zakmes. 'Ik luister.'

'Je truck zat vol etenswaren, twee geweren en dat pistool dat je daar draagt. Plus de kleren die ik aanheb.'

'En?'

'Had je toevallig al die spullen bij je, toen je me kwam opzoeken?'

Josh slikte een stuk appel door. 'Ik moet toch eten. Dat betekent dat ik naar de winkel moet, waar of niet?'

'Ja, maar je hebt niets gekocht dat snel kan bederven, geen melk, of eieren, dat soort dingen. Allemaal blikjes en pakjes.'

'In het leger at ik altijd uit blik. Ik denk dat ik kant-en-klaarmaaltijden

gewoon lekker ben gaan vinden.'
'Heb je altijd zoveel wapens bij je?'
'Misschien heb ik nog steeds last van Nam, heb ik een of ander syndroom.'
Rufus trok aan zijn overhemd, dat de afmetingen had van een deken. 'Mijn maat is niet zo gemakkelijk te krijgen. Je was erop voorbereid dat je me eruit moest halen, nietwaar, Josh?'
Josh had zijn appel op en gooide het klokhuis uit het openstaande raam. Daarna veegde hij het appelsap van zijn handen af aan zijn spijkerbroek, voor hij zijn broer aankeek.
'Hoor eens, Rufus, ik heb nooit geweten waarom je dat meisje hebt gedood. Maar ik wist dat je niet goed bij je hoofd was toen je het deed. Toen ik die brief van het leger kreeg, had ik er zo'n vermoeden van dat het iets belangrijks was. Ik wist niet dat het een dekmantel was voor wat ze je hebben aangedaan. Maar tegenwoordig is het zo dat ze mensen die gek worden en dan iets slechts doen, in een inrichting stoppen en wanneer ze weer beter zijn, laten ze ze gewoon gaan. Jij hebt vijfentwintig jaar in de gevangenis gezeten voor iets waarvan ik zeker weet dat je niet van plan was om het te doen. Laten we maar zeggen dat ik voor mezelf uitmaakte dat het nu lang genoeg was geweest. Je hebt je tijd uitgezeten, je hebt je "schuld aan de maatschappij" betaald. Het werd tijd dat je op vrije voeten kwam en ik bracht je de sleutel. Als je niet had willen meegaan, zou ik je hebben omgepraat. Misschien was het goed, misschien was het verkeerd, het kan me geen donder schelen. Ik had besloten dat het moest gebeuren.'
De beide broers bleven elkaar minstens een minuut aankijken zonder iets te zeggen.
'Je bent een goede broer, Josh.'
'Dat mag je verdomme wel zeggen.'
Rufus ging weer op de grond zitten en pakte de bijbel. Voorzichtig sloegen zijn handen de bladzijden om tot hij het gedeelte had gevonden dat hij zocht. Josh sloeg hem gade.
'Lees je die troep nu nog steeds, na al die tijd?'
Rufus keek naar hem op. 'Ik zal het mijn hele leven blijven lezen.'
Josh snoof. 'Je doet maar met je tijd wat je wilt, maar als je het mij vraagt lijkt het me niet zo'n goed idee om die te verspillen.'
Rufus bleef hem strak aankijken. 'Het woord van de Heer heeft me al die jaren in leven gehouden. Dat noem ik geen tijdverspilling.'
Hoofdschuddend keek Josh uit het raam, en vervolgens weer naar Rufus. Hij raakte de kolf van zijn pistool aan. 'Dit is God. Of een mes, of een staaf dynamiet, of een je-kunt-me-wat-houding. Niet een of

ander heilig boek vol mensen die elkaar doden, mensen die de vrouw van een ander afpakken, ongeveer elke zonde die je maar kunt bedenken...'

'Zonden van mensen, niet van God.'

'God heeft je niet helpen ontsnappen. Dat heb ík gedaan.'

'God heeft je naar me toe gestuurd, Josh. Zijn wil werkt overal.'

'Dus jij beweert dat God ervoor heeft gezorgd dat ik je kwam halen?'

'Waarom ben je gekomen?'

'Dat heb ik je toch al gezegd. Om je eruit te halen.'

'Omdat je van me houdt?'

Een beetje geschrokken knipperde Josh met zijn ogen. 'Ja,' zei hij.

'Dat is de wil van God, Josh. Je houdt van me, je helpt me. Zo werkt God.'

Josh keek hoofdschuddend de andere kant op en Rufus begon weer te lezen.

Uit de draagbare politiescanner, die Josh op de grond had gezet naast zijn radio, klonk gekraak. Josh had op een radiostation ergens in Zuidwest-Virginia afgestemd, voor plaatselijk nieuws over Rufus' ontsnapping.

'Heb je je naam nog horen noemen op de politieband?' vroeg Josh.

In het nieuws van gisteren was de naam Rufus Harms genoemd. Alles wat de militaire autoriteiten wilden zeggen, was dat Harms was veroordeeld wegens moord en dat hij in de gevangenis de reputatie had een gewelddadig man te zijn. Hij was ontsnapt met hulp van zijn broer, die zelf ook gevaarlijk was. De standaarduitdrukkingen waren gebruikt, namelijk dat van beide mannen werd aangenomen dat ze gewapend en gevaarlijk waren. Vertaling: niemand hoefde verrast te zijn of vragen te stellen wanneer de autoriteiten met hun lijken kwamen aanzetten.

'Af en toe. Ze zoeken in het zuiden, zoals jij al dacht.'

Op dat moment begon het middagnieuws op de radio. De eerste twee berichten zeiden de beide broers niets.

Het derde bericht was zojuist binnengekomen en het zorgde ervoor dat beide broers naar de radio staarden. Josh liep snel naar het toestel om het geluid harder te zetten. Het bericht duurde ongeveer een minuut en toen het voorbij was zette Josh de radio uit. 'Rider en zijn vrouw,' zei hij.

'Ze hebben het eruit laten zien alsof hij eerst haar heeft gedood en daarna het wapen tegen zichzelf heeft gebruikt,' voegde Rufus eraantoe, terwijl hij langzaam en ongelovig zijn hoofd schudde. 'Twee mannen zijn me komen opzoeken en nu zijn ze allebei dood.'

Josh staarde naar zijn broer. Hij wist precies wat deze nu dacht. 'Rufus,

je kunt hem niet terugbrengen. Je kunt geen van hen terugbrengen.'
'Het is mijn schuld dat ze dood zijn. Omdat ze hebben geprobeerd me te helpen. En de vrouw van Rider, zij wist hier helemaal niets vanaf.'
'Je hebt die jongen van Fiske niet gevraagd naar de gevangenis te komen.'
'Maar ik heb het Samuel wel gevraagd. Als ik dat niet had gedaan, zou hij nu nog leven.'
'Hij was het aan je verplicht, Rufus. Waarom denk je eigenlijk dat hij is gekomen? Hij voelde zich schuldig. Hij wist dat hij destijds niet hard genoeg voor je had gevochten. Hij probeerde dat goed te maken.'
'Toch is hij dood, of niet soms? Om mij.'
'En als dat nu eens waar is? Dan kun je er nog niets aan doen.'
Rufus keek hem aan. 'Ik kan ervoor zorgen dat ze niet voor niets zijn gestorven. Die kerels hebben me het grootste deel van mijn leven afgenomen. En nu nemen ze het leven van anderen. Jij zegt dat we in Mexico veilig zullen zijn, maar ze zullen nooit ophouden met naar ons te zoeken. Vic Tremaine is zo gek als een deur. Je hoeft hem maar in de ogen te kijken om het te zien. Die ouwe Vic heeft al die jaren geprobeerd me te pakken te nemen. Waarschijnlijk denkt hij dat hij nu de kans krijgt. Dat hij ons allebei vol lood kan pompen.'
'Als het leger ons vindt vóór de politie, dan zullen ze zeker hun magazijnen op ons leegschieten,' gaf Josh toe. Hij haalde zijn pakje Pall Mall uit zijn zak en stak een sigaret op, de rook in het vertrek blazend. 'Nou, ik kan ook raak schieten. Ze zullen in elk geval weten dat ze er verdomme voor hebben moeten vechten.'
Koppig schudde Rufus zijn hoofd. 'Niemand zou vrijuit moeten gaan, na wat ze hebben gedaan.'
Josh tikte de as van zijn sigaret af op de grond en staarde naar zijn broer. 'Nou, wat wil je eraan doen? Naar de politie gaan en zeggen: "Hoor eens, jongens, ik heb jullie iets te vertellen. Nu moeten jullie een broeder komen helpen om die grote, belangrijke blanken uit de weg te ruimen"?' Josh nam de sigaret uit zijn mond en spuwde op de aarden vloer. 'Shit, Rufus.'
'Ik moet die brief van het leger hebben.'
'Waar heb je die gelaten?'
'Die heb ik in mijn cel verstopt.'
'Nou, we gaan niet naar de gevangenis terug. Als je dat probeert, schiet ik je eigenhandig overhoop.'
'Ik ga niet terug naar Fort Jackson.'
'Wat wil je dan?'
'Samuel was advocaat. Advocaten maken overal kopieën van.'

Josh trok zijn wenkbrauwen op. 'Wil je naar Riders kantoor?'
'We moeten wel, Josh.'
Josh rookte zijn Pall Mall op tot aan de filter, alvorens hierop te antwoorden. 'Ik moet niets, Rufus. Verdomme, het hele leger van de Verenigde Staten zit achter je aan. En achter mij. Jij kunt nu niet bepaald opgaan in de menigte. Verrek, bij jou vergeleken is George Foreman een mietje.'
'Toch moeten we het doen, Josh. Ik tenminste wel. Als ik die brief kan vinden, dan kan ik die misschien aan iemand geven die kan helpen. Misschien nog een brief schrijven aan het Hof.'
'Ja, en je weet wat je daar de vorige keer mee bent opgeschoten. Die hooggeplaatste rechters kwamen aanhollen om je te helpen, klopt dat?'
'Het kan me niet schelen of je niet mee wilt, Josh. Maar ik moet het doen.'
'En Mexico dan? Verdomme, Rufus, je bent vrij. Voor het ogenblik, tenminste. Als we proberen die brief te vinden, zullen ze je naar de gevangenis terugbrengen of, wat nog waarschijnlijker is, eerst doodschieten. We moeten hier weg nu we nog de kans hebben, man.'
'Ik wil vrij zijn. Maar ik kan het er niet bij laten zitten. Als ik nu naar Mexico ga, sterf ik van schuldgevoelens, als de Heer me niet voor die tijd neerslaat.'
'Schuld? Je hebt vijfentwintig jaar voor niets gezeten. Wanneer jij doodgaat, ga je naar de hemel en dan zit je in Gods schoot. Dat weet ik zeker.'
'Het heeft geen zin, Josh. Je kunt me niet op andere gedachten brengen.'
Josh spuwde nogmaals en keek uit het vuile, gebarsten raam. 'Je bent hartstikke gek. De gevangenis heeft je voorgoed verpest. Verdomme!'
'Misschien ben ik gek.'
Josh keek hem nijdig aan. 'Waar is dat verdomde kantoor van Rider?'
'Ongeveer een half uur rijden van Blacksburg. Dat is alles wat ik weet. Het moet niet moeilijk zijn om erachter te komen waar het precies is.'
'Waarschijnlijk krioelt het er van de smerissen.'
'Misschien niet, als ze denken dat Samuel alles zelf gedaan heeft.'
'Shit!' Josh gaf een harde schop tegen de muur en wendde zich daarna tot zijn broer. 'Oké, we wachten tot het donker is en dan gaan we eropaf.'
'Dank je, Josh.'
'Je hoeft mij er niet voor te bedanken dat ik je help om ons allebei te laten vermoorden. Op zo'n bedankje zit ik niet te wachten.'

•36•

De vlag op het gebouw van het Hooggerechtshof van de Verenigde Staten hing halfstok. Kranten, tv en radiostations uit het hele land brachten een stroom van berichten over de twee vermoorde griffiers. De telefoons op de afdeling Voorlichting van het Hof rinkelden onophoudelijk. In de aangrenzende perskamer was alleen nog ruimte om te staan. Belangrijke tv- en radiozenders verzorgden live-uitzendingen uit haastig daartoe ingerichte decors op de begane grond van het gebouw. De politie van het Hof, versterkt door vijftig leden van het politiekorps van D.C., de Nationale Reserve en FBI-agenten, omringde het terrein.
De privé-gangen naar de kamers van de rechters stonden vol groepjes mensen die nerveus met elkaar spraken. De meeste rechters hadden zich in hun kamers teruggetrokken, nadat ze met moeite de zittingen hadden afgehandeld, waarbij hun aandacht ver weg was van de advocaten en de zaken die hun werden voorgelegd. Ook de gezichten van de jonge griffiers weerspiegelden de angst die werd veroorzaakt door de moorden.
De kleine kamer op de begane grond die gewoonlijk werd gebruikt voor de besprekingen van de rechters, was stampvol. De wanden waren met donker hout betimmerd en hingen vol boekenplanken waarop de ingebonden delen van tweehonderd jaar uitspraken van het Hof bijeen waren gebracht. In een van de wanden was een haard gebouwd, die op deze warme dag niet brandde. Aan het plafond hing een grote kroonluchter. Ramsey zat aan het hoofd van de tafel. De rechters Knight en Murphy zaten op hun gebruikelijke plaats.
Terwijl Knight haar blik langs de tafel liet dwalen, speelde Murphy met een oud zakhorloge dat aan een ketting dwars over zijn dikke buik hing. Hij hield zijn ogen neergeslagen. Ook Chandler, Fiske, Perkins, Ron Klaus en agent McKenna waren aanwezig. Fiske en McKenna hadden zo nu en dan oogcontact, maar Fiske hield zijn boosheid in bedwang.
Steven Wright was gevonden in een park, zes straten verwijderd van zijn flat aan Capitol Hill, met een enkele kogelwond in zijn hoofd. Evenals bij Michael Fiske ontbrak zijn portefeuille. Ogenschijnlijk was roof het motief, hoewel niemand in de kamer geloofde dat het antwoord zo een-

voudig kon zijn. Voorlopig onderzoek had uitgewezen dat Wright tussen middernacht en twee uur 's ochtends om het leven was gebracht.

Tijdens de rit naar het Hooggerechtshof had Chandler Fiske bijgepraat over de jongste ontwikkelingen. Hij had haast gezet achter de autopsie op Michael Fiske, hoewel hij nog wachtte op het officiële rapport en de precieze tijd waarop de dood was ingetreden. De oorzaak van Michaels dood was echter onomstotelijk een enkel pistoolschot in het hoofd. Chandler had de Wal-Mart in Noord-Virginia gevonden waar Fiske zijn auto had laten nakijken, maar daar had niemand enige informatie kunnen geven.

Fiske had een inval die hem en Chandler aanleiding gaf een korte omweg te maken op weg naar het Hof; ze waren naar het terrein gereden waar in beslag genomen auto's stonden om nog een keer bij Michael Fiskes Honda te gaan kijken. Fiske had in de zakken gevoeld die zich aan de rugzijde van de voorstoelen bevonden.

'Hij bewaarde hier een kaart in, dat deed hij altijd. Hij haalde zich altijd in zijn hoofd dat hij zou kunnen verdwalen. Voor hij op weg ging, zette hij zijn hele route uit. Er is geen kaart, maar wel dit.' Hij hield een paar gele Post-it-velletjes omhoog, die hij onder in een van de zakken had gevonden. Er was op geschreven, namen van hoofd- en zijwegen; gezien de verbleekte inkt waren het blijkbaar aanwijzingen van een rit die hij lang geleden had ondernomen.

Chandler keek naar de gele briefjes. 'Waarom zouden ze het kartenboek hebben meegenomen?'

'Hij moet de richting waarin hij reed daarin hebben opgetekend.'

'Dus dan hadden de kilometers iets met zijn dood te maken.'

Fiske had even geaarzeld, bij zichzelf overleggend of hij Chandler zou vertellen van het verzoekschrift van Harms. Wanneer hij die informatie prijsgaf, zou dat een beerput openen die hij op dit moment niet aankon. 'Misschien,' zei hij ten slotte.

Daarna waren hij en Chandler naar het Hof gereden.

Nu zaten ze elkaar in de vergaderkamer allemaal aan te kijken. Zonder te onthullen hoe hij aan de informatie was gekomen, had Chandler zojuist gerapporteerd dat er de afgelopen nacht een indringer in Michael Fiskes appartement was geweest.

'We zijn in uw handen, rechercheur Chandler,' zei Ramsey. 'Hoewel het me nu veel waarschijnlijker lijkt dat er hier een gek aan het werk is die een wrok koestert tegen het Hof dan dat het verband houdt met iets waar Michael aan werkte.'

McKenna zei: 'Ik kan u meedelen dat het Bureau honderd agenten op

deze zaak heeft gezet. We hebben er ook voor gezorgd dat de rechters dag en nacht worden bewaakt.'
'En de griffiers?' zei Fiske. 'Dat zijn degenen die worden vermoord.'
Chandler kwam tussenbeide. 'Ik heb de privé-adressen van alle griffiers verzameld. In deze buurten zal door de politie strenger worden gepatrouilleerd. De meesten wonen aan Capitol Hill, vlak bij het Hof. We hebben iedere griffier die dat mocht willen, aangeboden om zijn intrek te nemen in een hotel in de buurt, waar fulltime bewaking beschikbaar is. Tevens heb ik een van onze deskundigen opdracht gegeven met de griffiers te spreken over manieren om de veiligheid te handhaven, om uit te kijken naar verdachte personen, te vermijden alleen uit te gaan, of 's avonds op straat te zijn, al dat soort zaken.' Hij keek om zich heen. 'Tussen twee haakjes, waar is Dellasandro?'
'Die is bezig alle nieuwe veiligheidsmaatregelen te coördineren,' verklaarde Klaus. 'Ik heb hem nog nooit zo bezorgd meegemaakt. Ik denk dat hij zich dit persoonlijk aantrekt.'
'Ik ben bijna drieëndertig jaar aan het Hof verbonden en ik had nooit gedacht dat ik iets dergelijks zou meemaken,' zei rechter Murphy bedroefd.
'Dat hebben we geen van allen gedacht, Tommy,' zei Knight met nadruk. Ze keek strak naar Chandler. 'Hebt u helemaal geen aanknopingspunten?'
'Zover zou ik niet willen gaan. We hebben verscheidene dingen om van uit te gaan. Ik heb het nu over de dood van Michael Fiske. Wat die van Wright betreft, het is nog te vroeg om daar iets over te zeggen.'
'U gelooft wel dat ze met elkaar verband houden?' zei Ramsey.
'Het is nog te vroeg om dat te zeggen.'
'Wat moeten we volgens u doen?'
Chandler schudde zijn hoofd. 'Gewoon doorgaan met uw werkzaamheden. Als dit het werk is van een gestoorde figuur die eropuit is wanorde te scheppen bij het Hof, speelt u hem in de kaart door uw zittingen te annuleren.'
'Of we lopen het risico dat we degene die dit doet, kwaad maken, met het gevolg dat hij opnieuw toeslaat,' zei Knight.
'Die mogelijkheid bestaat altijd, rechter Knight,' gaf Chandler toe. 'Maar ik ben er niet van overtuigd dat wat het Hof al dan niet doet, daar enige invloed op zal hebben. Als de moorden met elkaar in verband staan.' Hij keek naar Ramsey. 'Ik geloof dat het de moeite waard is de zaken na te gaan waarmee beide griffiers bezig waren, om dat punt in elk geval te controleren. Ik weet dat het vergezocht is, maar als ik het nu niet doe, zou ik me misschien later voor het hoofd slaan.'

'Ik begrijp het.'
Chandler richtte zich tot rechter Murphy. 'Kunnen u en uw andere griffiers zich vandaag beschikbaar houden om de zaken na te lopen die Michael Fiske behandelde?'
'Ja,' antwoordde Murphy snel.
'Ik zou het ook op prijs stellen als alle rechters met elkaar zouden overleggen om te proberen na te gaan of er de afgelopen paar jaar een zaak is geweest die een actie als deze kan hebben opgeroepen,' zei Chandler.
Knight keek hem aan. 'Rechercheur Chandler, veel van de zaken die we behandelen, maken bij de mensen ongelooflijke emoties los. Ik zou niet weten waar we zouden moeten beginnen.'
'Ik begrijp wat u bedoelt. Ik mag aannemen dat u allemaal geluk hebt gehad dat niemand eerder heeft geprobeerd om zoiets te doen.'
'Wel, als u wilt dat we doen alsof er niets gebeurd is, dan neem ik aan dat het diner ter ere van rechter Wilkinson vanavond kan doorgaan,' zei Knight.
Murphy ging uit protest rechtop zitten. 'Beth, ik zou toch denken dat de moord op twee medewerkers van het Hof voldoende reden is om het diner af te zeggen.'
'Dat is gemakkelijk gezegd, Tommy, maar jij hebt het toevallig niet georganiseerd. Dat heb ik gedaan. Kenneth Wilkinson is vijfentachtig, en hij heeft alvleesklierkanker. Ik kan het risico niet nemen om het af te zeggen, hoe ongelukkig het tijdstip ook is. Dit is heel belangrijk voor hem.'
'En voor jou ook, nietwaar Beth?' zei Ramsey.
'Hij was ook belangrijk voor mij, ja. Krijgen we weer een debat over juridische ethiek, Harold? Waar al deze mensen bij zijn?'
'Nee,' zei hij. 'Je weet hoe ik over het onderwerp denk.'
'Ja, dat weet ik, en het diner gaat door.'
Fiske zat geboeid te luisteren naar de woordenwisseling. Hij dacht dat hij een zweem van een glimlach over Ramseys gezicht zag glijden toen de man zei: 'Goed, Beth. Ik zal me verre houden van een poging je van mening te laten veranderen over een belangrijke kwestie, laat staan een die grenst aan het onbeduidende.'

•37•

Tremaine zette de legerhelikopter aan de grond op een grasveld. Terwijl de rotorbladen langzamer begonnen te draaien, keken hij en Rayfield naar de personenauto die aan de rand van het veld onder de bomen geparkeerd stond. Ze maakten hun riemen los, klommen eruit en liepen gebukt onder de bladen door in de richting van de auto. Toen ze die bereikten ging Rayfield voorin zitten, terwijl Tremaine op de achterbank plaatsnam.

'Ik ben blij dat jullie het gehaald hebben,' zei de man achter het stuur, die zich omdraaide om Rayfield aan te kijken.

De mond van de kolonel viel open. 'Wat is er met jou gebeurd?'

De plekken waren in het midden blauw, met gele verkleuringen langs de randen. Een zat naast zijn rechteroog, de beide andere kwamen boven zijn boord uit.

'Fiske,' antwoordde de man.

'Fiske? Die is dood.'

'Zijn broer, John,' zei de man ongeduldig. 'Hij betrapte me in de flat van zijn broer.'

'Heeft hij je herkend?'

'Ik had een masker op.'

'Wat deed hij in de flat van zijn broer?'

'Hetzelfde als ik, zoeken naar iets wat de politie zou kunnen gebruiken om achter de waarheid te komen.'

'Heeft hij iets gevonden?'

'Er was niets te vinden. We hadden Fiskes laptop al.' Hij keek naar Tremaine. 'Jij hebt toch zijn aktetas uit zijn auto gepakt voor je hem doodde?' Tremaine knikte. 'Waar is die nu?'

'Een hoopje as.'

'Goed.'

'Is die broer een probleem?' wilde Rayfield weten.

'Misschien. Het is een ex-politieman. Hij en een van de andere griffiers zijn aan het rondsnuffelen. Hij helpt de rechercheur die belast is met het onderzoek naar de moorden op de griffiers.'

Rayfield schrok. 'Moorden? Meer dan één?'

'Steven Wright.'
'Wat is er verdomme gaande?' vroeg Rayfield kwaad.
'Wright zag iemand uit het kantoor van Michael Fiske komen. Hij hoorde ook iets wat hij niet had moeten horen. We konden er niet van uitgaan dat hij zijn mond zou houden, dus ik moest hem met een smoes het gebouw uit lokken en hem doden. Van hem hebben we geen last meer.'
'Ben je gek geworden? Dit loopt volkomen uit de hand,' zei Rayfield nijdig.
De man keek naar Tremaine. 'Hé, Vic, zeg eens tegen je baas dat hij zich rustig moet houden. Ik geloof dat Nam je op de zenuwen is gaan werken, Vic. Sindsdien ben je wel veranderd.'
'Vier moorden, en jij zegt dat ik me rustig moet houden? En Harms en zijn broer lopen nog steeds vrij rond.'
'Dus er komen nog twee lijken bij. De twee belangrijkste. Dat begrijp je toch, of niet, Vic?'
'Ja,' antwoordde Tremaine.
De man keek Rayfield met een paar heel kille ogen aan.
Rayfield slikte nerveus. 'Ik neem aan dat er geen weg terug is.'
'Daar heb je gelijk in.'
'John Fiske en die griffier. Wat doe je daarmee? Als Fiske op een of andere missie is om de moordenaar van zijn broer te vinden, kan hij een probleem vormen.'
'Hij is al een probleem. We houden hen heel goed in de gaten. En dat blijft zo, tot we besluiten wat we met hen zullen doen.'
'Je bedoelt?' vroeg Rayfield.
'Ik bedoel dat er misschien nog vier lijken bij komen in plaats van twee.'

Sara zat in haar nieuwe kantoor. Chandler had de kamer die ze met Steven Wright deelde, tot verboden terrein verklaard, maar hij had toegestaan dat personeel van het Hof Sara's computer en haar dossiers naar deze lege kamer bracht. Ze had de lijst met staatsgevangenissen meegenomen die Fiske haar had gegeven, en ze begon te bellen. Na een half uur legde ze ontmoedigd de hoorn neer. Er zat niemand met de achternaam Harms in een van de gevangenissen in een van deze staten. Ze probeerde zich nog een ander woord of andere zinnen te herinneren uit de documenten die ze had gezien, maar ten slotte gaf ze het op. Ze ging staan, en toen viel haar oog erop. Ze had net met een abrupte beweging een stapel dossiers gepakt en tot nu toe was het haar niet opgevallen. Het was de memorie in de zaak-Chance. De memorie waarvan ze Wright had gezegd dat hij er gisteravond aan zou moeten wer-

ken tot het af was. Er was een met de hand geschreven briefje aan gehecht, waarin hij vroeg of Sara het wilde herzien.
Ze ging zitten en liet haar hoofd op het bureaublad zakken. Als er nu eens werkelijk een of andere psychopaat rondliep die het op griffiers had gemunt? Was het toeval dat Wright was vermoord in plaats van zijzelf? Even bleef ze als verstijfd zitten. Toe nu, Sara, je kunt dit aan. Je móet het aankunnen, spoorde ze zichzelf aan. Met alle vastberadenheid die ze kon opbrengen, stond Sara op en liep naar de deur.
Een minuut later kwam ze de postkamer van de griffiers binnen, waar ze naar een griffier liep die achter een van de computers zat waarin de gegevens werden opgeslagen. De vraag die ze hem wilde stellen, had ze al eerder gesteld, maar ze wilde het absoluut zeker weten.
'Kun je nazien of er een zaak aanhangig is gemaakt bij het Hof met de naam Harms als een van de partijen?'
De griffier knikte en begon toetsen in te drukken. Korte tijd later schudde hij zijn hoofd.
'Ik kan niets vinden. Wanneer werd het ingediend?'
'Kortgeleden. Ergens in de afgelopen weken.'
'Ik ben zes maanden teruggegaan, maar kan niets vinden. Heb je me dit een poosje geleden ook niet gevraagd?'
Voor Sara kon antwoorden klonk een andere stem.
'Zei je Harms?'
Sara staarde de andere griffier aan. 'Ja. Harms was de achternaam.'
'Dat is vreemd.'
Sara's huid begon te prikkelen. 'Wat?'
'Ik kreeg vanmorgen een telefoontje van een man die naar een verzoekschrift vroeg, en hij noemde die naam. Ik heb tegen hem gezegd dat we geen dossier met die naam hadden.'
'Harms? Weet je het zeker?' De griffier knikte. 'Was er ook een voornaam?' vroeg Sara, pogend haar opwinding te onderdrukken.
De griffier dacht even na.
'Misschien begon die met een R?' drong Sara aan.
De griffier knipte met zijn vingers. 'Dat klopt. Rufus. Rufus Harms. Het klinkt als een boer.'
'Zei de man die belde wie hij was?'
'Nee. Hij werd nogal nijdig.'
'Kun je je nog iets anders herinneren?'
De man dacht nog wat langer na. 'Hij zei zoiets als dat de man wegrotte in een petoet, wat dat dan ook mag betekenen.'
Sara sperde haar ogen wijd open en holde weg.
'Wat is dit allemaal, Sara? Heeft het iets met de moorden te maken?'

vroeg de griffier. Sara bleef doorlopen zonder antwoord te geven. De griffier aarzelde even en keek vervolgens om zich heen om te zien of er iemand op hen lette. Toen pakte hij de telefoon en draaide een nummer. Nadat er aan de andere kant was opgenomen, begon hij zachtjes in de hoorn te spreken.

Sara draafde bijna de trap op. De verwijzing naar een militaire gevangenis had haar duidelijk gemaakt dat er een groot hiaat was in Fiskes lijst. Ze bereikte haar kantoor, griste een kaart uit haar rolodex en draaide het nummer. Ze belde het kantoor van de Militaire Politie. Fiske had aan de ingezetenen van de federale en de staatsgevangenissen gedacht, maar niet aan de militaire. Sara's lievelingsoom was een gepensioneerde brigadegeneraal van het leger. Ze wist heel goed wat een petoet was. Rufus Harms was een gevangene van het leger van de Verenigde Staten. Ze werd doorverbonden met sergeant-majoor Dillard, de dienstdoende specialist op het gebied van gevangenen. 'Ik heb geen registratienummer van hem, maar ik geloof dat hij in een militaire gevangenis zit op een afstand van zo'n zeshonderd kilometer van Washington,' zei ze.

'Die informatie mag ik u niet geven. Volgens de officiële procedure moet u een schriftelijk verzoek indienen bij de gedelegeerde chef-staf voor militaire operaties en planning. Die afdeling zal uw verzoek vervolgens doorsturen naar de mensen van Freedom of Information Act. Daar beslissen ze of uw verzoek al dan niet gehonoreerd zal worden, afhankelijk van de omstandigheden.'

'Het probleem is dat ik de informatie op dit moment nodig heb.'

'Bent u van de pers?'

'Nee. Ik bel vanuit het Hooggerechtshof van de Verenigde Staten.'

'Juist. Hoe weet ik dat?'

Sara dacht even na. 'Belt u Inlichtingen voor het algemene nummer van het Hooggerechtshof. Belt u dan het nummer dat ze u hebben gegeven en vraagt u naar mij. Mijn naam is Sara Evans.'

Dillards stem klonk sceptisch. 'Dit is hoogst ongebruikelijk.'

'Alstublieft, majoor Dillard. Het is echt heel belangrijk.'

Het bleef een paar seconden stil aan de andere kant van de lijn. 'Geeft u me een paar minuten.'

Vijf heel lange minuten later werd het gesprek doorgeschakeld naar Sara's toestel. 'Majoor Dillard, luistert u eens, ik heb wel vaker informatie over militaire gevangenen van uw kantoor gekregen, zonder dat ik ervoor naar de FOIA moest.'

'Tja, soms zijn de mensen hier een beetje te scheutig met informatie.'

'Ik wil alleen weten waar Rufus Harms is, dat is alles.'

'Eerlijk gezegd zou het bij iedere andere gevangene geen probleem zijn.'
'Dat begrijp ik niet. Waarom vormt Rufus Harms een uitzondering?'
'Hebt u de krant niet gelezen?'
'Vandaag niet, nee. Waarom?'
'Misschien is het niet echt groot nieuws, maar het publiek zou het moeten weten, al was het maar voor zijn eigen veiligheid.'
'Wat zou het publiek moeten weten?'
'Dat Rufus Harms is ontsnapt.' In beknopte zinnen bracht Dillard haar op de hoogte van de details.
'Waar zat hij gevangen?'
'In Fort Jackson.'
'Waar is dat?'
Dillard vertelde het haar en Sara schreef de plaats op.
'Nu heb ik een vraag voor u, mevrouw Evans. Waarom is het Hooggerechtshof geïnteresseerd in Rufus Harms?'
'Hij heeft een verzoek ingediend bij het Hof.'
'Wat voor soort verzoek?'
'Het spijt me, majoor Dillard, maar meer kan ik u er niet over zeggen. Ik moet me ook aan de regels houden.'
'Goed dan, maar ik zal u eens wat zeggen. Als ik u was, zou ik ophouden met aan zijn verzoek te werken. Het Hof heeft geen belang bij overledenen, of wel?'
'Soms kan dat wel het geval zijn. Wat heeft de man precies gedaan?'
'Daarvoor moet u zijn militaire gegevens bekijken.'
'Hoe kom ik daaraan?'
'U bent toch jurist?'
'Ja, maar ik werk zelden met het leger.'
Ze hoorde dat hij iets begon te mompelen.
'Omdat hij een militaire gevangene is, maakt Rufus Harms technisch gezien niet langer deel uit van het leger van de Verenigde Staten. Toen hij veroordeeld werd, is hij óf oneervol ontslagen óf wegens slecht gedrag. Zijn militaire gegevens moeten vervolgens naar de afdeling Registratie van Militair Personeel in St. Louis zijn gestuurd. Daar worden kopieën bewaard. Ze gaan niet in een database of zoiets. Harms werd ongeveer vijfentwintig jaar geleden veroordeeld, dus zijn gegevens zouden op microfilm moeten zijn gezet, hoewel de afdeling Registratie met die dingen een beetje achterloopt. Als u, of iemand anders dan Harms zelf, zijn gegevens wilt hebben, zult u dat via een dagvaarding moeten doen.'
Sara schreef alles op. 'Nogmaals dank, majoor Dillard. U hebt me geweldig geholpen.'

Sara had software met landkaarten in haar computer. Ze activeerde het scherm en trok met behulp van de muis een lijn van Washington, D.C. naar de plaats waar Fort Jackson zich bij benadering moest bevinden.
'Bijna precies zeshonderd kilometer,' zei ze bij zichzelf. Ze spoedde zich naar de bibliotheek van het Hof, die zich op de tweede verdieping bevond, en ging on-line via een van de computerterminals die daar stonden. Geen van de terminals in de kantoren van de griffiers was met telefoonmodems verbonden, om voor de hand liggende redenen van veiligheid en vertrouwelijkheid. Maar de terminals in de bibliotheek hadden on-line toegang. Met gebruikmaking van een zoekservice van Internet typte ze de naam Rufus Harms in. Om zich heen kijkend naar de handbewerkte eiken betimmering wachtte ze tot de computer zijn technologische toverstof zou gaan uitstrooien.
Een paar minuten later las ze alle recente nieuwsberichten over Rufus Harms, zijn verleden en dat van zijn broer. Ze printte alles uit. In een van de artikelen werd een uitspraak aangehaald van een redacteur van de krant in Harms' geboorteplaats. In een Internet-telefoongids zocht ze het nummer van de man op. Hij woonde nog steeds in hetzelfde stadje in de buurt van Mobile, Alabama, waar beide broers waren opgegroeid.
Nadat de telefoon drie keer was overgegaan, werd er opgenomen. Sara stelde zich voor aan de man, George Barker, die nog steeds hoofdredacteur was van de plaatselijke krant.
'Daar heb ik al met de media over gesproken,' zei hij kortaf.
Zijn zware zuidelijke accent deed Sara denken aan knorrende wasbeertjes en flessen heldere, zelfgestookte jenever. 'Ik zou het op prijs stellen als u een paar vragen zou willen beantwoorden, dat is alles.'
'Waar bent u ook weer van?'
'Van een onafhankelijke nieuwsdienst. Ik werk freelance.'
'Nou, wat wilt u precies weten?'
'Ik heb gelezen dat Rufus Harms is veroordeeld voor de moord op een jong meisje, in het legerkamp waar hij destijds was geplaatst.' Ze keek naar de nieuwsberichten die ze had geprint. 'Fort Plessy, bij Savannah, in Georgia.'
'Een moord op een jong, blánk meisje. Hij is een neger, moet u weten.'
'Ja, dat weet ik,' zei Sara kortaf. 'Kent u de naam van de advocaat die hem bij zijn proces heeft vertegenwoordigd?'
'Het was niet echt een proces. Hij heeft schuld bekend. Ik heb destijds de berichtgeving gedaan, omdat Rufus uit onze stad kwam, zoiets als het tegenovergestelde van de plaatselijke jongen die het ver schopt.'
'Dus u kent de naam van zijn advocaat?'

'Nou, die zou ik moeten opzoeken. Geeft u me uw nummer maar, dan zal ik u terugbellen.'

Sara gaf hem haar privé-nummer. 'Als ik niet thuis ben, spreekt u het dan in op mijn antwoordapparaat. Wat kunt u me nog meer vertellen over Rufus en zijn broer?'

'Nou, het opvallendste aan Rufus waren zijn afmetingen. Toen hij veertien was, moet hij al één meter achtentachtig zijn geweest. En hij was niet mager of slungelig, of zo. Hij had toen al het lichaam van een man.'

'Een goede leerling? Een slechte? Met de politie in aanraking geweest?'

'Voorzover ik het me herinner was hij geen goede leerling. Hij heeft de middelbare school niet afgemaakt, maar hij was wel goed met zijn handen. Na zijn schooltijd is hij bij zijn vader gaan werken in een drukkerijtje. Net als zijn broer. Ik herinner me dat de drukpers van mijn krant een keer stuk ging. Ze stuurden Rufus om die te repareren. Hij kan niet ouder dan zestien zijn geweest. Ik gaf hem de handleiding voor de machine, maar die wilde hij niet aannemen. "Daar raak ik van in de war, meneer Barker," zei hij, of iets dergelijks. Hij ging aan de slag en binnen een uur had hij de hele verdomde machine weer aan de gang, zo goed als nieuw.'

'Dat klinkt nogal indrukwekkend.'

'Hij heeft nooit problemen met de politie gehad. Daar zorgde zijn moeder wel voor. U moet goed begrijpen, dit is een klein stadje, we hebben nooit meer dan duizend inwoners gehad en vandaag de dag zijn het er zelfs minder. Ik loop tegen de tachtig en ik ben nog steeds bij de krant. Niemand is hier langer geweest dan ik. De familie Harms woonde natuurlijk in de zwarte wijk van de stad, maar toch kenden we hen. Ik krijg geen kleurlingen over de vloer, maar het leken goede mensen. Zij werkte in de vleesconservenfabriek, zoals bijna iedereen. Als schoonmaakster, niet een van de goedbetaalde baantjes. Maar ze zorgde goed voor haar jongens.'

'Wat is er met hun vader gebeurd?'

'Dat was ook een goede man, hij dronk niet en gaf zich niet over aan uitspattingen, zoals zovelen van hun slag. Hij werkte hard, te hard, want op een dag werd hij niet meer wakker. Hartaanval.'

'U hebt een goed geheugen.'

'Ik heb zijn overlijdensbericht geschreven.'

'En zijn broer?'

'Josh, dat was een heel ander verhaal. In deze contreien noemen we zo iemand een slechte zwarte. Driftig, arrogant, proberend zich beter voor te doen dan hij was. Ik ben niet bevooroordeeld of zoiets en ik sta niet

toe dat in mijn aanwezigheid het woord N wordt gebruikt, maar áls ik dat woord zou gebruiken, zou ik dat doen om Josh Harms te beschrijven. Hij heeft een massa mensen tegen de haren in gestreken.'
'Ik heb gelezen dat hij in Vietnam heeft gevochten en dat hij een oorlogsheld is.'
'Ja, dat klopt,' gaf Barker snel toe. 'Hij was de man uit onze stad die met verreweg de meeste onderscheidingen uit de oorlog is teruggekomen. De mensen waren daar verdomd verbaasd over, laat ik u dat zeggen. Maar hij kon vechten, dat moet ik de man nageven.'
'Is er nog meer?'
'Nou, Josh heeft eindexamen middelbare school gedaan.' Barkers stem veranderde. 'Waar hij echt iedereen verbaasd over liet staan, was sport. Ik heb hier een eenmansbedrijfje en ik verzorg al het nieuws. Josh Harms was de beste pure atleet die ik ooit heb mogen aanschouwen. Blank, zwart, groen of paars, die jongen kon harder lopen, hoger springen en was sterker en sneller dan iedereen. Ik weet dat kleurlingen er in het algemeen goed in zijn, maar Josh was echt iets bijzonders. Hij blonk uit in bijna elke sport die er bestaat. Wist u dat hij nog steeds een stuk of zes records op zijn naam heeft staan?' Trots liet hij erop volgen: 'En u weet dat Alabama heel wat grote atleten kent.'
Sara zuchtte. 'Speelde hij op universiteitsniveau?'
'Nou, hij kreeg een paar beurzen aangeboden, voor football en basketbal. Bear Bryant wilde hem zelfs bij Bama hebben, zo goed was hij. Waarschijnlijk zou hij een ster zijn geworden in de NBA of de NFL. Maar hij raakte op een zijspoor.'
'Hoe kwam dat?'
'Ach, u weet hoe dat gaat. Zijn regering vroeg hem zijn land te verdedigen in de strijd tegen het communisme.'
'Met andere woorden, hij moest in dienst en werd naar Vietnam gestuurd.'
'Zo is het.'
'Is hij daarna naar huis teruggekeerd?'
'O, zeker. Zijn moeder leefde nog, maar dat duurde niet lang meer. Omstreeks die tijd raakte Rufus in de problemen. Ik denk eigenlijk dat Rufus zich als vrijwilliger had aangemeld vanwege Josh. Misschien wilde hij net zo zijn als zijn oudere broer, weet u. Een held. Ik denk dat hij voor de verandering eens iets goed wilde doen in zijn leven. Na de dood van zijn vader was er weinig meer voor hem te doen in deze stad. Natuurlijk had het niet slechter kunnen aflopen. In elk geval, Josh kwam bij me om te vragen of ik iets kon doen. U weet wel, de macht van de pers, maar ik kon niets voor hem doen.'

'Verbaasde het u dat Rufus het meisje had vermoord? Ik bedoel, was hij ooit gewelddadig geweest, voorzover u weet?'
'Ik heb nooit gehoord dat hij iemand had verwond. Hij was echt een vriendelijke reus. Toen ik het hoorde, van dat meisje, kon ik het niet geloven. Als het Josh was geweest, had ik er niet van opgekeken, maar Rufus, nee. Toch waren de bewijzen zo duidelijk als wat.'
'Is Josh daar blijven wonen?'
'Nu vraagt u me naar een bijzonder vervelend aspect van de geschiedenis van deze stad.'
'Wat is dat dan?'
'Dat zeg ik liever niet.'
Sara dacht snel na. Wat was de journalistieke uitdrukking ook weer? 'Het kan *off the record* blijven.'
'O ja?' Barker leek op zijn hoede.
'Absoluut. Het wordt niet gepubliceerd.'
'Ik wil u wel zeggen dat ik dit gesprek op de band opneem. Dus als ik in de een of andere krant lees wat ik u nu ga vertellen, dan zal ik u en uw krant aanklagen, tot op de laatste cent,' zei hij streng. 'Ik ben journalist, ik weet waar ik over praat.'
'Meneer Barker, ik beloof u dat wat u me nu gaat zeggen niet in een artikel zal worden gebruikt.'
'Goed dan. Er is sindsdien al zoveel tijd verstreken, dat ik aanneem dat het er niet meer toe doet, juridisch niet, in elk geval. Maar je kunt op deze oude aarde nooit voorzichtig genoeg zijn.' Hij schraapte zijn keel. 'Nou, het verhaal van wat Rufus had gedaan ging de hele stad rond, er was geen houden aan. Een stelletje jongens zette het op een drinken; ze staken de koppen bij elkaar en besloten iets te doen. Rufus konden ze niets maken, die zat in een militaire gevangenis. Maar de overige leden van de familie Harms die hier nog woonden, dat was iets anders.'
'Wat deden ze?'
'Nou, wat ze deden was het huis van mevrouw Harms tot de grond toe afbranden.'
'Grote hemel! Was ze thuis?'
'Ja, tot Josh haar naar buiten sleurde. En ik zal u eens wat zeggen, Josh ging die jongens achterna. Het werd een flinke knokpartij, in de straten van de stad. Ik zag het vanuit mijn kantoor. Het moeten er minstens tien tegen één zijn geweest, maar Josh heeft de helft van die knapen het ziekenhuis in geslagen, voor de rest hem erg, heel erg toetakelde. Ik had nog nooit zoiets gezien en ik hoop het ook nooit weer mee te maken.'
'Het klinkt bijna als een opstootje. Kwam de politie er niet op af?'
Barker kuchte een beetje verlegen. 'Nou, toevallig ging het gerucht dat

een paar van de jongens die eraan hadden meegedaan, u weet wel, die het huis in brand hadden gestoken...'
'Bij de politie waren,' maakte Sara de zin voor hem af. Barker zei niets.
'Ik hoop dat Josh Harms de stad aansprakelijk heeft gesteld voor al het geld dat er in de gemeentekas zat,' zei ze.
'Nou, om precies te zijn klaagden ze hém aan. Ik bedoel, de jongens die door zijn toedoen in het ziekenhuis waren beland, stelden hem aansprakelijk. Josh kon niets bewijzen wat de brand betrof. Ik bedoel, ik had mijn vermoedens, maar dat was alles. En de politie kwam met het verhaal dat hij zich verzet had tijdens zijn arrestatie. Het was het woord van tien mensen tegen één, en dát was nog van een kleurling. Om kort te gaan, hij moest een tijdje naar de gevangenis en ze namen alles in beslag wat hij en zijn moeder nog hadden, ook al was dat weinig. Kort daarna is ze gestorven. Ik denk dat het haar te veel was geworden, wat er met haar beide jongens was gebeurd.'
Sara moest zich beheersen om niet tegen de man te gaan gillen. 'Meneer Barker, dat is het walgelijkste verhaal dat ik ooit heb gehoord,' zei ze. 'Ik weet niet veel van uw stad, maar ik weet wel dat ik nooit zou willen dat iemand om wie ik iets geef, daar ging wonen.'
'De stad heeft ook zijn goede kanten.'
'O ja? Was dat een welkom voor een oorlogsheld?'
'Ik weet het. Daar heb ik ook over nagedacht. Je vecht voor je land, je wordt beschoten en dan kom je thuis en gebeurt er zoiets. Dan ga je je waarschijnlijk toch afvragen waar je nu eigenlijk voor gevochten hebt.'
'Het klinkt alsof u de waarheid weet. Hebt u destijds de macht van de pers gebruikt?'
Barker slaakte een diepe zucht. 'Dit is altijd mijn thuis geweest, mevrouw Evans, en je kunt degenen die het voor het zeggen hebben niet te vaak beledigen, ook al verdienen ze het. Nu kan ik niet zeggen dat ik een grote vriend ben van zwarten, want dat ben ik niet. En ik zal niet tegen u liegen en zeggen dat ik voor de zaak van Josh Harms heb gestreden, want eerlijk gezegd heb ik dat niet gedaan.'
'Wel, ik denk dat daar voor een deel de taak van de rechtbank ligt: om ervoor te zorgen dat lieden zoals uw stadgenoten mensen als Josh Harms niet zo behandelen. Wilt u me alstublieft terugbellen met de naam van Harms' advocaat?'
Ze legde de hoorn neer. Haar hele lichaam gloeide van woede over wat ze zojuist had gehoord. Maar hoeveel zwarten had zij eigenlijk gekend, toen ze als kind in Carolina woonde? De generaties illegalen die langs de weg zwierven? Of tijdens de oogsttijd, wanneer haar vader parttimers aannam om te helpen? Ze had vanaf de veranda naar die mannen gekeken, terwijl

het zweet de dunne stof van hun hemden doordrenkte en hun huid zo mogelijk nog donkerder werd in de verschroeiende zon. Zij en haar moeder hadden hun limonade en eten gebracht. Ze hadden een bedankje gemompeld, hen nooit rechtstreeks aangekeken, maar hun maaltijd opgegeten om daarna door te zwoegen tot de duisternis inviel. Op Sara's school hadden alleen blanke leerlingen gezeten, ondanks een hele reeks uitspraken van het Hooggerechtshof die integratie eisten. Deze zaken waren de twintigste-eeuwse slagvelden voor rassengelijkheid, die de plaats innamen van Antietam, Gettysburg en Chickamauga uit de vorige eeuw. En sommige van die gevechten waren even nutteloos. Hier aan het Hof was één zwarte rechter, die de zogeheten Thurgood Marshall-zetel innam, en op dit moment bevond zich onder de zesendertig griffiers slechts één zwarte. De meeste rechters hadden nooit een griffier uit een minderheidsgroepering gehad die voor hen werkte. Wat voor boodschap bracht dat over? Van het hoogste gerechtshof van het land?
Terwijl ze haastig de gang door liep, op zoek naar Fiske, vroeg Sara zich af of ze ooit werkelijk achter de waarheid zouden komen. Als het leger de gebroeders Harms het eerst achterhaalde, zou de waarheid wel eens met hen kunnen sterven.

•38•

Fiske stond voor het kantoor van zijn broer. Chandler hield toezicht op de vorderingen van zijn team dat bewijsmateriaal moest verzamelen onder de strakke supervisie van een functionaris van het Hof. Nu er twee griffiers waren vermoord, was de bezorgdheid over de vertrouwelijkheid van de gegevens echter op de achtergrond geraakt en was men er in de eerste plaats op uit om de moordenaar of de moordenaars te vinden. Wanneer ze klaar waren in Michael Fiskes kantoor, zouden ze een deur verder gaan en beginnen in dat van Steven Wright.
Fiske keek naar de deur van het kantoor van zijn broer en vervolgens naar die van Steven Wright. Nadat hij dat nog een paar maal had gedaan, begon een idee in zijn hoofd vorm aan te nemen. Hij liep naar Chandler.
'Waar precies is Wrights lichaam gevonden?'

Chandler sloeg zijn notitieboekje open en begon zijn aantekeningen door te kijken. 'Tussen twee haakjes, ik heb je auto losgekregen van het terrein waar hij naartoe was gesleept. Hij staat nu bij mijn kantoor op een keurige, legale parkeerplaats.'
'Bedankt dat je dat voor me hebt gedaan.'
'Daar hoef je me niet voor te bedanken. Met de kosten van het wegslepen en de boete komt het je toch op zo'n tweehonderd dollar.'
'Tweehonderd dollar? Zo veel geld heb ik niet voor een ellendige parkeerbon.'
'O, nee? Nou, misschien kan ik nog wat invloed uitoefenen, om je een dienst te bewijzen. Maar daar moet wel iets tegenover staan. Er moet nog wat schilderwerk gebeuren aan mijn huis.' Chandler grinnikte en hield op met het doorbladeren van zijn notities. 'Oké, hier hebben we het. Wright woonde ongeveer een straat verwijderd van het station van de ondergrondse aan Eastern Market. Zijn lichaam werd aangetroffen in Garfield Park. Dat ligt tussen F en 2nd Street. Ongeveer zes straten bij het Hof vandaan.'
'Is dat een buurt waar veel misdaden worden gepleegd?'
'In die buurt kan een straat heel aardig zijn, dan sla je de hoek om en is het opeens niet zo aardig meer.'
'Hoe ging Wright meestal van en naar zijn werk?'
'Volgens verscheidene mensen hier kwam hij lopend, of nam een taxi, of zo nu en dan de metro.'
'Ligt dit Garfield Park op zijn weg naar huis?'
Met scheefgehouden hoofd bekeek Chandler zijn aantekeningen. 'Niet echt. Gewoonlijk zou hij linksaf zijn gegaan van 2nd Street naar E, om thuis te komen. Hij zou niet helemaal tot het park zijn gelopen.'
'Had hij misschien een hond? Hij kan eerst naar huis zijn gegaan en dan de hond hebben uitgelaten in het park.'
'Hij had een hond, maar hij is niet thuis geweest. Tenminste, we denken van niet. En als hij zijn hond wilde uitlaten, is Marion Park een stuk dichter bij zijn huis.'
'Dat is vreemd.'
Chandler kneep zijn ogen halfdicht toen hem iets te binnen schoot.
'Marion Park heeft iets wat Garfield Park niet heeft.'
'En dat is?'
'Een politiepost, recht aan de overkant van de straat.'
'Degene die hem heeft vermoord, kan dat hebben geweten.'
'De politiepost is niet bepaald een groot geheim. We willen laten zien dat we er zijn, om misdadigers af te schrikken.'
'Ziet het ernaar uit dat hij in het park werd gedood, of misschien ergens

anders? Dat hij daar later gedumpt is?'
'Er zat bloed op het gras. Geen hulzen, althans die hebben we nog niet gevonden. De schutter heeft waarschijnlijk een geluiddemper gebruikt, tenzij het een lukrake beroving was. Een geluiddemper op een revolver is te lastig. Als hij een halfautomatisch wapen heeft gebruikt, zouden we de huls moeten vinden, tenzij die werd opgeraapt.'
'Zit de kogel nog in het lichaam?'
Chandler knikte. 'Hopelijk vinden we een wapen om ermee te kunnen vergelijken.'
'Na wat er in Mikes appartement is gebeurd, had je misschien iemand bij de flat van Wright moeten laten posten.'
'Tjee, waarom heb ik daar nu niet aan gedacht.'
'Sorry. Enig idee wanneer Wright gisteravond bij het Hof is weggegaan?'
'Dat trekken we nog na. Na werktijd blijft er maar één deur open om in en uit te gaan. Die deur wordt voortdurend bewaakt en wordt om twee uur 's nachts gesloten. Daarna heb je een bewaarder nodig om je eruit te laten. Je kunt ook via de garage vertrekken, maar daar is eveneens bewaking. Maar Wright had geen auto, dus de garage kan buiten beschouwing blijven.'
'Dan moet iemand hem hebben zien weggaan.'
'Mijn mensen ondervragen de bewaarders die vannacht dienst hadden.'
'Heeft dit gebouw geen videocamera's?'
'Je bedoelt in de rechtszaal?' vroeg Chandler glimlachend. 'Het antwoord is ja, maar niet overal en helaas niet aan deze kant van de gang. Maar op dit moment worden de video's bekeken om te zien of er iets op staat waar we wat aan hebben.' Chandler liep nog een keer zijn aantekeningen door. 'Op dat tijdstip, midden in de nacht, zou de enige activiteit op deze verdieping van een griffier afkomstig kunnen zijn die nog laat aan het werk was.'
'Is er iets in Wrights verleden wat ons zou kunnen helpen?'
Chandler schudde zijn hoofd. 'Tot dusver hebben we geen rare dingen gevonden. Het zal moeilijk worden om voor deze moord een motief te vinden.'
'Zijn portefeuille was weg?'
'Ja, daar heb ik ook aan gedacht. Een beetje te gemakkelijk.'
'Alsof iemand ons wilde laten geloven dat beide moorden met elkaar in verband staan?'
'Weet je, het zou iemand kunnen zijn die een wrok koestert tegen het Hof.'
'Ik geloof dat de moorden met elkaar in verband staan, maar niet van-

wege de redenen die iedereen waarschijnlijk aanneemt,' zei Fiske.
'Wat bedoel je daarmee?'
'Als Mike vermoord werd om een reden waarvan iemand niet wil dat we erachter komen, dan zou het vermoorden van een tweede griffier en het er laten uitzien of er verband bestaat, een prima manier zijn om onze aandacht af te leiden.'
Chandler keek verbaasd. 'Wat is dan de echte reden dat iemand je broer heeft vermoord en probeert om het motief onbekend te laten blijven?'
Fiske aarzelde opnieuw. Het gestolen verzoekschrift begon hem zwaar op de maag te liggen. 'Ik weet het niet, maar ik geloof dat ik er een idee van heb waarom Wright werd gedood.'
'Niet als afleidingsmanoeuvre?'
'Laten we zeggen dat zijn dood een tweeledig doel kan hebben gediend.'
Op dat moment voegde Sara zich bij hen, haar uiterste best doend haar opwinding te verbergen.
'John, kunnen we even praten?'
'Mevrouw Evans,' zei Chandler met een brede glimlach, 'ik hoop dat uw rit naar Richmond aangenaam en zonder problemen is verlopen.'
'Laten we zeggen dat het weer eens iets anders was,' zei ze snel. 'John, ik moet echt met je praten.'
'Kan ik straks terugkomen, Buford?'
'Ja, dan kun je me over je theorie vertellen.'
Toen het tweetal wegliep, vervaagde Chandlers lach. Hij vroeg zich af of hij zojuist zijn 'onofficiële' partner was kwijtgeraakt aan Sara Evans.

Enkele minuten nadat Sara uit haar kamer was weggegaan, was rechter Knight langsgekomen om met haar te spreken. Ze begon een briefje te schrijven, toen ze de memorie van de zaak-Chance zag, met het briefje dat Wright eraan had bevestigd. Ze ging in Sara's stoel zitten om het te lezen. Toen ze ermee klaar was, drong plotseling tot Knight door wat ze had gedaan. Ze had Wright opgedragen over te werken, de hele nacht, als het nodig mocht zijn. Dat had hij gedaan, hij was laat uit het gebouw weggegaan en iemand had hem vermoord. Haar dierbare memorie. Ze had de gebeurtenissen nog niet van die kant bekeken. Haar longen bliezen zoveel lucht uit, dat ze er bijna in stikte. Ze legde de memorie neer en haastte zich de kamer uit.
Ze holde langs haar verbaasde medewerkers en sloot de deur van haar kamer achter zich. Ze keek het ruime, mooie vertrek rond, dat zelfs een open haard bevatte. Hier zat ze en bedacht haar strategietjes, haar levensfilosofie. En dat had een jongeman het leven gekost. Ze schopte

haar pumps uit, zakte in een hoek op een stoel neer, sloeg haar handen voor haar gezicht en begon te huilen.

•39•

Terug in haar kamer gebruikte Sara het volgende halfuur om Fiske op de hoogte te brengen van alles wat ze had ontdekt. 'Wanneer Barker terugbelt met de naam van de advocaat, kunnen we met hem gaan praten en misschien komen we dan echt ergens.'

'Dat zou mooi zijn.'

'Geloof jij dat Michael naar de gevangenis is gegaan om Harms op te zoeken?'

'Dat de man is ontsnapt, maakt de zaak wel gecompliceerd.'

Sara kreeg plotseling een angstig vermoeden. 'Je denkt toch niet dat Michael daar iets mee te maken had, of wel?'

'Mijn broer zou nooit iets onwettigs doen.'

'Ik bedoel niet opzettelijk.'

'Volgens de krantenberichten is Harms uit een ziekenhuis in Roanoke ontsnapt nádat Mikes lichaam werd gevonden. Maar ik zeg niet dat het een toevallige samenloop van omstandigheden is.'

'Heb jij nog briljante gevolgtrekkingen?'

'Ik denk dat ik weet waarom Steven Wright is vermoord.'

'Waarom? Omdat hij iets af wist van Harms? Van wat Michael had gedaan?'

'Nee. Hij werd vermoord omdat hij iets had gezien. Iets wat hij niet had mogen zien.'

Sara schoof haar stoel dichter bij die van John. 'Hoe bedoel je?'

'Wrights kamer, jouw vorige kantoor, ligt aan de gang, vlak naast dat van Mike. Wright zou de hele nacht blijven werken.'

Sara zakte onderuit op haar stoel. 'Ja. Omdat ik tegen hem had gezegd dat hij het moest.'

'Nee, omdat Knight tegen jou had gezegd dat je het hem moest opdragen. Nou, zijn lichaam werd gevonden in een park, dat niet op de weg naar zijn huis ligt. Chandler heeft me verteld dat Wright tussen middernacht en twee uur is gedood. Als hij de hele nacht hier zou doorwerken,

wat deed hij dan in dat park?'
'Denk je dat iemand hem heeft meegenomen en hem daar heeft vermoord?'
'Om precies te zijn, dat iemand hem uit het gebouw van het Hof heeft meegelokt naar het park, om hem daar te doden.'
Sara's mond viel open. 'Je bedoelt dat de moordenaar hier was?'
Fiske knikte. 'Ik weet niet of het iemand is die hier werkt, maar ik geloof dat hij hier gisteravond aanwezig was.'
'Wat kan Steven dan hebben gezien dat zo belangrijk was dat het hem het leven kostte?'
'Ik denk dat hij iemand Mikes kamer heeft zien binnengaan. Gisteren hoorde Wright Chandler zeggen dat het kantoor verboden terrein was voor iedereen. De onbekende die Mikes kamer is binnengegaan, kan niet geweten hebben dat Wright op zijn eigen kamer zat te werken. Ik neem aan dat je het niet rondbazuint wanneer je overwerkt.'
'We weten het vaak zelf niet tot op het laatste moment, zoals dat ook gisteren het geval was.'
'Juist. Dus, iemand loopt het kantoor binnen, op zoek naar iets...'
'Zoals?'
'Wie weet. Kopieën van het verzoekschrift dat Mike had meegenomen. Telefonische boodschappen, iets in zijn computer.'
'Dat is anders wel een verschrikkelijk groot risico. Er is vierentwintig uur per dag bewaking in het gebouw aanwezig.'
'Als die persoon wist dat de politie de volgende dag de kamer grondig zou doorzoeken, had hij maar heel weinig tijd.'
'Daar zit iets in.'
'Dus Wright hoort iets, of hij is klaar met zijn memorie, hij loopt de deur uit en botst tegen wie het dan ook was op.'
'Als je theorie klopt, denk je dan dat Steven degene kende die hem heeft vermoord?'
Fiske haalde diep adem en leunde achterover. 'Volgens mij moet dat wel. Anders zou hij meteen alarm hebben geslagen. En ik heb gezien dat Perkins de deur van Mikes kantoor afsloot. Er is geen spoor van braak. De indringer had een sleutel.'
'Maar dan moet iemand toch iets hebben gezien.'
'Dat hoeft niet. Als de moordenaar op de hoogte is van de indeling van het gebouw, dan wist hij ook een manier om te vermijden dat hij samen met Wright werd gezien, tot ze het gebouw uit waren.'
'Dan kan het iemand zijn geweest die hij vertrouwde.'
Fiske keek haar aan. 'Een van de rechters bijvoorbeeld?'
Ontzet staarde Sara terug. 'Ik ben bereid veel aan te nemen, maar dat

niet.' Opeens kreeg ze een inval. 'Misschien was het McKenna? Steven zou hem hebben vertrouwd, omdat hij van de FBI is.'
'Waarom zou McKenna hierbij betrokken zijn?'
'Ik weet het niet. Hij was de eerste die bij me opkwam.'
'Omdat hij niet aan het Hof is verbonden en omdat hij me heeft neergeslagen?'
Sara zuchtte. 'Waarschijnlijk.' Toen schoot haar iets te binnen en ze rommelde tussen de papieren op haar bureau tot ze had gevonden wat ze zocht. 'Ik kan je vertellen hoe laat Steven ongeveer is weggegaan.' Ze pakte de memorie dat Wright voor haar had neergelegd. Boven aan het briefje waren datum en tijd gestempeld. Sara draaide de papieren om zodat Fiske het kon zien.
'Het tekstverwerkingsprogramma zet automatisch datum en tijd op documenten, omdat er zoveel ontwerpen door onze handen gaan. Op die manier kunnen we snel zien wat urgent is en wat niet.'
Fiske keek naar de tijd. 'Dit werd vannacht om kwart over één geprint.'
'Precies. Steven was klaar met de memorie, printte hem en legde het op mijn bureau. Daarna is hij vermoedelijk weggegaan.'
'Toen zag hij iets, wat het dan ook was.'
Opeens keek Sara peinzend. 'Wacht eens even. Hier klopt iets niet. Wanneer een griffier tot diep in de nacht blijft werken, is het meestal zo dat een van de politiemensen van het Hof je met de auto thuisbrengt, als je in de buurt woont.' Ze keek Fiske aan. 'De politie hier is altijd erg aardig voor ons.'
'Om kwart over één rijdt de metro niet meer, of wel?'
'Nee. Bovendien woonde Steven maar vijf minuten rijden met de auto hiervandaan. Hij is wel vaker thuisgebracht.'
'Dus er bestaat een heel grote kans dat Wright is thuisgebracht door iemand van het Hof?'
'Als hij hier om kwart over één 's nachts is weggegaan, kun je dat rustig aannemen.'
'Kan hij een taxi genomen hebben? Misschien waren er op dat tijdstip niet genoeg bewaarders en kon er niemand worden gemist.'
Sara keek weifelend. 'Dat zou kunnen.'
'Als een van de politiemensen hem heeft thuisgebracht, moet dat gemakkelijk zijn na te gaan. Ik zal het tegen Chandler zeggen.'
'Dus, hoe ver zijn we nu?'
Fiske haalde zijn schouders op. 'We moeten de militaire gegevens van Harms inzien. Er zit een oude vriend van me bij het JAG. Ik zal hem bellen om te vragen of hij kan helpen de zaak te versnellen. Tot we weten wie hier allemaal bij betrokken zijn, wil ik dat zo weinig mogelijk men-

sen weten dat wij aan het rondneuzen zijn.'
Sara huiverde en sloeg haar armen om zich heen.
'Zal ik je eens wat zeggen?' zei ze. 'Ik begin bang te worden voor wat de waarheid zou kunnen zijn.'

•40•

Terwijl Sara weer aan het werk ging, belde Fiske zijn vriend Phil Jansen, die jurist was bij het JAG, en deed zijn verzoek. Hij vroeg Jansen onder meer om een lijst van het personeel dat in Fort Plessy was gestationeerd gedurende de tijd dat Rufus Harms daar gevangenzat.
Daarna ging Fiske weer naar Chandler en legde hem zijn theorie voor over de reden waarom Steven Wright was vermoord. Chandler was onder de indruk. 'We zullen ook navraag doen bij de taxiondernemingen. En dan maar hopen dat iemand iets heeft gezien of gehoord.'
Chandler keek de jongeman strak aan. 'Heb je gisteren tijdens je samenzijn met mevrouw Evans nog iets interessants ontdekt?'
'Ik denk dat het een prima vrouw is. Een beetje impulsief, maar goed. Heel intelligent.'
'Nog iets anders? Tijdens onze eerste bespreking zei Ramsey dat zij en je broer nauw met elkaar bevriend waren. Kende zij een reden waarom hij vermoord zou kunnen zijn?'
'Dat moet je haar zelf maar vragen.'
'Ik vraag het jou, John. Ik dacht dat we een team vormden.' Hij ging dichter bij Fiske staan. 'Er zijn veel te veel dingen die ik niet begrijp aan de voorkant van deze zaak, zonder dat ik ook nog eens in de gaten kan houden wat er achter mijn rug gebeurt. Jij bent bij de politie geweest, je zou toch moeten begrijpen hoe belangrijk rugdekking is.'
Fiske zei nijdig: 'Ik heb nog nooit een partner laten vallen.'
'Ik ben blij dat te horen. Vertel dan eens wat meer over gisteravond.'
Fiske wendde zijn blik af, terwijl hij erover nadacht hoe hij dit het best kon aanpakken. Informatie achterhouden was niet de beste manier. Maar hoe kon hij Chandler inlichten en tegelijkertijd vermijden Sara's leven en de reputatie van zijn broer te verwoesten?
'Kunnen we hier ergens een kop koffie krijgen?'

'In de cafetaria. Ik betaal.'
Een paar minuten later zaten ze in de cafetaria op de begane grond. De middagzitting van het Hof was bezig en als gevolg daarvan was de cafetaria vrijwel leeg.
Fiske dronk van zijn koffie, terwijl Chandler hem zat aan te kijken.
'John, zo erg kan het niet zijn, tenzij je me wilt vertellen dat jij degene bent die rondloopt om mensen te vermoorden.'
'Buford, als ik je iets vertel, dan heb je toch heel specifieke regels over wat je met die informatie doet en wie er nog meer van op de hoogte wordt gesteld?'
'Dat is waar. En die regels weerhouden je ervan om je hart te luchten?'
'Wat denk je?'
'Ik denk dat we het over veronderstellingen moeten hebben, oké? Het is mijn taak feiten te verzamelen en die feiten te gebruiken om uiteindelijk iemand te arresteren voor een misdaad die hij heeft begaan. Als we het niet over feiten hebben, maar over theorieën – zoals jouw theorie over de reden waarom Steven Wright werd vermoord –, dan kan ik daar iets mee doen, maar ik ben niet verplicht die aan iemand anders te vertellen, tenzij de theorie juist blijkt door de ontdekking van feiten die haar ondersteunen.'
'Dus we kunnen het theoretisch bespreken en dan blijft het onder ons?'
Chandler schudde zijn hoofd. 'Ik kan niet beloven dat het onder ons blíjft. Niet wanneer het een feit wordt.'
Fiske staarde naar zijn koffiekopje. Omdat Chandler voelde dat hij hem kwijtraakte, tikte hij met zijn lepeltje tegen Fiskes kopje.
'John, het voornaamste is dat we erachter komen wie je broer en Steven Wright heeft vermoord. Ik dacht dat je dat wilde.'
'Dat is ook zo. Het is het enige wat ik wil.'
O ja? Plotseling betwijfelde Chandler het. 'Wat is het probleem dan?'
'Het probleem is dat je mensen kunt kwetsen op hetzelfde moment dat je hen probeert te helpen.'
'Je broer? Of nog iemand anders?'
Fiske wist dat hij al te veel had gezegd. Hij besloot tot de aanval over te gaan.
'Oké, Buford, laten we het eens even over de theorie hebben. Laten we aannemen dat iemand van het Hof een verzoekschrift meenam vóór het in de administratie van het Hof werd opgenomen.'
'Waarom en hoe?'
'Het hoe is nogal eenvoudig. Het waarom niet.'
'Goed. Ga door.'
'Laten we veronderstellen dat iemand anders van het Hof het verzoek-

schrift zag, ontdekte dat het niet was geregistreerd, maar er niets over zei.'
'Ik neem aan dat het waarom in dat geval ook gecompliceerd is?'
'Misschien niet. Laten we voorts aannemen dat degene die het verzoekschrift wegnam, daar een goede reden voor had. En dat die persoon ergens naartoe ging, om degene die het verzoek had ingediend, op te zoeken.'
'De twaalfhonderd kilometer op de teller van Michaels auto?'
Fiske keek de rechercheur nietszeggend aan. 'Dat is een feit, Buford. Ik heb het nu niet over feiten.'
Chandler nam een slok van zijn koffie. 'Ga door.'
'Laten we verder veronderstellen dat degene die het verzoek heeft ingediend, een gevangene is.'
'Is dat een feit, of pure speculatie?'
'Ik ben niet bereid dat te zeggen.'
'Nou, ik ben bereid het te vragen. Waar is die gevangene?'
'Ik weet het niet.'
'Hoezo, "ik weet het niet"? Als hij een gevangene is, moet hij toch ergens in een gevangenis zitten, of niet?'
'Dat hoeft niet.'
'Wat betekent dat verd...' Chandler deed abrupt zijn mond dicht en staarde Fiske over de tafel heen aan. 'Wil je daarmee zeggen dat deze persoon uit de gevangenis is ontsnapt?' Fiske gaf geen antwoord. 'Ga me nu alsjeblieft niet vertellen dat je broer helemaal ondersteboven raakte van de smeekbede om hulp van een of andere gevangene, dat hij naar die gevangenis is gegaan, hem heeft helpen ontsnappen en dat de vent hem vervolgens heeft vermoord. Verdomme, vertel me dat alsjeblieft niet.' In zijn agitatie begon Chandler luider te spreken.
'Dat zeg ik niet. Dat is niet gebeurd.'
'Dat verzoekschrift, weet je wat erin staat?'
Ze waren nu al veel verder gegaan dan theorieën, wist Fiske. Hij schudde zijn hoofd. 'Ik heb het nooit gezien.'
'Hoe weet je dan dat het bestaat?'
'Buford, op die vraag kan ik je geen antwoord geven.'
'John, ik kan je dwingen die vraag te beantwoorden.'
'Dat moet je dan maar doen.'
'Je weet dat je een groot risico neemt.'
'Ik weet het.' Fiske dronk zijn kopje leeg en stond op. 'Ik neem een taxi om mijn auto op te halen.'
'Ik breng je wel. Er zijn nog andere zaken waar ik aan werk, zelfs al is deze de enige waar de wereld zich op dit moment druk om maakt.'

'Ik geloof dat het voor ons allebei beter zou zijn als je me niet wegbracht.'
Chandler tuitte zijn lippen. 'Zoals je wilt. Je auto staat op het parkeerterrein aan de achterkant. De sleutels liggen op de voorstoel.'
'Bedankt.'
Chandler keek Fiske na toen deze de cafetaria uit liep. 'Ik hoop dat ze het waard is, John,' zei de rechercheur zacht.

Chandler had een paar van zijn eigen onderzoeken verder doorgevoerd en toen hij op kantoor terugkwam trof hij een stapel papieren aan op zijn bureau. Een standaardprocedure in het onderzoek was geweest om Michael Fiskes telefoongesprekken, zowel die van kantoor als privé, van de afgelopen maand na te gaan. De massa papier bevatte het resultaat. Het gesprek naar zijn broer zat erbij. Andere met familieleden. Een stuk of tien met een telefoonnummer dat was geïdentificeerd als dat van Sara Evans. Dat was interessant, dacht hij. Waren de gebroeders Fiske beiden verliefd geworden op dezelfde vrouw? Toen Chandler het eind van de lijst naderde, versnelde zijn hartslag. Na al die jaren bij de politie gebeurde dat niet dikwijls meer. Michael Fiske had verscheidene malen getelefoneerd met Fort Jackson in Zuidwest-Virginia. Het laatste gesprek was slechts drie dagen voor de ontdekking van zijn lichaam gevoerd. In Fort Jackson, wist Chandler, was een militaire gevangenis ondergebracht. En dat was nog niet alles. Chandler zocht tussen de stapels op zijn bureau tot hij had gevonden wat hij zocht. De telex waarin om assistentie bij de opsporing van de man was verzocht, was naar alle uithoeken van het land verstuurd. Toen hij die eerder had gezien, had Chandler er weinig aandacht aan geschonken.
Nu bekeek hij nauwlettend de foto van Rufus Harms. Hij pakte de telefoon en voerde snel een gesprek. Chandler had aanvullende informatie nodig en die kreeg hij binnen een minuut. Fort Jackson bevond zich op ruwweg zeshonderd kilometer van Washington, D.C. Was Harms degene geweest die het verzoek had ingediend waarover John Fiske had gesproken? En als dat zo was, waarom had Michael, volgens Fiskes 'theorie', het dan meegenomen?
Chandler keek weer naar de lijst met telefoongesprekken. Zijn ogen dwaalden over een nummer zonder dat het tot hem doordrong, misschien omdat het van een of ander advocatenkantoor was; er stonden verscheidene van dat soort gesprekken op de lijst. Maar de naam Sam Rider zou de rechercheur niets gezegd hebben, zelfs als hij die er om de een of andere reden uit had gepikt. Chandler legde de lijst neer. Hij overwoog Fiske en Sara bij zich te laten komen en hen te dwingen te

vertellen waar ze mee bezig waren. Maar het instinct dat hij in meer dan dertig jaar had opgebouwd, voorkwam dit, door duidelijk te waarschuwen: je kunt niemand vertrouwen.

'Toe nou, John,' smeekte Sara. Ze zaten in haar kantoor, de werkdag was bijna ten einde.
'Sara, ik ken rechter Wilkinson niet eens.'
'Begrijp je het dan niet? Als iemand van het Hof hierbij is betrokken, zou dit een perfecte gelegenheid zijn om wat informatie los te krijgen, omdat vrijwel iedereen die bij het Hof werkt, er zal zijn.'
Fiske wilde nogmaals protesteren, maar hij bedacht zich. Over zijn kin wrijvend zei hij: 'Hoe laat begint het?'
'Om halfacht. Tussen twee haakjes, heb je al iets gehoord van je vriend bij het JAG?'
'Ja. Er zijn zelfs twee dossiers die kunnen worden opgevraagd. De militaire gegevens van Harms, die niet alleen zijn staat van dienst bevatten, maar ook evaluaties, persoonlijke informatie, zijn dienstcontract, salaris en zijn medische gegevens. Het tweede dossier, dat van de processen voor de krijgsraad, bevindt zich in Fort Jackson. De stukken van zijn advocaat zouden echter bewaard moeten zijn op het JAG-kantoor dat de verdediging van Harms behandelde. Als ze het al die jaren hebben bewaard. Jansen is ernaar op zoek. Hij zal opsturen wat hij kan.'
Terwijl Sara haar spullen bij elkaar begon te zoeken om te vertrekken, bleef Fiske zitten. 'Dus wat kun je me vertellen over de Knights? Over hun beider verleden en zo?'
'Hoezo?'
'Nou, we gaan naar een feestje waar zij gastheer en -vrouw zijn. Zij is een heel belangrijk iemand aan het Hof en hij is een vip in zijn vakgebied. Dat maakt ze tot onderdeel van ons onderzoek, vind je niet?'
'Jij weet waarschijnlijk meer over het verleden van Jordan Knight dan ik. Hij komt tenslotte uit jouw geboorteplaats.'
Fiske haalde zijn schouders op. 'Dat is waar. Jordan Knight is een bekende zakenman in Richmond. Tenminste, dat was hij, tot hij in de politiek ging. Hij heeft veel geld verdiend.'
'En veel vijanden gemaakt?'
'Nee, dat geloof ik niet. Hij heeft veel voor Virginia gedaan. Bovendien is hij een rustige, aardige vent.'
'Wat een vreemde combinatie met Elizabeth Knight.'
'Ik kan me voorstellen dat zij een paar ego's heeft gekwetst terwijl ze opklom.'
'Meer dan een paar. Dat hoorde bij het afbakenen van het territorium.

Ze was een keiharde ambtenaar van het openbaar ministerie die een nog hardere rechter werd. Iedereen wist dat ze werd voorbereid op een zetel bij het Hof. Ze is de zwevende stem bij de meeste belangrijke zaken, en Ramsey wordt daar gek van. Ik weet zeker dat hij haar daarom zo behandelt. Meestal pakt hij haar met fluwelen handschoenen aan, maar af en toe kan hij haar behoorlijk dwarszitten.'

Fiske herinnerde zich de confrontatie tussen de beide rechters tijdens de bespreking. Dus dat zat erachter.

'Hoe goed ken je de andere rechters? Je schijnt hen goed genoeg te kennen om te geloven dat ze niet tot een moord in staat zijn.'

Sara haalde haar schouders op. 'Zoals in elke grote organisatie, ken ik ze voornamelijk oppervlakkig.'

'Wat is Ramseys achtergrond?'

'Hij is de president bij het hoogste gerechtshof van het land en dat weet je niet?'

'Doe me een lol.'

'Hij was bijzitter voor hij ongeveer tien jaar geleden in de toppositie werd gemanoeuvreerd.'

'Iets ongewoons in zijn verleden?'

'Hij was in militaire dienst. De landmacht, of misschien de mariniers.' Ze ving Fiskes gedachte op. 'Daar hoef je niet aan te denken, John. Ramsey is er de man niet naar om mensen te vermoorden. Behalve dat weet ik niets anders dan wat in zijn officiële biografie staat.'

'Ik zou denken dat je alles over de andere rechters zou weten, uit gesprekken met de griffiers.'

'De griffiers van een bepaalde rechter hebben de neiging tot op zekere hoogte aan elkaar te klitten, hoewel er elke donderdagmiddag een happy hour is, waar we allemaal bij elkaar komen. Zo nu en dan neemt de griffier van een bepaalde rechter een collega van een andere rechter mee uit lunchen, om elkaar beter te leren kennen. Voor het overige is elke kamer een tamelijk zelfstandig opererende eenheid...' ze wachtte even, 'afgezien van het beroemde netwerk van de griffiers.'

'Mike zei iets dergelijks tegen me, toen hij pas bij het Hof was.'

Sara glimlachte. 'Ja, dat zal wel. De griffiers zijn de spreekbuizen voor hun rechters. We laten voortdurend proefballonnetjes op om af te tasten hoe een rechter over een bepaalde zaak denkt. Zo heeft Michael me bijvoorbeeld gevraagd wat Knight nodig had voor een meerderheid om hetzelfde te stemmen als Murphy.'

'Als Murphy toch al het meerderheidsstandpunt schrijft, waarom moet hij dan nog op andere stemmen jagen?'

'Je tast echt in het duister, wat ons werk betreft.'

'Ik ben maar een simpele plattelandsjurist.'
'Oké, meneer de simpele plattelandsjurist, het is een feit dat ik, als ik elke keer tien dollar zou krijgen wanneer een meerderheidstandpunt uitliep op een gebrek aan overeenstemming omdat er onvoldoende steun voor was, nu rijk zou zijn. Het is de kunst om een standpunt op te stellen dat vijf stemmen krijgt. En natuurlijk laat de oppositie het er niet bij zitten. Er kunnen tegelijkertijd een of meer afwijkende standpunten circuleren. Het gebruiken van *dissenting opinions*, ofwel minderheidsstandpunten, of zelfs alleen maar het dreigen ermee, is een kunst op zich.'
Fiske keek haar vragend aan. 'Ik dacht dat degenen met een afwijkende mening tot de verliezende partij behoorden. Welk voordeel hebben ze er dan bij?'
'Laten we aannemen dat een rechter het er niet mee eens is hoe een meerderheidsstandpunt zich ontwikkelt, dan kan hij óf een ontwerp van een vernietigbare afwijkende mening laten circuleren waardoor het hele Hof een slechte indruk zou maken als die wordt gepubliceerd, óf het meerderheidsstandpunt onderbieden. Beter nog, en eenvoudiger, de rechter zal laten uitlekken dat hij van plan is om zo'n afwijkende mening te schrijven, tenzij het meerderheidsstandpunt wordt teruggedraaid. Ze doen het allemaal. Ramsey, Knight, Murphy. Ze vechten ervoor met hand en tand.'
Fiske schudde zijn hoofd. 'Het is net zoiets als een lange, politieke campagne, steeds maar weer jagen op stemmen. De legale versie van handjeklap. Je geeft míj dit, dan krijg je mijn stem.'
'Je moet ook weten wanneer je zo'n gevecht kunt voeren. Het Hof gaat niet lichtvaardig voorbij aan zijn eigen jurisprudentie, dus je moet strategisch denken. Je zou een zaak uit het verleden kunnen gebruiken om de basis te leggen, zodat je in de verre toekomst jurisprudentie die je niet bevalt, kunt omzeilen. Zo gaat het ook bij het kiezen van een zaak. De rechters zijn altijd op zoek naar precies díe zaak die ze kunnen gebruiken als werktuig om een precedent dat hun niet aanstaat, te veranderen. Het is een soort schaakspel.'
'Laten we hopen dat er één ding niet verloren gaat bij al die spelletjes.'
'En dat is?'
'Gerechtigheid. Misschien is Rufus Harms daarnaar op zoek. Heeft hij daarom zijn verzoek ingediend? Geloof jij dat hij hier gerechtigheid kan vinden?'
Sara sloeg haar ogen neer. 'Ik weet het niet. Het feit ligt er nu eenmaal dat de individuele partijen die op dit niveau bij de zaken zijn betrokken, niet van belang zijn. De jurisprudentie, die door hun zaken wordt

gevestigd, daar draait het om. Het hangt er allemaal van af wat hij vraagt. Hoe dat anderen kan beïnvloeden.'
'Ik ben heel wat wijzer geworden.' Hoofdschuddend keek hij haar doordringend aan. 'Een verdomd interessante instelling, dat Hooggerechtshof.'
'Dus je gaat mee naar het diner?'
'Ik zou het niet willen missen.'

•41•

Josh Harms nam aan dat de politie nu de kleinere wegen zou controleren, dus hij had een ongewone tactiek gevolgd en de snelweg genomen. Het begon echter te schemeren en zolang ze de raampjes dichthielden, waren ze veilig; de inzittenden van een politieauto zouden moeilijk naar binnen kunnen kijken. Ondanks al zijn voorzorgsmaatregelen wist hij echter dat ze op weg waren naar een ramp.
Gek, dacht hij, dat zijn broer, na de hel die hij had doorgemaakt, er toch aan dacht om te doen wat juist was, zelfs al liep hij het risico te sterven, de vrijheid weer kwijt te raken die hem om te beginnen nooit had mogen worden ontnomen. Hij had het gevoel dat hij Rufus in één adem zowel zou kunnen vervloeken als prijzen. Josh had geen gecompliceerde kijk op het leven, het was hij tegen alle anderen. Hij zocht de problemen niet op, maar hij reageerde wel snel wanneer iemand probeerde hem een kunstje te flikken. Hij wist dat het een wonder was dat hij het zo lang had uitgehouden.
Toch moest je iemand als Rufus bewonderen, die zich tegen dat alles kon blijven verzetten, tegen mensen die de wereld geen jota wilden zien veranderen omdat zij aan de top stonden. Misschien zál de waarheid je bevrijden, Rufus, zei hij bij zichzelf. Opeens zag hij uit zijn ooghoek iets in de achteruitkijkspiegel van de pick-up. Met zijn ene hand pakte hij zijn pistool.
'Rufus,' riep hij naar achteren door het open raampje van de caravan, 'we hebben een probleem.'
Rufus' gezicht verscheen voor het raampje. 'Wat is er?'
'Hou je hoofd omlaag. Omlaag!' waarschuwde Josh. Hij keek weer naar

de politieauto, die hardnekkig in de zijspiegel zichtbaar bleef. 'Een patrouillewagen heeft ons twee keer ingehaald en hangt nu achter ons.'
'Rij je te hard?'
'Vijf kilometer langzamer dan het hier mag.'
'Iets mis met de auto? Achterlicht kapot?'
'Zo stom ben ik niet. De auto is oké.'
'Wat willen ze dan?'
'Hoor eens, Rufus, dat jij al die jaren in de gevangenis hebt gezeten, betekent niet dat de wereld veranderd is. Ik ben een zwarte, die 's avonds laat op de snelweg rijdt in een auto die er behoorlijk uitziet. De politie denkt dat ik hem gestolen heb, of dat ik drugs vervoer. Shit, zelfs naar de winkel gaan om melk te kopen kan een avontuur betekenen.' Hij keek weer in het spiegeltje. 'Het lijkt erop dat ze op het punt staan om het zwaailicht aan te zetten.'
'Wat moeten we doen? Ik kan me hier niet verstoppen.'
Josh hield zijn ogen niet van de spiegel af, terwijl hij zijn pistool onder zijn stoel schoof. 'Ja, hij kan nu elk moment dat licht aanzetten en dan krijgen we gedonder. Ga op de vloer liggen en trek dat zeil over je heen, Rufus. Nu.' Josh trok zijn honkbalpet laag over zijn gezicht, zodat alleen het witte haar bij zijn slapen te zien bleef. Hij stak zijn kin naar voren en duwde zijn onderlip naar voren, om de indruk te wekken dat hij geen tanden had. Hij stak zijn hand uit, klapte het handschoenenkastje open om er een pakje kauwgum uit te halen en stak een grote prop in zijn mond, zodat zijn wang opbolde. Daarna liet hij zijn forse gestalte ineenzakken. Hij draaide het raampje omlaag en stak zijn arm naar buiten. Met langzame, zwaaiende bewegingen gaf hij de politieauto een teken om in de berm stil te houden. Josh reed de auto van de weg af en stopte. De politieauto kwam snel achter de truck tot stilstand; de lichtbak op het dak verspreidde een afschrikwekkend, dreigend blauw licht in de duisternis.
Josh bleef in de auto zitten wachten. Laat die jongens in hun blauwe uniform maar naar je toe komen. Geen haastige bewegingen. Hij kromp ineen toen het zoeklicht van de politieauto in de achteruitkijkspiegel scheen. Een bekende politietactiek om je te desoriënteren. Josh hoorde de steentjes onder de laarzen knarsen. Hij stelde zich voor hoe de agent hem naderde, met zijn hand aan zijn pistool en zijn ogen op het portier gericht.
In het verleden had de politie hem drie keer tot stoppen gedwongen. Dan hoorde Josh glasgerinkel, wanneer de gummistok toevallig een achterlicht raakte, met als gevolg dat hij een bekeuring kreeg omdat zijn auto niet in orde was. Het werd gewoon gedaan om hem te treiteren,

om te zien of hij iets zou doen waardoor hij een tijdje in de gevangenis zou belanden. Het had nooit gewerkt.
Ja meneer, nee meneer, meneer de agent, meneer, ook al had hij de man het liefst bewusteloos geslagen.
Ze hadden tenminste nooit drugs in zijn auto verstopt om vervolgens te proberen hem daarop te pakken. Verscheidene maten van hem zaten nu in de bak, nadat ze op die manier erin waren geluisd.
'Ga ertegen in,' had zijn ex-vrouw Louise altijd gezegd.
'Waartegen?' had hij dan nijdig teruggezegd. 'Ik kan net zo goed tegen God vechten, daar schiet ik evenmin iets mee op.'
Toen de voetstappen stilhielden, keek Josh uit het raampje.
De agent keek terug. Josh zag dat hij van Latijns-Amerikaanse afkomst was.
'Wat is er aan de hand, meneer?' vroeg de agent.
Terwijl het kauwgum zijn wang met elke lettergreep liet opbollen, zei Josh: 'Ik moet naar Luzzana.' Hij wees naar de weg. 'Is dit de goeie kant op?'
Verbaasd sloeg de agent zijn armen over elkaar. 'Waar wilde u ook weer naartoe?'
'Luzzana. Bat' Rouge.'
'Baton Rouge, Louisiana?' De agent begon te lachen. 'Daar zit u nog een heel eind vandaan.'
Josh krabbelde aan zijn hals en keek om zich heen. 'Mijn kinderen daar hebben hun papa al een hele tijd niet meer gezien.'
Het gezicht van de agent werd ernstig. 'Zo.'
'Een man zei dat ik er kon komen via deze weg.'
'Nou, dan heeft die man dat niet goed gezegd.'
'O. Weet u dan hoe ik er kom?'
'Ja, u kunt me volgen, maar ik kan niet de hele weg voor u uit rijden.'
Josh bleef de agent aanstaren. 'Mijn kinderen zijn braaf geweest. Ze willen hun papa zien. Kunt u me helpen?'
'Oké, moet u eens luisteren. We zijn vlak bij de afslag die u moet nemen om in de goede richting te komen. Tot daar rijdt u achter me aan en dan moet u het verder zelf uitzoeken. U kunt daar stoppen en het aan iemand anders vragen. Wat vind u daarvan?'
'Goed.' Josh tikte tegen de klep van zijn pet.
De agent stond op het punt naar de politieauto terug te lopen, toen hij naar de caravan keek. Hij scheen met zijn lantaarn door het zijraampje en zag de stapels dozen. 'Meneer, vindt u het goed dat ik even in die caravan kijk?'
Josh vertrok geen spier, hoewel zijn hand langzaam naar de rand van de

stoel schoof, waar zijn pistool onder lag. 'Nee hoor.' De agent liep naar de achterkant van de caravan en maakte het bovenste deel van de glazen deur open. Een stapel dozen staarde hem aan. Josh had ze met opzet zo neergezet. Achter de stapel lag Rufus ineengedoken onder het zeil, in de duisternis.
'Wat zit daarin, meneer?' riep de agent.
'Eten,' riep Josh terug, uit het raampje leunend.
De agent maakte een van de dozen open, schudde aan een blik soep, opende een doos crackers en zette die vervolgens weer terug, deed de doos dicht en daarna het raam. Hij liep terug naar het raampje waarachter Josh zat.
'Een hoop eten. Zo lang is die rit toch niet?'
'Heb mijn kinderen gevraagd wat ik voor ze moest meenemen. Ze wilden eten.'
De agent knipperde met zijn ogen. 'O. Dat is aardig van u. Erg aardig.'
'Hebt u kinderen?'
'Twee.'
'Dan weet u er alles van.'
'Goede reis.' De agent liep terug naar zijn auto. Nadat die was gestart, reed Josh erachteraan.
Rufus verscheen voor het raampje van de caravan. 'Ik heb daar verdomme een hele rivier uitgezweet.'
Josh lachte. 'Je moet kalm blijven. Als je begint op te spelen, slaan ze je in de boeien. Als je te beleefd bent, denken ze dat je ze belazert en slaan ze je ook in de boeien. Maar als je oud en stom bent, maken ze je niks.'
'Het was kantje boord, Josh.'
'We boften dat het een Mexicaan was. Die zijn gek op familie, op kinderen. Als je daarover begint, slikken ze alles. Als hij een blanke was geweest, hadden we misschien een groot probleem gehad. Als een blanke eenmaal had besloten een kijkje te nemen, zou hij alles uit die caravan hebben gehaald, tot hij jou had gevonden. Een zwarte had het misschien niet gedaan, maar je weet het nooit. Wanneer ze dat uniform aanhebben, beginnen ze zich soms als een blanke te gedragen.'
Rufus keek zijn broer ontstemd aan.
'De Aziaten, die zijn het ergst,' vervolgde Josh. 'Die kun je geen flauwekul verkopen. Ze blijven je gewoon staan aankijken, ze luisteren niet naar wat je zegt en dan doen ze precies wat ze willen. Je kunt die klootzakken maar beter doodschieten voor ze met hun kungfu tegen je beginnen. Ja, het kwam goed uit dat we agent Pedro troffen.' Josh spuugde de prop kauwgum uit het raampje.
'Heb je iedereen door?' zei Rufus nijdig.

John keek hem van opzij aan. 'Heb jij het daar moeilijk mee?'
'Misschien.'
'Nou, jij leeft je leven op jouw manier, ik leef het mijne op míjn manier. We zullen wel zien wie het verst komt. Ik weet dat je een rottijd hebt gehad in de bak, maar erbuiten is het ook geen picknick. Ik heb hier mijn eigen gevangenisje. En niemand heeft me ergens voor veroordeeld.'
'God heeft ons allemaal gemaakt, Josh. We zijn allemaal Zijn kinderen. Het is niet goed om te proberen ons allemaal in hokjes te stoppen. Ik heb in de gevangenis heel wat blanken in elkaar zien slaan. Kwaad komt in allerlei vormen en allerlei kleuren. Dat zegt de bijbel. Ik beoordeel de mensen alleen op henzelf. Dat is de enige manier.'
Josh snoof. 'Hoor hem nou. Na alles wat Tremaine en die anderen je hebben aangedaan. Wil je me vertellen dat je hen niet haat, dat je hen niet wilt vermoorden?'
'Nee. Als ik dat gevoel had, zou het betekenen dat Vic de liefde uit mijn hart had weggenomen. Dat hij mijn Heer van me had afgenomen. Als hij dat doet, zou dat betekenen dat hij me de baas is. Niemand op deze aarde is sterk genoeg om God van me af te nemen. Ouwe Vic niet, jij niet, en niemand anders. Ik ben niet dom, Josh. Ik weet dat het leven onrechtvaardig is. Ik weet dat zwarten het niet voor het zeggen hebben in de wereld. Maar ik ga het probleem niet nog verergeren door mensen te haten.'
'Shit. Jij hebt van God een gouden kaart gekregen om iedere blanke die ooit geboren is, te haten.'
'Dat zie je verkeerd. Als ik hen haat, is het alsof ik mezelf haat. Die weg ben ik afgedaald toen ik voor het eerst de gevangenis in ging. Ik haatte iedereen. De duivel had me te pakken, maar de Heer nam me terug. Ik kan het niet. En ik ben het ook niet van plan.'
'Nou, dat is dan jouw probleem. En hoe eerder je daar overheen raakt, des te beter.'

'Dat was een grote nalatigheid van jouw kant, Frank. Je neemt Rider en zijn vrouw te pakken, maar je hebt zijn kantoor niet doorzocht?'
Rayfields hand klemde zich vaster om de telefoonhoorn. 'Vertel jij me dan maar eens precies wanneer ik dat had moeten doen. Als ik het had gedaan voor ik hem vermoordde, zou hij achterdochtig zijn geworden en er misschien vandoor zijn gegaan. Als we nu betrapt zouden worden terwijl we ermee bezig waren, zouden er vragen worden gesteld waarop ik geen antwoord heb.'
'Maar je hebt me net gezegd dat ze het beschouwen als moord en zelfmoord. De politie gaat daar geen nader onderzoek naar instellen.'

'Kan zijn.'
'Dus je kunt zijn kantoor doorzoeken. Vanavond, bijvoorbeeld.'
'Als de kust veilig is, zullen we het doen.'
'Heb je de brief gevonden die Harms van het leger heeft gekregen?'
'Nog niet...' Hij zweeg omdat Tremaine zijn kantoor kwam binnenstuiven, wapperend met een vel papier. 'Wacht even.'
Vic legde het papier voor Rayfield neer, die verbleekte toen hij het las. Hij keek op naar een grimmige Tremaine.
'Waar heb je dit gevonden?'
'Die klootzak had een van de beddenpoten uitgehold. Nogal slim,' moest Tremaine met tegenzin toegeven.
Rayfield sprak in de telefoon. In beknopte zinnen bracht hij de inhoud van de brief over.
'Was dit jouw werk, Frank?'
'Hoor eens, als de man in het strafkamp was overleden, zoals we hadden gepland, zouden ze autopsie verricht hebben, waar of niet? Dit was de enige manier om dat hiaat op te vullen. Daar waren we het allemaal over eens.'
'Jezus, Harms is niet doodgegaan. Waarom heb je het later niet uit het archief laten halen?'
'Dat héb ik gedaan. Denk je niet dat het, als ik het niet had gedaan, tijdens het onderzoek zou zijn uitgekomen? Rider was niet dom, hij zou erop hebben gehamerd om het voor de verdediging te gebruiken.'
'Als je het uit het archief hebt gehaald, waarom heeft het leger hem dan die brief gestuurd?'
'Wie weet? Een of andere pennenlikker kan een vel papier hebben gevonden en het hebben teruggestopt, of, zoals ze het tegenwoordig doen, in de computer hebben opgeslagen. Wanneer je eenmaal in de officiële molen van het leger zit, weet je maar nooit wanneer iets weer boven kan komen, hoe hard je ook hebt geprobeerd om het te begraven. Het is verdomme de grootste bureaucratie ter wereld, je kunt niet overal op letten.'
'Maar het was jouw taak er bovenop te zitten.'
'Je hoeft mij niet te vertellen wat mijn taak is. Ik heb geprobeerd er bovenop te blijven zitten, maar het is niet zo dat ik het de laatste kwarteeuw elke dag kon controleren.'
De stem zuchtte. 'Dus nu weten we wat Harms' geheugen heeft wakker geschud.'
'Elke strategie brengt risico's met zich mee.'
'Nou, misschien had Rider een kopie van die brief.'
'Ik zou niet weten hoe Harms bij een kopieermachine had kunnen

komen, en de brief zat niet bij het verzoek dat hij bij het Hof heeft ingediend, dat weten we zeker.'
'We kunnen niet zeker weten dat hij hem er niet bij heeft gedaan. Dat is een reden temeer om vanavond naar Riders kantoor te gaan.'
Rayfield keek Tremaine aan en daarna zei hij in de telefoon: 'Goed, we doen het vanavond. Snel en grondig.'

•42•

Senator Knight begroette Fiske en Sara hartelijk toen ze de hal binnenkwamen. Achter hem zagen ze het vertrek, dat vol was met de zakelijke en politieke elite uit de hoofdstad van het land.
'Fijn dat je kon komen, John,' zei Jordan Knight, terwijl hij hem een hand gaf. 'Sara, je ziet er als altijd weer stralend uit.' Hij omhelsde haar en ze wisselden kusjes op de wang uit.
Fiske keek naar Sara. Ze had haar zakelijke mantelpakje verwisseld voor een dunne zomerjurk in zachte pasteltinten, die haar zongebruinde huid accentueerden. Het knotje was weg en haar haren dansten op een aantrekkelijke manier om haar gezicht.
Ze betrapte Fiske erop dat hij haar aanstaarde. Snel keek hij, in verlegenheid gebracht, een andere kant op, voor hij een glas aannam van een van de kelners. Sara en Jordan Knight pakten eveneens een drankje.
Jordan Knight keek om zich heen, hij leek zelf een tikje gegeneerd. 'Ik weet dat het tijdstip van dit beroerde diner heel slecht uitkomt.' Hij keek Sara strak aan, terwijl hij het zei. 'Ik weet dat Beth er net zo over denkt, al wil ze het niet toegeven.'
Ja, dat zal wel, dacht Fiske.
Jordan wees met zijn glas in de richting van een oudere heer in een rolstoel. Zachtjes zei hij: 'Helaas zal Kenneth Wilkinson niet lang meer bij ons zijn. Hij is echter een doorzetter, en misschien houdt hij ons allemaal voor de gek. Maar hij heeft een lang en boeiend leven geleid. Mijn mentor en mijn vriend. Ik ben een beter mens geworden doordat ik hem heb leren kennen.'
'Heeft hij u en uw vrouw niet aan elkaar voorgesteld?' vroeg Sara.

'Dat is nog een reden waarom ik hem zoveel verschuldigd ben.'
Fiske keek toe hoe Elizabeth Knight methodisch de kamer rondliep, even gepolijst en beheerst als een ervaren politicus. Fiske keek nogmaals het vertrek rond, maar hij zag geen spoor van Ramsey of Murphy. Hij vroeg zich af of ze het diner hadden geboycot. Het viel hem op dat verscheidene van de andere rechters er nerveus en niet op hun gemak bij stonden. De vrees dat een gek je hoofd in zijn trofeeënkast zou willen plaatsen, kan die uitwerking op je hebben.
Zijn ogen dwaalden over Richard Perkins, die zich op de achtergrond hield. Overal liepen gewapende veiligheidsbeambten en Fiske wist dat de twee vermoorde griffiers hét gesprek van de avond waren. Hij kneep zijn ogen halfdicht toen hij Warren McKenna bespeurde, zich een weg banend door de menigte als een haai op zoek naar vlees.
'Jullie zijn een geweldig stel samen,' zei Sara.
Jordan Knight stootte haar glas aan met het zijne. 'Dat vind ik ook.'
Fiske mengde zich in het gesprek. 'Heeft uw vrouw er wel eens over gedacht om in de politiek te gaan?'
'John, ze is rechter bij het Hooggerechtshof. Dat is een benoeming voor het leven,' riep Sara uit.
Fiske bleef zijn ogen op Jordan gevestigd houden. 'Het zou niet de eerste keer zijn dat iemand het Hof verliet voor een andere baan.'
Knight keek hem scherp aan. 'Nee, dat is zo, John. Eerlijk gezegd hebben Beth en ik het er door de jaren heen wel eens over gehad. Ik blijf niet eeuwig in de Senaat. Ik heb een ranch met vijfendertig hectare grond in Nieuw Mexico. Ik zie mezelf dat bedrijf met gemak runnen tot het eind van mijn dagen.'
'Misschien wordt uw vrouw dan Virginia's senator van het gezin?'
'Ik doe nooit alsof ik weet wat Beth zal doen. Het verhoogt de spanning in ons huwelijk, waarvan ik denk dat die ongelooflijk gezond is.'
Hij lachte om zijn eigen opmerking en Fiske lachte onwillekeurig terug.
Sara hief haar glas op, toen haar iets te binnen schoot. 'Senator, mag ik even telefoneren?'
'Neem het toestel in mijn werkkamer, Sara. Daar heb je meer privacy.'
Ze keek naar Fiske, maar ze zei niets. Toen ze weg was, zei Jordan: 'Dat is een opvallende jonge vrouw.'
'Ik kan het niet tegenspreken,' zei Fiske.
'Sinds ze griffier is bij Beth, heb ik haar vrij goed leren kennen. Ik ben een soort vaderfiguur geweest, zou je kunnen zeggen. Ze heeft een schitterende toekomst voor zich.'
'Wel, ze heeft een geweldig voorbeeld aan uw vrouw.' Fiske verslikte zich bijna in zijn borrel toen hij het zei.

'Absoluut de beste. Beth doet nooit iets half.'
Fiske dacht even over deze opmerking na. 'Ik weet dat uw vrouw een echte doorzetter is, maar misschien zal ze het wat rustiger aan doen tot de zaak is opgelost. We willen deze man niet de kans geven weer toe te slaan.'
Jordan bleef Fiske een ogenblik aankijken over de rand van zijn glas. 'Denk je echt dat de rechters gevaar lopen?'
Fiske dacht het niet echt, maar hij was niet van plan dat tegen Jordan te zeggen. Als hij en Sara de verkeerde conclusies hadden getrokken, wilde hij niet dat iemands waakzaamheid verslapte.
'Laten we het zo stellen, senator, als er iets met uw vrouw zou gebeuren, geeft niemand er iets om wat ik denk.'
Jordans gezicht werd langzaam bleek. 'Ik begrijp wat je bedoelt.'
Fiske zag dat zich een rij had gevormd van mensen die met de man wilden praten. 'Ik zal u niet langer ophouden. Gaat u vooral door met uw goede werk.'
'Dank je, John, dat ben ik vast van plan.'
Senator Knight begon nieuwe gasten te verwelkomen. Het was voor hem niet nodig geweest om de kamer rond te lopen, dacht Fiske. Zijn vrouw had waarschijnlijk alle belangrijke medespelers al gesproken.

In Jordan Knights studeerkamer belde Sara naar huis om te horen of er boodschappen voor haar waren. Ze was vergeten om het eerder te doen en hoopte vurig dat ze iets zou horen van George Barker, de hoofdredacteur uit Rufus Harms' geboortestad. Haar hoop werd beloond toen ze de zware stem van de man op haar antwoordapparaat hoorde. Hij klonk een beetje schuldbewust, vond ze.
Ze scheurde een blaadje van de blocnote die op het bureau lag en schreef de naam op. Samuel Rider. George Barker had slechts de naam van de man ingesproken; blijkbaar was dat na vijfentwintig jaar alle informatie die hij uit zijn archief had kunnen putten. Ze moest nu dadelijk achter de adressen van Riders kantoor en van zijn huis zien te komen. Toen ze opkeek, zag ze een mogelijkheid. Op de boekenplanken langs de verste wand van de studeerkamer stond een stel Martindale Hubbells, de officiële juridische beroepengids, die zich erop beroemde de naam, het zakenadres en het telefoonnummer van praktisch iedere advocaat te bevatten die toestemming had om zijn praktijk uit te oefenen in de Verenigde Staten. De gidsen waren onderverdeeld naar staten en districten en ze besloot eerst in de plaatselijke gids te zoeken. Toen ze de index doorliep voor de staat Virginia, werd haar speurtocht beloond; ze vond de naam Samuel Rider. Op de aangegeven pagina trof

ze een korte biografie van Rider. Hij was in het begin van de jaren zeventig bij het JAG geweest. Dat moest hem zijn.
Ze draaide het nummer van zijn kantoor, maar er werd niet opgenomen. Ze belde Inlichtingen voor zijn telefoonnummer, maar hij bleek een geheim nummer te hebben. Totaal gefrustreerd hing ze op. Ze moest met de man praten. Ze dacht even na. Er was weinig tijd, dus er bestond slechts één mogelijkheid om het te doen. Op het bureau lag een telefoongids, die ze gebruikte om een nummer op te zoeken. Het vergde slechts een paar minuten om de zaak te regelen. Zij en Fiske hadden nog een paar uur voor ze konden vertrekken. Met een beetje geluk zouden ze er morgenochtend zijn.
Toen Sara de deur van de studeerkamer opendeed, stond Elizabeth Knight daar.
'Jordan zei dat je misschien hier was.'
'Ik moest even bellen.'
'O, juist.'
'Ik ga nu maar weer terug naar het feest.'
'Sara, ik moet even onder vier ogen met je praten.'
Elizabeth Knight beduidde haar dat ze de studeerkamer weer moest binnengaan en vervolgens sloot ze de deur achter hen. De rechter had een eenvoudige witte jurk aan. Ze had weinig make-up gebruikt en droeg een smaakvol halssnoer met saffieren. Door de witte jurk leek haar huid zo mogelijk nog bleker. Ze droeg haar haren los en de donkere lokken staken bijzonder opvallend af tegen de witte achtergrond. Wanneer ze er moeite voor deed, dacht Sara, kon Elizabeth Knight een heel aantrekkelijke vrouw zijn. Ze koos die momenten kennelijk met veel zorg. Op dit ogenblik leek Elizabeth Knight zich echter niet op haar gemak te voelen.
'Is er iets?' vroeg Sara.
'Ik vind het niet prettig om me met het privé-leven van mijn griffiers te bemoeien, Sara, werkelijk niet, maar wanneer het invloed heeft op het imago van het Hof, heb ik het gevoel dat het mijn plicht is iets te zeggen.'
'Ik weet niet of ik u begrijp.'
Knight zweeg even om haar gedachten te ordenen. Vanaf het moment dat het tot haar was doorgedrongen dat ze, hoewel nietsvermoedend, Steven Wright ter dood had veroordeeld, waren haar zenuwen tot het uiterste gespannen geweest. Ze wilde naar iemand uithalen, zelfs al was het onredelijk. Het was niet haar gewoonte zoiets te doen, maar het feit lag er nu eenmaal dat ze van streek was vanwege Sara Evans. En ze gaf veel om haar. Derhalve vond ze het nodig dat de jonge vrouw haar woede zou voelen.

'Je bent een heel intelligente vrouw. Een heel aantrekkelijke en intelligente jonge vrouw.'
'Ik ben bang dat ik nog steeds niet...'
Knights toon veranderde. 'Ik heb het over jou en John Fiske. Richard Perkins heeft gerapporteerd dat hij jou en Fiske vanochtend samen uit je huis heeft zien komen.'
'Met alle respect, rechter Knight, dat zijn mijn privé-zaken.'
'Het is zeker meer dan je privé-leven, Sara, als het een negatieve uitwerking heeft op het Hof.'
'Ik zie niet in hoe dat mogelijk is.'
'Laat me dan proberen het je duidelijk te maken. Denk je niet dat het de reputatie van het Hof zou bezoedelen als bekend werd dat een van de griffiers naar bed ging met de broer van haar vermoorde collega, op de dag nadat zijn moord was ontdekt?'
'Ik ga niet met hem naar bed,' zei Sara kwaad.
'Dat is het punt niet. De publieke opinie berust meer op waarnemingen dan op feiten, zeker in deze stad. Als een journalist jou en Fiske vanochtend uit je huis had zien komen, hoe denk je dan dat de krantenkoppen er zouden hebben uitgezien? Zelfs als er niet méér werd vermeld dan de simpele waarnemingen van de verslaggever, welke conclusie denk je dat het lezerspubliek eruit zou trekken?' Toen Sara geen antwoord gaf, vervolgde Knight: 'Op dit moment hebben we geen behoefte aan extra complicaties, Sara. We hebben al genoeg aan ons hoofd.'
'Ik denk dat ik daar nooit bij nagedacht heb.'
'Dat is nu precies wat je wel moet doen, als je meer wilt bereiken dan een middelmatige juridische carrière.'
'Het spijt me. Ik zal die fout geen tweede keer maken.'
Knight keek haar strak aan, alvorens de deur te openen. 'Zorg er alsjeblieft voor dat het niet weer gebeurt.'
Toen Sara langs haar heen liep, liet Knight erop volgen: 'O, Sara, tot de identiteit van de moordenaar vaststaat, zou ik niemand volledig vertrouwen. Je bent je er misschien niet van bewust, maar een groot percentage moorden wordt gepleegd door familieleden.'
Verbluft draaide Sara zich om en ze keek de rechter aan. 'U suggereert toch niet...'
'Ik suggereer niets,' zei Knight scherp. 'Ik vertel je alleen een feit. Je kunt ermee doen wat je wilt.'

Fiske zwierf verveeld door het appartement, toen hij opeens iemand achter zich voelde.
'Er is een vraag die ik je al een poosje wil stellen.'

Fiske keek om. Agent McKenna stond hem aan te kijken.
'McKenna, ik overweeg serieus om een klacht tegen je in te dienen, dus maak verdomme dat je wegkomt.'
'Ik doe alleen maar mijn werk. En op dit moment wil ik weten waar je was op het tijdstip dat je broer werd vermoord.'
Fiske dronk zijn glas wijn leeg en keek daarna door de brede erkerramen naar buiten. 'Ben je niet iets vergeten?'
'Wat dan?'
'Ze hebben het tijdstip van de moord nog niet vastgesteld.'
'Je loopt een beetje achter met je onderzoek.'
'O ja?' zei Fiske terughoudend.
'Zaterdagochtend, tussen drie en vier uur. Waar was jij toen?'
'Ben ik een verdachte in deze zaak?'
'Als en wanneer je verdacht wordt, zal ik het je laten weten.'
'Ik heb de nacht van vrijdag op zaterdag op mijn kantoor in Richmond zitten werken tot ongeveer vier uur. Nu ga je me zeker vragen of iemand dat kan bevestigen?'
'Is dat zo?'
'Nee. Maar ik ben omstreeks tien uur zaterdagochtend naar de wasserette gegaan.'
'Richmond ligt maar op twee uur rijden van Washington. Je zou tijd genoeg hebben gehad.'
'Dus je theorie is dat ik naar Washington ben gereden, mijn broer in koelen bloede heb vermoord, zijn lichaam zo handig midden in een zwarte wijk heb gedumpt dat niemand het me heeft zien doen, naar Richmond terug ben gereden en mijn ondergoed ben gaan wassen. En wat is het motief?' Zodra Fiske de laatste zin had uitgesproken, bleef de adem hem in de keel steken. Hij had een volmaakt motief: een levensverzekering van vijfhonderdduizend dollar. Shit!
'Motieven komen later wel. Je hebt geen alibi, wat betekent dat je de gelegenheid had de moord te plegen.'
'Dus je gelooft dat ik Steven Wright ook heb vermoord? Let wel, je hebt tegen de rechters gezegd dat je denkt dat beide moorden met elkaar in verband staan. Voor Wright heb ik een alibi.'
'Omdat ik iets gezegd heb, hoeft dat nog niet waar te zijn.'
'Interessant. Hou je dezelfde filosofie aan in de getuigenbank?'
'Ik heb gemerkt dat het tijdens de duur van een onderzoek niet altijd verstandig is open kaart te spelen. De moorden kunnen ook los van elkaar staan, wat betekent dat je alibi voor de moord op Wright niets te betekenen heeft.'
Terwijl Fiske McKenna nakeek, liep er een onbehaaglijke rilling langs

zijn ruggengraat. Zelfs McKenna zou toch niet zo stom zijn hem de moord op zijn broer in de schoenen te schuiven? En waarom had Fiske niets geweten van het autopsierapport, waarin het tijdstip van de dood van zijn broer was vastgesteld? Fiske kon die vraag onmiddellijk beantwoorden: de informatiestroom via Chandler was opgedroogd.
'John?'
Fiske draaide zich om en zag Richard Perkins.
'Heb je even?' vroeg Perkins nerveus. De twee mannen gingen in een hoek staan. Perkins keek even uit het raam alsof hij zich voorbereidde op wat hij ging zeggen. 'Ik ben pas twee jaar hoofd gerechtelijke diensten bij het Hooggerechtshof. Het is een geweldige baan, prestigieus, niet te veel stress, en het salaris is heel goed. Ik hou toezicht op zo'n tweehonderd werknemers, iedereen, van kappers tot politieagenten. Voor die tijd heb ik bij de Senaat gewerkt. Ik had gedacht dat ik daar wel zou blijven tot mijn pensioen, maar toen deed deze gelegenheid zich voor.'
'Dan heb je geboft.'
'Zelfs al heeft de dood van je broer niet bij het Hof plaatsgevonden, ik voelde me toch verantwoordelijk voor zijn veiligheid, voor die van iedereen die bij het Hof werkt. Na de dood van Steven Wright weet ik het niet meer. Ik ben er niet aan gewend met dergelijke zaken om te gaan. Ik ben veel beter in salariskwesties en toezicht houden op het goed functioneren van de bureaucratie, dan wanneer ik midden in een moordonderzoek zit.'
'Nou, Chandler is echt goed in zijn werk. En je hebt de FBI er natuurlijk ook bij.' Fiske kon zijn tong wel afbijten toen hij dit had gezegd. Perkins haakte erop in.
'Agent McKenna schijnt iets tegen je te hebben. Had je de man al eens eerder ontmoet?'
'Nee.'
Perkins staarde naar zijn handen. 'Geloof jij echt dat er een gek rondloopt die op een vendetta uit is?'
'Dat behoort zeker tot de mogelijkheden.'
'Maar waarom juist nu? En waarom heeft hij het op griffiers gemunt? Waarom niet op de rechters?'
'Of op andere medewerkers van het Hof.'
'Wat bedoel je?'
'Jij zou ook gevaar kunnen lopen, Richard.'
Perkins keek stomverbaasd. 'Ik?'
'Jij bent het hoofd van de veiligheidsdienst. Als deze persoon wil laten zien dat hij lukraak mensen uit de weg kan ruimen, dan bespot hij de

veiligheid van het Hof. Hij bespot jou.'
Perkins scheen dit te overwegen. 'Dus jij denkt dat de moorden beslist met elkaar verband houden?'
'Als dat niet zo is, is het wel verdomd toevallig. Eerlijk gezegd geloof ik niet in zulke enorme toevalligheden.'
'Denkt Chandler er ook zo over?'
'Misschien. Ik ben ervan overtuigd dat hij je op de hoogte zal houden.'
Toen Perkins wegwandelde, kwam Elizabeth Knight langszeilen. Het leek alsof de menigte automatisch voor haar uiteen week.
Hij voelde een hand op zijn schouder. 'Ik zie je over tien minuten voor het gebouw.' Het was de stem van Sara, maar tegen de tijd dat Fiske zich had omgedraaid, zag hij haar nog juist tussen de gasten verdwijnen.
Merkbaar gefrustreerd keek hij om zich heen en hij volgde opnieuw de bewegingen van Elizabeth Knight. Ze was blijkbaar totaal vergeten dat Kenneth Wilkinson hier was, dacht hij. En dat nog wel op het feest ter ere van hem. Daarom was hij heel verrast toen Elizabeth naar Wilkinson toe liep en kort met hem sprak. Hij bleef kijken terwijl ze hem naar buiten reed, het verlichte, lege terras op, waar hij kon zien dat ze naast de rolstoel knielde, waarbij ze een van Wilkinsons handen vasthield en tegen hem praatte.
Fiske liep nog even tussen de gasten rond, maar hij kon de aandrang niet weerstaan om zelf naar het terras te gaan. Elizabeth Knight keek op en kwam daarna snel uit haar geknielde positie omhoog.
'Het spijt me dat ik u stoor, maar ik moet weg en ik wilde rechter Wilkinson graag even begroeten.'
Knight deed een paar passen naar achteren en Fiske stelde zich voor. Hij gaf Kenneth Wilkinson een hand en feliciteerde de oude man met diens lange loopbaan bij de rechtbank. Toen hij de kamer weer in liep, hield Knight hem staande.
'Ik neem aan dat u met Sara weggaat.'
'Is dat een probleem?'
'Ik denk dat u dat zelf moet uitmaken.'
'Wat mag dat betekenen?'
'Sara heeft een geweldige toekomst voor zich. Maar kleine dingen kunnen soms grote invloed hebben op een carrière.'
'Weet u, rechter Knight, ik heb het gevoel dat u me niet mag, en ik weet niet waarom.'
'Ik ken u niet, meneer Fiske. Als u ook maar enigszins op uw broer lijkt, dan heb ik misschien niet zo'n groot probleem.'
'Ik lijk niet op anderen. Ik probeer niet om mensen met elkaar te verge-

lijken of om aardige, geschikte veronderstellingen te maken. Die blijken zelden waar te zijn.'
Knight leek hierdoor uit het veld geslagen, maar ze zei: 'Feitelijk ben ik het met u eens.'
'Ik ben blij dat we het tenminste ergens over eens zijn.'
'Ik ken Sara echter wel en ik ben erg op haar gesteld. Als bepaalde acties die u onderneemt een negatieve invloed hebben op haar en dus op het Hof, dan hebt u gelijk. Daar heb ik een probleem mee.'
'Hoort u eens, het enige wat mij bezighoudt, is uit te zoeken wie mijn broer heeft vermoord.'
Ze keek hem vorsend aan. 'Weet u zeker dat dat alles is?'
'Al was ik er niet zeker van, weet u, we leven in een vrij land.' Fiske dacht dat hij een geamuseerde uitdrukking over haar gezicht zag glijden.
Ze sloeg haar armen over elkaar. 'U lijkt totaal niet geïntimideerd door een rechter van het Hooggerechtshof, meneer Fiske.'
'Als u me beter zou kennen, zou u weten waarom niet.'
'Misschien zou ik er iets aan moeten doen om meer over u te weten te komen. Misschien heb ik dat al gedaan.'
'Ik denk dat dat wederzijds is.'
Knight keek lelijk. 'Vertrouwen is één ding, meneer Fiske. Onbeleefdheid is iets heel anders.'
'Ik heb gemerkt dat dat ook wederzijds is.'
'Ik hoop dat u begrijpt dat ik bezorgd ben om Sara. Oprecht bezorgd.'
'Daar ben ik van overtuigd.'
Ze wilde weglopen, maar toen keek ze hem nog even aan. 'Uw broer was een heel bijzonder mens. Heel intelligent, een volmaakte juridisch analist.'
'Zoals hij was er maar een.'
'Toch weet ik niet zeker of hij de bekwaamste jurist was van zijn familie.'
Knight liep weg, een verbaasde Fiske achterlatend. Hij bleef een paar minuten staan om te proberen haar woorden te analyseren. Toen verliet hij het terras en ging met de lift naar beneden. In de hal keek hij rond, maar Sara was nergens te zien. Er klonk getoeter en hij zag haar auto voor de buitendeur stilhouden. Nadat hij was ingestapt, keek hij haar aan. 'Waar gaan we naartoe?'
'Naar het vliegveld.'
'Wat krijgen we nu?'
'We gaan de heer Samuel Rider opzoeken.'
'En wie is de heer Samuel Rider?'
'De advocaat van Rufus Harms. George Barker heeft teruggebeld en

me zijn naam doorgegeven. Ik heb Rider opgezocht. Zijn kantoor is in Blacksburg, slechts een paar uur ten oosten van de gevangenis. Ik heb zijn kantoor geprobeerd, maar er wordt niet opgenomen. Hij heeft een geheim privé-nummer.'
'Waarom vliegen we er dan naartoe?'
'We hebben het adres van zijn kantoor. Het zal laat zijn als we er aankomen, dus de kans is klein dat hij op zijn kantoor is. Maar aan de andere kant is het geen grote plaats: we zouden er iemand moeten kunnen vinden die ons zijn huisadres kan geven of op z'n minst zijn telefoonnummer. En als we gelijk hebben wat betreft zijn betrokkenheid bij de zaak, zou hij in gevaar kunnen zijn. Als hem iets overkomt, komen we misschien nooit achter de waarheid.'
'Dus je denkt echt dat hij degene is die naar het Hof heeft gebeld? Degene die het verzoek heeft ingediend?'
'Daar durf ik alles om te verwedden.'

•43•

Vijfentwintig minuten later arriveerden Fiske en Sara bij het vliegveld National Airport, waar Sara de auto in een van de parkeergarages zette. Daarna liepen ze naar de centrale vertrekhal. 'Weet je zeker dat we een vlucht kunnen krijgen?' vroeg Fiske.
'Ik heb een privé-toestel gecharterd om ons erheen te brengen.'
'Wát heb je gedaan? Weet je wel hoeveel dat kost?'
'Weet jíj hoeveel het kost?'
Fiske keek schaapachtig. 'Nee. Ik bedoel, ik heb verdorie nog nooit een vliegtuig gecharterd. Maar het kan niet goedkoop zijn.'
'Een retourvlucht naar Blacksburg kost ongeveer tweeëntwintighonderd dollar. Dat kon ik nog net betalen met mijn creditcard.'
'Dan zal ik je op de een of andere manier terugbetalen.'
'Dat hoeft niet.'
'Ik vind het niet prettig om bij iemand in de schuld te staan.'
'Fiske, ik weet zeker dat ik heel wat manieren kan bedenken waarop je het kunt terugbetalen,' zei ze lachend.
Een paar minuten later kwamen ze bij een tweemotorige Falcon 2000,

die op de startbaan stond. Fiske keek naar een grote 737, die over de baan daverde en vervolgens gracieus het luchtruim koos. Overal om hen heen hing de misselijkmakende lucht van kerosine en was het gegier van motoren hoorbaar.
Sara en Fiske liepen de trap van de slanke Falcon op, waar ze werden verwelkomd door een man van een jaar of vijftig, een tanige figuur met kort, wit haar. Hij stelde zich voor als Chuck Herman, de piloot.
Herman keek naar de lucht. 'Ik heb het vluchtplan al ingediend, maar we lopen een beetje achter met het vertrekschema. Eerder vandaag zijn er vertragingen geweest vanwege een storing in de software van de verkeerstoren en iedereen heeft daar last van.'
'We hebben maar weinig tijd, Chuck,' zei Sara. Hoe later ze Riders kantoor zouden bereiken, des te kleiner was de kans dat ze iemand zouden vinden die hen kon helpen. Bovendien kon ze niet opnieuw te laat op haar werk komen.
Herman keek trots naar zijn jet. 'Maak je geen zorgen. Het is een vlucht van maar zeventig minuten en als het nodig mocht zijn, kan ik meer gas geven.'
Ze liepen met zijn drieën de cabine in en Herman gaf aan dat ze in de comfortabele stoelen konden plaatsnemen.
'Het spijt me, maar ik kon op zo'n korte termijn geen steward aan boord krijgen. Willen jullie iets hebben?'
'Een glas witte wijn, graag,' zei Sara.
'En jij, John? Kan ik jou ook iets inschenken?' Fiske bedankte. 'De koelkast is volgestouwd met eten, dus bedien jezelf alsjeblieft wanneer je ergens trek in hebt.'
Tien minuten nadat ze waren opgestegen, vlogen ze heel rustig; het leek alsof ze in een kano op een vlakke vijver voeren. Sara maakte haar gordel los en keek naar Fiske. Hij staarde uit het raampje naar de ondergaande zon.
'Zal ik iets te eten maken? En ik moet je een paar interessante dingen vertellen.'
'Ik jou ook.' Fiske maakte zijn veiligheidsriem los en liep met haar naar achteren, waar hij aan de tafel plaatsnam en toekeek terwijl Sara een paar broodjes klaarmaakte.
'Koffie?'
Fiske knikte. 'Ik denk dat het een lange nacht gaat worden.'
Toen Sara gereed was met de broodjes, schonk ze twee koppen koffie in. Ze ging tegenover Fiske zitten en keek op haar horloge. 'Het is zo'n korte vlucht dat we niet veel tijd hebben. Er zijn geen autoverhuurbedrijven gevestigd op het vliegveld van Blacksburg. Maar we kunnen een

taxi nemen naar een verhuurbedrijf in de stad en daar een auto huren.'
Fiske nam een hap van zijn broodje en spoelde die weg met koffie. 'Je had het over een paar dingen die tijdens het feest zijn voorgevallen.'
'Ik had een confrontatie met rechter Knight.' Ze vertelde Fiske het verhaal. Daarna deed hij verslag van zíjn ervaring met Knight. 'Een harde vrouw, niet gemakkelijk te doorgronden.'
'Nog iets?'
'McKenna vroeg me of ik een alibi had voor het tijdstip waarop mijn broer is vermoord.'
'Meen je dat?'
'Ik heb geen alibi, Sara.'
'John, er is toch niemand die gelooft dat jij je eigen broer kunt hebben vermoord. En hoe valt dat te rijmen met de dood van Steven?'
'Als beide moorden met elkaar verband houden.'
'Had McKenna een theorie over wat je motief zou kunnen zijn?'
Fiske zette zijn kopje neer. Het zou geen kwaad kunnen om de mening van iemand anders te horen, dacht hij. 'Nee, maar toevallig heb ik wel een volmaakt motief.'
Ze zette eveneens haar kopje neer. 'Wat?'
'Ik heb vandaag gehoord dat Mike een levensverzekering van een half miljoen dollar had afgesloten, met mij als begunstigde. Dat geldt toch wel als een eersteklas motief, denk je ook niet?'
'Maar je zei dat je daar pas vandaag achter bent gekomen.'
'Denk je nu heus dat McKenna dat zal geloven?'
'Dat is raar.'
Fiske keek haar met schuingehouden hoofd aan. 'Wat is raar?'
'In de loop van ons gesprek zei rechter Knight dat de meeste moorden door familieleden worden gepleegd en dat ik niemand moest vertrouwen. Ik weet zeker dat ze jou daarmee bedoelde.'
'Is ze ooit bij het leger geweest, voorzover je weet?'
Sara moest er bijna om lachen. 'Nee, waarom?'
'Ik vroeg me net af of ze iets te maken kon hebben met Rufus Harms.'
Sara glimlachte. 'Nu we het er toch over hebben, wat denk je van senator Knight? Hij kan in het leger zijn geweest.'
'Nee, dat is niet zo. Ik herinner me dat ik tijdens zijn eerste campagne in de kranten van Richmond heb gelezen dat hij was afgekeurd voor militaire dienst. Destijds was zijn politieke tegenstander een oorlogsheld die probeerde er een hele toestand van te maken dat Knight zijn vaderland niet had gediend. Dat had Knight echter wel gedaan, bij de inlichtingendienst. Hij had een goede staat van dienst en de hele zaak waaide over.' Gefrustreerd schudde Fiske zijn hoofd. 'Dit is onzin. We

proberen vierkante pennen in ronde gaten te stoppen.' Hij haalde diep adem. 'Ik hoop dat Rider ons kan helpen.'

Een man in een overall duwde de omvangrijke kar met schoonmaakspullen door de gang. Voor een van de kantoren bleef hij staan en las de letters die op de matglazen deur waren aangebracht: Samuel Rider, advocaat. De man hield zijn hoofd schuin en keek om zich heen, intussen goed luisterend. Het was een klein gebouw en Riders advocatenkantoor was één van de slechts zes kantoren op de eerste verdieping. Op dit tijdstip waren de stad en het gebouw verlaten.
Josh Harms klopte aan de deur en wachtte op antwoord. Hij klopte nogmaals, nu wat luider. Josh had Rufus achtergelaten in de truck, die geparkeerd stond in de steeg, terwijl hij het terrein verkende. Hij had de werkkast gevonden en had toen een plan gemaakt voor het geval er iemand zou komen opdagen. Een derde maal klopte hij op Riders deur, hij wachtte nog een paar minuten, tuitte zijn lippen en floot zachtjes. Binnen twintig seconden voegde Rufus, die hem in de donkere gang achterna was gelopen, zich bij hem. Hij had geen schoonmakersoverall aan, in de werkkast was er niet een te vinden die hem ook maar enigszins paste.
Josh haalde zijn instrumenten om een slot te forceren tevoorschijn en binnen enkele seconden stonden ze aan de andere kant van de kantoordeur, in de receptie.
'We moeten opschieten. Er zou iemand kunnen komen,' zei Josh. Zijn pistool, volledig geladen en schietklaar, stak tussen zijn riem.
'Ik zal hier zoeken, dan ga jij naar de kamer van Samuel om daar rond te kijken.'
Rufus was al bezig met een archiefkast, bij het schijnsel van de zaklantaarn die hij uit de truck had meegenomen. Josh liep Riders kamer in. Het eerste wat hij deed, nadat hij de straat in had gekeken om te zien of daar enige activiteit heerste, was de gordijnen voor de ramen dichttrekken. Daarna knipte hij zijn eigen zaklantaarn aan en begon te zoeken. Hij kwam bij de afgesloten bureaulade en forceerde die. Toen zijn hand zich om het pakje sloot dat tegen de onderkant van de lade geplakt zat, begon hij zachtjes te fluiten. Hij liep naar de deur. 'Rufus, ik heb het.'
Zijn broer kwam haastig aanlopen en nam de papieren van hem over. Bij het licht van de lantaarn bekeek hij ze.
'Je hebt me nog steeds niet verteld hoe deze papieren je ook maar iets zouden kunnen helpen.'
'Dat heb ik nog niet helemaal uitgedacht, maar ik heb ze liever wel dan niet.'

'Nou, laten we maken dat we wegkomen, voor iemand ons hier aantreft.'
Ze waren nog maar net terug in de receptie, toen ze beiden de voetstappen hoorden. Twee personen. Snel keken ze elkaar aan. Josh pakte het pistool en haalde de veiligheidspal over. 'Politie. Ze weten dat we hier zijn.'
Rufus keek hem aan en schudde zijn hoofd. 'Het is geen politie. En ook niet het leger. Het gebouw is verlaten. Als die het waren, zouden ze hier met gillende sirenes naartoe zijn gestoven en het volgende wat we dan zouden hebben gehoord, zou het geluid zijn van brekend glas, wanneer de traangasgranaten door het raam vlogen. Ga mee.' Rufus ging hem voor naar Riders kamer en sloot de deur zachtjes achter hen. Het enige wat ze nu konden doen, was wachten.

•44•

Chandler liep rond in de flat van Michael Fiske. Hij knielde neer en bekeek de groef in de vloer, die was veroorzaakt doordat John Fiske met de krik had gezwaaid. Als de slag zijn doel had getroffen, zou dit mysterie misschien zijn opgelost. Hoofdschuddend stond Chandler op. Zo gemakkelijk ging het nooit. Zijn mensen waren bezig het onderzoek in het appartement af te ronden. Overal lagen hoopjes zwart koolstofpoeder, als een soort toverstof, en dat was het in zekere zin ook. Ze hadden Michael Fiskes vingerafdrukken genomen om die te kunnen elimineren. Die van zijn broer zouden ze ook moeten hebben. Omdat John Fiske advocaat was in Virginia, zouden zijn vingerafdrukken zich in het archief van de staatspolitie van Virginia bevinden. Hij zou die van Sara Evans ook moeten nemen, nam hij aan. Zij was hier ongetwijfeld ook geweest. Hij keek de gang door. In de slaapkamer misschien? Uit zijn inlichtingen was niet méér gebleken dan dat het tweetal goed bevriend was geweest.
Hij had met Murphy en diens griffiers gesproken. Ze waren alle zaken nagegaan waaraan Fiske had gewerkt. Er was niets bijzonders uit gekomen. Die kant van het onderzoek zou eenvoudigweg te veel tijd in beslag nemen. En er stierven mensen.

John Fiskes tegenzin om Chandler in vertrouwen te nemen was hem duur komen te staan. Zoals Fiske al eerder had geconcludeerd, had Chandler de informatiestroom naar hem toe stopgezet. Chandler had echter wel open kaart gespeeld met de FBI, en aan McKenna doorgegeven wat hij had, inclusief de actuele informatie over Rufus Harms' ontsnapping uit de gevangenis en Michael Fiskes eerdere telefoontjes naar die gevangenis, hoewel hij de man niet mocht. Hij had McKenna ook geïnformeerd over het ontbrekende verzoekschrift waarover Fiske hem had verteld. McKenna had hem bedankt maar had er geen eigen informatie aan toe kunnen voegen. Alsof het zo was afgesproken, hoorde hij een geluid bij de voordeur en de FBI-agent kwam binnenlopen – nadat hij zijn legitimatiebewijs had laten zien aan de geüniformeerde agent bij de voordeur en op de lijst was gezet van personen die op de plaats van het delict aanwezig mochten zijn, nam Chandler aan. Plaats van het delict. Nou, het kwam er wel zo ongeveer op neer, zei Chandler bij zichzelf.

'Je bent vanavond nog laat aan het werk, agent McKenna.'

'Jij ook.' De man van de FBI liet zijn blikken door de flat dwalen, beginnend bij het midden en vervolgens stukje bij beetje naar buiten.

'Oefent de baas van de FBI een beetje druk uit, of een heleboel, om deze zaak opgelost te krijgen?'

'Net als jouw baas. Bij de FBI krijg je dubbele punten als je het misdrijf oplost vóór het avondjournaal.' McKenna zond hem een van zijn zeldzame glimlachjes toe, hoewel het erop leek dat zijn mond niet precies wist hoe hij dat voor elkaar moest krijgen, want het effect was een beetje scheef.

Chandler vroeg zich af of de man het opzettelijk deed om mensen op een afstand te houden. Omdat hij een vreemd gevoel had over de vent, had Chandler Warren McKenna discreet nagetrokken. Zijn loopbaan bij de FBI was in alle opzichten vlekkeloos. Hij was voor een termijn van acht jaar benoemd bij het Washington Metropolitan Field Office in Buzzard Point, nadat hij bij het Field Office in Richmond vandaan kwam. Voor zijn werk bij de FBI begon, was hij korte tijd in dienst geweest. Daarna had hij zijn studie afgemaakt. Sindsdien had McKenna niets anders gedaan dan een positieve indruk maken op zijn superieuren. Er was één merkwaardig feit dat Chandler had ontdekt: McKenna had verscheidene malen een promotie geweigerd die hem uit het veldwerk zou weghalen.

'Je hebt geboft dat John Fiske nog geen klacht tegen je heeft ingediend. Hij kan het nog steeds doen.'

'Misschien zou hij het moeten doen,' was McKenna's verrassende ant-

woord. 'Ik zou het waarschijnlijk doen, als ik hem was.'
'Dat zal ik hem zeker vertellen,' zei Chandler langzaam.
McKenna's ogen dwaalden nog een paar minuten het appartement rond. Hij leek elk detail in zich op te nemen als een velletje polaroid, voor hij Chandler weer aankeek. 'Wat ben jij trouwens, zijn mentor?'
'Ik heb de man pas een paar dagen geleden leren kennen.'
'Dan maak jij heel wat sneller vrienden dan ik.' McKenna knikte tegen Chandler. 'Is het goed dat ik hier wat rondkijk?'
'Ga je gang. Probeer niets aan te raken dat er niet uitziet alsof er een pond vingerafdrukkenpoeder op ligt.'
McKenna knikte en stapte voorzichtig door de zitkamer. Hij zag de groef in de vloer.
'De zogenaamde aanvaller van meneer Fiske?'
'Dat klopt. Maar ik wist niet dat hij een "zogenaamde" aanvaller was.'
'Dat is hij, tot we een verklaring hebben die het bevestigt. Tenminste, dat is hoe ik te werk ga.'
Chandler wikkelde het papiertje van een stuk kauwgom en stak het in zijn mond, langzaam kauwend op de woorden van de agent en op het kauwgom.
'Sara Evans heeft me verteld dat zij ook een man uit het gebouw zag komen hollen en dat Fiske hem achterna zat. Is dat voldoende voor je?'
'Dat is een heel gunstige bevestiging. John Fiske is een geluksvogel. Hij zou meteen in de loterij moeten gaan spelen, nu hij aan de winnende hand is.'
'Ik zou iemand die zijn broer verliest, geen geluksvogel willen noemen.'
McKenna bleef staan en keek naar de deur van de berging, die op een kier stond en was bedekt met poeder. 'Dat hangt er volgens mij van af hoe je het bekijkt, toch?'
'Wat heb je verdomme tegen hem? Je kent de man niet eens.'
McKenna zond hem een scherpe blik toe. 'Dat klopt, rechercheur Chandler, en zal ik je eens wat zeggen? Jij kent hem evenmin.'
Chandler wilde erop reageren, maar kon niets bedenken. In zekere zin had de man gelijk. Deze gedachte werd onderbroken door een van zijn mannen.
'Rechercheur Chandler, we hebben iets gevonden waarvan ik geloof dat u het moet zien.'
Chandler nam het stapeltje papier aan van zijn collega van de technische opsporingsdienst en keek ernaar. McKenna kwam naast hem staan.
'Dat lijkt op een verzekeringspolis,' zei McKenna.
'Die hebben we op een van de planken in de berging gevonden. Er zijn daar geen etenswaren. De man heeft het gebruikt als bergruimte. Er lig-

gen ook belastingformulieren, rekeningen en dergelijke.'
'Een levensverzekering van een half miljoen,' mompelde Chandler. Snel bladerde hij de papieren door, waarbij hij de juridische termen oversloeg, tot hij aan het eind kwam, waar de specifieke informatie stond. 'Michael Fiske was de verzekerde.'
McKenna's vinger wees opeens priemend op de onderkant van de bladzijde. Chandler werd een tikje bleek toen hij de regel las die de man zo energiek had aangeduid.
'En John is de voornaamste begunstigde,' zei McKenna.
Beide mannen keken elkaar aan. 'Ga je mee een eindje lopen, om naar mijn theorie te luisteren?' vroeg McKenna.
Chandler wist niet precies wat hij ermee aan moest.
'Het duurt niet lang,' voegde McKenna eraan toe. 'Eerlijk gezegd zou ik me kunnen voorstellen dat jij op dit moment hetzelfde denkt.'
Eindelijk haalde Chandler zijn schouders op. 'Ik geef je vijf minuten.'
De twee mannen liepen naar buiten, het trottoir op voor de rij huizen. McKenna bleef even staan om een sigaret op te steken en bood er vervolgens Chandler een aan. De rechercheur stak zijn pakje kauwgom omhoog. 'Ik kan kiezen, te dik worden of roken. Ik hou van lekker eten, dus wat wil je?'
Terwijl ze langzaam door de donkere straat liepen, begon McKenna te praten. 'Ik ben tot de ontdekking gekomen dat Fiske geen alibi heeft voor het vermoedelijke tijdstip waarop zijn broer is vermoord.'
'Dat kan in zijn voordeel zijn. Als hij zijn broer had vermoord, zou hij zijn best hebben gedaan om een alibi te hebben.'
'Dat ben ik niet met je eens, om een paar redenen. Om te beginnen heeft hij waarschijnlijk nooit gedacht dat hij verdacht zou worden.'
'Met een levensverzekering van een half miljoen?'
'Hij kan gedacht hebben dat we daar niet achter zouden komen. We volgen een ander spoor en dat is het. Hij wacht een poosje en int vervolgens zijn geld.'
'Dat weet ik nog zo net niet. Wat is je tweede punt?'
'Als hij een perfect alibi zou hebben, en dat bestaat niet als je schuldig bent, dan zou dat ergens, op een keer, op de een of andere manier, stuklopen. Dus waarom zou hij zich daar druk om maken? Hij was eerst politieman en werd daarna advocaat. Hij weet alles van alibi's af. Hij zegt dat hij er geen heeft, dan hoeft hij ook niet bang te zijn dat het wordt ontzenuwd. En dan rekent hij erop dat iedereen tot dezelfde conclusie zal komen als jij zojuist hebt gedaan, namelijk dat hij, als hij schuldig zou zijn, wel een goed alibi in elkaar zou hebben gedraaid.'
McKenna nam een lange haal van zijn sigaret en keek omhoog naar de

paar sterren die aan de hemel te zien waren. 'Dus, hij heeft een motief en, zoals hij zelf heeft toegegeven, hij had de gelegenheid. Ik heb hem nagetrokken. Hij heeft een armzalige praktijk in Richmond, waar hij het schuim der aarde verdedigt. De vent heeft nooit aan de juridische faculteit gestudeerd. Op zijn best is hij derderangs. Midden dertig, ongetrouwd, geen kinderen, woont in een achterbuurt. Een echte eenling. O, en hij heeft de politie van Richmond verlaten onder ietwat duistere omstandigheden.'

'Wat bedoel je?' vroeg Chandler scherp.

'Laten we maar zeggen dat er een schietpartij is geweest waarvan de ware toedracht nooit vast is komen te staan, behalve dan het feit dat een burger en Fiskes partner als gevolg daarvan werden gedood.'

Chandler leek geschokt, maar hij herstelde zich. 'Waarom komt hij dan zijn hulp aanbieden bij het onderzoek?'

'Weer een dekmantel. Fiske neemt de houding aan van: "Hoe kan ik de trekker hebben overgehaald? Ik werk me uit de naad om degene te vinden die mijn broer heeft vermoord."'

'Hoe verklaart dat de dood van Steven Wright?'

'Wie zegt dat dat moet? Je hebt zelf gezegd dat er geen verband tussen beide moorden hoeft te bestaan. Als het zo is, dan zou ik, als ik Fiske was, erbovenop springen en uitroepen dat ze iets met elkaar te maken hebben. Want hij heeft wel een alibi voor de moord op Wright.'

Weer Evans, dacht Chandler bij zichzelf.

McKenna vervolgde: 'Dus zolang wij geloven dat ze met elkaar in verband staan, wordt hij niet verdacht.'

'En Sara Evans? Heb je aan haar gedacht? Zij zei dat ze die vent uit het gebouw zag rennen waar Michael Fiske woonde. Wil je zeggen dat zij ook liegt?'

McKenna bleef staan, en Chandler eveneens. McKenna nam een laatste trek van zijn sigaret en drukte daarna met zijn voet de peuk uit op het trottoir. 'Sara Evans ook,' herhaalde hij Chandlers woorden, waarbij hij de rechercheur van dichtbij aankeek.

Chandler schudde zijn hoofd. 'Kom nou toch, McKenna.'

'Ik zeg niet dat ze overal bij betrokken is. Ik zeg alleen dat ze misschien verliefd is op Fiske en dat ze daarom doet wat hij zegt dat ze moet doen.'

'Ze kennen elkaar nog maar pas.'

'O, ja? Weet je dat zeker?'

'Eerlijk gezegd, nee.'

'Oké, hij overtuigt haar ervan dat hij niets verkeerds heeft gedaan, maar dat een paar mensen zouden kunnen proberen hem erin te luizen.'

'Waarom heb je zo de pest aan Fiske?'
'Hij praat me te glad. Hij komt zo schijnheilig over, de verdediger van de nagedachtenis van zijn broer. Maar ze schijnen de laatste tijd geen contact met elkaar te hebben gehad. Hij en Sara brengen de nacht door in haar huis, waar ze god weet wat doen op de dag nadat het lichaam van zijn broer is gevonden. Om de een of andere reden heeft hij een jachtgeweer. Hij heeft zich in het onderzoek gewurmd, wat betekent dat hij zo ongeveer alles weet wat wij doen. Hij heeft geen alibi voor de nacht van de moord en vijf minuten geleden hebben we ontdekt dat hij een half miljoen dollar rijker is geworden omdat zijn broer dood is. Wat moet ik daar verdomme van denken? Wil je zeggen dat jouw politieradar hier niet op reageert?'
'Oké, je bent duidelijk genoeg geweest. Misschien ben ik te nonchalant met hem omgesprongen. Regel één: vertrouw niemand.'
'Een goede regel om je aan te houden.' McKenna zweeg en liet er toen op volgen: 'Of om voor te sterven.' Hij liep weg, een zeer geschokte Chandler achterlatend.

•45•

Fiske klopte op de deur van Riders kantoor. Hij keek met half dichtgeknepen ogen door het glas. 'Het is donker daarbinnen.'
'Hij is waarschijnlijk thuis. We moeten uit zien te vinden waar dat is.'
'Nou, de man kan ook buitenshuis zijn gaan eten, of voor zaken de stad uit zijn. Hij kan zelfs met vakantie zijn. Of...'
'Of er kan iets anders met hem gebeurd zijn,' zei Sara.
'Nu moet je niet te dramatisch worden.' Hij pakte de deurknop, die zich gemakkelijk liet omdraaien. Hij en Sara wisselden een veelbetekenende blik. Fiske keek de gang langs. Toen zag hij de kar met schoonmaakspullen en hij ontspande zich enigszins. 'Schoonmaakploeg?'
'Die schoonmaakt in het pikkedonker?' zei Sara.
'Dat dacht ik nou ook.' Hij trok Sara bij de deur vandaan, naar de kar, waar hij in begon te rommelen tot hij een stevige tang uit een gereedschapskist haalde.
Op fluisterende toon zei hij: 'Ga naar de trap en blijf daar wachten. Als

je iets hoort, moet je naar de auto rennen om de politie te waarschuwen.'
Ze pakte zijn arm en fluisterde terug: 'Ik heb een veel beter idee. Laten we nu meteen samen de politie gaan bellen en zeggen dat er wordt ingebroken.'
'We weten niet of er wordt ingebroken.'
'We weten ook niet of het niet zo is.'
'Als we weggaan, kunnen ze ontkomen.'
'Als jij naar binnen gaat en ze vermoorden je, wat hebben we daar dan aan? Je hebt zelfs geen pistool, alleen dat ding, wat het ook mag zijn.'
'Een tang.'
'Geweldig. Zij hebben misschien wapens en jij hebt een stuk gereedschap.'
'Misschien heb je gelijk.'
'De dame heeft zeker gelijk. Jammer dat je niet naar haar hebt geluisterd.'
Fiske en Sara draaiden zich met een ruk om.
Daar stond Josh Harms, met zijn pistool op hen gericht.
'De muur is verdomd dun. Toen we de deur open hoorden gaan, en daarna al dat gefluister, dachten we al dat jullie tweeën de politie zouden waarschuwen. Dat gaat dus niet door.'
Fiske keek naar hem. Hij was groot, maar niet zwaargebouwd. Tenzij ze op een routine-inbraak waren gestuit, moest deze man Josh Harms zijn. Hij keek naar het pistool en vervolgens nam hij Josh scherp op, in een poging er snel achter te komen of de man de trekker zou durven overhalen. Hij had in Vietnam mensen gedood, dat wist Fiske uit de krantenverslagen. Maar als hij hen beiden hier doodde, zou dat in koelen bloede gebeuren en dat kon Fiske nu niet direct in Josh Harms' ogen lezen. Het kon echter altijd veranderen. Eerst maar eens met woorden proberen, zei hij tegen zichzelf.
'Hallo, Josh, ik ben John Fiske. Dit is Sara Evans, ze werkt bij het Hooggerechtshof. Waar is je broer?'
Achter hem verscheen uit de openstaande deur die naar Riders kamer leidde, een man van wie Sara en Fiske wisten dat hij niemand minder dan Rufus Harms moest zijn. Hij had Fiskes woorden blijkbaar gehoord.
'Hoe weet je dat allemaal?' zei Rufus Harms, terwijl zijn broer het pistool recht op het tweetal gericht hield.
'Dat zal ik je graag vertellen. Maar waarom praten we niet in het kantoor? Er loopt een opsporingsbevel en nog zo het een en ander tegen je.'

Hij knikte naar Sara. 'Na jou, Sara.' Buiten het gezichtsveld van de gebroeders Harms gaf hij haar een geruststellend knipoogje. Hij wilde alleen dat hij zich inwendig net zo zelfverzekerd voelde. Ze stonden tegenover een veroordeelde moordenaar die vijfentwintig jaar in de hel had doorgebracht, wat hem er waarschijnlijk niet aardiger op had gemaakt, en een listige Vietnam-veteraan wiens vinger aan de trekker met elke verstrijkende seconde leek te verstrakken.
Sara liep het kantoor in, met Fiske achter zich aan.
Josh en Rufus keken elkaar vragend aan. Toen volgden ze het stel naar binnen en deden de deur achter hen dicht.

De jeep racete over de bijwegen, op weg naar het kantoor van Samuel Rider. Tremaine reed; Rayfield zat naast hem. De tweezitsjeep was Tremaines privé-voertuig. Ze hadden beiden nu geen dienst en hadden besloten om geen militair voertuig uit het wagenpark mee te nemen. Voor het geval iemand hen erop betrapte dat ze Riders kantoor doorzochten, hadden ze een smoes bedacht: Sam Rider, voormalig legeradvocaat van Rufus Harms, had zijn praktijk in dit gebied en had om onbekende redenen Harms onlangs in de gevangenis bezocht. Harms en zijn broer zouden de moorden kunnen hebben gepleegd. Misschien had Rider tegenover Harms losgelaten dat hij contant geld of andere waardevolle zaken in huis had, of op zijn kantoor.
Tremaine keek van opzij naar Rayfield.
'Is er iets?' vroeg Tremaine.
Rayfield staarde recht voor zich uit. 'Dit is een grote vergissing. Wij nemen al het risico op ons.'
'Dacht je dat ik dat niet wist?'
'Als we de brief vinden die Harms heeft verstuurd, tegelijk met de brief van Rider, kunnen we Harms misschien wel vergeten.'
Tremaine keek hem scherp aan. 'Waar heb je het verdomme over?'
'Harms schreef die brief omdat hij de gevangenis uit wilde. Hij heeft het meisje gedood, maar hij heeft haar niet echt vermoord, zo is het toch? Nou, hij is de gevangenis uit. Hij en zijn broer zitten op dit moment waarschijnlijk in Mexico, wachtend op een vliegtuig dat hen naar Zuid-Amerika zal brengen. Dat is tenminste wat ik zou doen.'
Tremaine schudde zijn hoofd. 'Dat kunnen we niet zeker weten.'
'Wat kan hij anders doen, Vic? Weer een brief naar het Hooggerechtshof schrijven, en wat moet daar dan in staan? Edelachtbare, ik heb u al eerder geschreven met dat gekke verhaal dat ik niet kan bewijzen, maar er is iets met mijn verzoekschrift gebeurd en mijn advocaat en de griffier die het in handen kreeg, zijn nu dood. Daarom ben ik uit de gevangenis

ontsnapt, ik ben op de loop en ik wil voor het Hof verschijnen. Dat is onzin, Vic. Dat zal hij niet doen. Hij gaat er als de bliksem vandoor. Hij ís er als de bliksem vandoor gegaan.'
Tremaine overwoog het. 'Misschien. Maar voor het geval hij niet zo slim is als jij denkt, ga ik alles in het werk stellen om hem overhoop te schieten. Hem, en zijn broer. Ik mag Rufus Harms niet. Ik heb hem nooit gemogen. Ik ben gewond geraakt in Nam en hij is veilig en wel in de Verenigde Staten teruggekeerd en krijgt drie maaltijden per dag. We hadden hem moeten laten wegrotten in het strafkamp, maar dat hebben we niet gedaan,' voegde Tremaine er verbitterd aan toe.
'Daarvoor is het nu te laat.'
'Nou, ik ga hem een grote dienst bewijzen. Wanneer ik hem vind, is zijn volgende cel twee meter twintig lang, één meter vijfentwintig breed en gemaakt van vurenhout. En hij krijgt er verdomme geen vlag op.' Tremaine drukte het gaspedaal nog dieper in.
Hoofdschuddend leunde Rayfield achterover in zijn stoel. Hij keek op zijn horloge en tuurde vervolgens de weg af. Ze waren bijna bij Riders kantoor.

Sara en Fiske zaten op de leren bank en de gebroeders Harms stonden voor hen.
'Waarom binden we ze niet gewoon vast en maken dan dat we hier als de donder vandaan komen?' zei Josh tegen zijn broer.
Fiske kwam tussenbeide. 'Ik denk dat jullie tot de ontdekking zullen komen dat we aan dezelfde kant staan.'
Josh keek hem nijdig aan. 'Nu moet je dit niet verkeerd opvatten, maar je verkoopt een hoop flauwekul.'
'Hij heeft gelijk,' zei Sara. 'We zijn hier om jullie te helpen.' Josh snoof, maar nam niet de moeite om te antwoorden.
'John Fiske?' zei Rufus. Hij bekeek Fiskes gezicht, in een poging zich te herinneren waar hij iemand had gezien die op hem leek. 'Die griffier die ze hebben vermoord, was zeker familie van je? Je broer?'
Fiske knikte. 'Ja. Wie heeft hem vermoord?'
Josh kwam ertussen. 'Je moet hem niets vertellen, Rufus. We weten niet wie ze zijn of wat ze willen.'
'We zijn hierheen gekomen om met Sam Rider te praten,' zei Sara.
Josh keek haar aan. 'Nou, tenzij je een seance wilt houden of zoiets, zal dat heel moeilijk worden.'
Fiske en Sara keken elkaar aan en vervolgens weer naar de broers.
'Is hij dood?' vroeg Sara.
Rufus knikte. 'Hij en zijn vrouw. Het lijkt op zelfmoord.'

Fiske merkte de map op die Rufus in zijn hand geklemd hield. 'Is dat wat je naar het Hof hebt gestuurd?'
'Vind je het erg als ik de vragen stel?' zei Rufus.
'Ik zeg je nog een keer, Rufus, we zijn vrienden van je.'
'Sorry, maar ik maak niet zo gemakkelijk vrienden. Waar wilden jullie met Samuel over praten?'
'Hij heeft dat voor je ingediend bij het Hof, waar of niet?'
'Ik beantwoord geen vragen.'
'Oké. Ik vertel je alles wat we weten en dan kun je daarna beslissen. Hoe klinkt dat?'
'Ik luister.'
'Rider heeft het ingediend. Mijn broer kreeg het onder ogen en nam het mee uit de postkamer van het Hooggerechtshof. Hij ging naar de gevangenis, om jou op te zoeken. Het eindigde ermee dat hij dood werd aangetroffen in een steeg in Washington. Het moest op een roofoverval lijken. Nu vertel jij ons dat Rider dood is. Er is nog een griffier vermoord. Ik denk dat het in verband staat met de dood van mijn broer, maar ik weet niet precies waarom.' Fiske hield even op met praten om de beide mannen aan te kijken. 'Dat is alles wat we weten. Nu geloof ik dat jullie veel meer weten. Bijvoorbeeld waarom dit alles gebeurt.'
'Je weet wel erg veel. Ben je bij de politie?' vroeg Josh.
'Ik help de rechercheur die met het onderzoek is belast.'
'Zie je wel, Rufus, ik heb het je wel gezegd. We moeten hier vandaan. Waarschijnlijk is de politie al op weg hiernaartoe.'
'Nee, dat is niet zo,' zei Sara. 'Ik heb uw naam gezien in de papieren die Michael had, meneer Harms, maar dat is dan ook alles. Ik weet niet waarom u het verzoek hebt ingediend of wat erin stond.'
'Waarom dient een gevangene een verzoek in bij het Hooggerechtshof?' vroeg Rufus.
'Omdat hij eruit wil,' zei Fiske. Harms knikte. 'Maar je moet een goede reden hebben om zoiets te doen.'
'Ik heb de beste reden van allemaal: de simpele waarheid,' zei Rufus nadrukkelijk.
'Vertel me die dan,' zei Fiske.
Josh schoof in de richting van de deur. 'Rufus, ik heb hier geen goed gevoel over. We staan hier maar met hen te praten en de politie sluit het net om ons. Je hebt al te veel gezegd.'
'Ze hebben zijn broer vermoord, Josh.'
'Je weet niet of hij echt zijn broer is.'
Fiske haalde zijn portefeuille tevoorschijn en liet zijn rijbewijs zien. 'Dit bewijst ten minste dat we dezelfde achternaam hebben.'

Rufus wuifde het weg. 'Dat hoef ik niet te zien. Je gedraagt je net als hij.'
'Zelfs als ze niet met de politie samenwerken, wat kunnen ze verdomme doen om ons te helpen?'
Rufus keek naar Fiske en Sara. 'Jullie praten allebei goed en snel. Hebben jullie daar een antwoord op?'
'Ik werk bij het Hooggerechtshof, meneer Harms,' zei Sara. 'Ik ken alle rechters. Als u bewijsmateriaal hebt waaruit blijkt dat u onschuldig bent, dan beloof ik u dat ernaar zal worden geluisterd. Als het niet bij het Hooggerechtshof is, dan bij een andere rechtbank, gelooft u me.'
Fiske voegde eraan toe: 'De rechercheur die aan deze zaak werkt, weet dat er iets niet klopt. Als je ons wilt vertellen waar het om gaat, kunnen we naar hem toe gaan en ervoor zorgen dat hij de zaak van die kant bekijkt.'
'Ik ken de waarheid,' zei Rufus nogmaals.
'Dat is geweldig, Rufus, maar het feit ligt er nu eenmaal dat het voor een rechtbank alleen dán de waarheid is, wanneer je het kunt bewijzen,' zei Fiske.
Sara zei: 'Wat stond er dan in uw verzoekschrift?'
'Rufus, geef daar verdomme geen antwoord op!' schreeuwde Josh.
Rufus negeerde hem. 'Iets wat het leger me heeft gestuurd.'
'Heb je het meisje vermoord, Rufus?' vroeg Fiske.
'Ja,' zei hij, met neergeslagen ogen. 'Tenminste, mijn handen hebben het gedaan, de rest van me had er geen notie van wat er gebeurde. Niet na wat ze met me hadden gedaan.'
'Wat bedoel je daarmee? Wie hebben wat met je gedaan?'
'Rufus, hij probeert je erin te luizen,' waarschuwde Josh.
'Ze hebben met mijn hoofd gerotzooid, dat hebben ze gedaan,' zei Rufus.
Fiske keek hem strak aan. 'Wil je het op ontoerekeningsvatbaarheid gooien? Als je dat doet, heb je geen schijn van kans.' Hij bleef Rufus scherp aankijken. 'Maar er is meer, nietwaar?'
'Waarom zeg je dat?' vroeg Rufus.
'Omdat mijn broer datgene wat er in je verzoekschrift stond heel serieus nam. Zo serieus, dat hij de wet overtrad door het mee te nemen, en het leven erbij inschoot toen hij probeerde je te helpen. Hij zou dat niet hebben gedaan voor een vijfentwintig jaar oud geval van ontoerekeningsvatbaarheid. Vertel me wat het was dat mijn broer het leven heeft gekost.'
Josh plaatste een grote hand op Fiskes borst en duwde hem hard tegen de rugleuning van de bank. 'Hoor eens, goochemerd, Rufus hier heeft

je broer niet gevraagd iets voor hem te doen. Je broer was degene die deze hele zaak heeft opgeblazen. Hij moest gaan kijken wie Rufus was omdat hij een oude, zwarte man is die in een oude gevangenis zat voor een oud misdrijf. Dus kom me niet aan met dat liedje over je "rechtschapen broer".'
Fiske sloeg de hand weg. 'Loop naar de hel, klootzak!'
Josh bracht het pistool dichter bij Fiskes gezicht en zei dreigend: 'Waarom stuur ik jou daar niet eerst heen? Dan kom ik later wel bij je. Wat dacht je daarvan, stuk wittebrood?'
'Alsjeblieft, niet doen,' smeekte Sara. 'Alsjeblieft, hij probeert alleen maar te helpen.'
'Ik heb geen hulp nodig van jullie soort.'
'We proberen alleen om gerechtigheid voor je broer te krijgen bij een rechtbank.'
'Ik kan zelf wel gerechtigheid zoeken bij een rechtbank. We zijn veel sterker in aantal dan jullie blanken. De gevangenissen zitten stampvol met mensen zoals wij en jullie zijn te krenterig om nieuwe te bouwen. Dus ik kan meer dan gerechtigheid krijgen bij een rechtbank. Het probleem is, dat ik die niet daarbuiten kan krijgen en verdomd als het niet waar is, daar breng ik het grootste deel van mijn tijd door.'
'Dit is niet de manier om het aan te pakken,' zei Rufus.
'O, dus nu weet je opeens hoe het wel aangepakt moet worden?' zei Josh.
Fiske werd steeds nerveuzer. Het klonk alsof Josh Harms een punt had bereikt waar zelfs zijn broer hem niet meer in de hand kon houden. Zou hij proberen hem het pistool af te pakken? Josh was waarschijnlijk een jaar of vijftien ouder dan hij, maar de man leek zo sterk als een beer. Als Fiske een uitval deed en een klap op zijn hoofd kreeg, zou hij waarschijnlijk getroffen worden door verscheidene kogels uit het 9 mm-pistool.
Het gegier van rubber op asfalt liet hen alle vier naar het raam kijken. Rufus schoof erheen en keek voorzichtig naar buiten. Toen hij weer bij het raam vandaan kwam, konden ze allemaal de angst in zijn ogen lezen.
'Daar heb je Vic en Rayfield.'
'Shit!' riep Josh. 'Wat hebben ze bij zich?'
Rufus haalde diep adem. 'Vic heeft een machinegeweer.'
'Shit!' zei Josh nog een keer, terwijl ze allemaal luisterden naar het geluid van zware laarzen die het gebouw binnenstampten. Over een paar minuten, misschien nog minder, zouden ze hier zijn. Opeens keek hij woedend naar Fiske en Sara. 'Heb ik het je niet gezegd? Ze hebben ons erin laten lopen. We hebben hier met hen zitten leuteren terwijl het

leger dit gebouw omsingelt.'
'Voor het geval het je nog niet is opgevallen, we zijn niet in uniform,' zei Fiske. 'Misschien zijn ze jullie gevolgd.'
'We komen niet uit de richting van de gevangenis. Wanneer ze ons in de gaten krijgen, beginnen ze te schieten en dan is het afgelopen.'
'Niet als jullie je overgeven.'
'Geen sprake van,' zei Josh met luide stem.
'Geen sprake van,' zei Rufus. 'Ze zullen me niet in leven laten, niet nu ze weten wat ik weet.'
Fiske keek naar Rufus Harms. De ogen van de man flitsten van links naar rechts. Hij had toegegeven dat hij het meisje had gedood. Was dat niet voldoende? Waarom zouden ze hem niet weer door het leger in zijn kooi laten stoppen? Maar zijn broer had hem willen helpen.
Fiske sprong op.
Josh hield hem onder schot. 'Maak het niet erger dan het al is.'
Fiske keek niet eens naar hem; zijn ogen waren strak op Rufus gericht.
'Rufus? Rufus!'
Harms leek eindelijk uit zijn verdoving te ontwaken en keek hem aan.
'Misschien kan ik je hieruit redden, maar dan moet je precies doen wat ik zeg.'
Josh zei: 'We kunnen hier verdomme zelf wel uit komen.'
'Over ongeveer dertig seconden zullen die twee kerels door die deur komen en dan is het voorbij. Je kunt niet tegen hun vuurkracht op.'
'Als ik nu eens een van mijn kogels door jouw kop jaag?' zei Josh.
'Rufus, vertrouw je me? Mijn broer kwam je te hulp. Laat mij afmaken waar hij aan begonnen is. Vooruit, Rufus. Geef me een kans.' Een straaltje zweet drupte langs Fiskes voorhoofd.
Sara kon geen woord uitbrengen. Ze hoorde niets anders dan die laarzen, ze zag niets anders dan dat machinegeweer, dat dichter- en dichterbij kwam.
Eindelijk, bijna onmerkbaar, knikte Rufus.
Fiske kwam onmiddellijk in actie. 'De badkamer in, jullie alle twee,' zei hij.
Josh begon te protesteren tot Rufus hem het zwijgen oplegde en hem naar de privé-badkamer duwde die aan het kantoor grensde.
'Sara, jij gaat met hen mee.'
Stomverbaasd keek ze hem aan. 'Wát?'
'Doe nu maar wat ik zeg. Als je me je naam hoort roepen, spoel je het toilet door en kom je eruit. Jullie tweeën,' hij knikte naar de broers, 'blijven achter die deur. Als je me niet je naam hoort zeggen, Sara, blijf je waar je bent.'

'En jij denkt niet dat die legerjongens misschien een kijkje willen nemen in het toilet, zeker als de deur dicht is?' vroeg Josh sarcastisch.
'Dat is mijn zorg.'
'Oké,' zei Josh langzaam. 'Dan zal ik je iets anders geven om je zorgen over te maken, slimmerik. Als je ons verlinkt, dan treft de eerste kogel die ik afvuur je ongeveer hier.' Josh zette de loop van het pistool tegen de onderkant van Fiskes schedel. 'Je zult mijn pistool niet eens horen afgaan. Je bent al dood voor je verdomde oren het aan je verdomde hersens kunnen doorgeven.'
Fiske knikte tegen Josh alsof hij die uitdaging aannam, en feitelijk was dat ook zo. Hij keek naar Sara; haar gezicht was bleek. Ze leunde tegen hem aan, snakkend naar adem terwijl de stampende voeten dichterbij kwamen.
'John, dit kan ik niet doen.'
Hij greep haar stevig bij de schouders. 'Sara, dat kun je wel. Je zult het doen. Nu. Ga. Ga!' Hij kneep haar even in de hand en daarna gingen zij en de gebroeders Harms de badkamer in. Sara deed de deur achter hen dicht. Fiske keek het kantoor rond, terwijl hij zijn uiterste best deed om te kalmeren. Hij zag een aktetas tegen een van de wanden staan, greep die en maakte hem open. De tas was leeg. Hij stopte dossiers die op Riders bureau lagen, in de tas. Terwijl de laarzen door de gang dreunden, liep hij snel naar de kleine vergadertafel in de hoek. Nog terwijl hij ging zitten, hoorde hij de buitenste deur opengaan. Hij trok een dossier uit de tas en sloeg het open, en hij hoorde dat de binnendeur geopend werd. Achteroverleunend in de stoel deed hij alsof hij een paar documenten bestudeerde, terwijl de deur verder openging. Hij keek op, in de gezichten van de mannen.
'Wat heeft dat verdomme...' begon hij te zeggen, tot hij het machinegeweer op zich gericht zag. Hij zweeg.
'Wie bent u?' vroeg Rayfield.
'Ik wilde u juist hetzelfde vragen. Ik ben hier voor een bespreking met Sam Rider. Ik zit al tien minuten te wachten en hij is er nog steeds niet.'
Rayfield deed een stap naar hem toe. 'Bent u een cliënt van hem?'
Fiske knikte. 'Vanavond uit Washington gekomen met een chartervliegtuig. Deze afspraak is al een paar weken geleden gemaakt.'
'Wel een beetje laat voor een bespreking, vindt u ook niet?' Tremaines ogen boorden zich in die van Fiske.
'Ik heb een drukbezette agenda. Dit was het enige tijdstip waarop ik hier kon zijn.' Hij keek beide mannen strak aan. 'Maar ik zou graag willen weten waarom een paar militairen hier komen binnenvallen met een machinegeweer.'

Tremaines gezicht werd rood van kwaadheid, maar Rayfield pakte het wat diplomatieker aan. 'Het zijn onze zaken niet, meneer...'
Fiske wilde zijn echte achternaam zeggen, maar toen bedacht hij zich. Rufus kende deze mannen van naam. Dat betekende dat ze op de een of andere manier betrokken waren bij wat er met Rufus was gebeurd. Als dat waar was, zouden zij Michael hebben kunnen vermoorden.
'Michaels. John Michaels. Ik ben directeur van een projectontwikkelingsmaatschappij en Rider is mijn advocaat voor de zaken die de terreinen betreffen.'
'Nou, dan zult u een andere advocaat moeten zoeken,' zei Rayfield.
'Ik ben heel tevreden over Sams werk.'
'Daar gaat het niet om. Het gaat erom dat Rider dood is. Hij heeft zelfmoord gepleegd. Eerst zijn vrouw vermoord, en daarna zichzelf.'
Fiske stond op, pogend eruit te zien alsof hij hevig geschokt was. Dat was niet al te moeilijk, gezien het feit dat hij probeerde twee gewapende mannen om de tuin te leiden, met twee andere gewapende mannen in de aangrenzende kamer. Als hij er niet in slaagde, zou hij, als het aan Josh Harms lag, de eerste dode zijn.
'Waar hebben jullie het verdomme over? Ik heb hem pas nog gesproken. Er leek niets aan de hand.'
'Dat is allemaal goed en wel, maar hij is dood,' zei Rayfield.
Fiske liet zich abrupt weer op zijn stoel vallen, als verdoofd naar de voor hem liggende dossiers kijkend. 'Ik kan het niet geloven,' zei hij, langzaam zijn hoofd schuddend. 'Ik voel me als een idioot. Ik zit hier in het kantoor van de man te wachten, voor een bespreking. Maar ik wist het niet. Niemand heeft me iets gezegd. De deur van zijn kantoor was niet op slot. Jezus!' Hij schoof de dossiers opzij en keek scherp op. 'Wat doen jullie hier dan? Waarom is het leger erbij betrokken?'
Tremaine en Rayfield wisselden een blik. 'Er is iemand ontsnapt uit de militaire gevangenis vlakbij.'
'Grote god, denkt u dat de ontsnapte gevangene hier in de buurt is?'
'Dat weten we niet. Maar Rider was de advocaat van de ontsnapte man. We dachten dat hij hier misschien naartoe zou gaan voor geld, of iets dergelijks. Wie weet, misschien heeft de gevangene Rider wel vermoord.'
'U zei toch dat het zelfmoord was?'
'Dat gelooft de politie. Daarom zijn we hier. Om rond te kijken en de man gevangen te nemen, als hij hier is.'
Tot zijn schrik zag Fiske dat Tremaine in de richting van de badkamerdeur liep.
'Susan, kun je alsjeblieft even hier komen?' riep Fiske met luide stem.

Tremaine keek strak naar Fiske, terwijl ze alle drie hoorden dat het toilet werd doorgetrokken. Toen ging de deur een eindje open en Sara kwam eruit, haar best doend verbaasd te kijken. Het lukte haar aardig, dacht Fiske, waarschijnlijk omdat ze, net als hij, doodsbang was.
'John, wat gebeurt er allemaal?'
'Ik heb deze heren verteld dat we een bespreking hadden met Sam Rider. Je zult het niet geloven, maar hij is dood.'
'O, mijn god.'
'Susan is mijn assistente.' Ze knikte tegen de beide mannen.
'Ik heb uw namen nog niet gehoord,' zei Fiske.
'Dat klopt,' beet Tremaine hem toe.
Fiske vervolgde haastig: 'Deze heren zijn militairen. Ze zoeken een ontsnapte gevangene. Ze denken dat die man iets te maken zou kunnen hebben met de dood van Sam.'
'O, mijn god, John. Laten we teruggaan naar het vliegveld en naar huis gaan.'
'Dat is geen slecht idee,' zei Tremaine. 'We kunnen het gebouw veel sneller doorzoeken als u ons niet voor de voeten loopt.' Hij keek weer naar de deur van de badkamer. Met het machinepistool in zijn ene hand maakte hij aanstalten om de deur wijd open te gooien.
'Nou, ik kan u verzekeren dat zich daar niemand verstopt,' zei Sara met een zo strak mogelijk gezicht.
'Als u het niet erg vindt, mevrouw, controleer ik dit soort dingen liever zelf,' zei Tremaine kortaf.
Fiske keek naar Sara. Hij wist zeker dat ze op het punt stond om te gaan gillen. Vooruit, Sara, hou vol. Beheers je.
Vlak achter de deur van de donkere badkamer hield Josh Harms zijn pistool recht op Tremaines hoofd gericht, door de kleine kier tussen deur en deurstijl.
Josh had de tactische voordelen die hij had al overwogen, hoe gering die ook waren. Eerst Vic Tremaine en dan Rayfield, tenzij Rayfield hem eerder te pakken kreeg, waarop een grote kans bestond, gezien Josh' zeer beperkte gezichtsveld. Nou, hij kon op geen enkele manier die kleine Sherman-tank van een Vic Tremaine missen. Zijn hand omklemde de trekker vaster terwijl zijn broer over zijn schouder keek, met zijn grote lichaam zo ver mogelijk tegen de wand gedrukt. Maar er was nauwelijks drie centimeter ruimte tussen hem en de deur. Zodra Tremaine het hout aanraakte, zou het voorbij zijn.
Precies op dat moment begon Fiske de dossiers in de aktetas te stoppen. 'Ik kan het niet geloven. Eerst worden we bijna omvergelopen door die twee zwarten, en nu dit.'

Tremaine en Rayfield draaiden zich met een ruk om en staarden hem aan. 'Welke twee zwarten?' zeiden ze tegelijk.
Fiske hield op met wat hij deed en keek hen aan. 'We liepen juist het gebouw in toen ze ons voorbij kwamen rennen. Ze gooiden Susan bijna ondersteboven.'
'Hoe zagen ze eruit?' vroeg Rayfield. Zijn stem klonk gespannen en hij ging dichter bij Fiske staan. Tremaine verwijderde zich snel van de badkamerdeur.
'Nou, ik zei al, het waren zwarten. Een van hen zag eruit alsof hij een veteraan was, of zo. Weet je nog hoe groot hij was, Susan?' Ze knikte en begon weer adem te halen. 'Ik bedoel, hij was enorm. De ander was ook groot, minstens één meter vijfentachtig, of één meter negentig, maar veel slanker. Ze renden alsof de duivel hun op de hielen zat, en zo jong waren ze ook niet meer. Zeker vijftig.'
'Hebt u gezien welke kant ze uit gingen?' vroeg Tremaine.
'Ze sprongen in een oude auto en namen de snelweg, naar het noorden. Ik weet niet veel van auto's, ik weet niet wat voor merk het was, maar het was een oud model. Groen, geloof ik.' Opeens keek hij angstig. 'U denkt toch niet dat het de ontsnapte gevangene geweest kan zijn?'
Tremaine en Rayfield gaven geen antwoord, omdat ze de deur uit stoven. Zodra ze de buitenste deur open hoorden gaan en de laarzen door de gang daverden, keken Fiske en Sara elkaar aan. Alsof ze met een touwtje aan elkaar vastgebonden waren, lieten ze zich op de bank vallen. Ze staken hun armen uit en omhelsden elkaar.
'Blij dat ik je niet hoefde neer te schieten. Je bent een snelle denker.'
Ze keken naar het grinnikende gezicht van Josh Harms, die zijn pistool tussen zijn broeksband stak. 'We zijn allebei advocaat,' zei Fiske schor, terwijl hij Sara nog altijd stevig vasthield.
Rufus verscheen achter zijn broer. 'Bedankt,' zei hij zacht.
'Ik hoop dat je ons nu gelooft,' zei Fiske.
'Ja, maar ik wil je hulp niet aannemen.'
'Rufus...'
'Iedereen die tot nu toe heeft geprobeerd me te helpen, is dood. Behalve Josh, en vanavond waren we er bijna allemaal geweest. Dat wil ik niet op mijn geweten hebben. Jullie nemen dat vliegtuig van je en je houdt je er verder buiten.'
'Dat kan ik niet. Hij was mijn broer.'
'Je doet maar wat je niet laten kunt, maar dan zonder mij.'
Hij liep naar het raam en keek de jeep na, die snel in noordelijke richting wegreed. Daarna maakte hij een gebaar naar Josh. 'We moeten gaan, je kunt nooit weten of ze een aanvechting krijgen om terug te komen.'

Terwijl de beide mannen aanstalten maakten om te vertrekken, voelde Fiske in zijn zak en haalde er iets uit wat hij Rufus toestak. 'Hier is mijn kaartje. De telefoonnummers van mijn huis en mijn kantoor staan erop. Rufus, denk goed na voor je iets doet. Alleen red je het niet. Wanneer dat eindelijk tot je doordringt, bel me dan.'
Fiske keek verbaasd toen Sara het kaartje van hem overnam en er iets achterop schreef. 'Op de achterkant staan mijn telefoonnummers, van thuis en van de auto. Je kunt een van ons beiden altijd bellen, dag en nacht.'
Langzaam werd een enorme hand uitgestoken om het kaartje aan te pakken. Rufus stak het in zijn borstzak. Een minuut later waren Sara en Fiske alleen achtergebleven. Opnieuw keken ze elkaar aan, volkomen uitgeput. Er verstreek nog een minuut vóór Fiske de stilte verbrak.
'Nou, ik moet toegeven, het scheelde maar een haartje.'
'John, zoiets wil ik nooit, nooit meer doen.' Wankelend liep Sara naar de badkamer.
'Waar ga je heen?'
Ze nam niet de moeite achterom te kijken. 'Naar het toilet. Tenzij je liever hebt dat ik hier overgeef.'

•46•

Een uur na zijn gesprek met Warren McKenna liep Chandler langzaam de oprit naar zijn huis op. Het was een comfortabele, uit steen en hout opgetrokken split-level bungalow, in een buurt met soortgelijke woningen. Een aardige, veilige plek om kinderen te laten opgroeien, tenminste, zo was het twintig jaar geleden geweest. Vandaag was het er niet meer zo veilig of zo aardig, maar waar was het dat nog wel, dacht hij. Wanneer hij vele jaren geleden, na het werk, alles van zich af wilde zetten, zou hij op de oprit een potje basketbal hebben gespeeld met zijn kinderen, gebruikmakend van het net dat hij voor de garagedeur had opgehangen. Het net was allang weggerot en de ring en de plank erachter waren weggehaald. Nu liep hij de kleine achtertuin in, waar hij ging zitten op een verweerde, grijze cederhouten bank, onder een wijdvertakte magnolia en voor een kleine, ingegraven fontein. Zijn vrouw had

hem aan het hoofd gezeurd om de fontein daar te plaatsen en hij had niets anders gedaan dan mopperen en klagen. Pas nadat hij had toegegeven, had hij begrepen waarom ze zo had aangedrongen. Het bouwen van de fontein had een louterende uitwerking op hem gehad: ontwerpen, de afmetingen bepalen, materiaal uitzoeken. Het leek veel op recherchewerk, dat was ook een legpuzzel waarin, als je even bekwaam was als fortuinlijk, alle stukken in elkaar pasten.
Na tien minuten rustig te hebben gezeten, kwam hij eindelijk overeind om, met zijn jasje over zijn schouder geslagen, naar het huis te kuieren. Hij keek de stille, donkere keuken rond. Die was goed ingericht, het hele huis trouwens, wat uitsluitend te danken was aan de inspanningen van zijn vrouw, Juanita. De kinderen opvoeden, met hen naar de dokter gaan, rekeningen betalen, bloemen verzorgen, gras maaien en wieden, bedden opmaken, kleren wassen en strijken, maaltijden koken, afwassen, zij deed het allemaal terwijl hij waanzinnig veel overuren maakte om vooruit te komen. Op die manier waren ze partners geweest. Nadat de kinderen de deur uit waren, was ze weer naar school gegaan. Ze was verpleegkundige geworden en nu werkte ze op de kinderafdeling van een plaatselijk ziekenhuis. Ze waren nu drieëndertig jaar getrouwd en ze hadden het nog steeds goed samen.
Chandler had er geen idee van hoe lang hij nog bij de recherche zou kunnen blijven. Het werd hem allemaal te veel. De stank van het werk, de rubberen handschoenen die hij aan zijn handen voelde, het zetten van kleine, afgemeten stappen uit angst om een stukje bewijsmateriaal te vertrappen dat iemand het leven zou kunnen kosten of een slachter vrij zou kunnen laten rondlopen. Het papierwerk, de gladde advocaten voor de verdediging die telkens weer dezelfde vragen stelden, dezelfde verbale vallen opzetten, de verveelde rechters die het vonnis voorlazen alsof ze de voetbaluitslagen meedeelden. De verdachten die erbij zaten als een robot, die niets zeiden, geen emotie toonden, die met al hun makkers naar de gevangenis gingen, naar dat instituut voor hoger onderwijs waar ze als nog veel grotere misdadigers weer uit kwamen.
Het gerinkel van de telefoon onderbrak zijn sombere gedachten.
'Hallo?' Hij bleef een paar minuten luisteren, gaf vervolgens een reeks instructies en hing op. Er was een kogel gevonden in de steeg waar het lichaam van Michael Fiske was aangetroffen. Het projectiel was kennelijk afgeketst tegen een muur en vervolgens blijven steken in rommel die achter een vuilcontainer was gevallen. Uit wat men Chandler had verteld, bleek dat de kogel in zeer goede staat verkeerde en slechts weinig was vervormd. Het lab zou moeten bevestigen dat het dezelfde kogel was die de jonge griffier had gedood. Dat zou vrij gemakkelijk

zijn, om een misselijkmakende reden: er zouden bloed, botsplinters en hersenweefsel aan kleven die met redelijke zekerheid van het hoofd van Michael Fiske afkomstig zouden zijn. Met de kogel in de hand konden ze nu driftig op zoek gaan naar het moordwapen. Ballistische proeven konden de overeenkomst vaststellen tussen de kogel en het pistool waaruit deze was afgevuurd, met dezelfde betrouwbaarheid als waarmee vingerafdrukken met een menselijke hand werden vergeleken.
Chandler stond op en liep de zitkamer in, nadat hij opzettelijk zijn pistool had weggelegd. Hij ging zitten in een leunstoel die bij zijn omvang paste. Het was donker in de kamer, maar hij maakte geen aanstalten om het licht aan te doen. Hij had te veel licht om zich heen bij zijn werk. De lampen van zijn kantoor schenen elke dag genadeloos op hem neer. Nog feller licht was er in de autopsieruimte, waardoor elk stuk vlees er enorm, onheilspellend rauw uitzag, zodanig dat zelfs Chandler zich een heel enkele keer moest excuseren om naar het herentoilet te gaan, waar zijn maag weinig waardering toonde voor de gepolijste bekwaamheid van officiële ontleding. Dan waren er nog de flitslampen van de fotografen op het toneel van een misdaad of in de rechtszaal. Veel te veel verdomd licht. Duisternis was stil, duisternis werkte kalmerend. Duister wilde hij dat zijn pensionering zou zijn. Koel en donker. Zoals zijn fontein.
De woorden van Warren McKenna hadden Chandler verontrust, hoewel hij zijn uiterste best had gedaan het niet te laten merken. Hij kon zich er niet toe brengen te accepteren dat John Fiske zijn eigen broer kon hebben vermoord. Maar, om heel eerlijk te zijn, zou dat niet precies datgene zijn wat Fiske wilde dat Chandler geloofde? Hij had echter nog iets anders om over na te denken. Michael Fiskes telefoongesprekken met Fort Jackson. En nu de ontsnapping van Rufus Harms. Bestond er verband tussen? Fiske dekte Sara Evans, dat was duidelijk. Chandler schudde zijn hoofd. Hij zou er een nacht over moeten slapen, omdat zijn oude hersens leeg begonnen te raken.
Hij wilde opstaan, maar bleef steken in de beweging. De arm die plotseling om zijn hals werd geslagen, maakte hem aan het schrikken. Zijn handen grepen de onderarmen van degene die achter hem stond, terwijl hij zijn ogen wijd opensperde. Zijn pistool, verdomme, waar was zijn pistool?
'Ben je hard aan het werk of zit je te dromen?'
Onmiddellijk ontspande hij zich en hij keek omhoog naar het gezicht van Juanita. Haar mondhoeken waren opgetrokken in een beginnende glimlach. Haar gezicht droeg altijd diezelfde uitdrukking, alsof ze op het punt stond een grap te vertellen of er om een te lachen. Die blik

slaagde er altijd in om hem op te vrolijken, ongeacht hoe beroerd de dag was die achter hem lag, of hoeveel lijken hij had onderzocht.
Hij legde een hand op zijn borst. 'Verdorie, vrouw, als je nog eens zo naar me toe komt sluipen, kan ik alleen nog mijn engelenvleugels laten wapperen.'
Ze ging op zijn schoot zitten. Ze droeg een lange, witte nachtpon waar haar blote voeten onderuit staken. 'Kom nou, een grote, sterke kerel als jij? En ben je niet een beetje voorbarig wat die engelenvleugels betreft?'
Hij liet een arm om haar middel glijden dat, na drie kinderen, niet meer zo slank was als in hun huwelijksnacht, maar dat van hem was dat evenmin. Ze waren naar elkaar toe *gegroeid*, placht hij vaak te zeggen. Balans was heel belangrijk in het leven. Eén dikke en één magere, dat vroeg om moeilijkheden.
Geen mens ter wereld kende hem beter dan Juanita. Misschien was dat het allerbelangrijkste in een succesvol huwelijk: de wetenschap dat er iemand anders was die je nummer had, tot op het allerlaatste cijfertje achter de komma, zoals het getal pi, misschien nog verder; als dat mogelijk was, had Juanita het.
Hij lachte tegen haar terug. 'Natuurlijk, ik ben een grote, sterke kerel, maar gevoelig, schat. Bij ons soort gevoelige types weet je nooit precies wat ons onderuithaalt. En nadat ik mijn hele leven tegen de misdaad heb gestreden, denk ik dat de Heer daarboven wel een aardig, mooi stel engelenvleugels voor me in elkaar zal naaien, maat extra large, natuurlijk. Hij weet alles, dus dan weet Hij ook dat ik die op mijn oude dag wel heb verdiend.' Hij kuste haar op de wang en ze hielden elkaars hand vast. Met haar andere hand streek ze door zijn dunner wordende haar. Ze voelde dat zijn grappige opmerking geforceerd was.
'Buford, waarom vertel je me niet wat je dwarszit, zodat we erover kunnen praten en daarna kun je mee naar bed. Het wordt al tamelijk laat en morgen komt er altijd weer een nieuwe dag.'
Chandler moest lachen om haar opmerking. 'Hé, wat is er met mijn pokerface gebeurd? Ik kan een misdadiger in de ogen kijken en het van hem winnen zonder ook maar te laten merken wat ik werkelijk denk.'
'Je bent een waardeloze pokerspeler. Praat tegen me, schat.'
Ze wreef zijn verkrampte nek en hij reageerde erop door haar voeten te masseren.
'Weet je nog van die jongeman over wie ik je heb verteld? John Fiske? Zijn broer was griffier bij het Hooggerechtshof.'
'Ik weet het nog. En nu is er weer een griffier dood.'
'Ja. Nou, ik was vanavond in de flat van zijn broer, om te zoeken naar bewijsmateriaal. McKenna, die agent van de FBI, kwam opdagen.'

'De man van wie je zei dat hij zo opgefokt was als een granaat die elk ogenblik kan exploderen? Dat je hem niet kon doorgronden?'
'Ja, die.'
'Mm-mm.'
'Nou, we hebben een levensverzekeringspolis gevonden, waarbij aan John Fiske een half miljoen dollar wordt uitgekeerd bij de dood van zijn broer.'
'En? Ze waren toch familie van elkaar? Jij hebt toch ook een levensverzekering? Ik word toch ook rijk als jij doodgaat, waar of niet?' Ze kuste hem zachtjes op zijn kruin. 'Dat is maar goed ook. Mijn hele leven heb je me van alles beloofd en het is er nooit van gekomen. Je kunt er maar beter voor zorgen dat ik rijk word wanneer jij de pijp uit gaat.'
Ze begonnen allebei te lachen en omhelsden elkaar langdurig.
'Fiske heeft nooit iets tegen me gezegd over die verzekeringspolis. Ik bedoel, je weet het toch, het is een klassiek motief voor een moord.'
'Misschien wist hij niets van die verzekering af.'
'Misschien,' gaf Chandler toe. 'In elk geval, McKenna kwam met de theorie opdraven dat Fiske zijn broer heeft vermoord om het geld, en dat hij een andere griffier van het Hof heeft overgehaald hem te helpen omdat ze verliefd op hem is, en dat hij ons vervolgens op het verkeerde been heeft gezet door aan te bieden om te helpen bij het onderzoek en weet ik wat nog meer. Zelfs door te liegen over een indringer in de flat van zijn broer. Ik moet toegeven dat zijn theorie tamelijk overtuigend klonk, oppervlakkig gezien tenminste.'
'Dus John Fiske is in het appartement van zijn broer geweest?'
'Ja. Hij beweert dat een of andere vent hem daar heeft neergeslagen en er toen vandoor is gegaan. Iemand die misschien spullen uit de flat heeft gestolen, iets wat verband houdt met de moord.'
'Nou, als hij in de flat van zijn broer is geweest en dat verhaal over die indringer heeft verzonnen, en hij wist van de levensverzekering af, waarom heeft hij dan niet naar die polis gezocht? Waarom zou hij die voor jou hebben laten liggen, zodat jij hem zou gaan verdenken?'
Chandler staarde haar met wijdopen ogen aan.
'Buford, wat is er met je?'
'Verdomme, lieverd, ik dacht dat ík de rechercheur van de familie was. Hoe komt het dat ik dit over het hoofd heb gezien?'
'Omdat je overwerkt en ondergewaardeerd bent, daarom.' Ze stond op en stak haar hand naar hem uit. 'Maar als je nu meteen meegaat naar boven, zal ik je eens een beetje extra waardering tonen. Laat je overgevoelige kant beneden, schat, maar neem je andere delen mee naar boven.' Ze keek naar hem met halfgeloken ogen en hij wist dat het niet

kwam doordat ze slaperig was.
Chandler kwam snel overeind, pakte haar hand en samen liepen ze de trap op.

•47•

Terwijl de jeep over de snelweg voortraasde, keek Tremaine nauwlettend naar de inzittenden van elke auto die ze passeerden.
'Wat een pech,' kreunde Rayfield. 'Ze kunnen ons niet meer dan een paar minuten voor zijn.'
Tremaine lette niet op hem, maar vestigde zijn aandacht op de auto die voor hen reed. Het plafondlampje ging aan terwijl ze erlangs reden, zodat de bestuurder en de passagier zichtbaar werden. De passagier vouwde een kaart open.
Nog terwijl Tremaine naar het binnenste van de auto keek, trapte hij keihard op de rem, stuurde de jeep naar links en reed over de middenstreep. De wagen bonkte en schokte in de met gras begroeide berm voor de banden weer grip kregen op het asfalt en ze terugreden in de richting van Riders kantoor.
Rayfield greep Tremaine bij de schouder. 'Verdomme, wat doe je?'
'Ze hebben ons belazerd. Die kerel en het meisje. Hun verhaal klopt voor geen meter.'
'Hoe weet je dat?'
'Het licht in de badkamer.'
'Het licht? Wat is ermee?'
'Dat was niet aan. Die griet was daar in het donker. Het drong pas tot me door toen ik het binnenlampje in die auto aan zag gaan. Er scheen geen licht onder de badkamerdeur door, toen ze binnen was. Toen ze de deur opendeed, raakte ze de lichtschakelaar niet aan omdat het al donker was in de badkamer. Ze zat niet op het toilet. Ze stond in het pikkedonker in de badkamer. En raad eens waarom?'
Rayfields gezicht werd bleek. 'Omdat Harms en zijn broer daar ook waren.' Terwijl hij naar de weg voor hen keek, bedacht hij nog iets. 'De man zei dat hij John Michaels heette. Zou het John Fiske kunnen zijn geweest?'

'Ja, en het meisje was Sara Evans. Dat denk ik. Je kunt maar beter bellen om het de anderen te laten weten.'
Rayfield pakte de telefoon. 'Nu halen we Harms nooit meer in.'
'O ja, dat doen we wel.'
'Hoe kan dat, verdomme?'
Tremaine steunde op dertig jaar ervaring bij het leger in het bestuderen van wat de tegenpartij onder bepaalde omstandigheden zou doen. 'Fiske zei dat hij hen in een auto had zien stappen. Het tegenovergestelde van een auto is een truck. Hij zei dat het een oude auto was. Het tegenovergestelde daarvan is een nieuwe truck. Hij zei dat ze naar het noorden gingen, dus gaan wij naar het zuiden. Ze zijn ons pas vijf minuten voor. We halen ze in.'
'Ik hoop bij god dat je gelijk hebt. Als ze in Riders kantoor waren...' Hij zweeg en keek bezorgd uit het raampje.
Tremaine keek hem van opzij aan. 'Dan betekent dat, dat de gebroeders Harms niet op de vlucht zijn. Dat betekent dat ze op zoek waren naar iets wat Rider in zijn bezit had. En dat is zeker geen goed nieuws voor ons.' Hij knikte naar de telefoon. 'Bel. Wij rekenen met Harms en zijn broer af. De anderen moeten zich bezighouden met Fiske en de vrouw.'

Vanwege de urgentie van de zaak had de FBI het gebruik van haar laboratorium aangeboden om de kogel die in de steeg was gevonden, te analyseren. Nadat ze die hadden vergeleken met weefselmonsters die van Michael Fiskes stoffelijk overschot waren genomen, concludeerde men dat de kogel door zijn hersenen was gedrongen. De kogel kwam uit een 9 mm-pistool van een type dat voornamelijk werd gebruikt door de politie.
Met die informatie zat agent McKenna voor een computerterminal in het Hoover-gebouw, waar hij een uiterst dringend verzoek intypte aan de staatspolitie van Virginia. Binnen enkele minuten had hij zijn antwoord. John Fiske had een 9 mm Sig-Sauer op zijn naam staan, een overblijfsel uit de tijd dat hij bij de politie was. Binnen een paar minuten zat McKenna in zijn auto. Twee uur later nam hij een afrit van de Interstate 95, op weg naar de donkere straten van het centrum van Richmond. Zijn auto denderde over de oude, oneffen straten van Shockoe Slip. Hij parkeerde op een verlaten terrein vlak bij het oude spoorwegstation.
Tien minuten later stond hij in de kamer van John Fiske, nadat hij de sloten van het gebouw en van het advocatenkantoor met verbazingwekkend gemak open had gekregen. Hij keek de donkere ruimte rond met gebruikmaking van een kleine zaklantaarn. Hij had besloten eerst in

Fiskes kantoor te gaan zoeken en daarna in diens appartement. Het vergde slechts enkele minuten voor hij het had gevonden. Het 9 mm-pistool was betrekkelijk licht en compact. McKenna, die handschoenen droeg, hield het een ogenblik in zijn hand, om het vervolgens in zijn jaszak te steken.
Hij liet het licht door de rest van het kantoor schijnen. De straal ving iets op en hij liep naar de boekenkast, waar hij de ingelijste foto uit nam. De lantaarn liet het glas te veel spiegelen om de foto te kunnen onderscheiden, dus McKenna liep ermee naar het raam en bekeek hem daar bij het licht van de maan.
De gebroeders Fiske zagen er heel gewoon uit, zoals ze daar naast elkaar stonden. Michael was groter en knapper dan zijn oudere broer, maar het vuur in John Fiskes ogen brandde intenser. John droeg zijn politie-uniform, dus McKenna wist dat deze foto al een tijd geleden was genomen. De oudste broer had heel wat meegemaakt sinds hij dat uniform had gedragen, evenals McKenna tijdens zijn loopbaan bij de FBI. Soms gaf ervaring iemand dat vuur, of nam het, in een ander geval, weg.
Hij zette de foto terug en verliet het kantoor. Vijf minuten later reed de FBI-auto opnieuw in noordelijke richting. Na twee uur zat McKenna, weer thuis in een gegoede buurt van een voorstad in Noord-Virginia, in zijn kleine studeerkamer, waar hij beurtelings van zijn bier dronk en een sigaret tussen zijn lippen hield. Hij had het pistool dat hij uit Fiskes kantoor had meegenomen, in zijn hand. Het was goed onderhouden, een fraai stukje vakwerk, deze P226. Fiske had een goede keus gemaakt wat zijn materieel betrof. Als politieman had hij op dit wapen vertrouwd om in leven te blijven. Jaren geleden hoefden agenten slechts zelden hun vuurwapen te trekken. Dat was veranderd.
McKenna wist dat Fiske met dit wapen een man had gedood. Een schot had afgevuurd dat iemand het leven had benomen. McKenna begreep de gecompliceerdheid van die reis – een symbolische reis die werd afgelegd binnen het tijdsbestek van enkele seconden. De hitte van het metaal, de misselijkmakende lucht van verbrand kruit. In tegenstelling tot wat er in films gebeurde, blies een schot een man geen paar meter achteruit. Iemand viel op de plek waar je hem neerschoot; het maakte dat hij het in zijn broek deed, liet hem op de grond vallen zonder dat hij nog een woord kon zeggen. McKenna had ook een man gedood. Het was snel en in een reflex gegaan; hij had de ogen zien uitpuilen, het lichaam zien kronkelen. Toen was McKenna teruggegaan naar de plaats vanwaar hij het schot had afgevuurd en had de twee kogelgaten in de muur gezien aan weerskanten van waar hij had gestaan. De dode had zijn eigen schoten afgevuurd, die wonderbaarlijk genoeg aan beide kan-

ten van de FBI-agent waren terechtgekomen. Later zou McKenna erachter komen dat de man een lui oog had; deze handicap vertroebelde zijn waarnemingsvermogen. McKenna was in leven gebleven, hij kon zijn vrouw en kinderen blijven zien omdat de dode man een onbetrouwbare pupil had. Tijdens de rit naar huis had McKenna in zijn broek geplast.

Hij legde het pistool neer en zette zijn gedachten aan het werk. Zijn inbraak in het kantoor van de advocaat had vruchten afgeworpen. Morgen stond Fiske en Sara een zware ondervraging te wachten. Om te beginnen zou hij Chandler te pakken zien te krijgen, hem de feiten voorleggen en de strijdlustige rechercheur van Moordzaken zijn plicht laten doen. McKenna stond op en liep het vertrek rond. Aan de wanden hingen foto's van hem met een aantal belangrijke personen. Op een tafeltje stonden de talrijke medailles en eervolle vermeldingen gerangschikt die McKenna had gekregen voor zijn inzicht en zijn moed als FBI-agent. Hij had een lange, productieve carrière als politieman achter zich, maar dat had die enige gebeurtenis waarover hij zich schaamde, niet goedgemaakt. Het was zoveel jaren geleden gebeurd en toch was het nog steeds een van zijn duidelijkste herinneringen. Wat hij toen had gedaan, dwong hem vandaag om John Fiske op te zadelen met een misdrijf.

Hij maakte de sigaret uit en bewoog zich stilletjes door het huis. Zijn vrouw was allang naar bed gegaan. Zijn beide kinderen waren volwassen en de deur uit. Financieel had hij goed geboerd, hoewel FBI-agenten nooit aan het grote geld toekwamen, tenzij ze hun insigne inleverden. Zijn vrouw, die maat was in een belangrijke advocatenmaatschap in D.C., had dat echter wel gedaan. Daardoor was het huis groot, duur ingericht en betrekkelijk leeg. Hij keek om naar de studeerkamer. Zijn succesvolle carrière, keurig uitgestald op dat tafeltje, voor altijd vastgelegd op die foto's. In de hem omhullende duisternis haalde hij diep adem. Boetedoening was een verantwoordelijkheid voor het leven.

Het vliegtuig landde en kwam taxiënd tot stilstand. Een paar minuten later waren Fiske en Sara op weg naar de parkeergarage van National Airport.

'We zijn helemaal daarnaartoe gevlogen, we zijn bijna vermoord, en we komen met lege handen terug,' mompelde Sara. 'Geweldig idee van me.'

'Dat heb je mis,' zei Fiske.

Ze kwamen bij de auto en stapten in. 'Wat zijn we er dan precies wijzer van geworden?' vroeg ze.

'Heel wat. Om te beginnen hebben we van aangezicht tot aangezicht

met Rufus Harms gestaan. Ik geloof dat hij de waarheid spreekt, wat die waarheid dan ook mag zijn.'
'Dat kun je niet zeker weten.'
'Hij kwam naar Riders kantoor, Sara, terwijl hij druk bezig zou moeten zijn het land uit te komen. Hij kwam het verzoekschrift halen dat hij had geschreven. Waarom zou hij dat doen, tenzij hij gelooft dat het waar is?'
'Ik weet het niet,' moest Sara toegeven. 'Als het om zijn verzoekschrift ging, waarom heeft hij het dan niet gewoon opnieuw geschreven?'
'Rider had zijn eigen document erbij gedaan. Dat wat je in de aktetas van mijn boer hebt gezien. Nu Rider dood is, was dat iets waarvan Harms geen kopie kon maken. Hij had het ook over iets wat hij van het leger heeft ontvangen. Een brief. Misschien dacht hij dat die hem zou kunnen helpen, dus hij kwam beide documenten zoeken.'
'Daar zit iets in.'
'Die militairen waren op jacht om te doden. Ze kwamen niet om Rufus Harms te zoeken. Ze kwamen om in Riders kantoor rond te snuffelen.'
'Hoe weet je dat?'
'Ze vroegen ons niet eens of we een verdachte figuur hadden gezien, iemand die op Rufus Harms leek. Ik moest zelf met die informatie komen. En ze deden het niet in hun officiële hoedanigheid, en midden in de nacht, met een machinegeweer. Ze waren niet van de militaire politie. Afgaande op hun leeftijd en hun gedrag hadden ze een vrij hoge rang. Om middernacht het kantoor van een burger binnenstormen met een machinegeweer, zoiets doet het leger niet.'
'Misschien heb je gelijk.'
'Daarom denk ik dat wat er in het verzoekschrift staat, iets te maken heeft met deze twee mannen persoonlijk.'
'Maar we weten niet eens wie ze zijn.'
'Ja, dat weten we wel. Rufus heeft hun namen genoemd toen we in Riders kantoor waren. Tremaine, Vic Tremaine en de ander heet Rayfield. Ze zijn in het leger, wat betekent dat ze op de een of andere manier iets te maken moeten hebben met Fort Jackson. Rufus zei dat ze hem iets hadden aangedaan. Ik weet zeker dat hij bedoelde in het strafkamp.'
'John, zelfs als ze hem hebben aangemoedigd om dat meisje te doden, of hem zelfs om een afschuwelijke reden hebben bevolen het te doen, dan kan hun hoogstens medeplichtigheid ten laste worden gelegd. Na al die jaren? Als dat alles is wat Harms heeft, heeft hij niets, dat weet je verdomme ook wel.'
'Het probleem is dat we niet genoeg weten over de gebeurtenissen van destijds. Als een paar mensen Harms in het strafkamp hebben opge-

zocht op de avond dat het meisje werd vermoord, dan moet dat toch ergens zijn vastgelegd.'
Sara keek sceptisch. 'Na vijfentwintig jaar?'
'Dan is er nog die brief van het leger, waar Harms het over had. Wat voor brief zou het leger sturen aan een van zijn zonen die voor de krijgsraad is verschenen?'
'Geloof jij dat die brief dit op de een of andere manier heeft losgemaakt?'
'Er zou informatie in hebben kunnen staan waar Harms tot dusver niets van af wist. Ik weet echter niet wat het zou kunnen zijn en evenmin waarom hij het niet wist.'
'Wacht eens even. Als Tremaine en Rayfield thuishoren in Fort Jackson, waarom zouden ze dan toestaan dat een dergelijke brief Harms bereikte? Wordt de post van gevangenen niet gecensureerd?'
Fiske dacht even na. 'Misschien is hij er gewoon doorheen geglipt.'
'Of misschien is de brief helemaal niet naar de gevangenis gestuurd. Josh Harms leek er alles van af te weten. Misschien heeft hij de brief ontvangen, begrepen wat de betekenis ervan was en dat aan Rufus verteld.'
'En dan slaagt Rufus erin om een hartaanval te simuleren, hij wordt naar het dichtstbijzijnde ziekenhuis gebracht en daar helpt Josh hem te ontvluchten?'
'Dat zou kunnen.'
'Ik wilde alleen dat we wisten wat er die dag in de gevangenis is gebeurd. Uit de woorden van Josh en Rufus viel heel duidelijk op te maken dat mijn broer hem in de gevangenis heeft bezocht.'
'Waarom bellen we de gevangenis niet? Of we gaan ernaartoe. Dan kunnen we aan de weet komen of Michael er is geweest.'
Fiske schudde zijn hoofd. 'Als die twee kerels in de gevangenis werken, zullen ze die informatie hebben achtergehouden. Misschien hebben ze iedereen die Mike daar heeft gezien, wel laten overplaatsen. En we kunnen er niet mee bij Chandler aankomen, want wat zouden we moeten zeggen? Twee militairen zijn op zoek naar een gevangene die aan hun toezicht is ontsnapt. Wat dan nog?'
'Nou, als Rayfield en Tremaine bij de gevangenis werken, dan is Michael rechtstreeks in de leeuwenkuil gestapt. Zelfs al zagen jullie elkaar weinig, dan nog ben ik verbaasd dat Michael jou niet heeft geprobeerd te bellen, om hem te helpen. Als hij dat had gedaan, zou hij nu misschien nog leven.'
Fiske verstijfde bij die woorden en sloot vervolgens zijn ogen. De rest van de rit zei hij niets meer.

Toen ze bij Sara's huis waren aangekomen liep Fiske direct naar de koelkast en haalde er een flesje bier uit.
'Heb je sigaretten in huis?'
Sara trok haar wenkbrauwen op. 'Ik wist niet dat je rookte.'
'Dat heb ik ook jaren niet meer gedaan. Maar ik heb er nu echt behoefte aan.'
'Nou, je boft.' Sara trok een stoel onder de tafel uit en zette die voor het aanrecht. Ze schopte haar schoenen uit en ging op de stoelzitting staan. 'Ik heb gemerkt dat ik, wanneer ik het zo moeilijk mogelijk maak om bij mijn voorraadje te komen, er des te minder naar verlang. Ik denk dat ik van nature erg lui ben.'
Fiske keek toe terwijl ze op haar tenen ging staan en boven op het hoogste kastje voelde. Haar vingers kwamen nauwelijks over de rand.
'Toe, Sara, laat mij dat doen. Straks val je nog.'
'Ik heb ze, John. Hier liggen ze.' Ze rekte haar lichaam zo ver ze kon en Fiske staarde naar haar blote dijbenen, op de plek waar haar rok was opgekropen. Ze begon een beetje te wankelen, dus hij legde een hand tegen haar middel om haar te steunen. Op de achterkant van haar rechterdij zat een kleine moedervlek, een bijna volmaakt driehoekje, lichtrood van kleur. Het leek te kloppen bij elk van haar moeizame bewegingen. Hij keek naar haar voeten terwijl hij haar bleef vasthouden, zijn handpalm rustte licht op haar zachte heup. Haar tenen waren lang en niet verkrampt, alsof ze vaak op blote voeten liep. Hij keek de andere kant op.
'Ik heb ze.' Ze hield het pakje omhoog. 'Zijn Camels oké?'
'Zolang je ze aan één kant kunt aansteken, kan het merk me weinig schelen.' Hij hielp haar van de stoel af, haalde een sigaret uit het pakje en keek vervolgens naar Sara. 'Wil je er ook een? Jij hebt al het werk gedaan.' Toen ze knikte, schudde hij er een voor haar uit. Ze namen er even de tijd voor om op te steken en Sara pakte voor zichzelf ook een flesje bier. Daarna liepen ze naar buiten, de kleine achterveranda op die uitzicht bood op de rivier, waar ze op een uitgebleekte schommelbank gingen zitten.
'Je hebt een goede smaak voor huizen,' merkte hij op.
'Toen ik het voor het eerst zag, wist ik dat ik hier mijn hele leven zou kunnen wonen.' Ze trok haar benen onder zich, tikte de sigaret af tegen de leuning van de veranda en keek hoe het briesje de as meevoerde. Daarna boog ze haar lange hals om een flinke slok bier te nemen.
'Impulsief van je.'
Ze zette het flesje neer en keek hem aan. 'Heb jij nooit ergens zo'n gevoel over gehad?'

Hij dacht er even over na. 'Niet echt. En wat is de volgende stap? Een man, kinderen? Of uitsluitend een carrière opbouwen?' Hij trok aan zijn sigaret, wachtend op haar antwoord.
Ze nam nog een slok bier en keek naar de lichtbundels van de koplampen op de Woodrow Willow-brug in de verte. Toen stond ze op. 'Ga je mee zeilen?'
Verrast keek hij op. 'Is het daar niet een beetje laat voor?'
'Niet later dan ons vorige boottochtje. Ik heb een vaarbewijs en navigatielichten. We varen rustig een rondje en komen dan weer terug.' Voor hij kon antwoorden, verdween ze het huis in. Een paar minuten later kwam ze terug, gekleed in een afgeknipte spijkerbroek, een mouwloos T-shirtje en bootschoenen. Haar haren had ze in een knot opgestoken.
Fiske keek naar zijn keurige overhemd, broek en instappers. 'Ik heb mijn zeemanskleren niet bij me.'
'Dat geeft niet. Jij bent niet de schipper, dat ben ik.' Ze had twee nieuwe biertjes bij zich. Ze liepen de trap af naar de steiger. Het was erg vochtig en Fiske raakte al snel bezweet toen hij Sara hielp om de zeilen gereed te maken. Terwijl hij op de voorplecht stond om de fok aan te slaan, gleed hij uit en viel bijna in het water. 'Als je in de Potomac was gevallen, hadden we de maan niet nodig gehad om bij te zeilen, je gloeit vanzelf al,' zei Sara lachend.
Het water was vlak en er stond bijna geen aflandige wind, dus Sara startte de hulpmotor, waarop ze naar het midden van de rivier voeren, waar de zeilen eindelijk een briesje opvingen en opbolden in de warme lucht. Het volgende uur zeilden ze in langzame cirkels over de rivier. Er was licht aan boord, de maan was bijna vol en er waren geen andere boten op de rivier.
Fiske nam het roer over en Sara leidde zijn hand met de helmstok tot hij aanvoelde hoe hij moest sturen. Telkens wanneer ze door de wind gingen, klapperde het grootzeil, bukte Fiske zich en duwde Sara de giek naar de andere kant, wachtend tot het zeil weer bol stond en hen voortstuwde.
Glimlachend keek ze naar hem. 'Het geeft je een magisch gevoel om iets onzichtbaars te vangen, dat toch zo sterk is, en het te dwingen te doen wat jij wilt, vind je niet?' Ze zei het op zo'n meisjesachtige manier, met zoveel eerlijke verwondering, dat hij moest lachen. Ze dronken bier en rookten beiden nog een sigaret na verscheidene komische pogingen om die aan te steken in de aangewakkerde wind. Ze praatten over zaken die niets met de recente gebeurtenissen te maken hadden en voelden zich opgelucht dat ze dat konden doen, al was het maar voor korte tijd.

'Je hebt een leuke lach,' merkte Sara op, 'die moet je vaker laten zien.'
Tegen de tijd dat ze teruggingen, had Fiske een blaar aan de binnenkant van zijn duim door het vasthouden van de schoot.
Ze meerden de boot af en bonden de zeilen op. Sara ging naar het huis en kwam terug met nog meer bier en een zak chips. 'Er mag niet van me worden gezegd dat ik mijn gasten laat verhongeren.'
Ze bleven aan boord zitten drinken en aten van de chips, terwijl ze keken naar de vliegtuigen die met donderend geweld vlak over hen heen vlogen om daarna een diepe stilte in hun kielzog achter zich te laten, alsof alle geluid was verdwenen in een door Pratt & Whitney teweeggebracht vacuüm. De wind nam nog meer toe en de temperatuur daalde opeens toen een nachtelijk onweer kwam opzetten. Ze keken toe terwijl de wolken zwarte randen kregen en aan de horizon af en toe de bliksem flitste. Sara huiverde even in haar mouwloze T-shirt en Fiske sloeg zijn arm om haar heen. Ze leunde tegen hem aan. Toen vielen er een paar regendruppels en ze sprong op. Met behulp van Fiske haalde ze de vinyl dekkleden tevoorschijn en maakte die vast over de kuip.
'We kunnen beter naar binnen gaan,' zei ze.
Ze liepen naar het huis. De laatste paar meters legden ze rennend af, toen het begon te gieten.
'Morgen hebben we een lange dag,' zei Sara, op de keukenklok kijkend terwijl ze haar natte haren droogdepte met een papieren handdoek.
'Zeker na de slapeloze nacht van gisteren,' voegde Fiske er geeuwend aan toe. Ze deden het licht uit en gingen naar boven.
Sara zei welterusten en ging naar haar kamer. Fiske keek door de openstaande deur en zag dat ze het raam opendeed om de wind binnen te laten, tegelijk met een paar regendruppels. Een bliksemschicht flitste langs de hemel en maakte ergens contact met de aarde. De donderslag was oorverdovend. Wat een geweld, dacht Fiske. Hij liep via de overloop naar de andere slaapkamer, waar hij zich uitkleedde. In zijn onderbroek en T-shirt ging hij op het bed zitten en luisterde naar de regen. Het was benauwd in de kamer, maar hij maakte geen aanstalten om een raam open te zetten. Het huis was te oud om centrale airconditioning te hebben, maar er waren ook geen ventilatoren in de ramen aangebracht. Sara gaf er blijkbaar de voorkeur aan zich te laten afkoelen door de wind die van de rivier kwam. Een wandklok tikte de seconden weg en hij betrapte zich erop dat hij zijn hartslag ermee vergeleek. Zijn hart pompte snel, liters bloed door zijn lichaam jagend.
Hij stond op, trok zijn broek weer aan en liep naar de overloop. Het was nu donker in haar kamer, maar de deur stond nog open. De gordij-

nen bewogen bij elke windvlaag heen en weer. In de deuropening bleef hij staan en keek naar haar. Ze lag in bed, met slechts een laken over zich heen.
Ze keek naar hem, terwijl hij naar haar keek. Hij kon de randjes van haar pupillen zien. Wachtte ze op hem? Liet ze hem ditmaal bij zich komen? Aarzelend liep hij de kamer in, alsof hij voor het eerst de slaapkamer van een vrouw binnenging. Ze verroerde zich niet en zei niets, moedigde hem niet aan maar wees hem evenmin af.
Hij ging naast haar liggen en ze kroop meteen dicht tegen hem aan, alsof ze weigerde hem de gelegenheid te geven op zijn besluit terug te komen, bij haar vandaan te vluchten. Ze had niets aan. Haar lichaam was warm, haar huid glad, de borsten gezwollen en heet; de geur van de buitenlucht lag als een deken over hen heen. Sara's haren lagen verward langs haar gezicht. Haar lippen waren opeengeklemd, maar toen weken ze vaneen, terwijl haar vingers hem zachtjes, overal, streelden. Samen trokken ze zijn broek uit en lieten die op de grond vallen.
Ze kusten elkaar, eerst licht en vervolgens hartstochtelijk. Ze wilde zijn T-shirt omhoogschuiven om zijn borst te strelen, met zijn buik tegen de hare. Hij duwde haar hand weg en trok zijn shirt weer omlaag. Terwijl de regen op het dak kletterde en van de ramen spatte, trok Fiske zijn onderbroekje uit, kwam overeind en ging op haar liggen.

Sara werd vroeg wakker, de eerste zonnestralen kropen juist over de vensterbank. Na het onweer was de lucht heerlijk opgefrist en de hemel zou binnen een uur veranderen van roze en grijs tot felblauw. Ze stak haar arm uit om hem aan te raken, maar de plek naast haar was leeg. Snel ging ze rechtop zitten en keek om zich heen. Met het laken om zich heen geslagen rende ze naar de overloop en keek in de logeerkamer. Leeg. Net als de badkamer. In paniek bereikte ze de trap, waar ze bleef staan, terwijl een glimlach op haar gezicht doorbrak.
Ze zag dat Fiske een kop koffie inschonk en vervolgens eieren stuksloeg boven een kom, waar hij geraspte cheddar aan toevoegde. Sara stond toe te kijken, terwijl de geur van gebakken uien tot haar door drong. Fiske was geheel gekleed, zijn haren waren nog vochtig van het douchen. Toen hij zich omdraaide om de deur van de koelkast open te doen, zag hij haar.
Sara trok het laken nog wat vaster om zich heen.
'Ik dacht dat je weg was.'
'Ik vond dat ik je moest laten uitslapen. Het was laat vannacht.'
Het was een heerlijke nacht, wilde ze zeggen, maar ze deed het niet. 'Alles goed?' vroeg ze zo achteloos mogelijk, omdat ze de subtiele

bedoeling achter zijn woorden, zijn bewegingen en zijn gelaatsuitdrukking nog niet ten volle kon begrijpen. Zeker niet waar het hun vrijpartij van de afgelopen nacht betrof. Was de keuze tussen eieren of naast haar blijven liggen tot ze allebei wakker waren, een slecht teken?
'Ik voel me prima, Sara.' Hij lachte, als om haar te laten zien dat het echt waar was.
Ze lachte terug. 'Ik weet niet wat je maakt, maar het ruikt heerlijk.'
'Niets bijzonders. Boerenomelet.'
'Ik heb meestal droge toast en gootsteenkoffie. Dit is een welkome afwisseling. Heb ik nog tijd om te douchen?'
'Als je vlug bent.'
'Niet zoals vannacht.' Ze lachte, gaf hem een knipoog en draaide zich om. Het laken was van achteren helemaal open.
Fiske zag haar weglopen en kreeg opnieuw zin bij het zien van haar naakte lichaam, de tere, zinnelijke spanning van haar rug, benen en billen. Hij ging aan de keukentafel zitten en keek de gezellige ruimte rond. Zo-even had hij een poosje op de veranda gestaan en gekeken hoe de zon langzaam opkwam. Het aanbreken van de dag leek bij het water altijd zoveel zuiverder, alsof deze twee essentiële levensbehoeften, warmte en water, een bijna spirituele voorstelling gaven. Hij keek naar de trap, toen hij de douche hoorde lopen. Nadat Sara in slaap was gevallen, had hij naar haar liggen kijken. In het nachtelijk duister, met hun beider geuren vermengd tot een tweede huid, had hij het gevoel gehad dat hij bij haar hoorde, en zij bij hem. Maar toen was de wrede realiteit van de morgen aangebroken. Fiske bracht het koffiekopje naar zijn lippen, maar zette het snel weer neer. Als hij zijn broer meteen had teruggebeld, zou Mike nu nog in leven zijn. Op geen enkele manier zou hij ooit om deze waarheid heen kunnen. Hij zou er altijd mee moeten leven.

•48•

Elizabeth Knight werd eveneens bij het aanbreken van de dag wakker. Snel nam ze een douche en kleedde zich aan. Jordan Knight lag nog vast te slapen en ze wilde hem niet wakker maken. Ze zette koffie, nam een kopje, haalde haar aantekeningen tevoorschijn en ging ermee op het terras zitten om de zon te zien opkomen. Ze las elke pagina van haar stukken voor de zitting van vandaag door, waaronder het laatste stuk dat Steven Wright ooit zou schrijven. De inkt op de bladzijde leek in zijn bloed te veranderen. Toen ze daarover nadacht, moest ze weer tegen haar tranen vechten. Ze zwoer bij zichzelf dat hij niet vergeefs zou zijn gestorven. Ramsey zou deze dag, deze zaak niet winnen. Knight was al erg gedreven als het ging om ervoor te zorgen dat Barbara Chance en andere vrouwen zoals zij tegen het leger konden procederen voor het verkrijgen van schadevergoeding, omdat de wrede, sadistische en onwettige gedragingen van de mannelijke personeelsleden onbestraft werden gelaten. Er was nog geen enkele organisatie uitgevonden die immuniteit verdiende voor dergelijke acties. Maar nu was haar motivatie, haar wil om te winnen, om Ramsey te verslaan, duizendvoudig toegenomen. Ze dronk haar koffie op, pakte haar tas en nam een taxi naar het Hooggerechtshof.

Fiske wreef in zijn rooddooraderde ogen en probeerde de herinnering aan de afgelopen nacht en de verbijsterende complicaties ervan uit zijn hoofd te zetten. Hij zat in een gedeelte dat speciaal bestemd was voor leden van het Hooggerechtshof. Vandaar keek hij naar Sara, die met de andere griffiers op een rij stoelen zat die haaks op de balie stonden. Ze keek naar hem en glimlachte.

Toen de rechters van achter het gordijn tevoorschijn kwamen en hun plaatsen innamen, beëindigde Perkins zijn toespraakje en iedereen ging vol aandacht rechtop zitten. Fiske keek naar Knight. Haar subtiele bewegingen, een elleboog die luchtig op de tafel rustte, een vinger die door haar paperassen bladerde, waren van een bijna niet te beheersen rauwe energie. Ze leek, dacht hij, op een raket die worstelt met de kabels waaraan hij is vastgemaakt, wanhopig pogend om te exploderen. Daarna keek hij naar Ramsey. De man glimlachte, zag er kalm en beheerst uit. Als Fiske iemand zou zijn die van een gokje hield, zou hij zijn fiches uiterst rechts op de balie plaatsen, vlak voor rechter Elizabeth Knight.

De zaak Chance versus de Verenigde Staten werd uitgeroepen.

Chances advocaat, een ingehuurde jurist van Harvard Law School, die gewoonlijk veel succes boekte bij zijn verschijningen voor het Hooggerechtshof, begon enthousiast aan zijn pleidooi. Tot Ramsey tussenbeide kwam.

'U kent de Feres-doctrine, meneer Barr?' vroeg Ramsey, refererend aan de uitspraak van het Hooggerechtshof uit 1950, waarin voor het eerst het leger immuun was verklaard voor aanklachten.

Barr glimlachte. 'Helaas, ja.'
'Vraagt u ons nu niet om vijftig jaar jurisprudentie van het Hof omver te werpen?' Ramsey keek de balie langs terwijl hij dit zei. 'Hoe kunnen we een uitspraak doen ten gunste van uw cliënte zonder het leger en dit Hof op zijn kop te zetten?'
Knight liet Barr niet antwoorden. 'Het Hof heeft zich er daardoor niet van laten weerhouden om het systeem van aparte scholen in dit land omver te werpen. Als de zaak goed is, zijn de middelen gerechtvaardigd en eventuele jurisprudentie kan dat niet in de weg staan.'
'Beantwoord u mijn vraag alstublieft, meneer Barr,' hield Ramsey aan.
'Ik denk dat dit een heel andere zaak is.'
'Werkelijk? Er bestaat geen twijfel aan dat Barbara Chance en haar mannelijke meerderen in uniform aanwezig waren op militair terrein en dat ze hun officiële plichten vervulden toen de seksuele episodes plaatsvonden.'
'Ik zou afgedwongen seks nauwelijks "officiële plichten" willen noemen. Niettemin, het feit dat haar meerdere zijn rang gebruikte om haar te dwingen tot iets wat uitliep op een aanranding, en...'
'En,' viel Knight, die zich blijkbaar onmogelijk stil kon houden, hem in de rede, 'de hogere officieren op de betreffende legerbasis en de regionale bevelhebbers wisten dat deze voorvallen hadden plaatsgevonden, ze waren er zelfs schriftelijk van op de hoogte gesteld en ze hadden geen actie ondernomen om de zaak zelfs maar te onderzoeken. Het was Barbara Chance zelf die zich tot de plaatselijke politie wendde. Die hebben een onderzoek ingesteld, dat tot gevolg had dat de zaak aan het licht kwam. Dat vaststaande feit heeft een actie tot gevolg die, met betrekking tot elke andere organisatie in dit land, zou uitmonden in schadevergoeding.'
Fiske keek beurtelings naar Ramsey en naar Knight. Plotseling leek het alsof er slechts twee rechters waren, in plaats van negen. Hij had het gevoel dat de rechtszaal was veranderd in een boksring, met Ramsey als de kampioen en Knight als de talentvolle uitdager, maar niettemin de underdog.
'We hebben het hier over het leger, meneer Barr,' zei Ramsey, maar hij keek Knight aan. 'Dit Hof heeft verklaard dat het leger *sui generis* is. Dat is het precedent dat u onder ogen moet zien. Uw zaak heeft betrekking op een kwestie van het geven van orders. Van een lager personeelslid tegenover haar superieur. Dat is nu juist het punt dat dit Hof – in het verleden al verscheidene malen – heeft aangegrepen en waarover onherroepelijk is besloten dat het geen inbreuk zou mogen maken op de aangenomen immuniteit van het leger. Zo luidde de wet gisteren, en zo

luidt ze vandaag. Waarmee ik terugkom op mijn eerdere uitspraak. Wanneer wij met uw cliënte meegaan, moet dit Hof zijn standpunt ten aanzien van een lange en steeds aangehouden reeks van uitspraken wijzigen. Dat vraagt u ons.'
'Zoals ik al eerder heb opgemerkt, is *stare decisis* zeker niet onherroepelijk,' zei Knight, verwijzend naar de gewoonte van het Hof om bij eerder genomen beslissingen te blijven en die aan te houden.
Knight en Ramsey bleven erover redetwisten. Op elk salvo dat door de een werd afgevuurd, lanceerde de ander een antwoord.
De andere rechters en advocaat Barr waren, dacht Fiske, gereduceerd tot belangstellende toehoorders.
Toen de landsadvocaat, James Anderson, naar voren kwam om zijn betoog te houden, liet Knight hem niet eens aan zijn eerste zin beginnen.
'Waarom botst het toelaten van een aanklacht tegen het leger wegens het door de vingers zien van het creëren van een vijandige omgeving voor vrouwen, met de hiërarchie?' vroeg ze hem.
'Het heeft duidelijk een negatieve invloed op de relatie tussen hoger en lager personeel,' antwoordde Andersom prompt.
'Eens kijken of ik uw redenering begrijp. Toestaan dat het leger door de jaren heen straffeloos zijn soldaten vergiftigt, vergast, verminkt, vermoordt en aanrandt en de slachtoffers berooft van elke wettelijke toevlucht, zou dat op de een of andere manier de relatie, de integriteit van het leger en zijn personeel verbeteren? Het spijt me, maar ik zie het verband niet.'
Fiske had moeite om niet hardop te lachen. Zijn respect voor Knight als juriste en als rechter nam tienvoudig toe terwijl ze haar betoog beëindigde. In twee zinnen had ze de hele zaak voor het leger teruggebracht tot een absurd niveau. Hij keek naar Sara, die haar blik strak op Knight gevestigd hield. Volgens Fiske was ze buitengewoon trots op de rechter.
Anderson liep rood aan. 'Het leger is, zoals de president duidelijk heeft gemaakt, een unieke, speciale eenheid. Wanneer wordt toegestaan dat er naar believen juridische procedures kunnen worden gevoerd, kan dat slechts die speciale band tussen het personeel belemmeren en vernietigen.'
'Dus het leger is iets speciaals?'
'Ja.'
'Omdat het dient om ons te verdedigen en te beschermen?'
'Juist.'
'Dan hebben we dus de vier afdelingen van de gewapende strijdkrachten die er al door worden gedekt. Waarom breiden we deze immuniteit

dan niet uit naar andere bijzondere organisaties? Zoals de brandweer? De politie? Die beschermen ons. De geheime dienst? Die beschermt de president, onmiskenbaar de belangrijkste persoon van het land. En ziekenhuizen? Die redden ons leven. Waarom worden ziekenhuizen niet immuun verklaard voor juridische procedures voor het geval mannelijke artsen vrouwelijk personeel aanranden?'

'We dwalen nu wel erg ver van de grenzen van de onderhavige zaak af,' zei Ramsey streng.

'Ik denk dat we nu juist bezig zijn te proberen deze grenzen vast te stellen,' vuurde Knight terug.

'Ik geloof dat de zaak Verenigde Staten versus Stanley...' begon Anderson.

'Ik ben blij dat u die noemt. Laat me de feiten van die zaak kort memoreren,' zei Knight. Ze wilde dat dit werd gehoord. Zowel door haar collega-rechters, van wie er verscheidene al bij het Hof werkten toen die zaak was voorgekomen, als door het publiek. In Knights ogen was de zaak-Stanley een van de ergste gerechtelijke dwalingen uit de geschiedenis, die alles vertegenwoordigde wat er mis was aan het Hof. Tot die conclusie was ook Steven Wright gekomen in zijn stuk. En ze was vastbesloten om beide conclusies vandaag te laten horen en, wanneer de tijd daar was, de meerderheid aan stemmen voor deze zaak te winnen.

Toen Knight begon te spreken, was haar stem luid en indringend.

'In de jaren vijftig was Stanley in het leger. Hij gaf zich op als vrijwilliger voor een programma waarvan hem was verteld dat het iets te maken had met het testen van beschermende kleding in geval van oorlogvoering met gas. De proeven werden verricht in Maryland, bij de Aberdeen Proving Grounds. Stanley gaf zich ervoor op, maar er werd hem nooit gevraagd speciale kleding te dragen of deel te nemen aan proeven met gasmaskers of iets dergelijks. Hij sprak alleen langdurig met een aantal psychologen over een verscheidenheid aan persoonlijke onderwerpen, kreeg tijdens deze gesprekken wat water te drinken, en dat was dat. Zo'n twintig jaar later ontving Stanley, wiens leven bergafwaarts was gegaan – gescheiden, ontslagen uit militaire dienst, onverklaarbaar gedrag – een brief van het leger waarin hem werd verzocht deel te nemen aan een vervolgonderzoek van militairen aan wie in 1959 LSD was gegeven, omdat het leger de uitwerking van de drug op lange termijn wilde bestuderen. Onder het mom van het testen van kleren in een gasoorlog had het leger hem LSD toegediend zonder dat hij het wist.'

Van de publieke tribune steeg een collectieve zucht op toen men het hoorde, en de aanwezigen begonnen onder elkaar te praten. Perkins moest het publiek zelfs met zijn hamer tot de orde roepen, een ongekende gebeurtenis.

Terwijl Fiske zat te luisteren, drong het tot hem door hoe belangrijk deze zaak was. Rufus Harms had een verzoekschrift ingediend bij dit Hof. Probeerde ook hij het leger aan te klagen? Tijdens zijn diensttijd was er iets verschrikkelijks met hem gebeurd. Bepaalde mannen hadden iets met hem gedaan wat zijn leven had geruïneerd en de dood van een klein meisje tot gevolg had gehad. Rufus wilde zijn vrijheid terug. De man zocht gerechtigheid. Rufus had verklaard dat hij de waarheid aan zijn kant had. En toch deed, onder de huidige wetgeving, die waarheid er niet toe. Net als sergeant Stanley zou soldaat Rufus Harms verliezen.

Knight ging door, heimelijk zeer tevreden over de reactie van het publiek. 'De psycholoog was in dienst van de CIA. De CIA en het leger hadden gezamenlijk op zich genomen de werking van de drug te onderzoeken, om te zien of die nuttig zou zijn bij ondervragingen en dergelijke. Stanley, die terecht het leger ervan beschuldigde dat het zijn leven had verwoest, diende een aanklacht in. Zijn zaak kwam uiteindelijk terecht bij het Hooggerechtshof.' Ze wachtte even. 'En hij verloor.'

Opnieuw ontstond er beroering onder het publiek.

Fiske keek naar Sara. Haar ogen waren nog steeds op Knight gericht. Daarna keek Fiske naar Ramsey. Hij was laaiend.

'Het komt er dus op neer dat u dit Hof vraagt Barbara Chance en soortgelijke eisers een van de belangrijkste constitutionele rechten die wij als volk bezitten, te ontzeggen: het recht om een zaak voor de rechter te brengen. Is dat niet wat u vraagt? Om de schuldigen ongestraft te laten?'

'Meneer Anderson,' kwam Ramsey tussenbeide. 'Wat is er gebeurd met de mannen die deze seksuele misdrijven hebben gepleegd?'

'Ten minste een van hen is voor de krijgsraad gedaagd, schuldig bevonden en gevangengezet,' antwoordde Anderson prompt.

Ramsey lachte triomfantelijk. 'Dat kan nauwelijks ongestraft worden genoemd.'

'Meneer Anderson, uit de verslagen blijkt duidelijk dat de daden waarvoor de man werd gevangengezet, zich gedurende een heel lange tijd hebben afgespeeld en bekend waren bij hooggeplaatsten in het leger die weigerden actie te ondernemen. Om precies te zijn, pas toen Barbara Chance ermee naar de plaatselijke politie ging, werd een onderzoek ingesteld. Dus vertelt u me nu eens, zijn de schuldigen gestraft?'

'Ik zou zeggen dat het afhangt van uw definitie van schuld.'

'Wie oefent toezicht uit op het leger, meneer Anderson? Om er zeker

van te zijn dat wat er met sergeant Stanley gebeurd is, niet nog eens gebeurt?'
'Het leger houdt toezicht op zichzelf. En dat wordt goed gedaan.'
'De zaak-Stanley werd afgerond in 1986. Sindsdien hebben we Tailhook gehad, de nog altijd onverklaarde incidenten tijdens de oorlog in de Perzische Golf, en nu de verkrachting van vrouwelijke militairen. Noemt u dat goed werk?'
'Ach, elke grote organisatie krijgt te maken met incidentele probleempjes.'
Knight stoof op. 'Ik betwijfel of de slachtoffers van deze misdrijven die zouden beschrijven als incidentele probleempjes.'
'Ik bedoelde natuurlijk niet...'
'Toen ik sprak over het uitbreiden van de immuniteit naar de politie, de brandweer, ziekenhuizen, was u het niet met me eens?'
'Nee. Te veel uitzonderingen op de regel ontkracht de regel.'
'U herinnert zich natuurlijk de explosie van de Challenger?' Anderson knikte. 'De nabestaanden van de burgers aan boord van de shuttle hadden het recht om de regering en het bedrijf dat de shuttle had gebouwd, te vervolgen en smartengeld te vragen. De gezinsleden van de militairen die aan boord waren, werd dat recht ontzegd omdat dit Hof het leger daarvoor immuun verklaarde. Vindt u dat eerlijk?'
Anderson viel terug op zijn vertrouwde theorie. 'Als we procedures tegen het leger toestaan, zal dat de nationale veiligheid van dit land onnodig gecompliceerd maken.'
'En dat is het punt waar het om gaat,' zei Ramsey, blij dat Anderson het naar voren had gebracht. 'Het is een kwestie van evenwicht en dit Hof heeft al vastgelegd waar dat evenwicht ligt.'
'Precies, edelachtbare,' zei Anderson. 'Het is de essentie van de wet.'
Knight glimlachte bijna. 'Werkelijk? Ik dacht dat de essentie van de wet het recht van de burgers van dit land was om genoegdoening voor hun klachten te zoeken bij de rechtbanken. Het leger heeft volgens geen enkele wet van dit land het recht op immuniteit verkregen. Het Congres heeft het niet juist geacht om daarin toe te stemmen. Feitelijk was het dit Hof dat in 1950, uit het niets, een dergelijke speciale behandeling heeft uitgevonden. Dat kan ik toch geen essentie van de wet noemen.'
'Het is nu echter wel het precedent dat we aanhouden,' merkte Ramsey op.
'Rechtspraak verandert,' antwoordde Knight. Ramseys woorden irriteerden haar werkelijk, omdat de president er meestal geen enkel probleem in zag uitspraken die sinds lange tijd van kracht waren, ter zijde

te schuiven wanneer hem dat zo uitkwam.
'Met alle respect, ik geloof dat het leger deze zaak beter intern kan afhandelen, rechter Knight.'
'Meneer Anderson, vecht u de jurisdictie of de autoriteit van dit Hof aan om deze zaak te behandelen en een uitspraak te doen?'
'Natuurlijk niet.'
'De ironie is dat dit Hof moet beslissen of het dienen van je vaderland in het leger met zich meebrengt dat je letterlijk alle bescherming wordt afgenomen die je als burger hebt.'
'Zo zou ik het niet willen formuleren.'
'Ik wel, meneer Anderson. Het is werkelijk een kwestie van gerechtigheid.' Ze keek Ramsey strak aan. 'En als wij die niet kunnen bieden, dan vraag ik me wanhopig af waar die dan wel te vinden is.'
Terwijl Fiske naar deze bezielde woorden luisterde, keek hij naar Sara. Alsof ze wist dat hij naar haar keek, wierp ze even een blik op hem.
Fiske had sterk de indruk dat ze hetzelfde dacht als hij: zelfs als ze op de een of andere manier dit hele mysterie zouden kunnen oplossen en de waarheid ten slotte boven water zou komen, zou Rufus Harms dan ooit werkelijk gerechtigheid vinden?

•49•

Josh Harms at zijn broodje op en rookte vervolgens op zijn gemak een sigaret, terwijl hij naar zijn broer keek die voor in de truck zat te dommelen. Ze stonden geparkeerd op een oud houthakkerspad in een dicht bos. Na hun nachtelijke rit waren ze eindelijk gestopt omdat Josh zijn ogen bijna niet meer open kon houden. Hij durfde zijn broer niet te laten rijden, omdat het bijna dertig jaar geleden was dat die achter het stuur van een auto had gezeten. Bovendien moest Rufus, wanneer ze onderweg waren, om voor de hand liggende redenen achter in de truck blijven. Rufus had de wacht gehouden terwijl zijn broer had geslapen en nu had Josh het van hem overgenomen.
Gedurende de rit hadden ze gepraat over wat ze zouden gaan doen. Tot zijn eigen verbazing had Josh naar voren gebracht dat ze niet naar Mexico moesten gaan.

'Wat is er verdomme met jou? Ik dacht dat je daar niets over wilde horen. Dat heb je zelf gezegd,' had Rufus verwonderd gevraagd.
'Dat was ook zo. Maar we hebben nu eenmaal die beslissing genomen, nee, ík heb die beslissing genomen en ik zeg alleen dat we ons er nu aan moeten houden. Ik hou er niet van om steeds te veranderen. Als je je hebt voorgenomen iets te doen, dan moet je het doen.'
'Hoor eens, Josh, als Fiske niet zo snel had gedacht, zouden we nu alle twee dood zijn. Ik wil jouw dood niet op mijn geweten hebben.'
'Kijk, nu denk je niet goed na. Verdomme, het kan niet erger worden dan het al is. Waarom kijken we niet wat we kunnen doen om te helpen het beter te maken? Je had gelijk, ze verdienen wat hun boven het hoofd hangt. Toen ik die twee kerels in Riders kantoor zag, had ik ze bijna in koelen bloede neergeschoten en zoiets heb ik van mijn leven nog niet gedaan. Fiske en die vrouw, die zijn voor ons opgekomen. Misschien menen ze het goed.'
Rufus staarde zijn broer aan. 'Heb je geen probleem met hen?'
'Verdomme, denk je dat ik racist ben?' Josh pakte een volgende sigaret terwijl hij dit zei en vertrok zijn gezicht tot een grimas.
'Ik kan niet uit jou wijs worden, Josh.'
'Dat hoeft ook niet. Ik kan niet eens uit mezelf wijs worden en ik heb meer dan vijftig jaar de tijd gehad om dat te doen. Jij hoeft alleen maar te beslissen of je naar Mexico wilt of dat je het hier wilt uitvechten. En maak je maar niet druk over mij. Als er iemand is die voor zichzelf kan zorgen, dan kijk je nu naar hem.'
Dat had de doorslag gegeven en zodra zijn broer wakker werd, hadden ze besloten terug te gaan naar Virginia, contact op te nemen met Fiske en te zien wat ze konden doen. Als ze bewijsmateriaal nodig hadden, dan moesten ze dat op de een of andere manier toch ergens vandaan kunnen halen, dacht Josh. Ze hadden de waarheid aan hun kant en als dat nog steeds niet meetelde, dan konden ze net zo goed doorgaan en zich laten neerschieten.
Josh keek naar het bos dat hen omringde. De bladeren begonnen hier al te kleuren en het zonlicht dat door het gebladerte drong, leverde een aangename combinatie van kleuren en patronen op. Hij ging dikwijls in het bos zitten wanneer hij ging jagen; hij zocht dan een oude boomstam en liet zijn vermoeide botten rusten terwijl hij de simpele schoonheid van het landschap in zich opnam, een wonder dat je geen cent kostte. Nadat hij uit Zuidoost-Azië was teruggekomen, had hij verscheidene jaren de bossen gemeden. In Vietnam betekenden de bomen, de aarde, alles om je heen, de dood door middel van een van de listige manieren die de Vietnamezen konden bedenken. Hij keek op zijn hor-

loge. Nog tien minuten, dan moesten ze weer verder.
Hij keek door het achterraampje, turend toen het zonlicht ergens op weerkaatste en pijn deed aan zijn ogen. In plaats van uit te ademen zoog hij een diepe teug lucht in, spuwde zijn sigaret uit het raampje, startte de motor en schakelde in de eerste versnelling.
'Wat gebeurt er?' zei Rufus, die wakker schrok.
'Pak je pistool en hou je hoofd omlaag,' brulde Josh hem toe. 'Daar heb je Tremaine.'
Rufus greep zijn pistool en dook weg.
Tremaine kwam uit het bos aanrennen en opende het vuur. De eerste schoten uit het machinegeweer raakten de achterkant van de truck, een van de achterlichten werd vernield en het plaatwerk werd doorzeefd met kogels. Een wolk zand stoof op in het kielzog van de truck en verblindde de schutter tijdelijk. Tremaine hield op met schieten maar bleef doorrennen, wanhopig proberend de truck weer in het vizier te krijgen.
Toen hij zag wat Tremaine probeerde te doen, gooide Josh het stuur naar links. De truck hobbelde de weg af en kwam terecht in wat de droge restanten leken te zijn van een ondiepe rivierbedding. Het bleek een goede manoeuvre om meer dan één reden, omdat Rayfield in vliegende vaart uit de tegenovergestelde richting met de jeep over de weg kwam, in een poging de truck in te sluiten.
Rayfield stopte om Tremaine te laten instappen en daarna reden ze achter de truck aan.
'Hoe zijn ze ons in vredesnaam op het spoor gekomen?' vroeg Rufus zich hardop af.
'Het heeft geen zin om daarover te denken. Ze zijn nu hier,' beet Josh terug. Hij keek in de spiegel en zijn ogen versmalden zich. De jeep was wendbaarder en beter gebouwd om door de bossen te manoeuvreren dan de logge truck.
'Ze zullen de banden lek schieten en dan kunnen we geen kant op,' zei Rufus.
'Ja, maar Vic had om te beginnen de banden moeten lek schieten. Dat was zijn tweede fout.'
'Wat was de eerste?'
'De zon op zijn verrekijker laten schijnen. Dat zag ik lang voordat ik die kleine klootzak in de gaten kreeg.'
'Laten we hopen dat ze fouten blijven maken.'
'We moeten op onszelf rekenen, en hopen dat dat genoeg is.'
Terug in de jeep ging Tremaine over de zijkant hangen om zijn wapen af te vuren. Het machinegeweer was weinig effectief op de lange afstand, hoewel het van dichtbij een heel peloton mannen in een paar

seconden kon neermaaien; hij wilde er slechts twee. Hij liet het machinegeweer van zijn schouder glijden en trok zijn pistool.
'Ga er zo dichtbij als je kunt,' blafte hij de zeer nerveus ogende Rayfield toe. 'Als ik een van hun banden kan raken, knallen ze tegen een boom en dan zijn onze problemen voorbij.'
Rufus keek door het achterraam van de caravan en zag wat Tremaine probeerde te doen. Hij schoof het glazen raam open dat de cabine van het interieur van de caravan scheidde, en nam de jeep op de korrel. In bijna dertig jaar had hij geen pistool aangeraakt, de basistraining met een geweer was zijn laatste ervaring met een vuurwapen. Toen hij vuurde, daverde de explosie in zijn oren, de cabine van de truck raakte onmiddellijk vervuld van de misselijkmakende stank van verbrand metaal en ontploft kruit. De kogel versplinterde het achterraam van de caravan en vloog vervolgens op de jeep af als een nijdige horzel met een metalen schild. Tremaine dook weg in zijn voertuig en de jeep begon een beetje te slingeren.
'Heb je iets geraakt?' vroeg Josh.
'Ik heb een beetje tijd gewonnen.' Rufus' hand trilde en hij wreef over zijn oren. 'Ik was vergeten hoeveel lawaai die dingen maken.'
'Dan moet je eens proberen om drie jaar lang met een M-16 te schieten. Die zijn pas luidruchtig, zeker wanneer ze in je gezicht ontploffen. Hou je vast.'
Josh gooide het stuur eerst naar links en vervolgens naar rechts om een aantal bomen te ontwijken die dwars over de rivierbedding waren gevallen. Erachter bevond zich een massa kreupelhout, lage dennen, eiken en braamstruiken. Terwijl de jeep dichterbij kwam, nam Tremaine zijn schietpositie weer in. Josh stuurde de truck naar rechts door een smalle opening tussen de bomen en het kreupelhout. Bladeren en dunne takken rukten en trokken aan de truck. De manoeuvre had het gewenste effect, want Tremaine moest in de jeep wegduiken om te voorkomen dat zijn hoofd er zou worden afgerukt door een boomtak.
De jeep begon langzamer te rijden en Josh besloot te profiteren van de situatie, hopend dat Rayfield een beetje van zijn bravoure kwijtraakte.
'Pak het stuur,' riep hij tegen zijn broer.
Rufus greep het stuur stevig vast, beurtelings naar zijn broer kijkend en oplettend waar de truck naartoe ging.
Josh pakte zijn pistool en tuurde naar de bomen die voor hen opdoemden. Ze waren nu op een tamelijk vlak stuk terrein, dus de truck schokte niet zo erg. Hij hield het pistool met beide handen vast, deed zijn best om afstand en snelheid in te schatten en koos wat hij nodig had: een dikke eikentak, hoog in een boom van zo'n dertien meter hoog. De

tak was zeker zeven meter lang en tien centimeter dik, met andere, kleinere zijtakken en hij hing recht boven het smalle pad. Wat Josh' aandacht had getrokken, was het feit dat de tak zo lang en zo zwaar was, dat hij op de plek waar hij aan de boom vastzat, begon te scheuren.
Josh stak zijn arm uit het raampje, hield die evenwijdig aan de truck en begon te schieten. De eerste kogel trof de boom recht boven het aanhechtingspunt van de tak. Nu hij de juiste richting te pakken had, bleef Josh schieten en elke volgende kogel raakte de boom precies op de plaats van de tak, terwijl de truck dichterbij kwam. Hij had het spelletje van op boomtakken schieten gespeeld vanaf het moment dat hij oud genoeg was om een .22 jachtgeweer vast te houden. Het was een leuk spel geweest om wasbeertjes en eekhoorns op te jagen. Hij had het echter nog nooit geprobeerd vanuit een rijdend voertuig in een droge, ondiepe rivierbedding terwijl hij door twee schietende mannen werd achtervolgd.
Rufus moest zijn ogen openhouden om te kunnen sturen, maar zijn gezicht vertrok bij elk schot. Het gonsde zo luid in zijn oren dat iemand van heel dichtbij tegen hem had kunnen schreeuwen zonder dat hij het hoorde. De zware tak zakte enkele centimeters toen hij minder steun kreeg. Josh bleef schieten, terwijl een regen van houtsplinters bij de boom opwolkte als stoom uit een oude locomotief.
Tremaine zag waar hij mee bezig was. 'Sneller. Sneller!'
Rayfield trapte het gaspedaal dieper in.
Onder het schieten hield Josh zijn ogen geen moment van de tak, die nog verder begon door te buigen, tot de zwaartekracht het eindelijk won. De tak kraakte en boog omlaag. Nog even bleef hij aan een stuk bast hangen, maar toen knalde de tak hard tegen de stam, brak helemaal af en viel omlaag. Josh gaf meer gas en nam het stuur weer over toen ze langs de boom reden.
'Schiet op, schiet op!' schreeuwde Tremaine tegen Rayfield.
Deze trapte echter keihard op de rem toen de zeker vierhonderd kilo wegende tak vlak voor hen midden op de weg viel. Tremaine werd bijna uit de jeep geslingerd.
'Verdomme, waarom stop je?' Tremaine leek in staat om zijn pistool op de man te richten.
Hijgend bracht Rayfield uit: 'Als ik dat niet had gedaan, had die verdomde tak ons verpletterd. Deze jeep heeft geen hardtop, Vic.'
Josh keek recht vooruit en vervolgens naar rechts, waar het pad zich iets verwijdde. Hij remde hard, stuurde naar links en daarna weer naar rechts, en gaf nog meer gas. De truck maakte zich los uit het kreupelhout, kwam even met de wielen van de grond toen hij over een kleine

greppel denderde en belandde op een open plek. Rufus knalde met zijn hoofd tegen de bovenkant van de cabine toen de truck weer op de grond terechtkwam.
'Verdomme, wat doe je?'
'Hou je goed vast.'
Weer trapte Josh het gaspedaal diep in en toen Rufus weer opkeek, zag hij recht voor hen de kleine schuur die zijn broer een paar seconden eerder had opgemerkt.
Josh keek om en zag wat hij verwachtte te zien. Niets. Het zou echter niet lang duren voor Tremaine en Rayfield zich een weg hadden gebaand om het obstakel.
Josh keek schuin langs de schuur en kon de weg zien die erachter lag. Hij had gelijk gehad. Als er ergens in het bos een schuur stond, was er gewoonlijk ook een weg. Hij stuurde de truck naar de andere kant van het oude gebouwtje. Toen zagen beide broers tot hun teleurstelling dat er wel een weg liep, maar dat een groot, stalen hek de doorgang belemmerde. Aan beide zijden van het hek was het bos ondoordringbaar. Josh keek om. Ze zaten in de val. Misschien zou hij het te voet kunnen redden, maar er was geen sprake van dat Rufus het zou kunnen en hij kon zijn broer niet achterlaten.
Met toegeknepen ogen keek Josh weer naar de schuur. Het zou misschien nog een minuut duren voor de jeep hen had ingehaald. Op dit moment hoorde hij dat het machinegeweer vaardig de tak kapotschoot, zodat de jeep die opzij zou kunnen schuiven.
Een minuut later vloog de jeep over de greppel, op weg naar de open plek. Rayfield ging langzamer rijden terwijl ze vooruit keken en onmiddellijk de schuur zagen.
'Waar zijn ze gebleven?' vroeg Rayfield.
Tremaine zocht het gebied af met zijn verrekijker en zag de weg, die zich door het bos slingerde. 'Die kant op!' riep hij, recht vooruit wijzend.
Rayfield gaf gas en de jeep stoof de hoek van de schuur om. Meteen zagen beide mannen dat de weg was geblokkeerd en Rayfield liet de jeep abrupt tot stilstand komen. Met bulderend geraas vloog de truck, die achter de schuur verborgen was gebleven, naar voren en raakte de jeep vol in de zijkant. De jeep sloeg om en Rayfield en Tremaine werden eruit geslingerd.
Rayfield kwam terecht op een stapel vermolmde stronken, met zijn hoofd in een vreemde hoek. Hij bleef stil liggen.
Tremaine zocht dekking achter de gekantelde jeep en opende het vuur, zodat hij Josh dwong de truck achteruit te rijden, met zijn hoofd onder

het dashboard. Ten slotte zweeg de motor van de truck; stoom spoot onder de motorkap uit en de voorbanden waren lek.
Josh stapte aan de linkerkant uit, onder dekking van Rufus. Hij nam een duik, liet zich op zijn knieën vallen en rolde door tot hij bij de achterkant van de truck kwam. Voorzichtig keek hij eromheen. Tremaine was niet van zijn plaats gekomen. Josh kon de loop van het machinegeweer zien. Waarschijnlijk laadde hij zijn wapen opnieuw, net als Josh even pauzerend om de tactische situatie in ogenschouw te nemen.
Josh' hart bonsde en hij wreef in zijn ogen om het zand en het zweet af te wissen. Hij had veel gevechten meegemaakt, zowel in het buitenland als op Amerikaanse bodem, maar het laatste had zich al twintig jaar geleden afgespeeld. Het deed er trouwens niet toe; je was telkens weer opnieuw bang om te sterven. Wanneer iemand op je schoot, kon je niet helder denken. Je reageerde instinctief.
Josh had echter één voordeel. Zij waren met zijn tweeën en Tremaine was alleen. Josh keek nog een keer en trok toen een sprint achter de truck vandaan naar de wand van de schuur.
'Rufus,' brulde hij, 'ik tel tot drie.'
'Begin te tellen,' schreeuwde Rufus terug. Zijn stem trilde van angst.
Drie seconden later opende Josh het vuur op Tremaine. De kogels ketsten af op de carrosserie van de jeep. Rufus haastte zich naar de achterkant van de truck. Hij moest echter stoppen toen Tremaine erin slaagde een salvo af te vuren tussen de truck en de schuur. Het begon naar kruitdamp en zweet van angstige mannen te ruiken.
Josh en Rufus keken elkaar aan. Josh glimlachte, omdat hij voelde dat zijn broer in paniek begon te raken.
'Hé, Vic,' riep Josh, 'als je die verdomde proppenschieter nu eens op de grond gooide en tevoorschijn kwam met je handen omhoog?'
Tremaine reageerde door een stuk hout van de schuur af te schieten, vlak boven het hoofd van Josh.
'Oké, oké, Vic, ik heb het begrepen. Hou je maar rustig, jongetje, hoor je me? Maak je maar niet druk, we zullen jou en Rayfield begraven. We laten jullie niet liggen voor de beren en de andere dieren, om te worden opgevreten. Dat is een slechte zaak. Beesten die lijken opeten. Dat heb je toch wel in Nam gezien, Vic? Of misschien liep je te hard de andere kant op om dat te zien.' Zolang hij praatte, gebaarde Josh naar Rufus dat hij zich gedekt moest houden en daarna wees hij om de schuur heen, om zijn broer duidelijk te maken wat hij van plan was.
Rufus knikte ten teken dat hij het begreep. Josh zou proberen de man in het schootsveld van zijn broer te lokken, zodat Rufus hem kon afmaken. Rufus pakte zijn pistool en laadde het opnieuw, dankbaar dat zijn

broer er de tijd voor genomen had om hem te laten zien hoe het moest. Hij had moeite met ademhalen en de armen waarmee hij het pistool vasthield, voelden zwaar aan. Hij was bang dat hij niet de moed zou hebben, het killersinstinct, en nog minder de bekwaamheid om de man neer te schieten, zelfs al zou Tremaine schietend met dat verdomde machinegeweer op hem afkomen. Rufus had in de gevangenis met heel wat mannen gevochten om te overleven, maar altijd met zijn blote handen, ook al waren zij altijd gewapend geweest met een glasscherf of een stuk pijp. Maar een pistool was iets anders. Een pistool kon op afstand doden. Maar als hij niet schoot, zou zijn broer sterven. En deze keer kon hij niet tot God bidden om hem te helpen. Hij kon zijn Heer niet om hulp vragen wanneer hij iemand wilde neerschieten.
Half kruipend sloop Josh voor de schuur langs, zo nu en dan stilhoudend om ingespannen te luisteren. Een keer waagde hij het zijn hoofd ter hoogte van een van de ramen te brengen, om er misschien doorheen te kunnen zien en via het raam aan de achterkant te kijken naar de plek waar de jeep lag, maar de hoek was verkeerd en het uitzicht werd belemmerd. Josh was nu volkomen geconcentreerd. De angst was er nog steeds, heel sterk, maar hij had zijn best gedaan die om te zetten in adrenaline, om alle zintuigen die hij bezat aan te scherpen. Hij hield zijn pistool recht voor zich uit, wetend dat als Tremaine had geraden wat hij van plan was, diens beste tactiek zou zijn om achter de jeep vandaan te sluipen en langs de andere kant om de schuur heen te lopen. Dat zou tot gevolg hebben dat hij Josh ergens halverwege tegen het lijf zou lopen. Machinegeweer tegen pistool, honderd schoten tegen één. Dat betekende dat Josh zou sterven, en als dat gebeurde betekende het tevens de dood van Rufus.
Hij schoof nog dertig centimeter voorwaarts. Toen hoorde hij dat het machinegeweervuur opnieuw geopend werd en hij hoorde de kogels in de truck slaan. Hij rende naar voren, de hoek om. Terwijl Tremaine druk bezig was op Rufus te schieten, kon Josh hem van opzij naderen en de schoft voor eens en altijd het zwijgen opleggen.
Dit plan mislukte toen hij de hoek omkwam, want daar stond Tremaine, met zijn pistool recht op Josh' hoofd gericht. De verblufte Josh hield zo plotseling de pas in, dat zijn voet uitgleed op het grind en zijn benen onder hem vandaan schoven. Hij had geluk, want daardoor drong de kogel in zijn schouder in plaats van in zijn hart. De voorwaartse beweging deed hem zo ver doorschuiven dat zijn benen die van Tremaine raakten. Samen kwamen ze hard op de grond terecht en de beide pistolen zeilden buiten handbereik.
Tremaine stond het eerst. Josh, die zijn bloedende schouder vasthield,

kwam langzamer overeind. Tremaine trok een mes uit zijn riem. Op de achtergrond zweeg het machinegeweer. Josh gaf een gil toen Tremaine naar hem uithaalde. Beide mannen vielen tegen de wand van de schuur, zodat het primitieve bouwsel op zijn houten grondvesten schudde. Het lukte Josh om Tremaines arm met zijn onderarm tegen te houden. De hele zijkant van zijn lichaam deed afschuwelijk pijn. De kracht die hij nog over had, was van zijn schouder in andere delen van zijn lichaam overgegaan. Hij slaagde erin naar Tremaine te schoppen en raakte hem een keer in zijn buik, maar een moment later viel de man Josh opnieuw aan. Terwijl Josh het bewustzijn verloor, voelde hij het mes door zijn hemd in zijn zij dringen. Hij voelde nauwelijks de pijn van deze verse wond, omdat die overweldigd werd door de eerste. Met moeite zag hij nog dat Tremaine het mes uit zijn lichaam trok en zijn arm naar achteren bracht om de laatste steek toe te brengen. Waarschijnlijk in mijn keel, dacht Josh vaag, terwijl zijn hersenen al bijna niet meer werkten. De keel was snel en altijd dodelijk. Dat zou ik zelf doen, dacht hij. Toen werd het donker om hem heen.

Het mes kon de neerwaartse beweging niet meer beschrijven. Het stopte op het hoogste punt en kwam niet dichter bij Josh Harms. Tremaine schopte en rukte toen hij van de gewonde man af getrokken werd. Rufus stond vlak achter hem. Met een hand hield hij de pols met het mes vast. Hij sloeg die tegen de schuur tot Tremaines greep eindelijk verslapte en het mes op de grond viel. Tremaine was één bonk spieren en was uitstekend getraind voor een gevecht van man tegen man. Maar hij was half zo groot als Rufus. Wanneer het om een strijd van één tegen één ging, waren er maar weinigen die Rufus de baas konden blijven. De grote man was net een grizzlybeer wanneer hij iemand in zijn greep hield. En hij had Vic Tremaine stevig in zijn greep, de man die zijn leven tot een nachtmerrie had gemaakt waarvan hij had geloofd dat er nooit een eind aan zou komen.

Toen Tremaine probeerde zijn onderarm tegen Rufus' luchtpijp te drukken, veranderde Rufus van tactiek en tilde Tremaine compleet van de grond, waarbij hij diens gezicht telkens en telkens weer tegen de wand sloeg tot Tremaine duizelig was van de klappen. Zijn gezicht bloedde. Ten slotte duwde Rufus Tremaines hoofd dwars door het raam. Het gebroken glas sneed diep in het gezicht van de man en hij was bijna bewusteloos. Toen schreeuwde Josh het uit van de pijn en Rufus keek naar hem, waarbij zijn greep iets losser werd. Tremaine, die het voelde, schopte naar Rufus' knie en ramde een elleboog in zijn nieren. De grote man viel op de grond, Tremaine liet zich opzij rollen, greep zijn mes en haalde uit naar de weerloze man. De kogel trof hem

precies in het achterhoofd en hij viel neer waar hij stond.
Rufus richtte zich op en keek naar zijn broer. Sliertjes rook kwamen nog uit de loop van het 9 mm-pistool in Josh' hand. Toen legde hij het pistool neer en liet zich achterover in het zand vallen. Rufus holde naar hem toe en knielde bij hem neer. 'Josh, Josh?'
Hij deed zijn ogen open en keek naar het ineengekrompen lichaam van Tremaine, tegelijkertijd opgelucht en misselijk om wat hij had gedaan. Zelfs de ergste vijand ter wereld zag er niet zo afschrikwekkend dood uit. Hij keek naar Rufus. 'Je hebt het goed gedaan, broertje. Verdorie, beter dan ik.'
'Als jij niet had geschoten, zou ik nu dood geweest zijn.'
'Ik wilde niet dat hij je te pakken kreeg. Ik wilde niet...'
Rufus scheurde het hemd van zijn broer open en bekeek de wonden. Het mes had slechts een snee in de zij toegebracht. Waarschijnlijk waren er geen vitale delen geraakt, dacht Rufus, maar het bloedde als een rund. De kogel, dat was een ander geval. Hij zag bloed uit de mond van zijn broer sijpelen en Josh' ogen stonden glazig. Rufus kon de uitwendige bloeding stelpen, maar hij kon niets doen aan wat er vanbinnen gebeurde. En dat kon dodelijk zijn. Rufus trok zijn overhemd uit en legde het over zijn broer, die nu ondanks de hitte lag te rillen.
'Hou vol, Josh.' Rufus rende naar de jeep en begon snel te zoeken. Hij vond de verbandtrommel en liep er haastig mee terug naar zijn broer. Josh hield zijn ogen nu gesloten en hij leek niet meer te ademen.
Rufus schudde hem zachtjes door elkaar. 'Josh, Josh, niet doen, hou verdomme je ogen open. Je mag niet in slaap vallen. Josh!'
Eindelijk opende Josh zijn ogen. Hij leek helder. 'Je moet hier weg, Rufus. Er kunnen mensen op de schietpartij afkomen. Je moet weg. Nu.'
'Wij moeten hier weg, daar heb je gelijk in.'
Rufus tilde Josh een beetje op en bekeek zijn rug. De kogel was niet uitgetreden, die zat nog ergens in hem. Rufus begon beide wonden schoon te maken.
Op een bepaald moment pakte Josh hem bij de arm. 'Rufus, maak als de bliksem dat je wegkomt,' zei hij nog een keer.
'Als jij niet gaat, ga ik ook niet. Daar blijf ik bij.'
'Je bent nog steeds gek.'
'Ja, ik ben hartstikke gek, laten we het daar maar op houden.' Hij was gereed met het schoonmaken van de wonden, die hij vervolgens verbond en stevig inzwachtelde. Voorzichtig tilde hij zijn broer op, maar de beweging bezorgde Josh een benauwde hoestbui, waarbij het bloed uit zijn mond over zijn hemd liep. Rufus droeg hem naar de truck en legde hem ernaast.

'Rufus, dit ding rijdt geen meter meer,' zei Josh wanhopig, naar de gehavende truck kijkend.
'Dat weet ik.' Rufus haalde een fles water uit de caravan, schroefde die open en bracht hem aan Josh' lippen. 'Kun je hem vasthouden? Je moet wat vloeistof binnenkrijgen.'
Josh reageerde door de fles met zijn goede hand vast te pakken en een beetje te drinken.
Rufus stond op en liep naar de gekantelde jeep. Hij trok het machinegeweer los van de plek waar Tremaine het had klemgezet tussen de stoel en de metalen zijkant van de jeep. De man had ijzerdraad, een stukje metaal en een touwtje gebruikt om de trekker vast te zetten, zodat het wapen automatisch vuurde terwijl hij zijn val voor Josh opzette. Rufus overzag de situatie een ogenblik en probeerde vervolgens door tegen de motorkap te duwen het voertuig rechtop te zetten, maar hij kon niet voldoende kracht zetten en zijn voeten gleden uit op het losse grind. Hij bleef aandachtig kijken. Voorzover hij kon zien, was er maar één manier.
Hij zette zijn rug tegen de bovenrand van de linkervoorstoel en ging vervolgens op zijn hurken zitten. Met zijn vingers groef hij in het zand en het grind tot ze onder de zijkant van de jeep waren, en daarna omklemde hij het metaal stevig. Hij gaf een flinke ruk om te testen wat hem te wachten stond. De jeep was zwaar, verdomd zwaar. Dertig jaar geleden zou het geen probleem voor hem zijn geweest. Als jongeman had hij de voorkant van een levensgrote Buick opgetild, met motor en al, tot die ruim een meter boven de grond hing. Maar hij was geen twintig meer. Hij trok nog een keer en voelde de jeep een eindje omhoog komen, alvorens terug te vallen. Nog eens trok hij, kreunend van inspanning, de spieren in zijn nek spanden zich onder zijn huid.
Josh zette de fles neer en slaagde er zelfs in om een eindje omhoog te komen door tegen de aan flarden geschoten band van de truck te leunen, terwijl hij de inspanningen van zijn broer gadesloeg.
Rufus was al moe, zijn armen en benen waren hier allang niet meer aan gewend. Hij was altijd sterk geweest, sterker dan wie ook. Zou hij, nu het echt nodig was, nu zijn broer zeker zou sterven als hij deze verdomde jeep niet rechtop kon krijgen, niet sterk genoeg zijn?
Hij bukte zich opnieuw, sloot zijn ogen en opende ze weer. Hij keek naar de lucht, waar een grote zwarte kraai traag rondcirkelde. Geen zorgen aan zijn kop, niets dan lange, kalme vleugelslagen tegen de strakblauwe hemel.
Terwijl het zweet Rufus langs het gezicht stroomde, kneep hij zijn ogen weer stijf dicht en deed wat hij altijd deed wanneer hij in de problemen

zat, wanneer hij dacht dat hij het niet zou redden. Hij bad. Hij bad voor Josh. Hij smeekte de Heer om hem de kracht te geven die hij nodig had om het leven van zijn broer te redden.
Nog eenmaal pakte hij de zijkant van de jeep, spande zijn massieve schouders en benen. Zijn lange armen begonnen te trekken, zijn gebogen benen strekten zich. Even leken jeep en man te balanceren in een wankel evenwicht, zonder zich omhoog of omlaag te bewegen. De jeep wilde niet meegeven en Rufus was al even koppig. Maar toen begon Rufus langzaam iets van zijn kracht te verliezen, het gewicht was te veel voor hem. Hij voelde dat dit zijn laatste kans was. Net toen het erop leek dat de jeep de strijd zou winnen, opende hij zijn mond en gaf een verschrikkelijke schreeuw die de tranen uit zijn ogen liet spatten. Terwijl Josh keek naar het onmogelijke wat zijn broer voor hem probeerde te doen, stroomden ook bij hem de tranen over zijn vermoeide gezicht. Rufus deed zijn ogen weer open toen hij de jeep, centimeter voor pijnlijke centimeter, omhoog voelde komen. Zijn spieren en gewrichten stonden in brand als gevolg van de onmenselijke krachtsinspanning. Rufus kreunde en trok en sjorde en sloeg geen acht op de pijn die waarschuwende signalen door zijn trillende lichaam zond. De jeep vocht met hem om elke verscheurende centimeter. Het voertuig kreunde en gromde, het vervloekte hem. Maar toen stond Rufus rechtop en gaf het brok metaal een laatste ruk. Als een golf die op het punt staat op het strand te breken, bereikte de jeep het punt vanwaar geen terugkeer mogelijk was en viel hard om, schuddend van de klap om ten slotte op zijn vier wielen te blijven staan.
Rufus ging in de jeep zitten, over zijn hele lichaam trillend van de enorme krachtsinspanning.
Josh keek in zwijgende verbazing toe. 'Verdomme,' was alles wat hij eindelijk kon uitbrengen over wat hij zojuist had gadegeslagen.
Rufus' hart ging nu zo tekeer dat hij vreesde dat zijn succes wel eens slechte gevolgen zou kunnen hebben. Hij greep naar zijn borst en haalde diep adem. 'Alsjeblieft,' zei hij, 'alsjeblieft, dat niet.' Een minuut later stond hij langzaam op, schuifelde naar zijn broer en tilde hem voorzichtig in de jeep. Hij zette de zeildoeken kap weer vast die was losgeraakt toen Tremaine en Rayfield eruit geslingerd werden. Hij haalde zoveel mogelijk voorraad uit de truck, inclusief zijn bijbel, en legde alles achter in de jeep, met de wapens. Hij ging achter het stuur zitten. Daar wachtte hij en keek in de richting waar Tremaine en Rayfield lagen. Daarna keek hij nog een keer naar de rondcirkelende kraai, die nu vergezeld was van verscheidene soortgenoten, groot genoeg om buizerds te kunnen zijn. In minder dan een dag tijd zouden beide mannen tot op

het gebeente zijn schoongepikt, wanneer ze zo bleven liggen.
Rufus klom uit de jeep en liep naar Rayfield. Hij hoefde diens pols niet te voelen. De ogen logen niet. Dat, en de stank van geledigde darmen. Hij sleepte eerst het lichaam van Rayfield en daarna dat van Tremaine de schuur in. Voor hij opstond en de deur achter zich sloot, prevelde hij een paar woorden. Op een dag zou hij hen vergeven voor alles wat ze hadden gedaan, maar niet vandaag. Rufus stapte weer in de jeep, keek Josh geruststellend aan en startte de motor. Die pakte niet meteen, maar wel bij de tweede poging. Met een knarsende versnellingsbak kwam de jeep, terwijl Rufus een snelle les kreeg in het hanteren van een versnellingspook, op gang en lieten de broers het geïmproviseerde slagveld achter zich.

•50•

Na de zitting hadden de rechters een besloten lunch in de eetzaal van het Hooggerechtshof op de eerste verdieping. Fiske had Sara in haar kantoor achtergelaten om wat werk in te halen. Hij had besloten van de gelegenheid gebruik te maken om op eigen houtje een paar inlichtingen te verzamelen. Nu de informatiestroom van de afdeling Moordzaken leek te zijn opgedroogd, vond hij dat hij er dan maar zelf aan moest zien te komen. Eén mogelijke bron was commissaris Leo Dellasandro.
Terwijl Fiske door de gang liep, dacht hij terug aan de zitting die hij zojuist had bijgewoond. Zelfs als advocaat had hij nooit echt begrepen hoeveel macht er in dit gebouw werd uitgeoefend. In het verleden had het Hooggerechtshof een paar zeer onpopulaire standpunten ingenomen over een veelheid van belangrijke onderwerpen. Veel ervan waren moedig geweest en, althans in Fiskes ogen, terecht. Maar het was angstaanjagend om te beseffen dat, als een stuk of twee stemmen anders hadden geluid bij sommige of bij al deze beslissingen, het land er vandaag de dag heel anders zou kunnen uitzien. Dat leek in elk opzicht een hachelijke, zo niet levensgevaarlijke situatie.
Fiske dacht ook aan zijn broer, en aan hoeveel goeds die ongetwijfeld voor dit Hof had gedaan, zelfs in de rol van griffier. Mike Fiske was altijd eerlijk en rechtvaardig geweest, in zijn opvattingen en zijn daden.

En wanneer hij je eenmaal mocht, kon iemand zich geen loyalere vriend wensen. Mike Fiske had hier veel goeds verricht. Het Hof had werkelijk een groot verlies geleden toen iemand hem van het leven had beroofd. Maar niet zo groot als dat van de familie Fiske.
Fiske was nu bij het kantoor van Dellasandro gekomen, dat op de begane grond lag. Hij klopte aan en wachtte. Hij klopte nog een keer en deed daarna de deur open om naar binnen te kijken. Hij zag het voorvertrek van Dellasandro's kantoor, waar zijn secretaresse werkte. De plek was leeg. Waarschijnlijk was ze gaan lunchen, dacht Fiske. Hij liep het kantoor in. 'Commissaris Dellasandro?' Hij wilde weten of er iets op de bewakingsvideo's te zien was geweest. Ook wilde hij weten of een van de mensen van de beveiligingsdienst Wright naar huis had gebracht. Hij liep tot de binnendeur. 'Commissaris Dellasandro, John Fiske hier. Ik vroeg me af of we even konden praten.' Nog steeds geen antwoord. Fiske besloot een briefje voor de man achter te laten. Maar hij wilde het niet op het bureau van de secretaresse neerleggen.
Hij glipte Dellasandro's kamer in en liep naar het bureau. Hij pakte een papiertje en met een pen die hij uit de houder haalde, krabbelde hij een kort briefje. Nadat hij gereed was en het briefje op een opvallende plaats op het bureau had gelegd, bleef hij nog even het vertrek rondkijken. Er prijkten veel ceremoniële herinneringen op de boekenplanken en aan de wanden, getuigend van een opmerkelijke carrière. Aan een van de wanden hing een foto van een veel jongere Dellasandro in uniform.
Fiske draaide zich om en wilde weggaan. Aan de deur hing een jasje. Dat moest van Dellasandro zijn, het maakte waarschijnlijk deel uit van het uniform dat hij bij het Hof droeg. Toen Fiske erlangs liep, viel hem een aantal vlekken op de kraag op. Hij wreef erover met zijn vinger en zag dat het afgaf: make-up. Daarna ging hij terug naar het voorvertrek en bekeek de foto's die daar op het bureau stonden. Hij had Dellasandro's secretaresse al eens ontmoet. Een jonge, lange brunette met een heel aantrekkelijk gezicht. Op haar bureau stond een foto van haar met commissaris Dellasandro. Hij had zijn arm om haar schouder geslagen en ze keken beiden glimlachend in de camera. Waarschijnlijk hadden veel secretaresses zo'n foto. Er was echter iets in de ogen, aan de manier waarop ze dicht bij elkaar stonden, dat suggereerde dat er misschien meer was dan een platonische werkrelatie. Hij vroeg zich af of er bij het Hof speciale regels waren voor de omgang van de werknemers onderling. Er was nog een reden waarom Dellasandro er goed aan zou doen om zijn broek aan te houden en met zijn handen van zijn secretaresse af te blijven: Fiske keek om naar Dellasandro's kamer en naar de foto die op een zijtafeltje stond: zijn vrouw en kinderen. Ze leken een heel

gelukkig gezin. Oppervlakkig althans. Terwijl hij het kantoor uit liep, bedacht hij dat het een heel duidelijk beeld gaf van de manier waarop dit gerechtshof en de wereld in het algemeen werkten: oppervlakkige indrukken konden heel bedrieglijk zijn; je moest dieper graven om bij de waarheid te komen.

Rufus zette de jeep stil. 'Ik ga de eerste politieauto aanhouden die ik zie. Om hulp voor je te krijgen,' zei hij.
Met moeite ging Josh rechtop zitten. 'Dat laat je verdomme uit je hoofd. Als de politie je te pakken krijgt, als ze Tremaine en Rayfield vinden, dan zullen ze jou begraven.'
'Je hebt een dokter nodig, Josh.'
'Ik heb helemaal niets nodig.' Snel stak hij zijn hand uit en pakte zijn pistool. 'We zijn hieraan begonnen en nu maken we het af.' Hij plaatste de loop van het pistool tegen zijn buik. 'Als je iemand laat stoppen, schiet ik hier een gat in.'
'Je bent gek. Wat wil je dan dat ik doe?'
Josh gaf bloed op. 'Je gaat Fiske en dat meisje zoeken. Ik kan je niet meer helpen, zij kunnen dat misschien wel.' Rufus keek naar het wapen.
'Denk er niet eens aan, een kogel is verdomd snel.'
Rufus schakelde in de eerste versnelling en reed de weg weer op. Josh keek naar hem, terwijl het hem af en toe wazig voor de ogen werd.
'Hou op met die flauwekul.'
'Wat?'
'Ik zie dat je weer zit te mompelen. Je hoeft niet voor me te bidden.'
'Niemand vertelt mij wanneer ik tegen de Heer kan praten.'
'Als je mij er maar buiten laat.'
'Ik bid dat Hij je beschermt. Dat Hij je laat leven.'
'Zie ik eruit of ik ergens last van heb? Je verspilt je adem.'
'God heeft me de kracht gegeven om deze jeep op te tillen.'
'Jij hebt dit verdomde brok metaal opgetild. Er zijn geen engelen uit de hemel neergedaald om je erbij te helpen.'
'Josh...'
'Rij nou maar door.' De hevige pijn dwong Josh om voorover te buigen. 'Ik word moe van dat gepraat.'

Terwijl ze op haar kamer bezig was, kreeg Sara een dringende oproep uit het kantoor van Elizabeth Knight. Het verraste haar, omdat de rechters op woensdagmiddag gewoonlijk een bespreking hielden over de zaken die de maandag ervoor waren behandeld. Iedere rechter had twee secretaresses en een persoonlijke assistente. Toen ze het kantoor

van Knight binnenkwam, groette Sara de secretaresse die al een hele poos voor Knight werkte, tijdens de verschillende periodes in de loopbaan van de rechter. Harriet, die gewoonlijk opgewekt en vriendelijk was, zei koeltjes: 'U kunt meteen doorlopen, mevrouw Evans.'
Sara liep langs Harriets bureau en bleef staan bij de deur van Knights kamer. Ze draaide zich om en betrapte Harriet erop dat die haar nastaarde. Harriet wijdde zich snel weer aan haar werk. Sara haalde diep adem en opende vervolgens de deur.
In het kantoor, staand of op een stoel gezeten, waren Ramsey, rechercheur Chandler, Perkins en agent McKenna. Elizabeth Knight zat achter haar antieke bureau nerveus met een briefopener te spelen, toen ze Sara zag.
'Kom binnen en ga zitten.' Haar toon was nu niet bepaald hartelijk, dacht Sara.
Ze ging zitten in een met stof beklede oorfauteuil die volgens haar zorgvuldig zo was neergezet dat iedereen in de kamer haar recht kon aankijken. Of haar ergens mee kon confronteren, misschien?
Ze keek naar Knight. 'U wilde me spreken?'
Ramsey deed een stap naar voren. 'We wilden u allemaal zien en, belangrijker nog, u horen, mevrouw Evans. Ik zal echter rechercheur Chandler het woord geven.' Ramsey was strenger dan Sara hem ooit had meegemaakt. Hij ging tegen de schoorsteenmantel geleund staan en bleef haar aanstaren, terwijl hij zijn grote handen zenuwachtig opende en sloot.
Chandler ging tegenover haar zitten, zijn knieën raakten de hare bijna. 'Ik heb een paar vragen die ik u moet stellen en waarop ik een eerlijk antwoord wil hebben,' zei hij kalm.
Sara keek de kamer rond. In een halfslachtige poging om grappig te zijn vroeg ze: 'Heb ik een advocaat nodig?'
'Niet tenzij je iets verkeerds hebt gedaan, Sara,' merkte Knight snel op. 'Ik geloof echter dat jij de beslissing moet nemen of je hier een raadsman bij wilt hebben of niet.'
Sara slikte moeizaam en keek vervolgens naar Chandler. 'Wat wilt u weten?'
'Hebt u ooit de naam Rufus Harms gehoord?'
Even sloot Sara haar ogen. O, shit. 'Ik zal het uitleggen...'
'Ja of nee, alstublieft, mevrouw Evans,' zei Chandler. 'De uitleg komt later wel.'
Ze knikte en zei: 'Ja.'
'Waar precies bent u die naam tegengekomen?'
Ze bewoog zich nerveus op haar stoel. 'Ik weet dat hij een militaire

gevangene is, die is ontsnapt. Dat heb ik in de kranten gelezen.'
'Is dat de eerste keer dat u van hem hebt gehoord?' Toen ze geen antwoord gaf, vervolgde Chandler: 'U hebt in de postkamer van de griffiers vragen gesteld over een verzoekschrift dat zou zijn ingediend door Rufus Harms. Dat deed u, om precies te zijn, vóór hij uit de gevangenis was ontsnapt, nietwaar? Wat wilde u weten?'
'Ik dacht, ik bedoel...'
'Heeft John Fiske je daartoe aangezet?' vroeg Knight scherp. Ze keek Sara onderzoekend aan. De teleurstelling op haar gezicht maakte dat Sara zich nog schuldiger begon te voelen.
'Nee. Ik heb het op eigen initiatief gedaan.'
'Waarom?' vroeg Chandler. Uit zijn vage gesprek met Fiske in de cafetaria van het Hof had hij al een vermoeden van de waarheid. Hij moest die echter uit haar mond horen.
Sara zuchtte diep en keek nog eens naar het leger dat zich tegenover haar had opgesteld. Ze wenste dat Fiske plotseling tevoorschijn zou komen om haar te helpen, maar dat zou niet gebeuren. 'Op een dag zag ik toevallig iets wat op een verzoekschrift leek, met de naam van Rufus Harms. Ik vroeg ernaar in de postkamer omdat ik me niet herinnerde dat ik hem op de lijst had gezien. Er waren geen gegevens van in de postkamer.'
'Waar hebt u dit verzoekschrift gezien?' kwam Ramsey tussenbeide, voor Chandler dezelfde vraag kon stellen.
'Gewoon, ergens,' zei Sara, die er nu ellendig uitzag.
'Sara,' zei Knight bits, 'het heeft geen zin iemand de hand boven het hoofd te houden. Vertel ons nu maar gewoon de waarheid. Stel je carrière hiervoor niet in de waagschaal.'
'Ik herinner me niet waar ik het heb gezien. Ik heb het gewoon gezien. Misschien twee seconden. En ik zag alleen de naam van Rufus Harms, niet wat er in het verzoekschrift stond,' zei Sara koppig.
'Als u vermoedde dat het een verzoek was dat niet was geregistreerd,' zei Perkins, 'waarom hebt u het dan niet meegenomen naar het kantoor van de griffiers om het te laten registreren?'
Hoe zou ze daarop moeten antwoorden? 'Op dat moment kwam het me niet goed uit en later had ik er niet meer de gelegenheid voor.'
'De gelegenheid?' Ramsey stond op het punt te ontploffen. 'Ik heb begrepen dat u kortgeleden op de postkamer van de griffiers hebt geïnformeerd naar dit "zoekgeraakte" verzoekschrift. Kwam het u toen nog niet goed uit om het te laten registreren?'
'Op dat moment wist ik niet waar het was.'
McKenna verhief zijn stem. 'Hoort u eens, mevrouw Evans, óf u vertelt

het ons óf we komen er wel op een andere manier achter.'
Sara stond op. 'Uw toon bevalt me niet en ik wil niet op een dergelijke manier behandeld worden.'
'Ik denk dat het in uw belang is om mee te werken,' zei McKenna, 'en u moet ophouden met proberen de gebroeders Fiske te beschermen.'
'Waar hebt u het over?'
'We hebben redenen om aan te nemen dat Michael Fiske dat verzoekschrift met een bepaalde bedoeling heeft meegenomen en dat u er op de een of andere manier bij betrokken bent,' deelde Chandler haar mee.
'Als hij dat heeft gedaan en u ervan af wist, maar niets hebt gezegd, dan is dat een zeer ernstig ethisch vergrijp, mevrouw Evans,' zei Ramsey.
'U loopt overal rond te snuffelen en vragen te stellen omdat John Fiske u ertoe heeft aangezet, is het niet zo?'
'Het zal u misschien verbazen, maar ik kan nog wel zelf denken en handelen, agent McKenna,' zei ze kwaad.
'Weet u dat Michael Fiske een levensverzekering van een half miljoen had afgesloten met zijn broer als begunstigde?'
'Ja, dat heeft hij me verteld.'
'Weet u ook dat Fiske geen alibi heeft voor het tijdstip waarop zijn broer werd vermoord?'
Sara schudde haar hoofd en glimlachte strak. 'U verspilt kostbare tijd wanneer u probeert John Fiske de moord op zijn broer in de schoenen te schuiven. Hij heeft er niets mee te maken en hij doet zijn uiterste best om erachter te komen wie Michael heeft vermoord.'
McKenna stak zijn handen in zijn zakken en bleef haar even aankijken. Daarna veranderde hij van tactiek. 'Zou u kunnen zeggen dat de broers erg goed met elkaar overweg konden?'
'Wat bedoelt u met "erg goed"?'
McKenna rolde met zijn ogen. 'De gewone betekenis van die woorden, dat is alles.'
'Nee, ik geloof niet dat ze elkaar bijzonder na stonden. Hoezo?'
'We vonden een levensverzekeringspolis in de flat van Michael Fiske. Vertelt u me dan eens waarom hij zijn leven voor zoveel geld had verzekerd ten gunste van zijn oudere broer met wie hij niet zo goed overweg kon? Waarom niet zijn ouders? Ik heb begrepen dat ze het geld goed kunnen gebruiken.'
'Ik weet niet wat Michael Fiske dacht toen hij dat deed. Ik denk dat we het nooit zullen weten.'
'Misschien heeft Michael Fiske het helemaal niet gedaan.'
Een moment was Sara stomverbaasd. 'Wat bedoelt u?'
'Weet u hoe gemakkelijk het is om een levensverzekering op iemand

anders af te sluiten? Er is geen foto voor nodig. Er komt een verpleegkundige naar je huis, die een paar dingen opmeet en een bloedmonster neemt. Je zet een paar valse handtekeningen en je betaalt de premie via een andere rekening.'

Sara sperde haar ogen open. 'Wilt u beweren dat John zich voor zijn broer uitgaf om een levensverzekering op hem af te sluiten?'

'Waarom niet? Dat zou het een stuk duidelijker maken waarom twee van elkaar vervreemde broers zo'n belangrijke financiële overeenkomst sloten.'

'Blijkbaar kent u John Fiske niet.'

McKenna keek haar aan op een manier die haar van haar stuk bracht. 'Het gaat erom, mevrouw Evans, dat u hem ook niet kent.'

McKenna's volgende woorden lieten haar bijna van haar stoel vallen. 'Wist u ook dat Michael Fiske werd gedood door een kogel die werd afgevuurd uit een 9 mm-pistool?' Hij wachtte even voor het effect. 'En dat John Fiske in het bezit is van een 9 mm-pistool? En wat dat verzoekschrift betreft, ik weet zeker dat hij tegen u heeft gezegd dat het verband houdt met de moord op zijn broer, nietwaar?'

Sara keek Chandler aan. 'Ik kan dit niet geloven.'

'Er is ook nog niets bewezen,' zei Chandler.

Perkins stond bedachtzaam te knikken, met over elkaar geslagen armen. 'We hebben een telefoontje gekregen van het Bureau voor Speciale Militaire Operaties, mevrouw Evans. Van ene sergeant-majoor Dillard. Hij zei dat u hem had gebeld over Rufus Harms, dat u zei dat Rufus Harms bij het Hof een verzoekschrift had ingediend en dat u zijn verleden wilde nagaan.'

'Er is toch geen wet die zegt dat ik iemand niet mag opbellen om iets na te trekken?'

'Dus u geeft toe dat u hem hebt opgebeld,' zei Perkins triomfantelijk, eerst naar Ramsey kijkend en vervolgens naar Knight. 'Dat betekent dat u toegeeft dat u de faciliteiten en de tijd van het Hof hebt gebruikt om een persoonlijk onderzoek in te stellen naar een ontsnapte veroordeelde. En dat u toevallig hebt gelogen tegen het leger, omdat er hier geen verzoekschrift van de man is geregistreerd, zoals u zelf hebt verklaard.'

'Het aantal van uw overtredingen groeit snel,' voegde McKenna eraan toe.

'Daar ben ik het beslist niet mee eens. Wat mij betreft was het een zaak die het Hof aanging en had ik het volste recht om het te doen.'

'Mevrouw Evans, bent u van plan ons te vertellen wie dat verzoekschrift in zijn bezit had?' Ramsey keek haar aan door zijn dikke brillenglazen, op dezelfde manier als hij de advocaten had aangekeken tijdens de zit-

ting van die ochtend. 'Als iemand van dit Hof een verzoekschrift heeft gestolen voordat het werd geregistreerd, het idee alleen al is ondenkbaar, en als u wist wie het was, bent u het Hooggerechtshof verplicht te zeggen wie het was.'
Ze kenden allen het antwoord op die vraag, besefte Sara, of ze dachten tenminste dat ze het kenden. Ze was echter niet van plan opheldering te geven. Alle kracht verzamelend waarvan ze niet wist dat ze die bezat, stond ze langzaam op. 'Ik geloof dat ik genoeg vragen heb beantwoord.'
Ramsey keek naar Perkins en daarna naar Elizabeth Knight. Sara dacht dat ze kon zien dat ze allemaal even tegen elkaar knikten.
'Sara, dan moet ik je vragen om vrijwillig je functie van griffier neer te leggen, met onmiddellijke ingang,' zei Knight. Haar stem brak bij het uitspreken van deze woorden.
Sara keek haar aan. Ze leek niet verrast. 'Ik begrijp het, rechter Knight. Het spijt me dat het zover heeft moeten komen.'
'Het kan je niet half zoveel spijten als mij. Meneer Perkins gaat met je mee. Je kunt je persoonlijke eigendommen uit je kantoor gaan halen.' Abrupt wendde Knight haar blik af.
Toen Sara wilde weggaan, klonk nogmaals de dreunende stem van Ramsey. 'Mevrouw Evans, ik moet u waarschuwen dat er, als uw daden deze instelling enige schade berokkenen, gepaste actie tegen u en tegen eventuele andere verantwoordelijke partijen zal worden ondernomen. Wanneer ik de situatie juist inschat, denk ik echter dat de schade al is veroorzaakt en zelfs onomkeerbaar zal blijken.' Dramatisch verhief hij zijn stem. 'Als dat het geval is, dan hoop ik dat uw geweten u de rest van uw leven met dat verdoemde feit zal achtervolgen!'
Ramseys gezicht was rood van verontwaardiging; zijn forse lichaam leek bijna uit zijn pak te barsten. Sara kon het allemaal in zijn smeulende ogen lezen: een schandaal tijdens zijn ambtsperiode. Bij de enige instelling die altijd buiten schandalen had kunnen blijven in een stad waarin het er voortdurend van wemelde. Zijn plaats in de geschiedenis, zijn lange, zuurverdiende carrière in de rechtspraak, werd geblameerd door de blunders van een onbeduidende griffier; zijn hele loopbaan werd gereduceerd tot een reeks verklarende voetnoten. Als Sara Evans zijn hele familie vlak voor zijn ogen had omgebracht, had ze de man niet méér verdriet kunnen doen. Ze vluchtte de kamer uit voor ze in tranen uitbarstte.

•51•

Fiske wachtte op Sara in haar kantoor. Toen ze in de deuropening verscheen, stond hij op en wilde iets zeggen, maar toen zag hij Perkins achter haar staan. Sara liep naar haar bureau en begon het leeg te halen, terwijl Perkins van zijn plek bij de deur toekeek.

'Sara, wat is er gebeurd?'

'Dit gaat u niets aan, meneer Fiske,' zei Perkins. 'Ik zal rechercheur Chandler en agent McKenna echter laten weten dat u hier bent. Ze hebben u iets te vragen.'

'Nou, waarom ga je dan niet over me roddelen, dan kan ik onder vier ogen met Sara praten.'

'Ik moet bij mevrouw Evans blijven tot ze het gebouw uit is.'

Sara stopte haar spullen in een grote boodschappentas. Daarna pakte ze haar handtas en legde die erbovenop. Toen ze langs Fiske liep, fluisterde ze hem toe: 'Ik wacht op je in de garage.'

Perkins zei: 'Ik wil ook al uw sleutels van dit gebouw hebben.'

Sara zette de tas neer, zocht in haar handtas, haalde de sleutels van de ring af en gooide ze Perkins toe.

'Ik vind dit ook niet leuk,' zei Perkins verontwaardigd. 'Het is een janboel in het Hooggerechtshof, we zijn omringd door een leger journalisten, er worden mensen vermoord, de politie zwerft overal rond. Het is niet zo dat ík wilde dat u uw baan kwijtraakte.'

Zonder iets te zeggen schoof Sara langs hem heen.

Op weg naar de hal begon het groepje langzamer te lopen, toen Chandler en McKenna van de andere kant aankwamen.

'Ik moet met je praten, John,' zei Chandler.

Fiske keek Sara aan. 'Ik zie je straks, Sara.'

Sara en Perkins liepen door.

'Wilde je me iets vragen?' zei Fiske.

'Dat klopt.'

'Gaat het soms over de levensverzekering van mijn broer?'

'Ja, daar gaat het over,' zei Chandler grimmig. 'McKenna denkt dat je die zelf kunt hebben afgesloten op naam van je broer en dat je hem daarna hebt vermoord.'

'Heb je de polis in de flat van mijn broer gevonden?' Chandler knikte.
'Nou, dan wist hij er kennelijk van.'
Chandler keek McKenna vragend aan. De FBI-man bleef echter zwijgen.
'Hoor eens, ik wist niet dat mijn broer die polis had afgesloten. De verzekeringsagent had een boodschap op mijn antwoordapparaat ingesproken. Ik zal je haar naam geven. Zij heeft persoonlijk met mijn broer gesproken, voor het geval je echt denkt dat ik deze hele zaak zelf in elkaar heb gezet.' Hij keek McKenna aan en zag het gezicht van de man betrekken. 'Sorry dat ik je ballonnetje moet doorprikken, McKenna. Het geld gaat naar onze ouders. Mike wist dat ik dat ermee zou doen. Praat maar met de verzekeringsagent, zij zal het bevestigen. Tenzij je denkt dat ik met haar onder één hoedje speel. Waarom zou ik niet nog verder gaan? Ik heb waarschijnlijk ook alle negen rechters in mijn zak, waar of niet?'
'Dus je hebt je broer ertoe overgehaald een verzekering af te sluiten om je ouders te helpen. Maar jij, en jij alleen, bent de begunstigde. Dat is nog steeds een schitterend motief om hem te vermoorden,' zei McKenna. Hij wendde zich tot Chandler. 'Wil jij het hem vragen of zal ik het doen?'
Chandler keek Fiske aan. 'Je broer is gedood door een 9 mm-kogel.'
'O ja?'
'Jij hebt toch een 9 mm-pistool?'
Fiske keek beide mannen aan. 'Hebben jullie met de Virginia State Police gepraat?'
'Beantwoord de vraag nu maar,' zei McKenna.
'Waarom zou ik dat doen, als je het antwoord toch al weet?'
'John...' begon Chandler.
'Goed. Ja, ik heb een negen millimeter. Om precies te zijn, een Sig-Sauer P226, met een magazijn van vijftien schoten.'
'Waar is het?'
'In mijn kantoor, in Richmond.'
'We willen het graag hebben.'
'Voor een ballistisch onderzoek?'
'Onder andere.'
'Buford, dit is tijdverspilling...'
'Hebben we je toestemming om naar je bureau te gaan en het wapen op te halen?'
'Nee.'
McKenna zei: 'Nou, we kunnen over een uur een huiszoekingsbevel hebben.'
'Dat heb je niet nodig. Ik zal je het pistool geven.'

McKenna keek stomverbaasd. 'Maar ik dacht dat je net zei...'
'Ik wil niet dat er in mijn kantoor ingebroken wordt om het te halen. Ik weet hoe de politie soms te werk kan gaan. Ze zijn niet bepaald voorzichtig en het zou een eeuwigheid duren voor ik de kosten van de reparatie aan mijn deur vergoed krijg.' Fiske keek Chandler aan. 'Ik neem aan dat ik niet meer bij het onofficiële team hoor, maar ik wil nog een paar dingen zeggen. Heb je gesproken met de veiligheidsmensen die de afgelopen nacht dienst hadden, en is de videocamera gecontroleerd?'
'Ik zou je aanraden niets te zeggen, Chandler,' zei McKenna.
'Ik heb er nota van genomen.' Chandler keek Fiske aan. 'Ter wille van onze oude vriendschap dan. We hebben met de bewaarders gesproken. Tenzij een van hen liegt, heeft niemand Wright een lift naar huis gegeven. Een van hen heeft het aangeboden, maar Wright weigerde.'
'Hoe laat was dat?'
'Omstreeks halftwee 's nachts. De film uit de videocamera is bekeken en er staat niets bijzonders op.'
'Heeft Wright gezegd waarom hij niet thuisgebracht wilde worden?'
'De bewaarder zei dat hij gewoon de deur uit liep en dat hij hem daarna niet meer heeft gezien.'
'Oké, om op het pistool terug te komen,' zei McKenna, 'ik ga met je mee naar je kantoor.'
'Ik rij nergens heen met jou.'
'Ik bedoelde dat ik achter je aan zal rijden.'
'Je doet maar wat je wilt, maar ik wil dat er een geüniformeerde politieman uit Richmond bij aanwezig is en ik wil dat hij het pistool in beslag neemt om het vervolgens over te dragen aan de afdeling Moordzaken van D.C. Ik wil niet dat jij er met je vingers aan komt.'
'Waar je op zinspeelt staat me niet aan.'
'Goed, maar zo gebeurt het, of je kunt voor een huiszoekingsbevel zorgen. De keuze is aan jou.'
Chandler zei: 'Goed. Iemand in het bijzonder?'
'Agent William Hawkins. Ik vertrouw hem en dat kun jij ook.'
'Afgesproken. Ik wil wel dat je nu meteen gaat, John. Ik zal het met Richmond regelen.'
Fiske keek de hal in. 'Geef me een half uur. Ik moet met iemand praten.'
Chandler legde een hand op Fiskes schouder. 'Oké, John, maar als de politie van Richmond je pistool niet over een uur of drie heeft, krijg je een groot probleem met ondergetekende. Begrepen?'
Fiske haastte zich naar de garage, op zoek naar Sara.
Een paar minuten later voegde Dellasandro zich bij Chandler en McKenna.

'Ik zou verdomme wel eens willen weten wat hier aan de hand is,' zei Dellasandro nijdig. 'Twee griffiers vermoord en nu is er weer een ontslagen vanwege een weggeraakt verzoekschrift.'
McKenna haalde zijn schouders op. 'Het is nogal ingewikkeld.'
'Dat is echt hoopgevend,' zei Dellasandro.
'Ik word niet betaald om hoopgevend te zijn,' kaatste McKenna terug.
'Nee, je wordt ervoor betaald om uit te zoeken wie dit doet. En u ook, rechercheur Chandler,' antwoordde Dellasandro.
'Daar zijn we ook mee bezig,' zei Chandler kortaf.
'Oké, oké,' zei Dellasandro vermoeid. 'Perkins heeft me zo-even op de hoogte gebracht. Denken jullie nu echt dat John Fiske zijn broer heeft vermoord? Ik bedoel, goed, hij had een motief, maar verdomme, een half miljoen lijkt heel wat, maar vandaag de dag stelt het toch niet zoveel voor.'
McKenna antwoordde: 'Wanneer je niets op je bankrekening hebt staan, kun je alles gebruiken. Hij heeft een motief, hij heeft geen alibi en binnen een paar uur zullen we weten of hij het moordwapen heeft.'
Dellasandro leek niet overtuigd. 'En de dood van Wright dan? Hoe past die in het geheel?'
McKenna spreidde zijn handen uit. 'Je moet het zo zien. Sara Evans kan op de een of andere manier ertoe zijn gebracht om Fiske te helpen. Evans en Wright deelden een kantoor. Het is niet denkbeeldig dat Wright iets heeft afgeluisterd of iets heeft gezien, waardoor hij achterdocht kreeg wat het tweetal betreft.'
'Maar ik dacht dat Fiske een alibi heeft voor het tijdstip van Wrights dood,' zei Dellasandro.
'Ja, Sara Evans,' zei McKenna.
'Al dat gedoe dan met die ontsnapte gevangene Harms, en de vragen die Evans daarover stelde?'
Chandler haalde zijn schouders op. 'Ik kan niet beweren dat we dat alles hebben begrepen, maar het zou een afleidingsmanoeuvre geweest kunnen zijn.'
McKenna zei: 'Ik gelóóf het niet, ik weet het wel zeker. Als het iets te betekenen had, zouden ze het wel tegen iemand hebben gezegd. Evans kon ons niet eens vertellen wat erin stond. Misschien hééft Michael Fiske een verzoekschrift meegenomen. Wat dan nog? John Fiske vermoordt hem om het geld en maakt een hele toestand van dat zoekgeraakte verzoekschrift, om Evans en ons allemaal om de tuin te leiden.'
'Nou, ik blijf op mijn hoede tot we het zeker weten,' zei Dellasandro. 'De mensen in dit gebouw vallen onder mijn verantwoordelijkheid en

we zijn er al twee kwijt.' Hij keek McKenna onderzoekend aan. 'Ik hoop dat je weet wat je doet, met Fiske.'
'Ik weet precies wat ik met hem doe.'

Fiske trof Sara in de parkeergarage. Het kostte haar weinig tijd om uit te leggen wat er gebeurd was.
'Sara, ik hoopte dat ik je dit nooit hoefde te vertellen, maar Chandler heeft me in een hoek gedrukt. Ik weet zeker dat ik de reden ben dat je zojuist je baan bent kwijtgeraakt.'
Sara zette de boodschappentas in de kofferbak van haar auto. 'Ik ben een grote meid. Ik ben verantwoordelijk voor mijn eigen daden.'
Fiske leunde tegen de auto. 'Misschien kan ik met Ramsey en Knight gaan praten, om te proberen hun de zaak uit te leggen?'
'Hoe zou je het moeten uitleggen? Wat ze veronderstelden dat ik gedaan had, heb ik gedaan.' Sara sloot de achterklep en ging naast hem staan. 'Ik neem aan dat ze het tegen je gezegd hebben, van je pistool?'
Fiske knikte. 'McKenna zorgt voor een gewapend geleide naar mijn kantoor, zodat ik het wapen kan overhandigen.' Hij keek haar bezorgd aan. 'Wat ga je nu doen?'
'Ik weet het niet. Maar ik heb opeens heel wat vrije tijd gekregen. Misschien ga ik proberen uit te zoeken wat Tremaine en Rayfield hebben gedaan.'
'Weet je zeker dat je nog steeds wilt helpen?'
'Dan heb ik mijn carrière tenminste niet voor niets geruïneerd. En jij?'
'Ik heb geen keus in deze kwestie.' Hij keek op zijn horloge. 'Zal ik vanavond om zeven uur naar je toe komen?'
'Ik denk dat ik wel iets te eten kan klaarmaken. Een paar dingen kopen, een goede fles wijn. Misschien word ik zelfs erg ijverig en ga ik stof afnemen. We kunnen mijn laatste dag bij het Hooggerechtshof vieren. Misschien weer een stukje gaan zeilen.' Ze zweeg even en raakte zijn arm aan. 'En de dag op dezelfde manier laten eindigen?'
'Ik kan Richmond laten schieten, en bij jou blijven. Ik weet hoe je je moet voelen.'
'Hoe moet het dan met Chandler en McKenna?'
'Ik hoef niet te doen wat ze zeggen.'
'Als je niet gaat, zal McKenna waarschijnlijk aansturen op de elektrische stoel. Trouwens, om je de waarheid te zeggen voel ik me heel goed.'
'Weet je het echt zeker?'
'Ik weet het echt zeker, John, maar evengoed bedankt.' Ze streelde zijn gezicht. 'Vanavond kun je bij me blijven.'
Toen Fiske was weggegaan en Sara in haar auto wilde stappen, schoot

haar te binnen dat ze haar handtas, met de autosleutels, in de kofferbak had gelegd. Ze deed de klep open en voelde in de boodschappentas om haar handtas eruit te halen. Toen ze die pakte, viel haar oog op de foto die erbovenin lag. Die had ze meegenomen uit Michaels kantoor, voor de politie het had doorzocht. Opeens begreep ze dat er iets heel belangrijks was wat ze moest doen. Ze stapte in en reed de garage uit. Ze was zojuist ontslagen als griffier van het Hooggerechtshof.
Vreemd genoeg had ze niet de neiging in tranen uit te barsten, of haar hoofd in de oven te steken. Ze had zin om een stuk te rijden. Naar Richmond. Ze moest iemand spreken. En dat kon net zo goed vandaag als een andere keer.
Toen ze langs de voorgevel met de zuilen reed van haar voormalige werkplek, werd ze overspoeld door een grote golf van opluchting. Zo plotseling, dat het haar de adem benam. Daarna voelde ze zich geleidelijk aan rustig worden. Ze gaf gas en reed Independence Avenue op, zonder achterom te kijken.

•52•

Fiske haastte zich naar het kantoor van Knight. Tot zijn verbazing werd hij toegelaten. Knight zat achter haar bureau. Ramsey, die er nog steeds was, hing onderuitgezakt in een stoel. Bij Fiskes binnenkomst stond hij op.
Fiske stak meteen van wal. 'Ik wil dat u weet dat alles wat Sara heeft gedaan of heeft nagelaten, bedoeld was om mijn broer te beschermen. Alles wat ze nu probeert te doen, is mij te helpen degene te vinden die hem heeft vermoord.'
'Weet u zeker dat u die vraag niet kunt beantwoorden door zelf eenvoudig in de spiegel te kijken?' zei Ramsey fel.
Fiske verbleekte. 'U gaat ver buiten uw boekje, meneer.'
'O ja? De autoriteiten schijnen dat anders niet te denken. Als u een moordenaar bent, hoop ik dat u de rest van uw leven in de gevangenis doorbrengt. Wat de daden van uw broer betreft, die hebben vrijwel zeker tot gevolg gehad dat iemand erdoor om het leven kwam, in mijn visie althans.'

'Mijn broer deed wat hij dacht dat juist was.'
'Dat vind ik een absoluut belachelijke verklaring.'
'Harold...' begon Knight, maar hij bracht haar met een handgebaar tot zwijgen.
'Ik wil,' zei hij, naar Fiske wijzend, 'dat u dit kantoor en dit gebouw verlaat, voor ik u laat arresteren omdat u zich op verboden terrein bevindt.'
Fiske keek naar de beide rechters. De woede die nu in hem opwelde, bereikte zijn hoogtepunt na de afgelopen drie dagen pure hel. Het leek alsof alle ellende die hem ooit was overkomen, was veroorzaakt door Harold Ramsey. 'Ik heb die fraaie zin boven de ingang gelezen. Gelijke gerechtigheid onder de wet? Dat vind ík belachelijk.'
Ramsey leek gereed om Fiske aan te vliegen. 'Hoe durft u!'
'Ik heb op het moment een cliënt in de dodencel. Als ik ooit de "eer" heb om voor u te verschijnen, kunt u me dan zeggen of het u werkelijk iets kan schelen of die man in leven blijft of sterft? Of gaat u hem en mij slechts gebruiken om een precedent nietig te verklaren waar u zich tien jaar geleden kwaad om hebt gemaakt?'
'Jij onverdraaglijke...'
'Kunt u me dat vertellen?' schreeuwde Fiske. 'Als u het niet kunt, dan weet ik niet wat u bent, maar dan bent u verdomme geen rechter.'
Ramsey was razend. 'Wat weet jij ervan? Het systeem...'
Fiske sloeg met zijn vuist op zijn borst. 'Ik ben het systeem. Ik, en de mensen die ik vertegenwoordig. Niet u. Niet deze instelling.'
'Besef je het belang wel van de zaken die we hier behandelen?'
'Wanneer heb u voor het laatst over een afgeranselde vrouw "geoordeeld"? Of een misbruikt kind? Hebt u ooit iemand op de elektrische stoel zien sterven? Hebt u dat? U zit hier, maar u ziet nooit een echt mens. U luistert niet naar levende getuigen, u hoort nooit iemand aan, behalve een stelletje gewichtig doende advocaten die u een stapel papieren onder de neus duwen. U hebt geen idee van de gezichten, de mensen, de gebroken harten en de pijn die erachter schuilgaan. Voor u is het een intellectueel spel. Een spel! Niet meer dan dat.' Fiske keek de man strak aan. 'Als u die belangrijke zaken zo zwaar vindt, probeert u dan de minder belangrijke eens te behandelen.'
'Ik geloof dat je nu maar moet vertrekken,' zei Knight bijna smekend. 'Nu meteen.'
Fiske bleef Ramsey nog een seconde aankijken. Daarna kalmeerde hij en hij keek naar de vrouw. 'Dat lijkt me een goed advies, rechter. Ik denk dat ik het zal opvolgen.' Hij liep naar de deur.
'Meneer Fiske!' bulderde Ramsey. Langzaam draaide Fiske zich om. 'Ik

heb verscheidene goede vrienden bij de balie van de staat Virginia. Ik denk dat zij op de hoogte moeten worden gesteld van deze situatie. Ik vind dat er gepaste actie tegen u dient te worden ondernomen, die misschien tot gevolg heeft dat u zult worden geschorst en uw werkzaamheden als advocaat niet meer zult mogen uitoefenen.'

'Schuldig, tenzij is bewezen dat ik onschuldig ben? Is dat uw opvatting over de werking van de rechtsspraak?'

'Het is mijn vaste overtuiging dat het slechts een kwestie van tijd is, voor u schuldig bevonden wordt.'

Fiske wilde nog iets zeggen, maar Knight zei, met één hand op de telefoon: 'John, ik zou graag willen dat je wegging zonder begeleiding van de beveiligingsambtenaren.'

Nadat Fiske was vertrokken, schudde Ramsey zijn hoofd. 'De man is zonder enige twijfel een psychopaat.'

Hij draaide zich om en keek naar Knight, die recht voor zich uit zat te staren. 'Beth, ik wilde je nog zeggen dat je van de diensten van een van mijn griffiers gebruik kunt maken tot je een vervanger voor Sara hebt gevonden.'

Ze keek hem aan. Het aanbod van een griffier leek heel vriendelijk. Oppervlakkig dan. Betekende het onder die oppervlakte een spion in haar kamp?

'Ik red het wel. We zullen alleen wat harder moeten werken.'

'Je hebt je vandaag kranig geweerd bij de zitting, hoewel ik zou willen dat je het niet zo persoonlijk opvatte. Het is een beetje ongepast wanneer we zo kibbelen in het openbaar.'

'Hoe kan ik de zaken niet persoonlijk opvatten, Harold? Vertel me eens hoe dan?' Haar oogleden waren gezwollen en haar stem klonk plotseling schor.

'Het moet wel. Ik lig nooit wakker van een zaak. Zelfs niet van een die de doodstraf tot gevolg heeft. Wij beslissen niet over schuldig of niet schuldig. Wij interpreteren woorden. In die termen moet je erover denken. Anders raak je opgebrand.'

'Misschien is vroegtijdig opbranden een alternatief waaraan ik de voorkeur geef boven een langdurige carrière die niet méér doet dan een aanslag plegen op mijn intellect.' Ramsey keek haar ongelovig aan. 'Ik wil dat het pijn doet, ik wil het voelen. Dat doet iedereen. Waarom vormen wij een uitzondering? Verdomme, we zouden van pijn moeten kronkelen bij deze zaken.'

Ramsey schudde treurig zijn hoofd. 'Dan ben ik bang dat je het niet zult volhouden. En dat moet, als je hier echt iets wilt veranderen.'

'We zullen wel zien. Misschien zal ik je nog eens verbazen. Wie weet met ingang van vandaag.'
'Je hebt geen kans om de zaak-Stanley te overtroeven. Maar ik bewonder je vasthoudendheid, hoewel die vandaag verspild was.'
'Voorzover ik me herinner zijn de stemmen nog niet geteld.'
Ramsey glimlachte. 'Natuurlijk, natuurlijk. Maar dat is slechts een formaliteit.' Hij stak zijn handen in zijn zakken en ging voor haar staan. 'Ik wil je wel zeggen dat ik ook op de hoogte ben van je plannen tot herziening van de zaak van die arme...'
'Harold, we zijn zojuist onze derde griffier kwijtgeraakt. Een derde menselijk wezen en een op wie ik zeer gesteld ben. Het is hier een chaos. Ik voel er weinig voor om op dit moment over rechtszaken te spreken. Eerlijk gezegd bestaat de mogelijkheid dat ik er nooit meer iets voor zal voelen.'
'Beth, we moeten doorgaan. Je hebt gelijk, we hebben de ene crisis na de andere gehad, maar we zullen volhouden.'
'Harold, alsjeblieft!'
Ramsey wilde niet terugkrabbelen. 'Het Hof gaat verder. We...'
Knight stond op. 'Eruit.'
'Wát zeg je?'
'Mijn kantoor uit.'
'Beth...'
'Eruit! Eruit!'
Zonder nog een woord te zeggen vertrok Ramsey. Knight bleef zeker nog een minuut staan. Toen liep ze snel haar kamer uit.

Na zijn confrontatie met Ramsey ging Fiske naar de ondergrondse garage van het Hof, waar hij direct naar zijn auto liep. Hij was verdoofd. Het was zijn schuld dat Sara was ontslagen, hij werd ervan beschuldigd zijn broer te hebben vermoord en hij had zojuist de president van het Hof van de Verenigde Staten een grote mond gegeven. Dat alles binnen een uur. Op elke plek waar geen volslagen krankzinnigheid heerste, zou dit een slechte dag worden genoemd. Hij ging in zijn auto zitten. Hij had geen zin om naar Richmond te rijden en toe te kijken hoe McKenna de laatste hand legde aan de verwoesting van zijn leven.
Hij drukte zijn vuisten tegen zijn oogkassen. Een gekreun ontsnapte hem. Bij het horen van het geluid vloog hij overeind. Zijn ogen vlogen wijdopen toen hij zag dat het Elizabeth Knight was, die tegen zijn raampje tikte. Hij draaide het omlaag.
'Ik wil met je praten.'
Hij beheerste zich zo goed mogelijk. 'Waarover?'

'Kunnen we een eindje gaan rijden? Ik denk dat ik het er niet op moet wagen om je weer mee te nemen, het gebouw in. Ik geloof niet dat ik Harold ooit zo van streek heb gezien.'
Fiske dacht dat hij een vage glimlach op het gezicht van de vrouw zag.
'Wilt u in míjn auto een eindje gaan rijden?' vroeg hij.
'Ik heb hier geen auto. Is er iets met die van jou?'
Fiske keek naar haar dure jurk. 'Nou, het inwendige van mijn auto bestaat grotendeels uit roest, bedekt met een laag stof.'
Knight lachte. 'Ik ben opgegroeid op een boerderij in Oost-Texas. Wanneer mijn familie naar de bouwvallige huisjes reed waaruit de stad bestond, deden we dat met een ploeg, waar ik en mijn zes broertjes en zusjes ons uit alle macht aan vastklampten. We genoten van elke minuut van de rit. En ik wil echt graag met je praten.'
Fiske knikte en Knight liet zich op de stoel naast hem glijden.
'Waarheen?' vroeg hij, toen ze de garage uit reden.
'Bij het stoplicht linksaf. Ik hoop dat je niets dringends te doen hebt. Het was onbeleefd van me om het niet te vragen.'
Fiske dacht aan McKenna die op hem wachtte. 'Niets belangrijks.'
Nadat hij de hoek om was, begon Knight te spreken. 'Weet je, je had niet terug moeten komen om die dingen te zeggen.'
'Ik hoop dat u niet naar me toe bent gekomen om me alleen dat te zeggen,' zei Fiske nors.
'Ik kwam om je te zeggen dat ik het verschrikkelijk vind van Sara.'
'Dan bent u niet de enige. Ze probeerde eerst mijn broer te helpen, en daarna mij. Ik ben ervan overtuigd dat ze de dag prijst waarop ze de gebroeders Fiske tegen het lijf liep.'
'In elk geval een van jullie.'
'Wat wilt u daarmee zeggen?'
'Sara mocht je broer graag en ze respecteerde hem. Maar ze hield niet van hem, hoewel ik, heel eerlijk gezegd, geloof dat hij van haar hield. Maar haar hart ligt bij iemand anders.'
'O ja? Heeft ze u dat gezegd?'
'John, ik hou er niet van om zaken vanuit een vrouwelijk standpunt te bekijken, maar ik weiger ook om een bepaalde realiteit niet onder ogen te zien. Ik betwijfel of het mijn acht mannelijke collega's is opgevallen, maar het staat voor mij vast dat Sara Evans dolverliefd op je is.'
'Vrouwelijke intuïtie?'
'Zoiets, ja. En ik heb twee dochters.' Ze zag dat hij haar nieuwsgierig aankeek. 'Mijn eerste man is overleden. Mijn dochters zijn volwassen en de deur uit.' Knight legde haar handen in haar schoot en keek uit het raampje. 'Maar dat is niet de echte reden waarom ik met je wilde pra-

ten,' zei ze. 'Ga hier rechtsaf,' liet ze erop volgen.
Fiske deed wat ze vroeg en zei: 'Wat staat er dan in uw agenda? Die lijken u en uw collega's toch allemaal te hebben.'
'Vind je dat verkeerd?'
'U zegt het maar. Ik loop niet bepaald warm bij het zien van de spelletjes die er worden gespeeld.'
'Dat standpunt kan ik respecteren.'
'Ik verkeer niet in een positie om te oordelen over wat u doet. Maar in mijn ogen doen jullie niets anders dan een politiek uitstippelen. En wat die politiek zal zijn, hangt af van degene die hard genoeg lobbyt om vijf stemmen te krijgen. Wat heeft dat te maken met de rechten van een aangeklaagde en een verdediger?'
Ze bleven een minuut lang zwijgend doorrijden, tot Knight de stilte verbrak. 'Ik ben begonnen als openbaar aanklager bij de rechtbank. Daarna ben ik rechter geworden.' Ze wachtte even. 'Ik kan niet zeggen dat je indruk onjuist is.' Fiske keek lichtelijk verrast. 'John, we kunnen hierover blijven praten tot we er allebei ziek van zijn, maar het is nu eenmaal een feit dat er een systeem bestaat en dat we binnen dat systeem moeten werken. Als dat betekent dat we ons aan de regels ervan moeten houden en die, bij gelegenheid, ombuigen, het zij zo. Misschien is dat een te sterk vereenvoudigde filosofie voor een ingewikkelde situatie, maar soms moet je op je gevoel afgaan.' Ze keek hem aan. 'Begrijp je wat ik bedoel?'
Hij knikte. 'Mijn instinct is vrij goed.'
'Wat zegt je instinct je dan over de dood van Michael en Steven? Zit er iets in dit verhaal over het weggeraakte verzoekschrift? Als dat zo is, zou ik het graag willen horen.'
'Waarom vraagt u dat aan mij?'
'Omdat je meer schijnt te weten dan de anderen. Daarom wilde ik je onder vier ogen spreken.'
'Hoopt u werkelijk dat ik mijn broer heb vermoord, en dat ik dit verzoekschrift als afleidingsmanoeuvre gebruik? Op die manier loopt het Hof geen schade op.'
'Dat heb ik niet gezegd.'
'Iets dergelijks hebt u wel tijdens het feestje tegen Sara gezegd.'
Met een zucht leunde Knight achterover. 'Ik weet niet precies waarom ik dat heb gedaan. Misschien om haar zo bang te maken dat ze uit je buurt bleef.'
'Ik heb mijn broer niet vermoord.'
'Ik geloof je. Dus dat verdwenen verzoekschrift kan belangrijk zijn?'
Fiske knikte. 'Mijn broer werd vermoord omdat hij wist wat erin stond.

Ik denk dat Wright werd vermoord omdat hij tot diep in de nacht bleef overwerken, uit zijn kamer kwam en iemand van het Hof mijn broers kantoor zag doorzoeken.'
Ze verbleekte. 'Geloof je dat een medewerker van het Hof Steven heeft vermoord?' Fiske knikte. 'Kun je dat bewijzen?'
'Ik hoop het.'
'Dat kan toch niet waar zijn, John. Waarom?'
'Er is een man die de helft van zijn leven in de gevangenis heeft doorgebracht en die daar graag een antwoord op zou willen hebben.'
'Weet rechercheur Chandler van dit alles?'
'Een deel ervan. Maar agent McKenna heeft hem er vrijwel van overtuigd dat ik de dader ben.'
'Ik weet niet zeker of rechercheur Chandler dat gelooft.'
'We zullen zien.'
Toen Fiske Knight weer bij het Hooggerechtshof afzette, zei ze: 'Als alles wat je vermoedt, waar is, en als iemand van het Hof hierbij is betrokken...' Ze zweeg, een moment niet in staat om door te gaan. 'Besef je wat dat betekent voor de reputatie van het Hof?'
'Er is niet veel waarvan ik zeker ben in het leven, maar één ding weet ik heel zeker.' Hij wachtte even en vervolgde toen: 'De reputatie van het Hof is het niet waard dat een onschuldige man in de gevangenis sterft.'

•53•

Rufus keek bezorgd naar zijn broer, die net een uitputtende hoestbui achter de rug had. Josh probeerde wat meer rechtop te gaan zitten, denkend dat het zijn ademhaling zou vergemakkelijken. Hij wist dat zijn ingewanden vrijwel geheel waren vernietigd. Elk moment kon iets wat belangrijk was om hem in leven te houden, openbarsten. Hij hield zijn pistool nog steeds tegen zijn zij gedrukt. Maar het zag er niet naar uit dat er een kogel nodig zou zijn om een eind aan zijn leven te maken. Althans niet nog een.
Ze hadden geluk gehad dat Tremaine en Rayfield hen niet achterna waren gekomen in een legervoertuig. Maar de jeep was aan één kant zwaar beschadigd nadat hij op zijn kant had gelegen als gevolg van de

botsing met de truck en dit zou ongewenste aandacht op hen vestigen. Hij had tenminste een kap van zeildoek, die voorkwam dat men goed kon zien wie erin zaten.
Rufus wist niet waar hij naartoe ging en Josh raakte te vaak het bewustzijn kwijt om hem echt te kunnen helpen. Rufus maakte het handschoenenkastje open en trok er een kaart uit. Hij haalde de visitekaartjes uit de zak van zijn overhemd en keek naar de namen en de telefoonnummers. Het enige wat hij nu nog moest doen, was een telefoon zoeken.

Toen Fiske en McKenna bij Fiskes kantoor aankwamen, zei de FBI-agent: 'Laten we gaan.'
'We wachten op de politie,' zei Fiske vastbesloten.
Hij had de woorden nog niet uitgesproken of er stopte een politieauto, waar agent Hawkins uit stapte.
'Wat is hier verdorie aan de hand, John?' vroeg Hawkins verbijsterd.
Fiske wees naar McKenna. 'Agent McKenna gelooft dat ik Mike heb vermoord. Hij is hier om mijn pistool op te halen, zodat hij een ballistische test kan laten doen.'
Hawkins keek McKenna met vijandige ogen aan. 'Dat is de grootste flauwekul die ik ooit heb gehoord.'
'Goed. Dank u voor uw officiële verklaring, agent Hawkins, is het niet?' zei McKenna, die een stap naar voren was gekomen.
'Dat klopt,' zei Hawkins grimmig.
'Nou, agent Hawkins, u hebt toestemming van meneer Fiske om in zijn kantoor te zoeken naar een 9 mm-pistool dat op zijn naam staat geregistreerd.' Hij keek naar Fiske. 'Ik neem aan dat je nog steeds toestemming geeft.' Toen Fiske niet reageerde, keek McKenna weer naar Hawkins. 'Als je daar een probleem mee hebt, laten we dan met je baas gaan praten. Dan kun je weg bij de politie om een andere baan te gaan zoeken.'
Voor Hawkins iets stoms kon doen, greep Fiske hem bij zijn mouw en zei: 'Laten we maar opschieten, Billy.'
Terwijl ze het gebouw in liepen, merkte Fiske op: 'Je gezicht ziet er een stuk beter uit.'
Hawkins grinnikte verlegen. 'Ja. Dank je.'
'Wat is er gebeurd?' vroeg McKenna.
Hawkins keek hem nors aan. 'Een vent probeerde drugs te verhandelen. Het was een beetje lastig om hem te arresteren.'
Er lag een stapel post en pakjes voor de deur van Fiskes kantoor. Hij raapte ze op en deed de deur open. Ze liepen naar binnen en Fiske ging naar zijn bureau, waar hij de stapel post op het blad neergooide. Hij

schoof de bovenste la open en keek erin. Daarna stak hij zijn hand erin en rommelde door de inhoud alvorens hij beide mannen aankeek. 'Het lag in deze la. Ik heb het nog gezien op de dag dat je me het bericht over Mike kwam brengen, Billy.'
McKenna sloeg zijn armen over elkaar en keek Fiske strak aan. 'Oké, heeft iemand anders toegang tot je kantoor? Schoonmakers, een secretaresse, leveranciers, glazenwassers?'
'Nee, niemand. Niemand anders heeft een sleutel, behalve de huisbaas.'
Hawkins zei: 'Hoe lang ben je hier niet geweest? Twee dagen?'
'Dat klopt.'
McKenna keek naar de deur. 'Er zijn geen sporen van inbraak.'
Hawkins zei: 'Dat zegt niets. Iemand die wist wat hij deed, kan dat slot hebben geforceerd zonder dat je het ooit zou merken.'
'Wie wist dat je het pistool hier bewaarde?' vroeg McKenna.
'Niemand.'
'Misschien heeft een van je cliënten het meegenomen om een wapen te hebben waarmee hij een bank kon overvallen,' zei McKenna.
'Ik voer geen besprekingen met cliënten op mijn kantoor. Meestal zitten ze in de gevangenis wanneer ik erbij word gehaald.'
'Nou, dan lijkt het erop dat we hier een probleempje hebben. Je broer werd gedood door een 9 mm-kogel. Jij hebt een 9 mm-pistool op je naam staan. Je geeft toe dat het een paar dagen geleden nog in je bezit was. Nu is dat pistool verdwenen. Je hebt geen alibi voor het tijdstip van de moord op je broer en je bent als gevolg van zijn dood een half miljoen rijker.'
Hawkins wierp een snelle blik op Fiske.
'Een levensverzekering die Mike had afgesloten. Die was voor mam en pa.'
'Dat beweer jij tenminste, nietwaar?' voegde McKenna eraan toe.
Fiske ging vlak bij McKenna staan. 'Als je denkt dat je genoeg hebt om me in staat van beschuldiging te stellen, moet je het doen. Zo niet, sodemieter dan op.'
McKenna liet zich niet uit het veld slaan. 'Ik geloof dat agent Hawkins je toestemming heeft om je hele kantoor te doorzoeken naar het pistool, niet alleen de la waarvan je zegt dat je het daar bewaarde. Of hij je vriend is of niet, ik verwacht van hem dat hij zijn plicht doet als beëdigd politieman.'
Fiske deed een stap achteruit en keek naar Hawkins. 'Ga je gang, Billy. Ik ga naar het café op de hoek om iets te drinken. Wil jij ook wat?'
Hawkins schudde zijn hoofd.
'Ik zou wel een kop koffie lusten,' zei McKenna. Hij liep achter Fiske

aan naar buiten. 'Dat geeft ons de gelegenheid voor een praatje.'

Sara zette haar auto op de oprit. Ze haalde diep adem. De Buick stond er. Toen ze uitstapte rook ze de geur van pasgemaaid gras. Het was rustgevend en deed haar denken aan footballwedstrijden van de middelbare school, luie zomers in de vredige streek van Carolina. Toen ze aanklopte, werd de deur zo snel opengerukt dat ze bijna van de veranda viel. Ed Fiske moest haar hebben zien aankomen. Voor hij de deur voor haar neus kon dichtslaan, stak ze hem de foto toe.
Er stonden vier mensen op de foto: Ed en Gladys Fiske en hun twee zoons. Ze lachten allemaal breeduit.
Vragend keek Ed Sara aan.
'Die stond op Michaels kantoor. Ik wil hem jou graag geven.'
'Waarom?' Zijn toon was koel, maar hij schreeuwde tenminste geen obsceniteiten tegen haar.
'Omdat het juist leek om dat te doen.'
Ed pakte de foto van haar aan. 'Ik heb je niets te zeggen.'
'Maar ik heb jou heel veel te zeggen. Ik heb iemand iets beloofd, en ik hou me graag aan mijn beloftes.'
'Aan wie? Aan Johnny? Nou, je kunt tegen hem zeggen dat het geen zin heeft om jou hierheen te sturen om te proberen de zaak goed te praten.'
'Hij weet niet dat ik hier ben. Hij heeft me gezegd dat ik niet moest gaan.'
Hij keek verbaasd. 'Waarom ben je dan hier?'
'Die belofte. Wat je die nacht hebt gezien, was niet Johns schuld, maar die van mij.'
'Voor zoiets zijn er twee nodig en wat je zegt verandert daar niets aan.'
'Mag ik binnenkomen?'
'Ik zou niet weten waarom.'
'Ik zou echt graag met je over je zoons willen praten. Ik geloof dat je een paar dingen moet weten. Dingen die alles een beetje duidelijker kunnen maken. Het duurt niet lang en ik beloof je dat ik, wanneer ik uitgepraat ben, je niet meer lastig zal vallen. Alsjeblieft?'
Na een hele poos ging Ed eindelijk een stap opzij om haar binnen te laten. Met veel lawaai gooide hij de deur achter hen dicht.
De zitkamer zag er vrijwel hetzelfde uit als toen ze die voor het eerst had gezien. De man zag alles graag netjes opgeruimd. Ze stelde zich voor dat hij zijn garage vol gereedschap op dezelfde manier op orde hield. Ed wees naar de bank en Sara ging zitten. Daarna liep hij de eetkamer in, waar hij de foto voorzichtig tussen de andere neerzette. 'Wil je iets drinken?' vroeg hij knorrig.

'Alleen als je zelf ook iets neemt.'
Fiske ging op een stoel tegenover haar zitten. 'Ik hoef niets.'
Ze bekeek hem eens goed. Nu kon ze de trekken van beide zoons beter zien in zijn gezicht en in zijn bouw. Ze hadden ook iets weg van hun moeder, hoewel dat bij Michael sterker aanwezig was dan bij John. Fiske was van plan een sigaret op te steken, maar hij bedacht zich.
'Rook gerust, als je dat wilt. Het is jouw huis.'
Ed stak het pakje sigaretten weer in zijn zak en liet de aansteker in zijn broekzak glijden. 'Gladys wilde niet dat ik in huis rookte, alleen buiten. Oude gewoontes laat je niet zo gemakkelijk los.' Hij sloeg zijn armen over elkaar, wachtend tot ze zou beginnen.
'Michael en ik waren heel goed bevriend.'
'Ik kan me niet voorstellen hoe goed, na wat ik laatst op die nacht heb gezien.' Eds gezicht werd rood.
'Het zit zo, meneer Fiske.'
'Je kunt me wel Ed noemen,' zei hij knorrig.
'Goed, Ed, het is zo dat we heel goede vrienden waren. Zo zag ik het, maar Michael wilde meer dan dat.'
'Wat bedoel je?'
Sara slikte een paar maal. Ze kreeg ook een kleur. 'Michael had me gevraagd met hem te trouwen.'
Ed leek geschokt. 'Daar heeft hij me nooit iets van verteld.'
'Dat zal wel niet. Je moet weten,' ze aarzelde even, erg nerveus voor zijn reactie op de komende woorden. 'Je moet weten dat ik nee heb gezegd.' Ze kromp een beetje in elkaar, maar Ed leek het eerst te moeten verwerken.
'O ja? Dan hield je zeker niet van hem.'
'Nee. Tenminste, niet op die manier. Ik weet niet waarom. Hij leek volmaakt. Misschien maakte dat me bang, dat ik mijn leven met zo iemand zou moeten delen, dat ik mijn hele leven zou moeten proberen zulke hoge normen aan te houden. En hij ging zo op in zijn werk. Zelfs al had ik van hem gehouden, dan weet ik niet of er wel genoeg plaats voor mij was geweest.'
Ed keek naar de grond. 'Het viel niet mee om de twee jongens groot te brengen. Johnny was goed in bijna alles, maar Mike, Mike was ronduit geweldig in alles wat hij wilde doen. Ik werkte keihard en ik begreep het allemaal niet zo goed, toen ze opgroeiden. Nu zie ik het een stuk duidelijker. Ik schepte altijd op over Mike. Te veel. Mike heeft me verteld dat Johnny niets meer met hem te maken wilde hebben, maar hij wilde niet precies zeggen waarom niet. Johnny is nogal gesloten. Het is moeilijk om hem aan het praten te krijgen.'

Sara keek langs hem heen door het raam, waar een vink met een rode kuif langsfladderde, om dan neer te strijken op een tak van de treurwilg. Ze zei: 'Ik weet het. Ik heb de afgelopen dagen nogal wat tijd met hem doorgebracht. Weet je, ik heb altijd gedacht dat ik, bijna meteen, zou kunnen zeggen: dit is de man met wie ik mijn leven wil delen. Ik denk dat het een gek idee is. En oneerlijk, toch?'
Een lachje kreukelde Eds gezicht. 'De eerste keer dat ik Gladys zag, was ze serveerster in een klein eethuis tegenover de garage waar ik werkte. Op een dag liep ik er binnen met een stel maten en vanaf het moment dat ik haar zag, hoorde ik geen woord meer van wat ze zeiden. Het was net of zij en ik alleen waren op de hele wereld. Ik ging weer aan het werk en maakte een puinhoop van een Cummins-dieselmotor. Ik kon haar niet uit mijn hoofd zetten.'
Sara lachte. 'Ik heb kennisgemaakt met de koppigheid van John en Michael Fiske, dus ik betwijfel of je het daarbij hebt gelaten.'
Ed lachte ook. 'Het volgende halfjaar zat ik voor het ontbijt, de lunch en het avondeten in dat eetcafé. We begonnen met elkaar uit te gaan. Toen had ik genoeg moed verzameld om haar te vragen of ze met me wilde trouwen. Ik zweer bij god dat ik het die eerste dag al had willen doen, maar ik dacht dat zij zou denken dat ik gek was, of zo.' Hij zweeg even en zei daarna met nadruk: 'En we hebben samen een verdomd goed leven gehad.' Hij keek naar haar gezicht. 'Is dat met jou gebeurd toen je Johnny voor het eerst zag?' Sara knikte. 'Wist Mike het?'
'Ik denk dat hij erachter is gekomen. Toen ik John eindelijk ontmoette, heb ik hem gevraagd of hij er enig idee van had waarom ze niet met elkaar overweg konden. Ik dacht dat het er iets mee te maken had, maar ze leken al voor die tijd uit elkaar geraakt te zijn.' Sara werd weer nerveus. 'Dus wat je zag, die avond in de boot, was dat ik me opdrong aan je zoon. Hij had de beroerdste dag die je je kunt voorstellen achter de rug en ik kon alleen maar aan mezelf denken.' Ze keek hem recht aan. 'Hij wees me zonder meer af.' Ze dacht aan de afgelopen nacht, aan de tederheid die zij en John Fiske hadden uitgewisseld, in en buiten haar bed. En de ochtend erna. Ze dacht dat ze het allemaal voor elkaar had. Dat was een goed gevoel geweest. Nu werd ze overweldigd door het gevoel dat ze niets af wist van de man of van zijn gevoelens. Ze lachte zorgelijk. 'Het was een heel vernederende ervaring.' Ze haalde een tissue uit haar tas en bette haar ogen ermee. 'Dat is alles wat ik je wilde vertellen. Als je iemand wilt haten, haat mij dan, maar niet je zoon.'
Ed Fiske bleef een minuut lang naar het vloerkleed zitten staren. Toen stond hij op. 'Ik ben net klaar met gras maaien. Ik lust wel een glas ijsthee. Jij ook?' Sara knikte verbaasd.

Een paar minuten later kwam Fiske terug met glazen vol ijsblokjes en een kan thee. Terwijl hij de glazen volschonk, zei hij: 'Ik heb veel nagedacht over die nacht. Ik herinner me niet alles meer. De volgende dag had ik een flinke kater. Maar hoe kwaad ik ook was, ik had Johnny niet moeten slaan. Zeker niet in zijn buik.'
'Hij kan wel wat hebben.'
'Dat bedoel ik niet.' Fiske nam een slok thee en kauwde op zijn onderlip. 'Heeft Johnny je ooit verteld waarom hij bij de politie is weggegaan?'
'Hij zei dat hij een jonge jongen had gearresteerd bij een drugsdeal. Dat het zo'n zielige knul was, dat hij besloot om dergelijke mensen te gaan helpen.'
Ed knikte. 'Nou, hij heeft die jongen niet precies gearresteerd. Die jongen is ter plekke gestorven. Evenals Johnny's collega, die met hem meewerkte aan die zaak.'
Sara morste bijna met haar thee. 'Wat zeg je?'
Ed leek niet op zijn gemak nu hij dit onderwerp had aangeroerd, maar hij ging door. 'Johnny heeft er nooit veel over gezegd, maar ik heb het verhaal van de agenten die erbij kwamen nadat het was gebeurd. Johnny hield de auto aan, om de een of andere reden. Ik denk dat hij gestolen was. In ieder geval, hij riep assistentie op. Hij haalde twee jongens uit de auto. Vond de drugs. Toen kwam de assistentie. Vlak voor ze die knapen wilden fouilleren, viel een van de jongens op de grond, alsof hij een toeval kreeg. Johnny probeerde hem te helpen. Zijn maat had zijn pistool op de ander gericht moeten houden, maar dat deed hij niet, en die ander trok een pistool en schoot hem dood. Johnny slaagde erin om te schieten, maar de jongen joeg hem twee kogels in zijn lijf.
Ze lagen allebei op de grond, naast elkaar. De andere jongen had gedaan alsof. Hij sprong overeind en ging ervandoor met de auto. Korte tijd later hebben ze hem gepakt. De tweede jongen en Johnny lagen nog geen meter bij elkaar vandaan en ze bloedden allebei hevig.'
'O, mijn god!'
'Johnny stopte zijn vinger in een van de gaten, dat stopte de bloeding een beetje. Ik heb er iets van gehoord toen hij, half buiten zinnen, in het ziekenhuis lag. Die jongen heeft een paar dingen tegen Johnny gezegd. Ik weet niet precies wat, Johnny wilde het nooit vertellen, maar ze vonden de jongen dood en Johnny naast hem, met zijn arm om hem heen. Hij moet zich naar hem toe gesleept hebben. Een paar agenten vonden dat niet zo prettig, omdat een van hun collega's door die jongen was doodgeschoten. Maar ze zijn alles nagegaan en Johnny ging vrijuit. Het was de schuld van zijn collega. In elke geval, Johnny ging

bijna dood op weg naar het ziekenhuis. Hij heeft er bijna een maand in gelegen. De lading van het pistool van die jongen heeft Johnny's ingewanden aan flarden gescheurd.'
Sara herinnerde zich opeens dat Fiske zijn T-shirt had aangehouden terwijl ze met elkaar naar bed gingen. 'Heeft hij een litteken?'
Fiske keek haar op een eigenaardige manier aan. 'Waarom vraag je dat?'
'Om iets wat hij heeft gezegd.'
Hij knikte langzaam. 'Van zijn buik tot zijn nek.'
Te oud om naakt te gaan zwemmen, zei Sara bij zichzelf.
'Misschien hadden ze plastische chirurgie kunnen toepassen, maar Johnny had genoeg van ziekenhuizen. Bovendien geloof ik dat ze dachten dat het, als ze hem vanbinnen niet beter konden maken, er niet veel toe deed hoe de buitenkant eruitzag.'
Sara keek geschokt. 'Wat bedoel je? Hij is toch helemaal genezen?'
Ed schudde bedroefd zijn hoofd. 'Die kogels hebben veel schade aangericht, ze hebben binnen in hem heen en weer gedanst als een bal in een flipperkast. Ze hebben hem zo goed mogelijk opgelapt, maar bijna al zijn organen zijn blijvend beschadigd. Misschien hadden ze er nog iets meer aan kunnen doen als Johnny een paar jaar in het ziekenhuis had willen blijven, met transplantaties en al die dingen meer. Maar dat is niets voor mijn zoon. De dokters zeggen dat zijn organen op den duur zullen ophouden met werken. Ze zeiden dat het zoiets is als met diabetes, je weet toch dat iemands organen dan op een gegeven moment versleten raken?' Sara knikte, terwijl haar maag begon om te draaien. 'Nou, de dokters zeiden dat die twee kogels Johnny op den duur ongeveer twintig jaar van zijn leven zullen kosten, misschien meer. En ze kunnen er verder niets aan doen. Destijds vonden we dat niet zo erg. Verdomme, hij leefde, dat was genoeg. Maar ik weet dat hij er steeds aan denkt. Hij is naar de sportschool gegaan, heeft hardgelopen als een duivel, om tenminste uiterlijk in goede conditie te zijn. En hij ging weg bij de politie. Hij wilde niet eens een invaliditeitspensioen, hoewel hij daar toch verdomme recht op had. Hij werd advocaat, werkt als een paard voor heel weinig geld en daar geeft hij mij en zijn moeder nog het meeste van. Ik heb geen pensioen en Gladys' doktersrekeningen bedroegen meer dan alles wat ik mijn hele leven heb verdiend. We moesten verdomme zelfs weer een hypotheek op dit huis nemen, nadat we dertig jaar bezig waren geweest om de vorige af te betalen. Maar we konden niet anders.'
Toen Ed zweeg, keek Sara naar de tafel waar Johns medaille op lag. Een klein stukje metaal voor al die pijn.
'Ik vertel je dit allemaal om je te laten begrijpen dat Johnny niet echt

dezelfde doelstellingen in het leven heeft als jij en ik. Nooit getrouwd, nooit erover gepraat om eigen kinderen te hebben. Alles moet snel gaan. Hij denkt dat hij, als hij de vijftig haalt, de gelukkigste man van de wereld is. Dat heeft hij me zelf gezegd.' Ed keek naar de grond, zijn stem haperde. 'Nooit gedacht dat ik Mike zou overleven. Ik hoop in godsnaam dat ik mijn andere jongen niet overleef.'
Sara vond eindelijk haar stem terug. 'Ik ben je erg dankbaar dat je me dit hebt verteld. Ik begrijp dat het moeilijk voor je was. Je kent me nauwelijks.'
'Het hangt van de situatie af. Soms leer je iemand in tien minuten beter kennen dan iemand met wie je je hele leven hebt opgetrokken.'
Sara stond op om weg te gaan. 'Bedankt dat je me hebt willen ontvangen. En je moet John echt iets van je laten horen.'
Hij knikte plechtig. 'Dat zal ik doen.'
Haar hand lag al op de deurknop, toen Ed Fiske nog één ding zei. 'Hou je nog steeds van mijn zoon?'
Sara liep naar buiten zonder te antwoorden.

In het kleine café vlak bij zijn kantoor kocht Fiske een kop koffie en hij liep ermee naar een tafeltje op het terras. McKenna deed hetzelfde. Eerst gaf Fiske er de voorkeur aan om de in zijn buurt rondhangende FBI-agent te negeren. Met nietsziende ogen keek hij naar de voorbijgangers, terwijl hij zijn koffie opdronk. Hij zette zijn zonnebril op, toen de zon over het gebouw aan de overkant van de straat verscheen en de schaduwen van beide mannen op de stenen muur wierp. McKenna kauwde zwijgend op een paar crackers die hij had gekocht en speelde met zijn plastic koffiebekertje.
'Hoe gaat het met je wond? Sorry dat ik je zo'n mep moest geven.'
'Het enige wat je spijt is dat je me niet harder hebt geslagen.'
'Nee, dat is niet waar. Maar ik zag het geweer en toen kreeg ik het benauwd.'
Fiske keek hem aan. 'Ik geloof dat je dacht dat ik op de een of andere manier het portier open kon maken, het geweer tevoorschijn halen, het omdraaien en een schot afvuren voor jij me kon neerschieten van een afstand van, hoeveel was het, vijftien centimeter?'
McKenna haalde zijn schouders op. 'Ik heb je politiedossier gelezen. Je was een prima politieman. Tenminste, tot op het laatst.'
'Wat mag dat verdomme betekenen?'
McKenna ging bij hem aan het tafeltje zitten. 'Niets, behalve dat er een paar vragen zijn gerezen over die laatste gebeurtenis in je dossier. Wil je me er iets over vertellen?'

Fiske nam zijn bril af en keek de man aan. 'Waarom jaag je me in plaats daarvan geen kogel door mijn kop? Ik denk dat ik daar meer plezier aan zou beleven.'
McKenna liet zijn stoel tegen de muur van het gebouw leunen en stak een sigaret op. 'Als je zo graag je onschuld wilt bewijzen, dan kun je beter een beetje meewerken.'
'McKenna, je bent ervan overtuigd dat ik mijn broer heb vermoord, dus waarom zou ik die moeite doen?'
'Ik heb door de jaren heen aan een massa zaken gewerkt. De helft van de tijd bleek mijn oorspronkelijke theorie niet te kloppen. Mijn filosofie is: zeg nooit nooit.'
'Jonge, wat klinkt dat oprecht.'
McKenna sloeg een vriendelijker toon aan. 'Hoor eens, John, ik draai al een hele tijd mee, oké? Keurige, kleine zaken zijn niet de norm. Deze heeft een paar rare kronkels en daar kan ik niet omheen.' Hij zweeg even en liet er toen zo achteloos mogelijk op volgen: 'Waarom was je broer geïnteresseerd in Rufus Harms en wat stond er precies in het verzoekschrift?'
Fiske zette zijn zonnebril weer op. 'Dat past niet in je theorie dat ik mijn broer zou hebben vermoord.'
'Dat is slechts één van mijn theorieën. Ik ben hier omdat ik die volg en op zoek ben naar je plotseling verdwenen 9 mm. Terwijl ik daarmee bezig ben, bekijk ik het vanuit een andere hoek: Rufus Harms. Je broer heeft het verzoekschrift meegenomen, het lijkt erop dat hij in de gevangenis op bezoek is geweest.'
'Heeft Chandler je dat verteld?'
'Ik heb heel wat informatiebronnen. Jij en Sara hebben allebei in Harms' verleden zitten wroeten. Hij is ontsnapt uit een gevangenis in Zuidwest-Virginia. En jullie tweeën hebben gisteravond een vliegtuig gecharterd om daarheen te gaan. Waarom vertel je me daar niet iets over? Waar zijn jullie geweest, en waarom?'
Stomverbaasd leunde Fiske achterover. McKenna liet hen schaduwen. Dat was op zichzelf niet zo ongewoon, maar toch had Fiske geen rekening gehouden met die mogelijkheid. 'Je schijnt al zoveel te weten, waarom vraag je het me dan nog?'
'Misschien beschik jij over informatie die ik zou kunnen gebruiken om deze zaak op te lossen.'
'Wil je Chandler voor zijn?'
'Wanneer er mensen worden vermoord, wat doet het er dan toe wie daar het eerst een eind aan maakt?'
Dat was een zinnige uitspraak, vond Fiske. Althans oppervlakkig. Maar

het deed er natuurlijk heel veel toe wie er een eind aan maakte. Politiemensen moesten prestaties leveren, net als mensen in andere beroepen.
Fiske stond op. ‘Laten we gaan kijken hoe ver Billy is. Hij zal nu die twee lijken wel hebben gevonden die ik vorige week in het archief heb verstopt.’
Hawkins had zijn onderzoek net beëindigd toen ze binnenkwamen.
‘Niets,’ zei hij, in antwoord op McKenna’s vragende blik. ‘U kunt zelf nog een keer zoeken, als u wilt,’ voegde hij er uitdagend aan toe.
‘Dat zit wel goed, ik vertrouw je,’ zei McKenna amicaal.
Fiske staarde naar Hawkins. ‘Wat is dat, Billy?’ Fiske wees naar zijn nek en zijn kraag.
‘Wat is wat?’
Fiske streek met zijn vingers over Hawkins’ kraag en stak die toen op, zodat de agent hem kon zien.
Hawkins bloosde een beetje. ‘O, verdomme, dat was Bonnies idee, om de blauwe plekken weg te werken. Daarom ziet mijn gezicht er zoveel beter uit. Ik ben van mijn leven nog niet zo hard geslagen. Ik bedoel, de man was groot, maar dat ben ik ook.’
McKenna zei: ‘Ik zou mijn pistool hebben leeggeschoten op die kerel.’
Fiske keek met open mond naar McKenna, toen deze die woorden zei.
Hawkins knikte. ‘Ik kwam wel in de verleiding. In elk geval, de jongens zouden me ontzettend pesten als ze het wisten, maar het is zo warm buiten en je begint te zweten en dan geeft dat spul af op je kleren. Ik begrijp niet hoe vrouwen het doen.’
‘Dus je wilt zeggen dat het...’
‘Ja, het is make-up,’ zei hij schaapachtig.
Ondanks de openbaring die zojuist bij hem was opgekomen, deed Fiske zijn best om kalm te blijven. Onbewust wreef hij over zijn nog steeds pijnlijke schouder.
McKenna staarde hem aan.
Op dat moment ging de telefoon. Fiske nam op. Het was het verpleeghuis, waar zijn moeder woonde.
‘Ik heb het over Michael in de krant gelezen. Ik vind het zo erg, John.’
De vrouw werkte al jaren in het tehuis en Fiske kende haar heel goed.
‘Dank je, Anne. Hoor eens, dit is niet zo’n goed moment...’
‘Ik bedoel, Michael was pas nog hier geweest en nu is hij dood. Ik kan het niet geloven.’
Fiske verstrakte. ‘Hier? Je bedoelt, in het verpleeghuis?’
‘Ja. Vorige week nog. Donderdag, nee, vrijdag.’
De dag waarop hij was verdwenen.
‘Ik weet het nog, omdat hij meestal op zaterdag kwam.’

Fiske schudde zijn hoofd om helder te kunnen denken. 'Waar heb je het over? Michael ging nooit bij ma op bezoek.'
'Ja, zeker wel. Maar niet zo vaak als jij.'
'Dat heb je me nooit verteld.'
'O nee? Nou, eerlijk gezegd, Michael wilde niet dat jij het wist.'
'Waarom wilde hij verdomme niet dat ik het wist? Ik word doodziek van al die mensen die me niets over mijn broer vertellen.'
'Het spijt me, John,' zei de vrouw, 'maar hij heeft me gevraagd het niet te zeggen en ik heb me aan dat verzoek gehouden. Dat is alles. Maar nu hij er niet meer is, dacht ik dat het geen kwaad kon dat je het wist.'
'Hij heeft ma dus op vrijdag bezocht? Heeft hij met jou gepraat?'
'Nee, niet echt. Eigenlijk leek hij een beetje nerveus. Ik bedoel min of meer bezorgd. Hij kwam erg vroeg en is maar een half uur gebleven, maar je moeder was er erg blij om.'
'Dus ze hebben gepraat?'
'O, ja. Wanneer denk je dat je tijd hebt om bij haar langs te gaan? Ik bedoel, ze kan het met geen mogelijkheid weten van Michael, maar toch lijkt ze om de een of andere reden in de put te zitten.'
Het was Fiske duidelijk dat de vrouw geloofde dat de band van een moeder met haar kinderen zelfs de macht van Alzheimer kon overtroeven. 'Ik heb het op dit moment erg druk...' Fiske maakte de zin niet af. Het zou een wonder zijn als zijn moeder zich iets van haar gesprek met Mike kon herinneren dat hen mogelijk zou kunnen helpen. Maar als het nu eens wel zo was?
'Ik kom meteen.'
Fiske legde de hoorn neer, pakte zijn aktetas en stopte de stapel post erin.
'Is je broer bij je moeder op bezoek geweest op de dag van zijn verdwijning?' zei McKenna. Fiske knikte. 'Misschien kan zij ons dan iets vertellen.'
'McKenna, mijn moeder heeft Alzheimer. Ze gelooft dat John Kennedy nog steeds president is.'
'Oké, maar misschien iemand die daar werkt?'
Fiske schreef een adres en een telefoonnummer op de achterkant van een van zijn visitekaartjes. 'Maar je laat mijn moeder erbuiten.'
'Je gaat naar haar toe, hè? Waarom?'
'Ze is mijn moeder.' Fiske liep de deur uit.
Hawkins keek naar McKenna. 'Bent u zover? Ik wil graag afsluiten. Ik wil niet dat hier nog iemand kan binnenkomen om meer spullen te stelen.'
Hawkins zei het op zo'n manier dat McKenna met zijn ogen knipperde.

De man kon niet weten dat hij het pistool had weggenomen, of wel? Toch voelde hij zich er schuldig over. Maar hij had belangrijker zaken om zich schuldig over te voelen. Veel belangrijker.

•54•

Sara stond te wachten voor het rode licht, op weg naar Fiskes kantoor, toen ze hem over het kruispunt naar het westen zag rijden. Ze had zelfs geen tijd om te toeteren. Ze dacht erover om naar hem te zwaaien, maar een blik op zijn gespannen gezicht weerhield haar ervan. Ze sloeg rechts af en begon hem te volgen.

Een half uur later ging ze langzamer rijden toen Fiskes auto het parkeerterrein op draaide van een verpleeghuis in het West End van Richmond. Sara was hier al eens geweest met Michael, om zijn moeder te bezoeken. Ze zette haar auto uit het zicht naast de ingang achter een boom met brede bladeren en zag Fiske uitstappen, waarna hij haastig naar binnen liep.

Fiske ging naar Anne, de vrouw die hem had gebeld. Deze verontschuldigde zich nogmaals en liep met hem mee naar de bezoekersruimte, waar Gladys stilletjes zat, in haar pyjama en met pantoffels aan. Toen Fiske binnenkwam keek ze op en klapte zonder iets te zeggen in haar handen.

Fiske ging tegenover haar zitten. Gladys stak haar handen uit en raakte teder zijn gezicht aan. Haar lach werd breder, ze sperde haar ogen wijdopen en ze leek volkomen buiten de werkelijkheid te staan.

'Hoe gaat het met mijn Mike? Hoe is het met mama's jongen?'

Hij pakte voorzichtig haar handen. 'Het gaat prima. Alles is goed. Met pa is het ook goed,' loog hij. 'We hadden het leuk samen, toen ik hier laatst was, hè?'

'Het is zo fijn om bezoek te krijgen.' Ze keek langs hem heen en glimlachte. Dat deed ze vaak. Het was moeilijk om haar aandacht gevangen te houden. Ze was weer een kind, de cirkel was rond.

Ze streelde weer over zijn wang. 'Je papa was hier.'

'Wanneer?'

Ze schudde haar hoofd. 'Vorig jaar, ergens. Hij had verlof. Zijn schip is gezonken. Dat hebben de Jappen gedaan.'

'O ja? Maar het is toch wel goed met hem?'
Ze lachte lang en hard. 'O ja, met die man gaat het best.' Daarna leunde ze naar voren en fluisterde samenzweerderig: 'Mike, lieverd, kun je een geheim bewaren?'
'Natuurlijk, ma,' zei Fiske aarzelend.
Blozend keek ze om zich heen. 'Ik ben weer zwanger.'
Fiske haalde diep adem. Dit was iets nieuws. 'O ja? Hoe weet je dat?'
'Maak je maar niet ongerust, schatje, mama heeft genoeg liefde over voor jullie allemaal.' Ze kneep hem in zijn wang en kuste hem op het voorhoofd.
Hij kneep in haar hand en slaagde erin tegen haar te lachen. 'We hebben laatst leuk gepraat, hè?' Ze knikte afwezig. Dit was krankzinnig, dacht hij, maar hij was nu eenmaal hier en hij kon het net zo goed proberen. 'Ik heb een goede reis gehad. Weet je nog waar ik naartoe ging?'
'Je ging naar school, lieverd, zoals elke dag. Je vader heeft je meegenomen naar zijn schip.' Ze fronste haar voorhoofd. 'Je moet voorzichtig zijn. Er wordt zoveel gevochten. Je papa is er nu weer, hij moet ook vechten.' Ze stak een gebalde vuist in de lucht. 'Neem ze te grazen, Eddy.'
Fiske leunde achterover en staarde haar aan. 'Ik zal voorzichtig zijn.' Naar haar kijken was zoiets als kijken naar een portret dat met de dag meer verbleekte in onverbiddelijk zonlicht. Op een keer zou hij hier komen en dan zou alle verf weg zijn. 'Ik moet nu weg. Ik... eh... ben al laat voor school.'
'Zo knap.' Ze keek langs hem heen en wuifde. 'Hallo.' Fiske draaide zich om en verstijfde toen hij Sara zag staan.
'Ik ben zwanger, schatje,' zei Gladys tegen haar.
'Gefeliciteerd,' was alles wat Sara kon bedenken om terug te zeggen.

Fiske rende door de hal naar de uitgang, met Sara op de hielen. Hij smeet de deur zo hard open dat die tegen de muur knalde.
'John, wil je even blijven staan en met me praten?' smeekte Sara.
Hij draaide zich met een ruk om. 'Hoe durf je me te bespioneren.'
'Ik spioneerde niet.'
'Je hebt er verdomme niets mee te maken.' Hij pakte zijn sleutels en stapte in zijn auto. Snel ging ze naast hem zitten.
'Ga uit mijn auto.'
'Ik ga niet weg voor we hierover hebben gepraat.'
'Flauwekul!'
'Als je wilt dat ik wegga, dan zul je me eruit moeten gooien.'

'Verdomme!' schreeuwde Fiske, voor hij weer uitstapte. Sara volgde hem.
Ze ging hem achterna. 'Verdorie, John Fiske, wil je nu eens ophouden met weglopen en met me praten?'
'We hebben niets te bepraten.'
'We hebben van alles om over te praten.'
Hij wees naar haar met een trillende vinger. 'Waarom doe je me dit aan, Sara?'
'Omdat ik om je geef.'
'Ik heb je hulp niet nodig.'
'Ik denk van wel. Ik weet het.'
Ze bleven elkaar nijdig staan aankijken.
'Kunnen we niet ergens naartoe gaan en hierover praten? Alsjeblieft?' Ze liep om de auto heen en kwam naast hem staan. Terwijl ze zijn arm aanraakte, zei ze: 'Als vannacht voor jou ook maar half zoveel betekende als voor mij, dan moeten we toch ten minste kunnen praten.' Ze bleef afwachtend staan, ervan overtuigd dat hij zou reageren door in de auto te stappen en uit haar leven te verdwijnen.
Fiske keek haar even aan, liet zijn hoofd hangen en leunde vermoeid tegen zijn auto. Sara's hand gleed omlaag tot ze zijn hand voelde en ze pakte die stevig vast. Fiske keek achter haar naar een auto die langs de straat geparkeerd stond, met twee mannen erin. 'Als we gaan rijden, krijgen we de lui van de FBI achter ons aan.' Zijn houding en zijn toon waren wat gematigder geworden. Het was gelukkig niet McKenna die in de auto zat.
'Mooi, dan zal ik me heel veilig voelen,' zei ze. Ze weigerde haar blik van hem af te wenden, tot ze eindelijk zag dat ze hem niet kwijt was, althans nog niet.
Ze stapten in hun auto's en Sara reed achter Fiske aan naar een klein winkelcentrum, bijna twee kilometer verderop. Daar gingen ze aan een tafeltje op het terras zitten en dronken limonade in de hitte van de namiddag.
'Ik kan begrijpen dat je het je broer kwalijk neemt, al is het niet zijn schuld,' zei Sara.
'Niets was ooit Mikes schuld,' zei Fiske bitter.
'Je moeder kan er toch ook niets aan doen. Ze kan evengoed Mike met jouw naam hebben aangesproken.'
'Ja, nou, ze wil zich mij niet meer herinneren.'
'Misschien noemt ze je zo omdat jij haar veel vaker hebt opgezocht dan Michael en is dit haar manier om erop te reageren.'
'Daar trap ik niet in.'

Sara keek kwaad. 'Nou, als je met alle geweld jaloers wilt zijn op je broer, zelfs nu hij dood is, dan is dat jouw zaak.'
Fiske keek haar zeer koel aan. Sara verwachtte een uitbarsting. Hij zei echter: 'Ik ben, was, hoe je het ook noemen wilt, jaloers op mijn broer. Wie zou dat niet zijn?'
'Dat betekent nog niet dat het goed is.'
'Misschien niet,' zei Fiske. Zijn stem klonk uiterst vermoeid. Hij keek de andere kant op. 'De eerste keer toen ik ma opzocht en ze me Mike noemde, dacht ik dat het iets tijdelijks was, weet je, ze had toen een heel slechte dag. Maar na twee maanden...' Hij zweeg even. 'Nou, toen wilde ik niets meer met hem te maken hebben. Nooit meer. Alles waarover ik me ooit kwaad heb gemaakt wat hem betreft, hoe stom ook, blies ik op tot een enorm beeld van die rottige klootzak die geen hart had, waar niets goeds aan was. Hij had me mijn moeder afgenomen.'
'John, op de dag dat we naar je waren gaan kijken in de rechtszaal, ben ik met Michael meegegaan om je moeder op te zoeken.'
Hij verstrakte. 'Wat?'
'Je moeder wilde niet eens met hem praten. Hij had een cadeautje voor haar meegenomen, maar ze wilde het niet aannemen. Hij zei tegen me dat ze altijd zo deed. Hij nam aan dat het kwam doordat ze zoveel van jou hield, dat ze niets om hem gaf.'
'Je liegt,' zei Fiske schor.
'Nee, ik lieg niet. Het is de waarheid.'
'Je liegt!' zei hij nog eens, luider nu.
'Vraag het maar aan de mensen die er werken. Die weten het.'
Het bleef een paar minuten stil. Fiske zat met zijn hoofd gebogen. Toen hij weer opkeek zei hij: 'Ik heb nooit echt gedacht dat híj zijn moeder ook kwijt was.'
'Weet je dat zeker?' vroeg Sara zacht.
Fiske staarde haar met gebalde vuisten aan. 'Wat bedoel je?'
'Wat weerhield je ervan om er met je broer over te praten? Michael zei dat je hem uit je leven had gebannen en dat heb je net zelf toegegeven. Toch kan ik niet geloven dat je nooit hebt geweten hoe ze hem behandelde.'
Een hele minuut lang zei Fiske niets. Hij bleef Sara aanstaren, misschien keek hij dwars door haar heen; zijn ogen onthulden niets van wat hij dacht. Ten slotte sloot hij zijn ogen en zei, nauwelijks hoorbaar: 'Ik wist het.'
Hij keek haar aan, zijn gezicht stond zo gekweld dat ze begon te beven.
'Ik wilde me er niets van aantrekken,' zei Fiske. Sara greep hem stevig bij zijn schouder. 'Ik denk dat ik het gebruikte als een excuus om niets

meer te maken te hebben met mijn eigen broer.' Hij haalde nog een keer diep adem. 'Er is nog iets. Mike heeft me gebeld, vlak voordat hij naar de gevangenis ging. Ik heb hem niet teruggebeld. Pas toen het te laat was. Ik heb hem gedood.'
'Daar kun je jezelf niet de schuld van geven.' Sara zag dat haar woorden geen uitwerking hadden, dus ze veranderde van tactiek. 'Als je jezelf de schuld wilt geven, dan moet je het wel met een goede reden doen. Jij hebt je broer uit je leven verbannen. Het was verkeerd om dat te doen. Heel verkeerd. Nu is hij dood. Dat is iets waar je voor altijd mee zult moeten leven, John.'
Nu keek hij haar aan. Zijn gezicht stond kalmer. 'Ik geloof dat ik er al mee heb geleefd.'
Nu hij haar in vertrouwen had genomen, besloot Sara dat het niet meer dan eerlijk was om daar iets tegenover te stellen. 'Ik ben vandaag bij je vader geweest.' Voor Fiske iets kon zeggen ging ze snel verder: 'Ik had je beloofd dat ik het zou doen. Ik heb hem verteld wat er echt is gebeurd.'
'En hij geloofde je natuurlijk meteen,' zei Fiske sceptisch.
'Ik heb hem de waarheid verteld. Hij zal je bellen.'
'Bedankt, maar ik had liever gehad dat je je erbuiten had gehouden.'
'Hij heeft mij ook een paar dingen verteld.'
'Wat bijvoorbeeld?' zei Fiske scherp.
'Wat er is gebeurd. Waarom je bij de politie bent weggegaan.'
'Verdomme, Sara, dat hoefde je niet te weten.'
'Ja, dat moest ik wel. Er is een heel goede reden voor.'
'En die is?'
'Dat weet je wel!'
Verscheidene minuten lang sprak geen van beiden. Fiske keek naar het tafeltje en speelde met zijn rietje. Ten slotte leunde hij achterover en sloeg zijn armen over elkaar. 'Dus pa heeft je alles verteld?'
Sara keek hem aan. 'Over die schietpartij, ja.' Haar stem klonk behoedzaam.
'Dus dan weet je dat ik waarschijnlijk de zestig niet zal halen, misschien zelfs de vijftig niet.'
'Ik denk dat je de mensen die dat voorspeld hebben nog wel eens verbaasd kunt doen staan.'
'Als dat niet gebeurt?'
'Als dat niet gebeurt, maakt het voor mij geen verschil.'
Hij boog zich naar haar toe. 'Maar voor mij wel, Sara.'
'Wil je dan het leven dat je leidt, opgeven?'
'Ik denk dat ik mijn leven precies leid zoals ik dat wil.'

'Misschien wel,' moest ze zachtjes toegeven.
'Het zou nooit wat worden, dat weet je.'
'Dus je hebt erover nagedacht?'
'Ik heb erover nagedacht. En jij? Hoe weet je dat dit niet weer zo'n impulsieve beslissing is? Zoals het kopen van je huis?'
'Ik ga op mijn gevoel af.'
'Gevoelens veranderen.'
'Bovendien is het zoveel gemakkelijker om je bij iets neer te leggen dan om eraan te werken.'
'Wanneer ik iets wil, werk ik er erg hard aan.' Fiske had er geen idee van waarom hij dat zei, maar hij zag de diep teleurgestelde uitdrukking op Sara's gezicht.
'O. Ik heb hier zeker niets in te zeggen?'
'Je wilt niet echt zo'n keuze maken.' Ze zei niets en Fiske bleef een moment zwijgen. 'Weet je, mijn vader heeft je niet alles verteld, omdat hij niet alles weet.'
'Hij heeft me verteld dat je bijna bent gestorven, en hoe de andere agent is gestorven. En de man die je had neergeschoten. Ik kan begrijpen dat zoiets je leven heeft veranderd. Dat je bent gaan doen wat je doet. Ik denk dat het heel edel is, als dat het juiste woord is.'
'Dat komt er zelfs niet in de buurt. Wil je werkelijk weten waarom ik doe wat ik doe?'
Sara voelde dat zijn stemming plotseling was veranderd. 'Vertel het maar.'
'Omdat ik bang ben.' Hij knikte tegen haar. 'De angst jaagt me op. Hoe langer ik agent was, des te meer werd het een kwestie van "wij tegen hen". Jong, opstandig, gewapend met een pistool om het allemaal nog erger te maken.' Fiske hield op met praten en keek door de glazen scheidingswand naar de mensen die binnen consumpties bestelden. Ze leken zorgeloos, gelukkig, ze streefden een bepaald doel in hun leven na; ze waren alles wat hij niet was, niet kon zijn.
Daarna keek hij weer naar Sara. 'Ik bleef steeds maar dezelfde jongens arresteren en het leek wel alsof ze weer op straat stonden voor ik de papieren had ingevuld. En ze konden je overhoopschieten alsof ze een kakkerlak doodtrapten. Zie je, zij speelden dat spel van "wij tegen hen" ook. Je veegt mensen op een hoop. Jong en zwart, je pakt ze als je kunt. Komt de politie op je af? Je doodt ze, als je kunt. Het gaat snel en je hoeft geen keuze te maken. Het is net zoiets als verslaafd zijn aan drugs.'
'Niet iedereen doet dat. De hele wereld bestaat niet uit dergelijke mensen.'
'Dat weet ik. Ik weet dat de meeste mensen, zwart, blank of wat dan

ook, goede mensen zijn die een betrekkelijk normaal leven leiden. Ik ben echt bereid dat te geloven. Maar als agent ben ik ze nooit tegengekomen. Normale schepen kwamen niet mijn haven binnenvaren.'
'Ben je er na die schietpartij anders over gaan denken?'
Fiske gaf niet direct antwoord. Toen hij het eindelijk deed, zei hij langzaam: 'Ik herinner me dat ik me op mijn knieën liet vallen om te kijken hoe het met die jongen was, van wie later bleek dat hij deed alsof hij een toeval kreeg. Ik hoorde het pistoolschot, hoorde mijn partner schreeuwen. Nog terwijl ik me omdraaide, trok ik mijn pistool. Ik weet niet hoe ik erin slaagde te vuren, maar ik deed het. Ik trof hem vol in de borst. We vielen allebei. Hij liet zijn wapen vallen, maar ik hield het mijne vast. Richtte het direct op hem. Hij lag niet meer dan dertig centimeter bij me vandaan. Bij elke ademhaling spoot het bloed uit het kogelgat als een rode geiser. Het maakte een spetterend geluid dat ik in mijn slaap nog steeds hoor. Zijn ogen begonnen glazig te worden, maar je kon nooit weten. Het enige wat ik wist, was dat hij zojuist mijn partner had neergeschoten, en daarna mij. Ik had het gevoel dat mijn ingewanden begonnen op te lossen.' Fiske slaakte een diepe zucht. 'Ik wachtte gewoon tot hij dood zou gaan, Sara.' Fiske zweeg, toen hij eraan terugdacht hoe weinig het had gescheeld of hij was ook zo'n man in uniform geweest in een kist, begraven en vrijwel vergeten.
'Je vader zei dat ze je vonden met je arm om hem heen,' drong Sara zachtjes aan.
'Ik dacht dat hij probeerde mijn pistool te pakken. Ik had een vinger aan de trekker en een andere in het gat in mijn lichaam. Maar hij stak zijn hand niet eens uit. Toen hoorde ik hem praten. Eerst kon ik nauwelijks verstaan wat hij zei, maar hij bleef net zo lang doorgaan tot ik hem begreep.'
'Wat zei hij?' vroeg Sara zacht.
Fiske zuchtte nogmaals, half en half verwachtend dat hij het bloed weer uit zijn oude wonden zou zien stromen, dat zijn vermoeide, verraden organen hem veertig jaar te vroeg in de steek zouden laten. 'Hij vroeg me hem te doden, Sara.' Als in antwoord op haar onuitgesproken vraag vervolgde hij: 'Ik kon het niet. Ik heb het niet gedaan. Het deed er ook niet meer toe, een paar seconden later hield hij op met praten.'
Sara ging langzaam verzitten, niet in staat iets te zeggen.
'Ik denk eigenlijk dat hij bang was dat hij níet zou sterven.' Langzaam schudde Fiske zijn hoofd, het kostte hem steeds meer moeite de woorden uit te brengen. 'Hij was pas negentien. Bij hem vergeleken was ik al een oude man. Hij heette Darnell. Darnell Jackson. Zijn moeder was verslaafd aan crack en toen hij een jaar of acht, negen was, liet ze hem

met mannen meegaan om aan geld voor drugs te komen.'
Hij keek haar aan. 'Vind je dat niet afschuwelijk klinken?'
'Natuurlijk. Ja!'
'Voor mij was het het verdomde oude liedje. Ik zag het keer op keer. Ik was er immuun voor geworden, althans dat dacht ik.' Hij likte zijn droge lippen af. 'Ik dacht niet dat ik nog medelijden over had. Maar na Darnell kreeg ik er iets van terug.' Hij lachte triest. 'Ik noem het mijn keiharde openbaring. Twee kogels in mijn lijf, een jongen die voor mijn ogen stierf, die wilde dat ik er bij hem een eind aan maakte. Je kunt je moeilijk voorstellen dat één gebeurtenis sterk genoeg is om je te laten twijfelen aan alles waar je ooit in hebt geloofd. Maar die avond gebeurde dat met mij.' Hij knikte bedachtzaam. 'Nu denk ik aan de hele toekomst van de wereld uitsluitend in samenhang met Darnell Jackson. Darnell Jackson is mijn versie van een nucleaire holocaust, maar een die niet in een paar seconden voorbij is.' Hij keek haar aan. 'Dat is de angst die me opjaagt.'
'Ik denk dat je echt om mensen geeft. Je doet een hoop goed.'
Fiske schudde zijn hoofd, zijn ogen glinsterden. 'Ik ben niet zo'n rijke, briljante, blanke advocaat die als een nobele ridder op pad is om de Enisjes van deze wereld te redden. En er was een misbruikte jongen die mijn binnenste opblies met een kanon voor nodig om ervoor te zorgen dat ik me ook maar ergens iets van aantrok. Hoeveel mensen zijn er, denk jij, die werkelijk iets om een ander geven?'
'Zo cynisch kun je toch niet zijn?'
Fiske keek haar even aan, voor hij antwoord gaf. 'Eerlijk gezegd ben ik de hoopvolste cynicus die je kunt tegenkomen.'

•55•

'Je hebt gedaan wat juist is, Beth. Hoeveel pijn het ook doet. Toch kan ik het nog steeds niet geloven, van Sara.' Jordan Knight schudde zijn hoofd. Ze zaten achter in zijn dienstauto, die langzaam door het bumper-aan-bumperverkeer zijn weg zocht naar hun appartement in Watergate. 'Misschien is ze gewoon ingestort. De druk is enorm.'
'Ik weet het,' zei Elizabeth Knight zacht.
'Het lijkt allemaal zo bizar. Een griffier steelt een verzoekschrift. Sara

weet ervan, maar houdt haar mond. Dan wordt de griffier vermoord. Vervolgens komt de broer van de griffier onder verdenking te staan. John Fiske lijkt me nu niet bepaald een moordzuchtig type.'
'Zo komt hij op mij ook niet over.' Haar gesprek met John Fiske had haar angst slechts doen toenemen.
Jordan Knight klopte zijn vrouw op haar hand. 'Ik heb Chandler en McKenna nagetrokken. Beiden zijn oerdegelijk. McKenna heeft een uitstekende reputatie bij de FBI. Als iemand deze kwestie kan oplossen, zijn het die twee wel.'
'Ik vind Warren McKenna grof en onaangenaam.'
'Nou, in zijn werk zal hij dat af en toe wel moeten zijn,' merkte Jordan op.
'Dat is niet alles. Er is iets vreemds aan hem. Hij is er zo druk mee bezig, maar het lijkt bijna alsof hij...' ze zweeg even, zoekend naar het juiste woord, '...toneelspeelt.'
'Midden in een moordonderzoek?'
'Ik weet dat het idioot klinkt, maar zo komt het nu eenmaal op me over.'
De senator haalde zijn schouders op en streek nadenkend over zijn kin. 'Ik heb altijd gezegd dat de intuïtie van een vrouw meer waard is dan het beste oordeel van een man. Ik denk dat we in deze stad allemaal toneelspelen. Soms word je er moe van.'
Ze keek hem nauwlettend aan. 'De ranch in Nieuw Mexico wenkt?'
'Ik ben twaalf jaar ouder dan jij, Beth. Elke dag wordt een beetje kostbaarder.'
'Maar we zijn toch steeds bij elkaar?'
'Tijd bij elkaar in Washington is niet hetzelfde. We hebben het hier allebei zo druk.'
'Ik ben voor het leven benoemd, Jordan.'
'Ik wil alleen niet dat je ergens spijt van krijgt. En ik doe mijn uiterste best om geen spijt te hebben.'
Ze zwegen beiden en keken uit het raampje terwijl de auto voortreed over Virginia Avenue.
'Ik hoorde dat jij en Ramsey elkaar vandaag in de haren zijn gevlogen. Denk je dat je een kans maakt?'
'Jordan, je weet dat ik het niet prettig vind om deze zaken met je te bespreken.'
Knight werd rood. 'Dat is nu een van die dingen die ik haat aan deze stad en ons werk. De regering zou niet tussen de twee partijen van een huwelijk moeten komen.'
'Dat klinkt grappig uit de mond van een politicus.'

Jordan lachte hartelijk. 'Wel, als politicus moet ik zo nu en dan eens op die verdomde zeepkist klimmen, nietwaar?' Hij zweeg en pakte haar hand. 'Ik stel het op prijs dat je het diner voor Kenneth toch hebt laten doorgaan. Ik weet dat je er nogal wat kritiek op hebt gekregen.'
Elizabeth Knight haalde haar schouders op. 'Harold grijpt elke gelegenheid, hoe triviaal ook, aan om me te bekritiseren, Jordan. Ik heb er een behoorlijke weerstand tegen opgebouwd.' Ze kuste hem op zijn wang, terwijl hij haar liefdevol over het haar streek.
'We hebben het toch maar klaargespeeld, ondanks alle tegenstand, vind je ook niet? We hebben een goed leven samen.'
'We hebben een geweldig leven, Jordan.' Ze kuste hem nog een keer en hij sloeg beschermend een arm om haar heen.
'Laten we vanavond al onze afspraken afzeggen en gewoon thuisblijven. Een hapje eten, en naar een film kijken. En praten. Daar komt het de laatste tijd niet vaak meer van.'
'Ik ben bang dat ik geen erg goed gezelschap zal zijn.'
Jordan hield haar stevig vast. 'Jij bent altijd goed gezelschap, Beth. Altijd.'
Toen de Knights in hun flat aankwamen gaf Mary, de huishoudster, Elizabeth een telefonische boodschap die ze had opgeschreven. Haar gezicht kreeg een eigenaardige uitdrukking terwijl ze naar de naam op het papiertje keek.
Jordan verscheen handenwrijvend in de hal. Hij keek naar Mary. 'Ik hoop dat je iets lekkers hebt klaargemaakt voor het diner.'
'Uw lievelingseten. Entrecote.'
Jordan glimlachte. 'Ik denk dat we laat zullen eten. Vanavond willen mijn vrouw en ik ons helemaal ontspannen. Niet worden gestoord.' Hij keek naar zijn vrouw. 'Is er iets?' Hij zag het papier in haar hand.
'Nee. Een boodschap van het Hof. Er komt geen eind aan.'
'Dat hoef je mij niet te vertellen,' zei hij droog. 'Nou, ik ga een warme douche nemen.' Hij liep de hal door. 'Als je zin hebt kun je erbij komen,' riep hij over zijn schouder.
Mary liep naar de keuken met een glimlach om haar lippen vanwege de opmerking van de senator.
Elizabeth nam de gelegenheid waar om de studeerkamer in te glippen, waar ze het nummer van het briefje draaide.
'Ik bel naar aanleiding van uw telefoontje,' zei ze.
'We moeten praten, rechter Knight. Kan het nu meteen?'
'Waar gaat het over?'
'Wat ik u te vertellen heb, zal een schok voor u zijn. Bent u daarop voorbereid?'

Om de een of andere reden voelde Elizabeth Knight dat de man hiervan genoot. 'Ik heb echt geen tijd voor dat geheimzinnige gedoe dat u blijkbaar zo leuk vindt.'
'Nou, dan zal ik u een spoedcursus geven.'
'Waar hebt u het over?'
'Luistert u maar.'
Dat deed ze. Twintig minuten later smeet ze de hoorn op de haak en rende de kamer uit, waarbij ze Mary, die juist kwam aanlopen, bijna ondersteboven liep. Elizabeth rende naar de kleedkamer, waar ze water over haar gezicht plensde. Ze hield zich met beide handen vast aan de rand van de wastafel. Daarna kreeg ze haar zelfbeheersing terug, opende de deur en liep langzaam de hal in.
Ze hoorde dat Jordan nog steeds onder de douche stond. Op haar horloge kijkend liep ze de deur uit en ze nam de lift naar de hoofdingang van het gebouw. Daar bleef ze wachten. De tijd leek langzaam te verstrijken. Toch waren er pas tien minuten voorbijgegaan sinds ze het gesprek had beëindigd. Ten slotte verscheen er een man, die ze niet herkende maar die haar kennelijk van gezicht kende. Hij overhandigde haar iets. Ze keek ernaar. Toen ze weer opkeek, was hij al verdwenen. Ze stak wat hij haar had gegeven, in haar zak en haastte zich terug naar boven, naar haar appartement.
'Waar is Jordan?' vroeg ze Mary.
'Ik geloof dat hij in de slaapkamer bezig is zich aan te kleden. Voelt u zich wel goed, mevrouw Knight?'
'Ja, ik... mijn maag was een beetje van streek, maar nu gaat het weer. Ik heb even mijn benen gestrekt en beneden een paar etalages bekeken om wat frisse lucht te happen. Wil je een paar cocktails mixen en die op het terras brengen?'
'Het begint te regenen.'
'Het scherm is nog uit en ik heb opeens een beetje last van claustrofobie. Ik heb frisse lucht nodig. Het is de laatste tijd zo warm en vochtig geweest, en de regen maakt alles zo koel. Zo heerlijk koel,' zei ze triest. 'Maak Jordans lievelingsdrankje klaar, als je wilt.'
'Beefeater Martini met citroen. Goed, mevrouw.'
'Wil je alsjeblieft ook voor heerlijk eten zorgen? Het moet eenvoudig volmaakt zijn.'
'Ja, mevrouw.' Met een verbaasde uitdrukking op haar gezicht liep Mary naar de bar.
Elizabeth Knight vocht tegen de opkomende paniek. Ze moest er niet meer aan denken. Als ze dit tot een goed einde wilde brengen, moest ze slechts handelen, niet denken. Alstublieft, God, help me, bad ze.

•56•

Fiske staarde somber uit het raampje van de auto naar de donkere wolken. Hij en Sara bevonden zich halverwege Washington en geen van beiden had veel gezegd tijdens de rit.

Toen het begon te regenen, zette Sara de ruitenwissers aan. Ze keek naar hem en fronste haar wenkbrauwen. 'John, we hebben heel wat informatie om mee te werken. Misschien kunnen we het volgende uur gebruiken om te proberen er enige zin in te ontdekken.'

Fiske keek haar van opzij aan. 'Ik denk dat je gelijk hebt. Heb je ergens pen en papier?'

'Heb je die niet in je tas?'

Hij maakte zijn gordel los, pakte zijn aktetas van de achterbank en knipte die open. Hij zocht tussen de stapel post, tot zijn handen zich om een dik pak sloten. 'Jezus, dat is snel!'

'Wat?'

'Ik denk dat dit Harms' militaire dossier is.' Fiske scheurde het pakje open en begon te lezen. Tien minuten later keek hij op. 'Het bestaat uit twee delen. Zijn conduitestaat, gedeeltes van het verslag van de krijgsraad, en de personeelslijst van Fort Plessy gedurende de tijd dat Harms daar was gestationeerd.' Fiske haalde een map met het opschrift: MEDISCHE GEGEVENS tevoorschijn. Hij bestudeerde de pagina's en hield even later op. 'Wil je raden waarom Harms zo opstandig was? Waarom hij geen orders opvolgde en altijd in de problemen raakte?'

'Omdat hij dyslectisch is,' antwoordde Sara prompt.

'Verdorie, hoe weet jij dat nu weer?'

'Door een paar dingen. Het handschrift en de spelling van het verzoekschrift waren zo slecht, al heb ik er maar heel even naar gekeken. Dat wijst op dyslexie, al is het niet te bewijzen. Maar toen sprak ik met George Barker. Weet je nog dat hij me het verhaal verteld heeft over hoe Rufus zijn drukpers had gerepareerd?' Fiske knikte. 'Nou, hij herinnerde zich dat Rufus had gezegd dat hij niet naar de handleiding voor de pers wilde kijken, dat de woorden hem alleen maar in de war zouden brengen. Ik heb op school gezeten met een meisje dat dyslexie had. Zij heeft me zo ongeveer hetzelfde verteld. Het is net of je niet met de

wereld kunt communiceren. Hoewel het er, na de ontmoeting van gisteravond, naar uitziet dat Rufus zijn handicap heeft overwonnen.'
'Als hij al die jaren in de gevangenis in leven kon blijven, terwijl er mensen waren die hem probeerden te vermoorden, kan hij alles doen waarop hij zich concentreert.' Fiske keek weer naar de papieren. 'Hieruit blijkt dat de diagnose werd gesteld na de moord. Waarschijnlijk tijdens de rechtszaak voor de krijgsraad. Misschien is Rider erachter gekomen. Het voorbereiden van een verdediging vereist enige medewerking van de cliënt.'
'Dyslexie kan niet als verdediging voor moord worden aangevoerd.'
'Nee, maar ik weet nog wel iets anders.'
'Wat?' vroeg Sara opgewonden. 'Wat dan?'
'Om te beginnen een vraag: Leo Dellasandro? Heeft hij een verhouding met zijn secretaresse?'
'Waarom vraag je dat?'
'Er zat make-up op de kraag van zijn jasje.'
'Misschien was die van zijn vrouw.'
'Misschien, maar ik denk het niet.'
'Ik betwijfel echt of hij een verhouding heeft, want zijn secretaresse is pas getrouwd.'
'Ik dacht ook al dat het niet zo was.'
'Waarom vroeg je het dan?'
'Omdat ik alles wil nagaan. Ik geloof ook niet dat het van Dellasandro's vrouw was. Ik denk dat hij make-up had gebruikt.'
'Waarom zou een man, een commissaris van politie nog wel, make-up gebruiken?'
'Om de blauwe plekken te maskeren die hij heeft opgelopen toen ik hem in de flat van mijn broer een paar klappen heb gegeven.' Sara hield haar adem in toen Fiske vervolgde: 'Ik heb Dellasandro sinds die avond niet meer gezien. Hij was niet op de vergadering van het Hof nadat Wright was vermoord. Ik ben veel bij Chandler geweest en de man is nooit langsgekomen om te zien hoe het met het onderzoek stond. Tenminste niet terwijl ik er was. Ik denk dat hij me ontliep. Misschien was hij bang dat ik hem zou herkennen.'
'Waarom zou Leo Dellasandro in vredesnaam in het appartement van je broer zijn geweest?'
Ten antwoord hield Fiske een stapel papieren omhoog. 'De personeelslijst van Fort Plessy. Gelukkig is die in alfabetische volgorde.' Hij keek naar het eind van de lijst. 'Sergeant Victor Tremaine.' Hij bladerde een pagina terug. 'Kapitein Frank Rayfield.' Hij zocht nog een paar bladzijden terug en stopte. 'Soldaat Rufus Harms.' Toen ging hij terug naar het begin,

omcirkelde een naam met zijn pen, en zei triomfantelijk: 'En korporaal Leo Dellasandro.'
'Grote hemel. Dus Rayfield, Tremaine en Dellasandro waren de mannen die zich op die avond in het strafkamp bevonden?'
'Ik denk het wel.'
'Hoe wist je dat Dellasandro in dienst is geweest?'
'Ik zag een foto van hem in zijn kantoor. Hij was veel jonger, in uniform. Zijn legeruniform. Ik denk dat die drie daarnaartoe zijn gegaan om Rufus Harms een lesje te leren. Ik denk dat we zullen ontdekken dat ze allemaal in Vietnam hebben gevochten, en Rufus niet. Omdat hij geen orders wilde opvolgen en altijd problemen had.'
'Maar wat hebben ze dan in godsnaam met Rufus Harms gedaan?'
'Ik denk dat ze...'
De autotelefoon piepte. Sara keek Fiske aan en nam op. Onder het luisteren verbleekte haar gezicht. 'Ja, ik wil het gesprek aannemen. Hallo? Wat? Oké, kalm aan maar. Hij zit hier naast me.' Ze gaf de telefoon aan Fiske. 'Rufus Harms. Het klinkt niet best.'
Fiske greep de telefoon. 'Rufus, waar ben je?'
Harms zat in de jeep, die hij vlak naast een telefooncel had geparkeerd. Met zijn ene hand hield hij de telefoon vast en met de andere steunde hij Josh, die nu steeds langer buiten bewustzijn bleef, maar nog steeds het pistool tegen zijn zij gedrukt hield. 'In Richmond,' antwoordde hij. 'Ik ben op twee minuten afstand van het adres op het kaartje dat je me hebt gegeven. Josh is zwaargewond. Ik heb een dokter nodig, en snel.'
'Oké, oké, maar wat is er gebeurd?'
'Rayfield en Tremaine kwamen ons achterna.'
'Waar zijn ze nu?'
'Ze zijn dood, verdomme, en mijn broer gaat hen bijna achterna. Je zei dat je me wilde helpen, ik heb nú hulp nodig.'
Fiske keek in de achteruitkijkspiegel. De zwarte sedan hing nog steeds achter hen. Hij dacht snel na. 'Oké, ik zie je over twee uur op mijn kantoor.'
'Josh heeft geen twee uur meer. Hij is finaal aan flarden geschoten.'
'We gaan nu meteen voor Josh zorgen, Rufus. Ik heb jou nodig, niet Josh.'
'Waar heb je het in vredesnaam over?'
'Ik ga een vriend van me bellen, een agent. Die zal een ambulance regelen. Dan kunnen ze voor hem zorgen. Het MCV-ziekenhuis is maar een paar minuten bij mijn kantoor vandaan.'
'Geen politie!'
Fiske schreeuwde in de telefoon: 'Wil je dan dat Josh sterft? Wil je dat?'

Hij beschouwde de stilte die erop volgde als Rufus' overgave aan welke hulp Fiske hem dan ook kon bieden. 'Beschrijf de auto en het kruispunt waar jullie nu staan.' Rufus deed het. 'Mijn vriend zal ervoor zorgen dat er over een paar minuten hulp komt. Laat Josh in de auto. Zodra je hebt opgehangen, loop je naar mijn kantoorgebouw. Het is open. Ga de hoofdingang in en neem de trap naar beneden, aan je linkerhand. Dan ga je door een volgende deur. Rechts van je zie je een deur met het opschrift MAGAZIJN. Die zit niet op slot. Ga naar binnen en blijf daar. Ik kom zo snel ik kan. Ik wil ook dat je de portefeuille van je broer meeneemt omdat ik niet wil dat hij identiteitspapieren bij zich draagt. Als ze weten dat het Josh is, gaan ze in de buurt naar jou zoeken. Zeker in mijn kantoor. Als de politie de wijk gaat afzetten, zou dat een lelijke spaak in mijn wiel steken.'
'Als iemand me ziet? Me herkent?'
'We hebben op dit moment weinig keus, Rufus.'
'Ik vertrouw je. Help mijn broer alsjeblieft. Laat me alsjeblieft niet zakken.'
'Rufus, ik vertrouw jou ook. Jij moet míj niet laten zakken.'
Toen Rufus had opgehangen, keek hij naar Josh. Hij stopte een pistool onder zijn overhemd en stak zijn hand uit om zijn broer aan te raken. Volgens hem was Josh nu volkomen buiten bewustzijn, maar toen Rufus zachtjes met zijn vinger tegen zijn schouder duwde, opende Josh zijn ogen.
'Josh?'
'Ik heb het gehoord.' De stem was zwak, alles aan hem was verzwakt.
'Hij wil dat ik je portefeuille meeneem, dan weten ze niet meteen wie je bent.'
'In mijn achterzak.' Rufus haalde hem eruit. 'Ga nu.'
Rufus dacht nog even na. 'Ik kan bij je blijven. Dan gaan we samen.'
'Dat heeft geen zin.' Josh spuwde meer bloed. 'De dokters naaien me wel dicht. Ik ben veel erger gewond geweest dan nu.' Opeens stak Josh een bevende hand uit en raakte het gezicht van zijn broer aan, om diens tranen af te vegen.
'Ik blijf bij je, Josh.'
'Als je hier blijft, is alles voor niets geweest.'
'Ik kan je niet alleen laten. Niet zo. Niet na al die jaren dat we niet bij elkaar zijn geweest.'
Met een van pijn vertrokken gezicht ging Josh wat meer rechtop zitten. 'Je laat me niet alleen. Geef hem aan me.'
'Wat moet ik je geven?'
Josh zei: 'De bijbel.'

Zonder zijn ogen van zijn broer af te wenden, tastte Rufus langzaam achter de stoel en overhandigde hem het boek. Op zijn beurt stak Josh zijn broer het pistool toe, dat hij de afgelopen uren tegen zijn ribben had gehouden. Rufus keek hem vragend aan. 'Gelijk oversteken,' zei Josh schor.
Rufus dacht dat hij even een glimlach om de lippen van zijn broer zag verschijnen, voor deze zijn ogen sloot. Zijn ademhaling was licht, maar regelmatig. Een grote hand hield de bijbel zo stevig vast dat de rug van het boek kromtrok.
Terwijl Rufus uit de jeep klom, keek hij nog één keer om. Toen liet hij zijn broer achter.

Eindelijk kon Fiske Hawkins thuis bereiken. 'Vraag me niet wie of wat, Billy. Ik kan je niet vertellen wie het is. Op het moment is hij meneer NN. Laat het papierwerk maar zitten en rij de jeep naar het ziekenhuis.' Fiske hing op.
'John, hoe moeten we Rufus te spreken krijgen nu de FBI vlak achter ons zit? zei Sara.
'Ik ga naar Rufus, jij niet.'
'Wacht eens even.'
'Sara...'
'Ik wil hiermee doorgaan.'
'Geloof me, dat zul je ook. Je moet iemand voor me bellen, mijn vriend bij het JAG.'
'Waarover? En je hebt me nog steeds niet verteld wat je denkt dat er vijfentwintig jaar geleden in het strafkamp is gebeurd.'
Hij legde een hand op de hare. 'De VS versus Stanley. Een nietsvermoedende soldaat, en LSD,' zei Fiske. Hij zag dat ze haar ogen opensperde. 'Maar dan erger,' liet hij erop volgen.

Na snel te zijn gestopt bij het huis van Sara reden ze naar National Airport, waar ze de auto parkeerden. Fiske trok de regenjas strak om zich heen en trok zijn hoed diep over zijn gezicht, toen het harder begon te regenen. Hij stak een grote paraplu op en hield die boven Sara's hoofd. Ze liepen naar de general aviation terminal, en vervolgens aan de andere kant er weer uit naar de vertrekhal. Daar stapten ze in een auto met raampjes van getint glas. Een paar minuten later reed de auto weg van het trottoir.
Achter hen reden twee FBI-agenten, van wie een al bezig was om deze ontwikkeling aan zijn superieuren te melden. Daarna liep hij naar de balie om te vragen naar de bestemming van de vlucht die Fiske en Sara

hadden geboekt. De andere agent stapte eveneens uit en bleef kijken terwijl de auto naast de Falcon 2000 stopte.
In de auto waren Fiske en de chauffeur, Chuck Hermans copiloot, druk doende van plaats te verwisselen. De chauffeur trok de regenjas aan en zette de hoed op. Op afstand zou hij op Fiske lijken. Het was de bedoeling dat Sara een uur aan boord van het vliegtuig zou blijven en in die tijd zou proberen contact op te nemen met Phil Jansen, Fiskes vriend bij het JAG. Daarna zou ze weggaan. Ze wisten dat de FBI haar zou ondervragen over Fiskes verdwijning, maar er zou geen reden zijn om haar te arresteren.
De FBI-agent zag een magere man met wit haar de vliegtuigtrap af komen om Sara en de andere man, van wie hij aannam dat het Fiske was, te begroeten. Ze stapten uit de auto. Daarna liep het groepje de trap op en ging het vliegtuig binnen. De auto reed weg. De FBI-agent bleef naar het vliegtuig kijken, terwijl de auto langs hem heen reed en daarna van het vliegveld af de snelweg op draaide.
In de auto slaakte Fiske een diepe zucht en reed de George Washington-snelweg op. Tien minuten later reed hij in zuidelijke richting op de Interstate 95, naar Richmond. Er was veel verkeer; het vergde bijna drie uur voor hij de auto voor zijn kantoor liet stoppen. Hij had al contact opgenomen met Billy Hawkins. Josh Harms lag op de operatiekamer van het MCV. Het zag er niet goed uit, had Hawkins hem verteld. Fiske parkeerde de auto en liep vervolgens naar de achteringang van het gebouw, voor het geval dat.
Gelukkig was het inmiddels donker geworden.
Hij liep naar het souterrain en naderde de opslagruimte. Wees er alsjeblieft, smeekte hij Rufus. Hij tikte op de deur. 'Rufus?' zei hij zacht. 'Ik ben het, John Fiske.'
Voorzichtig deed Rufus de deur open.
'Laten we maken dat we hiervandaan komen.'
Rufus greep hem bij de arm. 'Hoe gaat het met Josh?'
'Hij wordt geopereerd. Je kunt niets meer doen dan bidden.'
'Dat doe ik de hele tijd al.'
Ze namen de achteruitgang, liepen snel naar Fiskes auto en stapten in.
'Waar gaan we heen?' vroeg Rufus.
'Wil je me vertellen over de brief van het leger?'
'Wat is daarmee?'
'Ze wilden een vervolgonderzoek doen op de phencyclidine-test, klopt dat?'
Harms verstijfde. 'Phen-wat?'
'Je weet wel, PCP.'

'Hoe weet jij dat?'
'Hetzelfde is gebeurd met een andere soldaat, ene Stanley, die zat ook in een fictief programma. Hem hebben ze LSD gegeven.'
'Ik heb verdomme nooit meegedaan aan een PCP-programma, ook al zeggen ze van wel.' Hij haalde de brief tevoorschijn en gaf hem aan Fiske.
Fiske nam er de tijd voor om de brief te lezen en keek vervolgens naar hem. 'Vertel het maar, Rufus.'
Rufus leunde zover naar achteren als hij kon. Hij was zo groot dat zijn knieën het dashboard raakten en zijn hoofd langs het plafond van de auto streek. 'Ze zaten al een tijdje achter me aan. Tremaine en Rayfield.'
'En Dellasandro? Korporaal Leo Dellasandro?'
'Ja, die ook. Ik denk dat ze het niet leuk vonden dat ik veilig en wel in de Verenigde Staten zat, ook al was het dan in het strafkamp.'
'Ze wisten niets af van je dyslexie?'
'Jij schijnt heel wat te weten.'
'Ga door.'
'Ik was al heel wat keren tegen dat stelletje aan gelopen. Tremaine werd een nacht in het strafkamp opgesloten wegens dronkenschap. Hij zei me recht in mijn gezicht hoe hij over me dacht. Ik denk dat ze de hele zaak al hadden bekokstoofd. Op een avond kwamen ze het kamp in. Leo had een pistool. Ik moest mijn ogen dichtdoen en op de vloer gaan liggen. Toen merkte ik dat ze iets in me staken. Ik deed mijn ogen open en zag dat ze de naald uit mijn arm trokken. Ze stonden allemaal te lachen, en te wachten tot ik doodging. Uit wat ze zeiden begreep ik dat dat de bedoeling was. Me een overdosis te geven van die troep.'
'Hoe is het je in vredesnaam gelukt om, terwijl je volgespoten was met PCP, uit het strafkamp weg te komen?'
'Mijn hele lichaam leek op te zwellen, alsof iemand me vol lucht pompte. Ik weet nog dat ik opstond en het gevoel had dat de kamer te klein voor me was. Ik gooide ze allemaal aan de kant alsof het stropoppen waren. Ze hadden de deur niet op slot gedaan. De bewaarder kwam eraan hollen, maar ik heb hem een oplawaai verkocht en toen kon ik weglopen.' Zijn ademhaling ging sneller en zijn enorme handen openden en sloten zich, alsof hij weer beleefde wat hij er zo lang geleden mee had gedaan.
'Toen kwam je Ruth Ann Mosley tegen?'
'Ze was op bezoek bij haar broer.' Rufus liet zijn vuist met een klap op het dashboard neerkomen. 'Had God me maar neergeslagen voor ik bij dat kleine meisje was. Waarom moest het een kind zijn?' De tranen

stroomden hem over de wangen.
'Het was jouw schuld niet, Rufus. PCP kan je alles laten doen. Alles. Het was jouw schuld niet.'
Rufus reageerde erop door zijn handen omhoog te houden en te schreeuwen: 'Deze hebben het gedaan. Wat ze me ook hadden ingespoten, het verandert niets aan het feit dat ik dat mooie kleine meisje heb gedood. En niets ter wereld kan dat ongedaan maken. Zo is het toch?' Rufus' keek Fiske woedend aan, maar toen sloot hij ze en liet zich slap achterovervallen.
Fiske probeerde kalm te blijven. 'En je herinnerde je er niets meer van, tot je die brief kreeg?'
Eindelijk kwam Rufus weer tot zichzelf. 'Verdomme, al die jaren was het enige wat ik me van die nacht herinnerde, dat ik in het kamp zat te lezen in de bijbel, die mijn moeder me had gegeven. Het volgende wat ik wist, was dat ik naast dat dode meisje stond. Dat is alles.' Hij veegde zijn tranen af met zijn mouw.
'Dat is ook een gevolg van PCP. Je geheugen raakt ervan in de war. En daarbij kwam nog de schok.'
Rufus haalde diep adem. 'Soms denk ik dat die rotzooi nog in me zit.'
'Toch heb je verklaard dat je schuldig was aan die moord.'
'Er was een massa getuigen. Samuel Rider zei dat ze me, als ik niet bekende, zouden veroordelen en dan zou ik terechtgesteld worden. Wat had ik anders kunnen doen?'
Fiske dacht er even over na en zei toen zacht: 'Ik denk dat ik hetzelfde zou hebben gedaan.'
'Toen ik die brief kreeg, was het net of iemand een groot licht aanstak in mijn hoofd, of een deel van mijn hersens dat donker was geweest, heel helder werd, en toen kwam alles weer boven. Tot het laatste stukje.'
'Daarom heb je het verzoekschrift voor het Hof geschreven en Rider gevraagd of hij het voor je wilde indienen?'
Rufus knikte. 'En toen kwam je broer me opzoeken. Hij zei dat hij in gerechtigheid geloofde, dat hij me wilde helpen als ik de waarheid sprak. Hij was een goed mens.'
'Ja, dat was hij,' zei Fiske schor.
'Het probleem was dat hij mijn brief bij zich had. Rayfield en ouwe Vic waren niet van plan hem daarmee te laten vertrekken. Onder geen voorwaarde. Ik werd bijna gek toen ik erachter kwam. Ze brachten me naar de ziekenboeg en ze probeerden me daar te vermoorden. Ik werd naar het ziekenhuis overgebracht en Josh heeft me helpen ontsnappen.'
'Je zei dat Tremaine en Rayfield dood zijn?'
Rufus knikte. Hij haalde nog een keer diep adem, keek naar de regen

die over het donkere silhouet van Richmond viel en daarna weer naar Fiske. 'Nu weet je alles wat ik weet. Wat moeten we nu doen?'
'Dat weet ik nog niet precies,' was het enige wat Fiske kon antwoorden.

•57•

Chuck Herman glimlachte toen hij door het middenpad van het vliegtuig langs Sara liep. 'Dit is de eerste keer dat ik ervoor word betaald om níet te vliegen.'
'Dit is Washington, Chuck. Ze betalen ook boeren om geen gewassen te telen,' zei Sara droogjes.
Voor de tiende maal pakte ze de mobiele telefoon en toetste het privénummer in van Phil Jansen. Op zijn kantoor hadden ze haar al verteld dat Jansen naar huis was gegaan. Gelukkig had Fiske haar ook dat nummer gegeven. Ze was opgelucht toen Jansen eindelijk opnam. Snel stelde ze zich voor en legde uit wat haar relatie tot Fiske was.
'Ik heb weinig tijd, meneer Jansen, dus ik zou graag meteen terzake komen. Is het leger in het verleden betrokken geweest bij testprogramma's met PCP?'
Jansen zei terughoudend: 'Waarom precies vraagt u me dat, mevrouw Evans?'
'John gelooft dat Rufus Harms vijfentwintig jaar geleden zonder het te weten PCP toegediend kreeg, toen hij in het militaire strafkamp Fort Plessy zat. Hij denkt dat Harms als gevolg van het feit dat hij werd blootgesteld aan PCP, in razernij is geraakt en een klein meisje heeft gedood. Sindsdien heeft hij voor dat misdrijf in de gevangenis gezeten.'
Sara somde alles op wat zij en Fiske hadden gededuceerd, samen met hetgeen ze in Riders kantoor van Rufus hadden gehoord. Sara vervolgde: 'Rufus Harms heeft onlangs een brief van het leger ontvangen waarin hem werd verzocht deel te nemen aan een vervolgtest, om de uitwerking van PCP op lange termijn vast te stellen. Dat is, zoals u weet, ook met sergeant James Stanley gebeurd. Het leger stuurde hem een brief. Dat was de enige reden dat hij wist dat het leger hem LSD had toegediend. Nu denken wij dat een groep militairen in het strafkamp Harms onder dwang PCP heeft toegediend, maar niet als onderdeel van een

proefneming. Wij geloven dat ze van plan waren het middel te gebruiken om hem te doden. Hij ontsnapte echter en beging toen de moord.'
Jansen zei: 'Wacht eens even. Waarom heeft het leger Harms een brief gestuurd waarin stond dat hij had meegewerkt aan het programma, als dat niet zo was?'
'We denken dat degene die Harms PCP toediende, hem in het geheim heeft ingevoerd in het programma.'
'Waarom zouden ze zoiets doen?'
'Als ze hem hadden gedood met PCP en er zou een autopsie zijn verricht, zou de stof waarschijnlijk in zijn bloed zijn gevonden.'
'Ja, dat is zo,' zei Jansen langzaam. 'Dus ze hebben hem ingeschreven voor het programma om dat te verhullen. De lijkschouwer zou het toeschrijven aan een ongelukkige reactie op de drug. Ik kan dit niet geloven.'
'Precies. Dus er bestond een dergelijk programma?'
'Ja,' gaf hij toe. 'Het is nu in de openbaarheid gebracht. Geen geheimhouding meer. Het programma werd door het leger en de CIA gezamenlijk uitgevoerd, in de jaren zeventig. Ze wilden vaststellen of PCP gebruikt kon worden om supersoldaten te creëren. Als Harms op de lijst van deelnemers aan het programma voorkwam, moet hij inderdaad onlangs een brief voor een vervolgtest hebben ontvangen.' Jansen zweeg een ogenblik. 'Wat gaan u en John nu doen?'
'Ik wilde dat we het wisten.' Sara bedankte Jansen en beëindigde het gesprek.
Ze verliet het vliegtuig en wandelde over de startbaan naar het stationsgebouw, waar ze onmiddellijk staande werd gehouden door de twee FBI-agenten.
'Waar is Fiske?' vroeg een van hen.
'John Fiske?' vroeg ze onschuldig.
'Toe nu, mevrouw Evans.'
'Hij is een poosje geleden weggegaan.'
De agenten keken stomverbaasd. 'Weggegaan. Hoe?'
'Met de auto, neem ik aan. Als u me nu wilt excuseren?'
Glimlachend bleef ze kijken toen de verbaasde mannen op een drafje naar het vliegtuig holden. Ze hadden geen reden om haar vast te houden. Ze nam de gelegenheid te baat om de shuttlebus naar de garage te nemen, waar ze haar auto haalde. Ze reed het vliegveld af en zette koers naar het zuiden. Plotseling kreeg ze een inval. Ze stopte bij een benzinestation. Terwijl ze de motor liet draaien, opende ze Fiskes tas en haalde er het pakje documenten uit dat ze uit St. Louis hadden ontvangen. Ze wist niet precies hoe grondig Fiske die had bestudeerd, maar het was

bij haar opgekomen dat het leger mogelijk in het dossier een kopie had gesloten van de brief die ze naar Rufus hadden gestuurd. Hoewel zijn dossier, technisch gezien, gesloten was nadat hij voor de krijgsraad was verschenen, was het de moeite waard om even te kijken.
Een half uur later leunde ze teleurgesteld achterover. Ze begon de papieren weer in de tas te stoppen toen haar hand zich om de personeelslijst van Fort Plessy sloot. Ze bladerde de pagina's door en kwam de namen van Victor Tremaine en Frank Rayfield tegen. Toen viel haar oog op de naam Rufus Harms. Wat waren er sindsdien veel jaren van zijn leven verstreken.
Terwijl ze dit dacht, bleef ze de bladzijden omslaan terwijl haar ogen over de namen vlogen. Bij het zien van een bepaalde naam verstijfde ze. Toen ze zich eindelijk kon losmaken uit haar trance, gebeurde dat met zoveel kracht dat ze haar hoofd tegen het raampje stootte. Ze gooide het dossier neer en schakelde driftig in de eerste versnelling. Rubber verbrandde op het vochtige asfalt toen ze haastig bij het benzinestation wegreed. Ze keek naar de vloer waarop de personeelslijst was terechtgekomen, vanwaar de naam Warren McKenna haar leek aan te staren, haar uit te dagen. Ze keek geen enkele keer om, dus ze zag de auto niet die haar van het vliegveld was gevolgd.

•58•

Harold Ramsey leunde achterover in zijn stoel. Zijn gezicht stond bezorgd. 'Ik heb me nooit kunnen voorstellen dat zoiets hier zou kunnen gebeuren.'
McKenna en Chandler zaten in Ramseys kamer. McKenna sloeg de rechter heel oplettend gade. Even leken ze oogcontact te maken, toen wendde McKenna zijn blik af en keek van opzij naar Chandler.
'Nou, we hebben geen enkel bewijs dat Michael Fiske werkelijk een verzoekschrift heeft gestolen, en evenmin dat er een verzoekschrift was,' zei Chandler.
Ramsey schudde zijn hoofd om aan te geven dat hij het er niet mee eens was. 'Kan er, na het gesprek met Sara Evans, nog twijfel aan bestaan?'
Dat gesprek leek meer op de inquisitie, dacht Chandler bij zichzelf.

'Het is nog steeds niet meer dan speculatie. En ik ben erop tegen dat deze inlichtingen openbaar worden gemaakt.'
'Ik ben het met je eens,' zei McKenna. 'Het zou het onderzoek kunnen bemoeilijken.'
'Ik dacht dat jullie ervan overtuigd waren dat John Fiske achter dit alles zat,' zei Ramsey. 'Als jullie nu van opvatting veranderen, zie ik niet in dat we iets verder zijn dan twee dagen geleden.'
'Moorden lossen zich niet vanzelf op. En deze is iets ingewikkelder dan de meeste. Ik heb ook nooit gezegd dat ik van opvatting ben veranderd,' zei McKenna. 'Fiskes pistool was niet op zijn kantoor. Dat kwam niet als een grote verrassing. Maar maakt u zich geen zorgen, de stukjes beginnen op hun plaats te vallen.'
Ramsey leek niet overtuigd.
'Ik begrijp echt niet waarom het kwaad kan om nog even te wachten,' zei Chandler. 'Als het zo uitpakt als we hopen, hoeft het publiek het misschien nooit te weten.'
'Ik zie niet hoe dat mogelijk is,' zei Ramsey nijdig. 'Maar ik neem aan dat het deze ramp niet verergert wanneer we uw advies opvolgen. Voor het moment, althans. Hoe staat het met Fiske en Evans? Waar zijn ze?'
'We houden ze in de gaten,' antwoordde McKenna.
'Dus je weet waar ze zich nu bevinden?' vroeg Ramsey.
McKenna bleef hem met een stalen gezicht aankijken. Hij was niet van plan toe te geven dat zowel Fiske als Evans erin was geslaagd om zijn FBI-surveillanceteam om de tuin te leiden. McKenna had dat bericht een minuut voor hij hier voor deze bespreking was binnengestapt, ontvangen.
'Ja,' antwoordde McKenna.
'Waar zijn ze?' vroeg Ramsey.
'Ik vrees dat ik u dat niet kan zeggen, edelachtbare.' Snel liet hij erop volgen: 'Hoe graag ik u ook van dienst zou willen zijn. We moeten dat echt als vertrouwelijke informatie beschouwen.'
Ramsey keek hem streng aan. 'Agent McKenna, u hebt beloofd het Hof op de hoogte te houden omtrent de vorderingen in deze zaak.'
'Dat doe ik ook. Daarom ben ik nu hier.'
'Het Hof heeft zijn eigen politiemacht. Commissaris Dellasandro en Ron Klaus zijn op dit moment druk bezig te proberen deze kwestie op te lossen. Ons eigen onderzoek loopt en het is voor alle betrokkenen van het grootste belang dat we volledige openheid krijgen. Beantwoord u nu mijn vraag, alstublieft. Waar zijn ze?'
'Er zit veel waars in wat u zegt, maar ik ben bang dat ik u die informatie nog steeds niet kan geven.' Hij voegde eraan toe: 'Dat is nu eenmaal de

zogenaamde FBI-politiek, begrijpt u wel?'
Ramsey trok zijn wenkbrauwen op. 'Dan denk ik dat we met iemand anders van de FBI moeten spreken,' zei hij. 'Ik vind het niet prettig om iemand te passeren, agent McKenna, maar dit is een uitzonderlijke situatie.'
'Ik zal u graag een paar namen geven van mensen die u kunt bellen, te beginnen met de directeur zelf,' bood McKenna vriendelijk aan.
'Hebt u nog iets van feitelijk belang te melden,' zei Ramsey droog, 'of is dit alles?'
McKenna stond op. 'We doen ons uiterste best om dit tot op de bodem uit te zoeken. En ik ben ervan overtuigd dat we er, met een beetje geluk, in zullen slagen.'
Ramsey stond eveneens op. Hij torende boven beide mannen uit. 'Ik wil u nog een goede raad geven, agent McKenna. Laat nooit iets aan het toeval over. Iedereen die dat doet, krijgt er gewoonlijk later spijt van.'

Sara ontsloot de deur van haar huis en haastte zich naar binnen. Ze had geprobeerd om vanuit haar auto Fiskes huis en zijn kantoor te bellen; daarna had ze Ed Fiske gebeld, maar hij had niets van zijn zoon gehoord. Ze gooide haar handtas op de keukentafel, ging naar boven om haar natte kleren uit te trekken en hulde zich in een spijkerbroek en een T-shirt. Ze begon in paniek te raken en wist niet goed wat ze moest doen. Als Dellasandro hierbij betrokken was, was dat al erg genoeg. Hij werd op de hoogte gehouden van de voortgang van het onderzoek. Het feit dat FBI-agent Warren McKenna er ook mee te maken had, was niet minder dan catastrofaal. Hij leidde praktisch het hele verdomde onderzoek. Nu begreep ze de subtiele manipulaties van de FBI-agent in elk stadium van de zaak. Fiske beschuldigd, zijzelf gedwongen om ontslag te nemen bij het Hof; dat alles om een motief te construeren waarom John zijn broer zou hebben vermoord. Het was allemaal niet waar en toch leek het, voor iemand die niet meer zag dan de naakte feiten, heel aannemelijk.
Ze probeerde Chandlers kantoor. Ze wilde met zekerheid weten of agent McKenna in Fort Plessy gestationeerd was geweest, of dat het gewoon iemand anders was geweest met dezelfde naam. Ze kon niet geloven dat het zo was, maar ze moest er zeker van zijn. Helaas was Chandler er niet. Wie kon ze nog meer bellen die over die informatie zou kunnen beschikken? Misschien zou Jansen erachter kunnen komen, maar dat zou hem waarschijnlijk wel de nodige tijd kosten. Opeens kreeg ze een ingeving. Ze draaide een nummer. Nadat de telefoon drie

keer was overgegaan, nam een vrouw op. Het was de huishoudster.
'Is hij thuis? U spreekt met Sara Evans.'
Een minuut later klonk de stem van Jordan Knight via de telefoon.
'Sara?'
'Ik weet dat dit een slecht moment is, senator.'
'Ik heb gehoord wat er vandaag is gebeurd.' Zijn toon was koel.
'Ik weet wat u moet denken en ik ben ervan overtuigd dat niets wat ik kan zeggen, u van mening kan doen veranderen.'
'Daar heb je waarschijnlijk gelijk in. Maar, als je er iets aan hebt, Beth voelt zich ellendig over wat er is gebeurd. Ze was een van je grootste fans.'
'Dat stel ik op prijs.' Sara hield de hoorn een eindje bij haar oor vandaan, terwijl ze moeite deed haar zenuwen in bedwang te houden. Elke seconde telde nu. 'Ik wil u een gunst vragen.'
'Een gunst?' Knight klonk stomverbaasd.
'Ik heb informatie over iemand nodig.'
'Sara, ik geloof niet dat dit gepast is.'
'Senator, ik zal u nooit, nooit meer lastigvallen, maar ik heb dringend antwoord nodig op mijn vraag en u, met al uw informatiebronnen, bent de enige die ik kan bedenken om het te vragen. Alstublieft? Ter wille van onze oude vriendschap?'
Jordan dacht een ogenblik na. 'Tja, ik ben nu niet op kantoor. Eerlijk gezegd sta ik op het punt om laat te gaan eten, samen met Beth.'
'U kunt toch naar uw kantoor bellen, of misschien met de FBI?'
'De FBI?' zei hij luid.
Haastig ging ze door. 'Eén telefoontje is voldoende. Ik ben thuis. U kunt degene die u belt zelfs vragen mij rechtstreeks terug te bellen. U en ik hoeven elkaar niet meer te spreken.'
Eindelijk gaf Jordan toe. 'Goed dan. Wat wil je weten?'
'Het gaat over agent McKenna.'
'Wat is er met hem?'
'Ik moet weten of hij vroeger in militaire dienst is geweest. In het bijzonder of hij gestationeerd is geweest in Fort Plessy, in de jaren zeventig.'
'Waarom wil je dat in vredesnaam weten?'
'Senator, het zou veel te veel tijd kosten om dat uit te leggen.'
Hij zuchtte. 'Goed. Ik zal zien wat ik kan doen. Ik zal het door iemand van mijn kantoor laten nagaan en die kan je dan terugbellen. Je bent thuis?'
'Ja.'
'Sara, ik hoop dat je weet wat je doet.'

'U kunt het geloven of niet, senator, maar dat doe ik.'
'Dat zal wel,' antwoordde hij, maar het klonk niet overtuigd.
Toen hij zowat een kwartier later in de zitkamer terugkwam, keek Elizabeth hem aan. 'Wat moest Sara in vredesnaam?'
'Iets heel vreemds. Weet je wel, die kerel van de FBI? Degene over wie jij klaagde?'
Ze verstrakte. 'Warren McKenna? Wat is er met hem?'
'Ze wilde weten of hij vroeger in militaire dienst is geweest.'
Elizabeth liet haar vork vallen. 'Waarom zou ze dat willen weten?'
'Dat weet ik niet. Ze wilde het me niet vertellen.' Jordan keek haar vragend aan, toen hij zag hoe gespannen ze was. 'Voel je je wel goed?'
'Ik voel me prima. Dit is alleen zo'n ellendige dag geweest.'
'Ik weet het, lieverd, ik weet het,' zei hij sussend. Hij keek naar zijn koud geworden maaltijd. 'Ik denk dat onze gezellige avond met zijn tweetjes bedorven is.'
'Wat heb je tegen haar gezegd?'
'Gezegd? Ik heb haar gezegd dat ik het zou laten nagaan. En dat ik haar door iemand zou laten terugbellen. Dat heb ik gedaan, ik heb naar mijn kantoor gebeld. Ik denk dat ze het wel in de computer kunnen opzoeken, of zoiets.'
'Waar is Sara?'
'Thuis, wachtend op het antwoord op haar vraag.'
Elizabeth stond op; haar gezicht was bleek geworden.
'Beth, wat is er?'
'Ik krijg opeens zo'n hoofdpijn. Ik ga een aspirientje halen.'
'Dat kan ik toch voor je doen.'
'Nee, laat maar. Eet jij maar door. Misschien kunnen we ons daarna eindelijk ontspannen.'
Een bezorgd kijkende Jordan Knight zag zijn vrouw de hal in lopen.
Elizabeth Knight nam inderdaad een paar aspirines, omdat ze werkelijk zware hoofdpijn had. Toen glipte ze door de hal naar haar slaapkamer, pakte de telefoon en draaide een nummer.
'Hallo,' zei de stem.
'Sara Evans heeft net gebeld. Om Jordan iets te vragen.'
'Wat was de vraag?'
'Ze wilde weten of je vroeger in dienst bent geweest.'
Warren McKenna maakte zijn das los en nam een teugje water uit het glas op zijn bureau. Hij was zojuist teruggekomen, na zijn bespreking bij het Hooggerechtshof. 'Wat heeft hij tegen haar gezegd?'
'Dat hij het zou nagaan en haar dan terugbellen.' Elizabeth deed haar best om tegen haar tranen te vechten.

McKenna knikte bij zichzelf. 'Waar is ze?'
'Ze zei tegen Jordan dat ze thuis was.'
'En John Fiske?'
'Ik weet het niet. Dat heeft ze kennelijk niet gezegd.'
McKenna trok zijn jasje weer aan. 'Bedankt voor de inlichtingen, rechter Knight. Die kunnen wel eens waardevoller blijken dan een van uw gerechtelijke uitspraken.'
Langzaam legde Elizabeth Knight de hoorn neer, om die vervolgens weer op te pakken. Ze kon het hier niet bij laten. Ze draaide Inlichtingen en kreeg het nummer. Het gesprek werd aangenomen. 'Rechercheur Chandler, alstublieft. Zegt u hem dat rechter Knight hem wil spreken en dat het dringend is.'
Chandler kwam aan de telefoon. Ook hij was net teruggekeerd van het Hof. 'Wat kan ik voor u doen, rechter Knight?'
'Rechercheur Chandler, vraagt u me alstublieft niet hoe ik het weet, maar u moet naar Sara Evans' huis gaan. Ik denk dat ze in groot gevaar verkeert. Gaat u alstublieft zo snel mogelijk.'
Chandler verspilde geen tijd met het stellen van vragen. Hij rende zijn kantoor uit zonder de hoorn op de haak te leggen.
Langzaam legde Elizabeth Knight de hoorn neer. Ze had gedacht dat ze door haar werk bij het Hof onder grote druk stond, maar dit... ze wist dat, ongeacht hoe dit afliep, haar hele leven verwoest zou zijn. Voor haar was er geen uitweg. Ironisch, dacht ze, dat het er uiteindelijk op zou neerkomen dat ze zou worden vernietigd door gerechtigheid.

De gestalte was gehuld in donkere kleren en hij had een bivakmuts over zijn gezicht getrokken. Hij was Sara naar Richmond gevolgd en vandaar was hij achter haar en Fiske, en de FBI-agenten, teruggereden naar Washington. Hij was erg dankbaar dat ze de FBI-agenten had afgeschud, dat zou zijn taak veel eenvoudiger maken. Kruipend bereikte hij de auto en maakte het portier aan de kant van de bestuurder open. Het plafondlampje ging aan toen hij dit deed en hij draaide snel de schakelaar om, zodat het uitging. Hij keek naar de ramen van het huis. Hij zag Sara een keer langslopen, maar ze keek niet naar buiten. Vervolgens haalde hij een kleine zaklantaarn uit zijn zak en liet het licht door het inwendige van de auto schijnen. Hij zag de papieren op de vloer en bekeek ze. Zijn oog viel op de omcirkelde naam. Hij pakte de documenten bij elkaar en stopte ze in de rugzak die hij bij zich had. Daarna haalde hij zijn pistool uit de holster en bevestigde een geluiddemper op de loop. Hij keek nog een keer naar het huis. Ditmaal was Sara niet te zien. Maar ze was binnen. Alleen. Hij knipte de lantaarn uit en sloop naar het huis.

Sara had nerveus in de keuken heen en weer gelopen, telkens op haar horloge kijkend, wachtend op een telefoontje van Jordan Knights kantoor. Ze liep naar buiten, de achterveranda op en zag een straalvliegtuig dat onder een deken van donkere wolken voorbijgleed. Daarna keek ze naar haar zeilboot, die tegen de autobanden schuurde die aan de steiger waren bevestigd als stootkussens tussen het gladde polyester en het ruwe hout. Met een glimlach dacht ze terug aan de gebeurtenissen van gisteravond. De glimlach verdween toen ze zich herinnerde wat zij en Fiske hadden besproken na hun ontmoeting in het verpleeghuis. Ze drukte haar blote tenen tegen het vochtige hout en nam er even de tijd voor om de rustgevende geur van de vochtige, landelijke omgeving in te ademen.
Teruggekomen in het huis liep ze de trap op. Voor de deur van haar slaapkamer bleef ze staan en keek naar binnen. Het bed was nog niet opgemaakt. Ze ging op de matras zitten en speelde met een punt van het laken, terugdenkend aan hoe ze hier hadden gevrijd. Ze herinnerde zich hoe Fiske zijn T-shirt omlaag had getrokken. Het litteken liep van zijn navel naar zijn hals, had Ed haar verteld. Alsof dat voor haar enig verschil zou uitmaken. Toch geloofde Fiske blijkbaar dat het zo was.
Ze luisterde toen een volgend vliegtuig overkwam. Daarna werd het weer stil. Een stilte die zo diep was dat ze duidelijk kon horen dat de zijdeur van het huis opening. Ze sprong op en rende naar de trap. 'John?'
Er kwam geen antwoord en toen beneden het licht uitging, liep een rilling van angst over haar ruggengraat. Snel ging ze terug naar de slaapkamer en deed de deur achter zich op slot. Haar borst zwoegde, haar hartslag dreunde tegen haar trommelvliezen en wanhopig keek ze om zich heen, op zoek naar een wapen, omdat er geen ontsnapping mogelijk was. Het raam was klein en zelfs als ze zich erdoorheen kon wringen, lag de kamer twee verdiepingen boven de grond. Beneden liep een betonnen pad en het leek geen goed idee om beide benen te breken.
Haar wanhoop ging over in paniek toen het geluid van de voetstappen tot haar doordrong. Nu verwenste ze zichzelf omdat ze geen telefoon in de slaapkamer had. Met ingehouden adem zag ze dat de deurknop langzaam werd omgedraaid, tot het slot de beweging tegenhield, maar zowel het slot als de deur was erg oud. Toen iets met een flinke klap de deur raakte, sprong ze instinctmatig achteruit, terwijl een zachte kreet aan haar lippen ontsnapte. Ze keek de kamer rond, tot haar blik bleef rusten op het hemelbed. Snel liep ze erop af en ze rukte een van de ornamenten, die de vorm had van een ananas, van de bedstijl los. Godzijdank was ze er nog niet aan toegekomen om een hemel over het bed te laten maken. Het ornament was van solide hout en het woog minstens een pond.

Ze hield het in een opgeheven hand en deed snel een paar passen in de richting van de deur. Die trilde toen een tweede slag viel, het slot boog door onder het geweld; de deurpost begon te versplinteren. Meteen na die klap stak Sara haar hand uit, draaide zachtjes de sleutel om en deed vervolgens een stap achteruit. Nu de deur niet meer op slot zat, vlogen deur en man bij de volgende klap de kamer in. Sara bracht haar arm omlaag en het ornament trof doel. Ze holde de deur uit en de overloop op. De man die ze had geslagen, lag kreunend op de vloer en omklemde zijn schouder.

Sara wist dat Rayfield en Tremaine dood waren. Dan moest de man die ze zojuist had neergeslagen Dellasandro zijn, of... ze huiverde bij de gedachte dat die man in haar huis zou zijn... Warren McKenna. In twee sprongen was ze de trap af, ze griste haar autosleutels van de tafel en gooide de voordeur open om naar haar auto te rennen. Toen slaakte ze een kreet van angst.

De tweede man keek haar aan, kalm, koel. Leo Dellasandro kwam een stap naar voren en richtte het pistool op haar. De man in het zwart kwam de trap af hollen, nog steeds zijn schouder vasthoudend. Ook hij had een pistool op haar gericht. Dellasandro deed de deur dicht. Sara keek naar de man achter haar. Dat moest McKenna zijn. Toen veranderde haar gezichtsuitdrukking. Deze man was bij lange na niet groot genoeg om de FBI-agent te zijn.

De bivakmuts werd afgenomen en Richard Perkins keek haar woedend aan. Toen lachte hij om haar zichtbare verbazing en haalde een paar papieren uit zijn rugzak. 'Je moet over mijn naam heen hebben gelezen op de personeelslijst van Fort Plessy, Sara. Wat slordig van je.'

Ze keek hem nijdig aan. 'Een hoofd gerechtelijke diensten van het Hooggerechtshof en een commissaris van politie, beiden deelgenoot in een walgelijk misdrijf.'

'Harms heeft dat meisje gedood, ik niet,' zei Dellasandro.

'Heb je dat jezelf wijsgemaakt, Leo? Jij hebt haar gedood, niet Rufus. Even zeker als dat jij je handen om haar nek had geklemd.'

Dellasandro wierp haar een gemene blik toe. 'Die klootzak. Als ik mijn zin had gekregen, had ik hem vol lood gepompt in plaats van die verdomde drug. Hij maakte het uniform te schande.'

'Hij had dyslexie,' schreeuwde Sara tegen hem. 'Hij volgde zijn orders niet op omdat hij ze niet kon begrijpen, stommeling. Je hebt zijn leven en dat van het meisje voor niets verwoest.'

Dellasandro grinnikte vals. 'Zo zie ik het niet. Helemaal niet. Hij kreeg wat hij verdiende.'

'Hoe is het met je gezicht, Leo? John heeft je een paar flinke meppen

gegeven. Hij weet alles, natuurlijk.'
'Dan zullen we hem ook een bezoekje moeten brengen.'
'Jij, Vic Tremaine en Frank Rayfield?'
'Reken daar maar op,' zei Dellasandro spottend.
'Je vrienden zijn dood.' Sara glimlachte terwijl de hatelijke lach van Dellasandro's gezicht verdween. 'Ze hebben Rufus en zijn broer in een hinderlaag gelokt, maar net als de laatste keer konden ze het karwei niet afmaken,' liet ze er uitdagend op volgen.
'Dan hoop ik dat ik de kans krijg om het voor hen te doen.'
Sara bekeek hem van top tot teen en ten slotte schudde ze vol walging haar hoofd. 'Vertel eens, Leo, hoe is zo'n stuk vergif als jij ooit bij de politie terechtgekomen?'
Hij sloeg haar in het gezicht en zou haar nog eens hebben geslagen als Perkins hem niet had tegengehouden. 'We hebben geen tijd voor die grapjes, Leo.' Hij pakte Sara bij haar schouder. Toen ging de telefoon.
Perkins keek Dellasandro aan. 'Fiske?' Hij keek weer naar Sara. 'Fiske is zeker bij Harms? Daarom konden jullie niet bij elkaar blijven.' Sara keek de andere kant op. De telefoon bleef rinkelen. Perkins duwde zijn pistool onder haar kin en zijn vinger spande de trekker. 'Ik vraag het je nog één keer. Is Fiske bij Rufus Harms?' Hij drukte het wapen nog harder tegen haar huid. 'Over twee seconden heb je geen hoofd meer, dat zweer ik je. Geef antwoord!'
'Ja! Ja, hij is bij hem,' zei ze met gesmoorde stem toen het metaal tegen haar luchtpijp drukte.
Hij duwde haar naar de telefoon. 'Neem op. Als het Fiske is, spreek je op een bepaalde plaats met hem af. Ergens hier in de buurt, maar afgelegen. Zeg tegen hem dat je nog meer hebt ontdekt. Als je ook maar iets zegt om hem te waarschuwen, ben je er geweest.' Ze aarzelde. 'Schiet op! Of sterf!' Sara begreep dat de keurige Perkins feitelijk de gevaarlijkste van haar twee belagers was. Langzaam nam ze de hoorn op. Perkins bleef vlak naast haar staan luisteren, met zijn pistool tegen haar slaap gedrukt. Snel haalde ze diep adem om te kalmeren.
'Hallo?'
'Sara?' Het was Fiske.
'Ik heb overal geprobeerd je te bereiken.'
'Dat weet ik. Ik heb net het antwoordapparaat afgeluisterd. Ik heb Rufus bij me.'
Perkins bleef het pistool tegen haar hoofd drukken, terwijl hij meeluisterde. 'Waar ben je?' vroeg ze.
'We zijn halverwege Washington. Bij een wegrestaurant.'
'Wat ben je nu van plan?'

'Ik denk dat het tijd wordt dat we naar Chandler gaan. Rufus en ik hebben het besproken.'
Perkins schudde zijn hoofd en wees naar de telefoon.
'Dat lijkt me niet zo'n goed idee, John.'
'Waarom niet?'
'Ik ben nog een paar dingen te weten gekomen die je eerst moet horen. Voor je naar Chandler gaat.'
'Wat dan?'
'Dat kan ik niet door de telefoon zeggen. Misschien wordt die afgeluisterd.'
'Kom nou. Dat betwijfel ik, Sara.'
'Ik weet wat, geef me het nummer waar je nu bent, dan bel ik je vanuit de auto.' Ze keek Perkins aan. 'Dan kunnen we een plaats afspreken om elkaar te ontmoeten. Daarna gaan we naar Chandler. De FBI heeft het nummerbord van de auto waarin je rijdt. Daar moet je je in elk geval van ontdoen.'
Hij gaf haar het nummer, dat ze op de blocnote schreef die bij de telefoon lag. Ze scheurde het blaadje eraf.
'Weet je zeker dat je het me niet via de telefoon kunt vertellen?'
'Ik heb met je vriend bij het JAG gesproken,' zei Sara, in stilte biddend dat hij zou begrijpen wat ze nu ging zeggen. Als Fiske verkeerd reageerde, was het afgelopen met haar. Ze moest hem vertrouwen. 'Darnell Jackson heeft me alles verteld over de proeven met PCP.'
Fiske verstijfde en keek naar Rufus, die in de auto voor het donkere wegrestaurant zat. *Darnell Jackson.* Snel antwoordde hij: 'Darnell heeft me nog nooit in de steek gelaten.'
Sara slaakte inwendig een diepe zucht. 'Ik bel je over vijf minuten terug.' Ze legde de hoorn neer en keek naar de twee mannen.
Perkins grinnikte boosaardig. 'Goed gedaan, Sara. Laten we nu je vrienden gaan opzoeken.'

•59•

Nadat Sara hem had teruggebeld en de plaats had genoemd waar ze elkaar zouden treffen, pleegde Fiske nog één telefoontje. Het nieuws

was niet goed. Helemaal niet goed. Hij stapte in de auto en keek Harms aan. 'Hij heeft Sara te pakken.'
'Wie heeft haar te pakken?' vroeg Harms.
'Je oude makker. Dellasandro. Hij is de enige die nog over is.'
'Wat bedoel je, de enige die nog over is?'
'Rayfield en Tremaine zijn dood. Dus is er alleen Dellasandro nog. Sara heeft het me gezegd zonder het hem te laten merken...' Fiske zweeg en keek naar Rufus, die hem vragend aanstaarde. Haperend zei Fiske: 'Rufus, hoeveel mannen waren er die avond bij in het strafkamp?'
'Vijf.'
Fiske liet zich achteroverzakken. 'Ik weet alleen af van de drie die ik zojuist opnoemde. Wie zijn de andere twee?'
'Perkins. Dick Perkins.'
Fiske voelde zich misselijk worden. 'Richard Perkins is nu hoofd gerechtelijke diensten bij het Hooggerechtshof.'
'Ik heb hem sinds die avond niet meer gezien, en dat is maar goed ook. Op Tremaine na was hij de ergste van het stel. Hij kwam altijd binnen en dan sloeg hij me met zijn gummiknuppel. Hij is degene die me de injectie met PCP heeft gegeven.'
'En de vijfde man?'
'Die kende ik niet. Ik had hem nooit eerder gezien.'
'Dat geeft niet. Ik denk dat ik weet wie het is.' Sara had niet tegen hem gezegd dat ze de naam op de personeelslijst van Fort Plessy had gevonden, maar Fiske had het ten slotte zelf uitgedacht. Het beeld van Warren McKenna stond hem helder voor ogen. Daarom probeerde de FBI-agent hem te belasten. Alles viel op zijn plaats. Fiske startte de auto.
'Waar gaan we naartoe?'
'Sara heeft net teruggebeld. Ze wil, zíj willen, dat we elkaar ontmoeten op een terrein naast de GW Parkway in Virginia. Ik heb geprobeerd Chandler te pakken te krijgen, maar hij was er niet. Ik heb een boodschap achtergelaten en hem gezegd waar we heen gaan. Nu hoop ik alleen maar dat hij op tijd komt.'
'Wij gaan wel?'
'Als we niet gaan, zullen ze Sara vermoorden. Als je niet mee wilt, kun je het rustig zeggen.'
Ten antwoord haalde Harms een pistool uit zijn zak en gaf het aan Fiske. 'Weet je hoe je met zo'n ding moet omgaan?'
Fiske nam het wapen aan en schoof het magazijn eruit om zich ervan te overtuigen dat het geladen was. 'Ik denk het wel,' zei hij.

Het was bijna middernacht en de Parkway was verlaten. Op verschillende punten waren er afritten met picknickplaatsen en kleine parkjes, waar families zich overdag verzamelden om te barbecuen en te relaxen. Maar nu, toen Fiske kwam aanrijden, lag het gebied er donker en eenzaam bij. Ook dodelijk, wist hij. Hij keek naar de verschillende borden tot hij de plek vond die hij zocht. Op hetzelfde moment dat hij het bord las, zag hij Sara's auto staan op het verder lege parkeerterrein. Grote bomen vormden de achtergrond voor het met gras begroeide picknickveld. Daarachter kon Fiske de diepere duisternis onderscheiden die de Potomac vormde.

Rufus zat ineengedoken op de achterbank, zijn ogen ter hoogte van de onderrand van het raampje. Zijn blik zocht de donkere omgeving af. 'Er zit iemand in de auto. Maar ik kan niet zeggen of het een man of een vrouw is,' zei hij.

Fiske tuurde die kant op en knikte bevestigend. Onderweg hadden ze een soort plan uitgestippeld. Nu ze de situatie hadden verkend, konden ze dat plan ten uitvoer brengen. Hij minderde snelheid toen ze een bocht in de weg waren gepasseerd en vanuit Sara's wagen niet meer konden worden gezien. Daar stopte Fiske. Het achterportier van de auto ging open en Rufus verdween snel tussen de hen omringende bomen, om door het bos terug te lopen naar het parkeerterrein.

Fiske reed het parkeerterrein op en stopte een paar plaatsen voorbij Sara's auto. Hij keek ernaar en zag haar tot zijn opluchting achter het stuur zitten. Hij trok zijn pistool en stapte langzaam uit. Over het dak van zijn auto keek hij naar haar. 'Sara?'

Ze keek naar hem, knikte en glimlachte strak. De glimlach verdween toen de man naast haar overeind kwam en zijn pistool tegen haar hoofd drukte. Ze stapten beiden aan de linkerkant uit. Dellasandro hield een arm om haar nek geslagen, zijn vrije hand hield het pistool dicht tegen haar slaap gedrukt.

'Hierheen, Fiske,' zei Dellasandro. Fiske deed zijn best om geschokt te kijken. 'Waar is Harms?' zei Dellasandro.

Fiske wreef met veel vertoon over zijn wang. 'Die is van plan veranderd. Hij wilde niet naar de politie. Hij heeft me een oplawaai verkocht en is er toen vandoor gegaan.'

'Heeft hij de auto voor jou achtergelaten? Dat denk ik niet. Geef me het antwoord dat ik wil horen of je vriendin krijgt een kogel in haar hoofd.'

'Ik zeg je dat het waar is. Je weet hoe lang hij in de gevangenis heeft gezeten. Hij heeft de auto niet meegenomen omdat hij niet eens kan rijden.'

Dellasandro dacht hier even over na. 'Kom hier. Ik wil dat je je handen hoog, heel hoog houdt.'

Fiske stopte het pistool tussen zijn broekriem en stak daarna zijn handen in de lucht. Langzaam liep hij om de auto heen in hun richting. Toen hij dichtbij was, zag hij de lelijke blauwe plek op Sara's wang. 'Is alles goed met je, Sara?'
Ze knikte. 'Het spijt me, John.'
'Ja, ja, hou je kop nu maar dicht,' zei Dellasandro. 'Waar precies heeft Harms je in de steek gelaten?'
'Toen we de snelweg af kwamen. We zijn gekomen via Route One.'
'Nogal stom van hem om er op die manier vandoor te gaan. Hij zal niet ver komen.'
'Nou, je kent het spreekwoord, je kunt een paard wel in het water trekken, maar hem niet dwingen om te drinken.'
'Waarom geloof ik geen woord van wat je zegt?'
'Misschien omdat je je hele leven al een verdomde leugenaar bent geweest en denkt dat iedereen net zo is als jij.'
Dellasandro richtte zijn pistool op Fiskes hoofd. 'Het zou zo leuk zijn om jou overhoop te schieten.'
'Een beetje lastig om je van een paar lichamen te ontdoen.'
Dellasandro keek in de richting van de rivier. 'Niet wanneer Moeder Natuur je een handje kan helpen.'
'Denk je dat Chandler niets zal vermoeden?'
'Wat valt er te vermoeden? De politie gelooft dat je je broer hebt vermoord om het geld van de verzekering. Die griet hier is vandaag ontslagen vanwege jou en die stomme broer van je. Haar hele carrière is naar de bliksem. Toen jullie elkaar ontmoetten, liep het uit de hand. Misschien vermoordde je eerst haar en pleegde je daarna zelfmoord. Misschien is het andersom. Wie kan het iets schelen? Ze zullen haar auto vinden en een paar dagen of weken later spoelen jullie lichamen ergens aan. Wat ervan over is, tenminste. Dan is de zaak gesloten.'
'Eigenlijk is dat een goed plan. En omdat ik weet dat jij het met geen mogelijkheid zelf hebt kunnen bedenken, waar zijn je partners?'
'Wat bedoel je?'
'De andere twee kerels die die avond in het strafkamp waren.'
'Perkins is er een van,' riep Sara. 'Hij is ook hier.'
'Kop dicht!' brulde Dellasandro.
'Die ene kende ik al. Ik geloof dat ik wel kan raden wie de andere is.'
'Voer je theorie maar aan de vissen. Vooruit, mee.'
Ze begonnen met zijn drieën naar de rivieroever te lopen. Fiske keek snel naar Dellasandro. 'Haal je niets in je hoofd, Fiske. Ik kan je op vijftig meter afstand nog raken, laat staan op minder dan een halve meter. En als je van plan was me tussen de bomen te laten bespringen door die

stomme neger, laat hem dan maar komen.'
Omdat dat nu juist het plan was, zonk Fiske de moed in de schoenen. Toen raakte een kogel de grond, vlak naast Dellasandro's been. Hij schreeuwde en haalde het pistool van Sara's hoofd.
Fiske schopte hem hard in zijn buik, zodat hij dubbelsloeg, en gaf hem vervolgens met zijn vuist een klap op zijn hoofd. Voor Dellasandro zich kon herstellen, kwam Harms van achter een boom aanvliegen en ramde hem met de kracht van een op hol geslagen tank. Het kwam zo hard aan dat de man de oever af gleed, het water in. Fiske trok zijn pistool. Harms stond op het punt achter Dellasandro aan te gaan, toen kogels hen om de oren begonnen te fluiten en iedereen zich op de grond liet vallen.
Fiske hield beschermend een arm om Sara heen. 'Zie je iets, Rufus?'
'Ja, maar je zult het niet leuk vinden. Ik geloof dat die schoten uit twee verschillende richtingen kwamen.'
'Geweldig, dan heeft hij alle twee zijn maten meegenomen. Shit!' Hij omklemde zijn pistool. 'Hoor eens, Rufus, we doen het zo: we vuren allebei twee keer en laten hen terugschieten, dan kunnen we aan de lichtflitsen zien waar de schoten vandaan komen. Dan dek ik jou, jij neemt Sara mee en maakt dat je als de donder wegkomt. Ga naar haar auto en verdwijn.' Voor Sara iets kon zeggen, voegde hij eraan toe: 'Iemand moet toch naar Chandler.'
Rufus zei: 'Ik kan hier blijven. Die kerels hebben veel meer van mij te goed dan van jou.'
'Ik denk dat je me nu lang genoeg hebt geholpen.' Hij richtte zijn wapen. 'Jij schiet naar links en kijkt naar links. Een, twee, drie, nu!' Sara hield haar handen voor haar oren toen de schoten klonken. Een paar seconden later werd hun vuur beantwoord.
Fiske en Rufus keken snel waar de lichtflitsen te zien waren. Fiske zei: 'Een van hen schiet in het wilde weg. Misschien hebben we hem geraakt. Goed, ik schiet nu naar beide kanten. Jij houdt je pistool gereed, maar schiet niet. Ik ga ongeveer tien meter naar rechts. Ik trek hun vuur mijn kant op. Ik tel tot twintig en als je de eerste schoten hoort, ben je weg.'
Fiske zette zich in beweging, maar Sara klemde zich aan zijn hand vast, niet bereid om hem te laten gaan.
Fiske wilde iets zinnigs zeggen, zelfs iets opschepperigs, om haar te laten zien dat hij niet bang was. Maar dat was hij wel. 'Ik weet wat ik doe, Sara. En ik denk dat vijftig jaar blijven leven beter is dan niets.'
Ze keek hem na toen hij wegkroop, ervan overtuigd dat het de laatste keer zou zijn dat ze hem levend zag.
Een minuut later vielen de schoten. Rufus sleepte Sara half mee terwijl

ze naar de auto renden. Ze haalden het en Rufus gooide het portier open om Sara naar binnen te duwen, voordat hij er zelf in klom.
Fiske sloop langzaam door de struiken, de stank van verhit metaal en ontploft kruit hing om hem heen. Hij had de moed laten zakken. Weliswaar had hij zijn schoten zorgvuldig geteld, maar om te beginnen was het magazijn, zonder dat hij het wist, niet vol geweest; hij had geen munitie meer. Toen hij de auto hoorde starten, lachte hij grimmig. Doordat hij een ogenblik werd afgeleid en het nog in zijn oren gonsde van de schoten die hij had afgevuurd, hoorde hij het geluid achter zich pas toen het te laat was.
Druipend van het smerige rivierwater richtte Dellasandro het pistool op hem. Fiske kon geen woord uitbrengen, zijn mond was te droog. Hij kon evenmin ademhalen, alsof zijn longen hadden begrepen wat er gebeurde en hadden besloten om, een paar seconden voor ze er door de kogel toe zouden worden gedwongen, op te houden met werken. Hij had al twee kogelgaten in zijn lichaam, een derde zou het karwei afmaken. Darnell Jackson had tegenover Fiskes pistool gestaan, was uit zijn evenwicht gebracht nadat hij Fiskes partner had gedood; Dellasandro kende dergelijke problemen niet. Fiske keek naar de rivier. Als hij een week in dat water had gelegen, zou zelfs zijn eigen vader hem niet meer kunnen identificeren. Daarna keek hij weer naar Leo Dellasandro: het laatste wat hij zou zien voor hij stierf.
Toen het schot viel, keek Fiske verbluft en zwijgend toe hoe Leo Dellasandro vooroversloeg en stil bleef liggen.
Fiske keek op. Wat hij zag maakte dat hij wenste dat Dellasandro zijn eigen schot had kunnen afvuren. McKenna stond op hem neer te kijken. Fiske kon slechts zijn hoofd schudden. Waarom was het Chandler niet geweest? Waarom kon hij deze ene keer niet op tijd zijn? Toen zag hij Dellasandro's pistool, dat vlak bij hem op de grond was gevallen.
'Waag het niet, Fiske,' zei McKenna scherp.
'Klootzak!'
'Feitelijk dacht ik dat je me wilde bedanken.'
'Waarvoor? Omdat je je medeplichtige hebt neergeschoten voor je mij doodt?'
Ten antwoord haalde McKenna een tweede pistool uit zijn zak. 'Hier is jouw pistool. Dat heb ik toevallig gevonden.'
'O ja? Op een keer, op een dag zul je krijgen wat je toekomt.'
McKenna keek naar Dellasandro. 'In zekere zin is dat zojuist gebeurd.'
Het volgende wat de man deed, verbijsterde Fiske volkomen.
McKenna draaide het pistool om en stak het hem toe, met de kolf naar voren. 'Nu moet je niet op me gaan schieten.' Hij stak een hand uit en

hielp Fiske overeind. 'Chandler is onderweg. Ik kon hem te pakken krijgen bij Sara thuis. Daar kwam ik net toen Perkins en Dellasandro vertrokken met Sara. Ik begreep dat ze haar gebruikten om jou erin te luizen. Ik ben hen achternagegaan als je onofficiële partner. Een beetje beter dan de laatste die je had. Ik blijf altijd op mijn hoede.'
Fiske kon hem alleen maar aanstaren zonder iets te zeggen.
'Perkins is ervandoor gegaan. Hij was de andere vent die schoot. Ik probeerde hem te raken, maar hij was te ver weg. Ik heb ook het schot afgevuurd om Leo af te leiden. Ik dacht al dat Rufus in de buurt zou zijn.'
'Ik dacht dat jij die avond een van de kerels in het strafkamp was,' zei Fiske.
'Dat was ik ook.'
'Waar ben je dan mee bezig? Met je geweten in het reine komen? Als dat zo is, ben je de enige van de vijf.'
'Ik was niet een van de vijf.'
'Je zegt net dat je die avond in het strafkamp was.'
'Er waren die avond zes mannen, naast Rufus.'
Fiske keek verwilderd. 'Ik begrijp het niet.'
'Ik was die avond de bewaarder, John. Het duurde vijfentwintig jaar voor ik erachter was wat er was gebeurd, maar dat was me nooit gelukt zonder jou en Sara. Ik denk dat ik op de PCP kwam, vlak nadat jij het had ontdekt, op je kantoor. Ik heb nooit iets geweten van proefnemingen met drugs in Fort Plessy, hoewel ik denk dat het ook niet iets was wat ze rondbazuinden.'
'Of iemand anders ervan wist of niet, ik geloof niet dat het destijds iemand iets kon schelen wat er met Rufus Harms gebeurde.'
'Eerlijk gezegd, John, kon het mij wel schelen.' McKenna keek naar de grond. 'Ik had gewoon het lef niet om er iets tegen te doen voor het te laat was. Ik had die hele zaak kunnen tegenhouden.' Zijn lichaam leek even ineen te krimpen toen zijn gedachten teruggingen naar het verleden. 'Maar ik heb het niet gedaan.'
Fiske bleef de man een poosje aankijken, nog steeds duizelig als gevolg van deze laatste ontwikkeling. 'Nou, je doet er nu wel iets aan.'
'Vijfentwintig jaar te laat.'
'Rufus komt vrij, toch? Dat is het enige wat hij wil.'
McKenna keek op. 'Rufus is nu vrij, John. Niemand zal hem ooit weer in de gevangenis stoppen. Als ze het proberen, krijgen ze met mij te doen. En geloof me, het zal ze niet lukken.'
Fiske keek naar de weg. 'En Perkins?'
McKenna glimlachte. 'Ik weet precies waar Perkins naartoe gaat. We

kunnen Sara in de auto bellen om het haar te zeggen. Zodra Chandler hier is, gaan we.'
'Gaan we? Waarheen?'
'Perkins gaat naar de vijfde man die die avond in het strafkamp was.'
'Wie? Wie was het?'
'Daar kom je nog wel achter. Nog even, dan weet je alles.'

•60•

Toen de vrouw de deur opendeed, stormde Richard Perkins langs haar heen. 'Waar is hij?'
'In zijn studeerkamer.'
Perkins holde de hal door en wierp de deur open. De lange man keek hem aan, een kalme blik in zijn ogen.
Perkins deed de deur achter zich dicht. 'Alles is in het honderd gelopen en ik moet hier weg.'
Jordan Knight leunde achterover en schudde zijn hoofd. 'Als je wegloopt, zullen ze weten dat je schuldig bent.'
'Ze weten nu al dat ik schuldig ben. Ik heb Sara Evans gekidnapt. Leo is nu waarschijnlijk al dood.'
'Je bent haar gevolgd vanaf het moment dat ze vandaag het Hooggerechtshof verliet. Ik hoopte dat, wanneer ik je weer zag, alles geregeld zou zijn. Maar het is nog steeds haar woord tegen het jouwe.'
'Waarom zou ze zoiets verzinnen?'
Jordan streek over zijn kin. 'Denk nu eens even na. Ze is vandaag ontslagen. Jij hebt haar begeleid tot ze het gebouw uit was. Ze uit wilde beschuldigingen tegen je, misschien kun je er zelf nog een paar bedenken om je positie te verstevigen.'
'Rufus Harms is nog steeds op vrije voeten. Ik heb hem gezien.'
Jordans gezicht versomberde. 'Ah, de beroemde meneer Harms.'
'Hij heeft Frank en Vic gedood.'
'Twee mensen minder om ons zorgen over te maken.'
'Dat is verdomd koelbloedig van je. Jij was degene die hun heeft opgedragen om Michael Fiske te vermoorden. Jij hebt het allemaal op gang gebracht.'

Jordan keek nadenkend. 'Ik begrijp nog steeds niet hoe Rufus Harms mijn naam kon noemen in dat verzoekschrift. Hij kende de rest van jullie, maar ik was niet eens in militaire dienst.'
'Hij heeft je naam niet genoemd.'
Jordan leek geschokt, maar toen toonde hij een sprankje hoop.
Perkins legde het uit. 'Ik heb Tremaine gesproken. Rayfield heeft tegen je gelogen. Jij werd niet genoemd in het verzoekschrift. Alleen wij vieren.'
'Dus ik ben de enige onbekende.' Knight stond op en keek Perkins aan. God, dat betekende dat er nog steeds een uitweg voor hem was. Nog één ding, één man om zich van te ontdoen, dan was deze nachtmerrie voorbij. Hij begon bijna te beven bij die gedachte.
'God, dit alles heeft zo lang geduurd, en waarvoor? We hebben de vent volgestopt met PCP en nu draait het hierop uit.'
'Jij hebt het hem toegediend, Richard.'
'Je hoeft nu niet zo uit de hoogte te doen. Het was jouw idee om de PCP te gebruiken, meneer CIA.'
'Ja, natuurlijk... ik was daar om de proefnemingen te begeleiden. En ik hoorde jullie allemaal klagen over Harms. Ik probeerde jullie alleen maar een dienst te bewijzen.' Met een ontmoedigende kalmte keek hij Perkins aan. 'Ik ben nu natuurlijk heel erg anti-drugs.'
'Doorzetten tot het einde? En ben je ook anti-moord? Hoe denk je daarover, senator?'
'Ik heb nooit iemand gedood.'
'En dat kleine meisje dan, Jordan? Wat gebeurde er met haar?'
'Rufus Harms heeft verklaard schuldig te zijn aan dat misdrijf. Wat mij betreft is die verklaring niet gewijzigd.'
'Nou, dat zal gauw genoeg gebeuren als we er niets aan doen.'
'Weet je zeker dat je wilt vluchten?'
'Ik ben niet van plan te blijven wachten tot de bijl valt.'
'Ik neem aan dat je geld nodig hebt?'
Perkins knikte. 'Ik heb geen goed pensioen in het vooruitzicht, zoals we dat voor Vic en Frank hebben geregeld. Ik heb de slechte gewoonte altijd boven mijn stand te leven.'
Jordan haalde een sleutel uit zijn zak en ontsloot een van zijn bureauladen. 'Ik kan je om te beginnen vijftigduizend geven.'
'Dat klinkt goed. Om te beginnen.'
Jordan draaide zich om en richtte het pistool op Perkins.
'Verdomme, wat heeft dat te betekenen, Jordan?'
'Je komt hier binnenstormen, kennelijk buiten zinnen, je praat over die walgelijke misdaden die je hebt begaan, waaronder het ontvoeren van

Sara Evans. En waarom? Ik zou het niet weten. Je bedreigt me. Ik slaag erin mijn pistool te pakken en ik schiet je neer.'
'Je bent gek. Niemand zal dat geloven.'
'O ja, dat zullen ze wel, Richard.' Jordan haalde de trekker over en Perkins viel op de grond. Hij hoorde een gil uit de hal. Hij liep naar het lichaam, fouilleerde Perkins razendsnel, vond zijn pistool, plaatste het in de hand van de dode en vuurde een schot af op de muur. 'Alles goed,' riep hij, terwijl hij opstond en zijn pistool weglegde. 'Er is niets met me aan de hand.' Hij opende de deur, maar bleef als versteend staan toen Rufus Harms hem aankeek. Achter Rufus stonden Chandler, McKenna, Fiske en Sara.
Eindelijk kon Jordan zijn blik van Rufus losrukken. Hij keek Chandler aan. 'Richard Perkins kwam hier binnenstormen en uitte wilde bedreigingen. Hij had een wapen. Gelukkig was ik een betere schutter.'
McKenna deed een stap naar voren. 'Senator, u herinnert zich mij geloof ik niet meer? Ik bedoel, behalve van de FBI?' Jordan staarde hem aan zonder hem te herkennen. McKenna ging nog dichter bij hem staan. 'Perkins en Dellasandro herkenden me ook niet. Het is lang geleden en we zijn allemaal veel veranderd. Bovendien was iedereen die avond behoorlijk dronken. Iedereen, behalve u.'
'Ik heb er geen idee van waar je het over hebt.'
'Ik had dienst als bewaarder op de avond dat u en uw vrienden een bezoek brachten aan Rufus in Fort Plessy. Het was voor mij de eerste en tevens de laatste keer dat ik de wacht had in het strafkamp. Waarschijnlijk komt het daardoor dat niemand zich me meer herinnert.'
Jordan Knight deinsde terug. 'Zou ik moeten weten waarover je praat?'
'Ik liet u binnen om naar Rufus te gaan omdat ik een groentje was, een bange soldaat, en omdat ik een kapitein had die me daar opdracht toe had gegeven. Toen kwam Rufus zijn cel uit gestormd, hij gooide me ondersteboven en veranderde het leven van iedereen. Vijfentwintig beroerde jaren heb ik me afgevraagd wat er daarbinnen nu echt was gebeurd. Ik hield mijn mond over jullie allemaal, omdat ik bang was. Rayfield was de oudste in rang. Hij regelde dat ik er geen problemen mee kreeg, maar hij maakte me duidelijk dat ik beter mijn mond kon houden over degenen die daarbinnen waren geweest. Ik wist trouwens toch niet wat er was gebeurd. En tegen de tijd dat ik de moed had om iets te vragen, was het allemaal voorbij en zat Rufus in de gevangenis. Al die jaren heb ik met dat schuldgevoel geleefd. Maar ik ben er nog gemakkelijk van afgekomen.' McKenna keek naar Rufus. 'Het spijt me, Rufus. Ik was een slappeling, een lafaard. Het maakt voor jou waarschijnlijk weinig uit, maar er is geen dag voorbijgegaan dat ik mezelf

niet haatte om wat er was gebeurd.'
Jordan schraapte zijn keel. 'Heel roerend, agent McKenna. Ik geloof echter dat je je vergist als je denkt dat je me die avond in het strafkamp hebt gezien.'
'Uit de gegevens van de CIA zal blijken dat u in Fort Plessy was om toezicht te houden op de PCP-testen die werden uitgevoerd op soldaten die daar waren gestationeerd,' merkte McKenna op.
'Als je die gegevens kunt bemachtigen, moet je het doen. Zelfs al was ik daar, wat dan nog? Ik zat destijds bij de Inlichtingendienst. Dat is geen geheim. Het publiek weet er alles van.'
'Ik vraag me af of uw aanhangers het geen onprettig idee zullen vinden dat u soldaten PCP toediende?' vroeg Chandler driftig.
'Zelfs als ik dat zou hebben gedaan... en ik geef niets toe... Het programma was geheel volgens de regels van de wet, zoals mijn vrouw u zeker zal kunnen vertellen.'
'De VS versus Stanley?' zei Sara verbitterd.
Jordan wendde zijn ogen niet van McKenna af. 'Het is wel erg toevallig dat u beweert in het strafkamp te zijn geweest en dat u nu bij deze zaak betrokken bent,' zei hij.
'Het was geen toeval. Toen ik uit dienst kwam, heb ik mijn studie afgemaakt en vervolgens ben ik naar de FBI-academie gegaan. Maar ik hield u en de anderen in de gaten. Schuld is een heel sterke motivatie. Rayfield en Tremaine volgden Rufus waar hij ging. Dat vond ik verdacht, maar het bewees niets. Perkins en Dellasandro bleven bij u in de buurt. Ze hadden banen in uw verschillende bedrijven. Ik liet me overplaatsen naar het Richmond Field Office, zodat ik vlak bij u kon zijn. Toen u naar D.C. ging, zorgde u ervoor dat Dellasandro en Perkins een baan kregen bij de Senaat. Daarom vroeg ik om overplaatsing naar D.C. Toen u een paar jaar geleden zitting nam in de Juridische Commissie van de Senaat, bezorgde u hun een baan bij het Hooggerechtshof. Erg aardig van u. Het moet een deel zijn van de vergoeding, van de afspraak die jullie allemaal hebben gemaakt. Rayfield en Tremaine fungeerden als babysitter voor Rufus. U zorgde voor Perkins en Leo. Ik durf te wedden dat we, als we hun bankrekeningen bekijken, ergens een heel aardig pensioentje zullen vinden.
Toen ik lucht kreeg van de moord op Michael Fiske, sprong ik er alleen bovenop omdat het iets met het Hooggerechtshof te maken had. Toen ik ontdekte dat Rufus er op de een of andere manier bij was betrokken, zwoer ik dat al die jaren dat ik u had achtervolgd nu eindelijk vruchten zouden gaan afwerpen. Nu is de waarheid eindelijk aan het licht gekomen.'

‘Een absurde speculatie, bedoel je,’ wierp Jordan Knight tegen. ‘Uit je eigen woorden blijkt dat je een of andere krankzinnige vendetta tegen me koestert. Ik vind het ongehoord dat je naar mijn huis komt en al die beschuldigingen uit, in het bijzonder nadat ik me gedwongen heb gezien een man die probeerde me te vermoorden, dood te schieten. Behalve rechercheur Chandler, die deze zaak, waar duidelijk sprake is van zelfverdediging, zal moeten onderzoeken, wil ik dat de rest van jullie onmiddellijk mijn huis verlaat.’

McKenna haalde een mobiele telefoon uit zijn zak, sprak erin en luisterde naar het antwoord. ‘Ik arresteer u, senator Jordan. Ik weet zeker dat rechercheur Chandler hetzelfde zal doen.’

‘Verdwijn uit mijn huis! Nu!’

‘Ik zal u nu uw rechten voorlezen.’

‘Voor de ochtend aanbreekt zit jij op een plek die bij de FBI gelijkstaat aan Siberië. Je hebt geen enkel bewijs.’

‘In feite is uw arrest gebaseerd op uw eigen woorden.’ Terwijl iedereen toekeek, knielde McKenna onder het bureau, voelde even rond en haalde vervolgens een afluisterapparaat tevoorschijn. ‘Uw verklaringen zijn luid en duidelijk ontvangen in de politieauto die voor uw huis geparkeerd staat.’ Hij keek Fiske aan. ‘Knight was degene die Rayfield heeft opgedragen je broer te vermoorden.’

Jordan werd razend. ‘Dat is volslagen onwettig. Er is geen rechter in de stad die je daar opdracht voor zou hebben gegeven. Ik ga niet naar de gevangenis, maar jij wel.’

‘We hadden geen gerechtelijke opdracht nodig. We hadden toestemming.’

‘Nonsens!’ bulderde Jordan. Het leek erop dat hij de agent zou aanvliegen. ‘Ik eis dat je me onmiddellijk die cassettes geeft. Je bent een imbeciel als je denkt dat iemand zal geloven dat ik hier toestemming voor heb gegeven.’

‘Dat heb je ook niet gedaan, Jordan. Dat heb ik gedaan.’

Het bloed trok uit Jordans gezicht weg toen zijn vrouw de kamer binnenkwam. Ze keek niet naar het lichaam van Perkins. Haar blik was strak op haar man gericht.

‘Jij?’

‘Ik woon hier ook, Jordan. Ik heb toestemming gegeven.’

‘Waarom, in godsnaam?’

Elizabeth bleef hem even aankijken. Toen raakte ze de mouw van Rufus Harms aan. ‘Om deze man, Jordan. Deze man is de enige reden die belangrijk genoeg is om me te laten doen wat ik deed.’

‘Voor hem? Hij heeft een kind vermoord.’

'Het heeft geen zin, Jordan. Ik ken de waarheid. En ik haat je om wat je hebt gedaan.'
'Wat ik heb gedaan? Alles wat ik ooit heb gedaan is mijn land dienen.' Hij priemde met een vinger naar Rufus. 'Deze man heeft nooit iets gedaan, voor niets en voor niemand. De schoft verdiende te sterven.'
Sneller in beweging komend dan zijn grote lichaam leek toe te laten, bereikte Rufus Knight. Zijn grote handen omklemden de keel van de senator en hij drukte hem tegen de muur.
'Loop naar de hel!' schreeuwde Rufus. Hij kneep harder en Knight begon rood aan te lopen.
McKenna en Chandler richtten hun wapens, maar konden er niet toe komen om te schieten. Ze leken hulpeloos. Ze pakten Rufus vast, maar het was alsof ze probeerden een berg te verzetten.
'Jordan!' gilde Elizabeth.
'Rufus, stop,' riep Sara.
Knight was bijna bewusteloos.
Fiske deed een stap naar voren. 'Rufus. Rufus?' Fiske haalde snel adem en zei het toen zonder eromheen te draaien. 'Josh heeft het niet gehaald.' Rufus' greep op Knights keel verslapte onmiddellijk en hij staarde naar Fiske. 'Hij is dood, Rufus. We hebben allebei onze broer verloren.' Fiske beefde zichtbaar en Sara legde een hand op zijn schouder. 'Als je hem doodt, ga je terug naar de gevangenis en dan is Josh voor niets gestorven.' Rufus' greep werd nog wat losser terwijl de tranen over zijn gezicht stroomden. 'Je kunt het niet doen, Rufus.' Fiske deed nog een onzekere stap naar voren. 'Je kunt het gewoonweg niet doen.'
Beide mannen, die zo'n zwaar verlies hadden geleden, keken elkaar aan. Toen liet Rufus zonder meer los en een hijgende Jordan Knight zakte op het tapijt ineen.

Jordan keek zijn vrouw niet aan toen hij geboeid werd afgevoerd door McKenna. Een uur later had het team van de technische opsporingsdienst zijn onderzoek voltooid en was het lichaam van Perkins weggehaald. Chandler, Rufus, Sara en Fiske bleven achter. Elizabeth Knight had zich in haar slaapkamer teruggetrokken.
'Wist jij hoeveel ervan waar was, Buford?' vroeg Fiske.
'Een deel. McKenna en ik hebben gepraat. Ik denk dat hij eerst echt geloofde dat jij er iets mee te maken had, of anders mocht hij je niet.' Chandler glimlachte. 'Maar nadat hij begreep dat Rufus er op de een of andere manier bij betrokken was, veranderde hij van mening. Ik vond het echter geen prettig idee dat hij een val voor je opzette. En hij heeft

het ontslag van Sara veroorzaakt.'
'Waarom?' vroeg Sara.
'Jullie tweeën kwamen heel dicht bij de waarheid. Dat betekende dat jullie allebei gevaar liepen. McKenna wist dat de mensen die erbij betrokken waren, tot vrijwel alles in staat waren. Maar hij had geen bewijs. Hij moest hen laten geloven dat jullie beiden de voornaamste verdachten waren. En telkens wanneer we in de buurt van Perkins en Dellasandro waren, liet McKenna duidelijk merken dat hij dacht dat het verzoekschrift van Rufus een verzinsel was en dat John de moordenaar moest zijn. Hij haalde je pistool weg en zorgde ervoor dat Perkins en Dellasandro wisten dat het zoek was. Hij hoopte dat het betekende dat ze zich veilig voelden en een steek zouden laten vallen. Het was ook bedoeld om jullie veilig te stellen.'
'Ik geloof niet dat hij in dat laatste is geslaagd,' merkte Sara huiverend op.
'Nee, hij rekende er niet op dat jullie het surveillanceteam zouden afschudden. Toen McKenna rechter Knight eenmaal zover had gekregen dat ze ermee instemde de afluisterapparatuur te plaatsen, moest hij de val laten dichtslaan. McKenna had al tegen rechter Knight gezegd dat hij haar man kende uit Fort Plessy, dus toen de senator tegen zijn vrouw zei dat hij moest bellen om die informatie te krijgen, wist ze dat hij loog.'
'De snelle reactie van rechter Knight heeft dus waarschijnlijk mijn leven gered,' zei Sara.
Chandler knikte instemmend. 'Toen alles misliep, wist McKenna dat Perkins ervandoor zou gaan en dat hij daarbij de hulp van Jordan nodig zou hebben. Het klopte allemaal precies. Dat Jordan Perkins neerschoot, hoorde niet bij het plan. Maar daar zal ik niet van wakker liggen.' Chandler keek naar Rufus Harms. 'Ik moet je in hechtenis nemen, maar dat zal niet lang duren.'
'Ik wil mijn broer zien.'
Chandler knikte. 'Daar kan ik voor zorgen.'
'Ik ga met je mee, Rufus,' zei Fiske.
Toen ze naar de deur liepen, kwam Elizabeth Knight hen in de hal tegemoet.
'Rechter Knight, u bent vanavond erg dapper geweest. Ik weet hoe pijnlijk het voor u was,' zei Chandler.
Elizabeth stak haar hand uit naar Rufus Harms. 'Het kan niet veel voor u betekenen na alles wat u hebt doorstaan, meneer Harms, maar dit alles spijt me erg. Het spijt me zo verschrikkelijk.'
Voorzichtig nam hij haar hand aan. 'Het betekent heel veel, mevrouw.

Voor mij, en voor mijn broer.'
Toen ze naar buiten liepen, keek Elizabeth Knight het groepje na en zei met nadruk: 'Vaarwel.'
Ze liepen naar de lift. De drie mannen stapten in, maar Sara aarzelde. 'Ik zie jullie straks wel,' zei ze. Toen de liftdeur dichtgleed, holde ze naar het appartement terug. Mary deed de deur open.
'Waar is rechter Knight?'
'In haar slaapkamer. Waarom...'
Sara rende langs haar heen en stormde de slaapkamer binnen. Zittend op het bed keek Elizabeth Knight naar haar voormalige griffier. De rechter hield haar hand stijf dichtgeknepen, het medicijnflesje lag leeg naast haar.
Langzaam liep Sara naar haar toe, ze ging zitten en pakte haar hand. Ze vouwde die open en de pillen vielen eruit. 'Elizabeth, dit is niet de manier om dit af te ronden.'
'Af te ronden?' zei Elizabeth hysterisch. 'Mijn leven is zojuist geboeid de deur uit gewandeld.'
'Jordan Knight is zojuist de deur uit gewandeld. Rechter Elizabeth Knight zit hier vlak naast me. Dezelfde rechter Knight die het Hooggerechtshof de volgende eeuw in zal leiden.'
'Sara...' Tranen stroomden over haar gezicht.
'Het is een benoeming voor het leven. En u hebt nog een heel leven over.' Sara drukte haar hand. 'Ik zou u graag willen helpen bij uw werk, uw heel belangrijke werk. Als u me terug wilt hebben.'
Sara sloeg haar arm om de trillende schouders van de vrouw.
'Ik weet niet of ik dit kan doen, of ik dit kan overleven.'
'Ik weet zeker dat u het kunt. En u zult het niet alleen doen, dat beloof ik.'
Elizabeth klampte zich vast aan de schouder van de jonge vrouw. 'Wil je vannacht bij me blijven, Sara?'
'Ik blijf zo lang u wilt.'

•61•

Omdat hij was onderscheiden met de *Silver Star*, de *Purple Heart* en de *Distinguished Service Medal*, had Josh Harms er recht op om te worden begraven met beperkte militaire eer, het hoogste wat een dienstplichtige kon bereiken, op het Nationale Kerkhof van Arlington. De vertegenwoordiger van het leger die naar Rufus toe was gekomen om over de begrafenis te spreken, leek er echter op gebrand het hem uit zijn hoofd te praten.

'Hij is gewond geraakt, heeft een stel mannen van zijn compagnie gered en een doos vol medailles gekregen,' zei Rufus, naar het uniform van de man kijkend met de enkele rij eremetaal erop gespeld. 'Dat is veel meer dan u daar hebt.'

De man vertrok zijn lippen. 'Maar hij had nu niet bepaald een fraaie staat van dienst. Hij had een probleem met het gezag. Ik heb begrepen dat hij het instituut dat hij vertegenwoordigde niet mocht en er absoluut geen respect voor had.'

'Dus u denkt dat het niet gepast is om hem daar tussen al die generaals en zo meer te begraven?'

'Het kerkhof begint vol te raken. Ik denk dat het een aardig gebaar zou zijn om de ruimte te reserveren voor soldaten die er echt trots op waren om het uniform te mogen dragen. Dat is het enige wat ik ervan zeg.'

'Ook al heeft hij het verdiend?' zei Rufus.

'Dat spreek ik niet tegen. Maar ik kan eigenlijk niet geloven dat uw broer daar begraven zou willen liggen.'

'Ik denk dat hij tot in alle eeuwigheid aan die hoge pieten precies zal vertellen hoe hij over hen denkt.'

'Zoiets,' zei de man droogjes. 'Dus we zijn het eens? U regelt dat hij ergens anders begraven wordt?'

Rufus keek de man aan. 'Mijn besluit staat vast.'

Zo werd op een koele, heldere dag in oktober voormalig sergeant Joshua Harms uit de Verenigde Staten ter ruste gelegd op het Nationale Kerkhof van Arlington. Uit een bepaalde hoek gezien was de grond zo dicht bedekt met witte kruisen, dat het leek of er vroege sneeuw op was gevallen. Toen de erewacht zijn saluut had afgevuurd en de pijper

de taptoe blies, werd de eenvoudige kist in de grond neergelaten. Rufus en een van Josh' zoons kregen de vlag, die tot een driehoek was opgevouwen, uit handen van een sombere en eerbiedige legerofficier, terwijl Fiske, Sara, McKenna en Chandler toekeken.
Later, toen Rufus een gebed uitsprak aan het graf van zijn broer, dacht hij aan al die lichamen die hier begraven lagen, de meeste in naam van de oorlog. Mannen en vrouwen hadden hier hun laatste rustplaats gevonden; hun leven was de prijs die betaald werd voor gewapende conflicten. Voor degenen die hun geschiedenis naplozen in het boek Genesis en nog verder terug, zoals Rufus deed, konden de doden die hier begraven lagen de schuld van de oorlog schuiven op de man genaamd Kaïn, en op de dodelijke slag die hij zijn broer Abel had toegebracht.
Nadat Rufus zijn gebed had beëindigd, zijn gesprek met zijn Heer en met zijn broer, stond hij op en sloeg een arm om de neef die hij tot op de dag van vandaag nog nooit had gezien. Zijn hart was bedroefd, maar zijn geest was verheugd. Hij wist dat zijn broer was overgegaan naar een beter leven. Zolang Rufus leefde, zou Josh Harms niet vergeten worden. En wanneer Rufus voor zijn Heer zou verschijnen, zou hij ook, nogmaals, zijn broer omarmen.

•62•

Twee dagen later werd Michael Fiske begraven op een klein kerkhof, even buiten Richmond. De drukbezochte rouwdienst werd bijgewoond door alle rechters van het Hooggerechtshof van de Verenigde Staten. Ed Fiske, in een oud pak, met keurig gekamd haar, stond verlegen naast zijn zoon om de condoleances van de juristen in ontvangst te nemen, samen met die van een groot aantal leden van de politieke en sociale elite van Virginia.
Harold Ramsey besteedde er een extra minuut aan om woorden van troost te spreken tot de vader en richtte zich vervolgens tot de zoon.
'Ik stel zeer op prijs wat je allemaal hebt gedaan, John. En het offer dat je broer heeft gebracht.'
'Het ultieme offer,' zei Fiske onvriendelijk.

Ramsey knikte. 'Ik heb begrip voor je standpunt. Ik hoop alleen dat je het mijne ook kunt respecteren.'
Fiske gaf de man een hand. 'Ik denk dat het in de wereld daarom draait.'
Toen hij naar Ramsey keek, moest Fiske denken aan wat de toekomst Rufus zou brengen. Fiske had hem aangespoord iedereen aan te klagen die hij kon bedenken, het leger en Jordan Knight inbegrepen. Moord verjaart niet en de daaropvolgende doofpotaffaire die op gang was gebracht door Knight en de anderen, had vele wetten overtreden.
Rufus had Fiskes advies echter niet opgevolgd. 'Behalve Knight zijn ze allemaal in een veel ergere plaats dan waar een aardse rechter hen naartoe kon zenden,' had hij gezegd. 'Dat is hun ware straf. En Knight zal moeten leven met wat hij heeft gedaan. Dat is voor mij voldoende. Ik heb geen reden om opnieuw verwikkeld te raken in rechtszaken en rechters. Ik wil gewoon als vrij man leven en veel tijd doorbrengen met de kinderen van Josh. En ik wil het graf van mijn moeder bezoeken. Dat is alles.'
Fiske had geprobeerd hem van gedachten te laten veranderen, tot hij besefte dat de man gelijk had. Bovendien, dacht Fiske, kon Rufus, gezien de jurisprudentie van het Hooggerechtshof, het leger toch al niet vervolgen. Tenzij Elizabeth Knight de zaak-Barbara Chance kon gebruiken om militairen dezelfde grondrechten te geven als overige staatsburgers. Om dat te doen, zou ze om Ramsey heen moeten. Toen hij daarover nadacht besloot Fiske dat, als iemand het zou kunnen doen, het Elizabeth Knight was. Hij zou de komende jaren graag willen meeluisteren in de rechtszaal van het Hooggerechtshof.
Er waren echter twee dingen die Fiske – met behulp van de JAG-advocaat Phil Jansen – voor Rufus zou regelen: eervol ontslag en een volledig militair pensioen met alle emolumenten. Rufus Harms zou geen armzalig bestaan hoeven te leiden, niet na alles wat hij had doorgemaakt.
Terwijl Fiske hierover nadacht, liepen hij en Sara een eindje op met Elizabeth Knight. Sara was teruggekeerd bij het Hof als Knights griffier. De gang van zaken werd geleidelijk aan weer normaal. Althans, zo normaal als mogelijk was met Knight en Ramsey in hetzelfde gebouw.
'Ik voel me ernstig verantwoordelijk voor dit alles,' zei Elizabeth.
Fiske wist dat zij en de senator gingen scheiden. De regering, en het leger in het bijzonder, wilde dit alles stil houden. In Washington werden belangrijke figuren ingeschakeld. Dat betekende dat Jordan Knight misschien niet naar de gevangenis zou gaan voor alles wat hij had aangericht. Zelfs met Elizabeth Knights toestemming werd de rechtsgel-

digheid van het plaatsen van de elektronische apparatuur nu reeds serieus in twijfel getrokken door de uiterst bekwame advocaten van de senator. Tijdens een bespreking met McKenna had de FBI-agent tegen Fiske gezegd dat het plaatsen van de afluisterapparatuur een riskante zet was geweest, omdat ze niet de toestemming hadden van een van de personen die zouden worden afgeluisterd, maar het was de enige manier geweest die McKenna had kunnen bedenken om Jordan Knight erbij te betrekken. Zonder de bandopname hadden Chandler en McKenna feitelijk niets om mee naar de rechter te stappen. Bij de gedachte dat Jordan ongestraft zou blijven, zou Fiske de man graag laat op een avond een bezoekje brengen, met zijn 9 mm-pistool. Maar de senator had geleden en dat zou zo blijven. Het afluisteren had wel gevolgen gehad. Jordan had afstand gedaan van zijn zetel in de Senaat en, wat erger voor hem was, hij had de vrouw verloren die hij aanbad. Hij had echter nog steeds zijn ranch in Nieuw Mexico. Laat dat dan maar je gevangenis van vijfendertig hectare zijn, dacht Fiske.

'Als ik ooit iets voor je kan doen,' zei Elizabeth Knight.

'Ik beloof u graag hetzelfde,' zei Fiske.

Een half uur nadat de laatste begrafenisgasten waren vertrokken, keken Fiske, zijn vader en Sara toe terwijl de stoelen en het groene tapijt werden weggehaald. De kist werd neergelaten en de dekplaat werd op het graf gelegd. Daarna werd het met zand bedekt. Fiske bleef nog een paar minuten praten met zijn vader en Sara en zei dat hij hen later weer zou zien in zijn ouderlijk huis. Hij zag hen wegrijden. Toen hij weer naar de berg verse aarde keek, was hij verbaasd. De grafdelvers waren nu weg, maar geknield naast het nieuwe graf zag hij Rufus Harms, met gesloten ogen en zijn bijbel in de hand geklemd.

Fiske liep naar hem toe en legde zijn hand op Rufus' schouder. 'Rufus, is alles goed? Ik wist niet dat je nog hier was.'

Rufus deed zijn ogen niet open en zei niets. Fiske zag zijn lippen licht bewegen. Ten slotte opende Rufus zijn ogen en keek hem aan.

'Wat was je aan het doen?'

'Bidden.'

'O.'

'En jij?'

'Hoezo, en ik?'

'Heb jij al voor je broer gebeden?'

'Rufus, sinds de middelbare school ben ik niet meer naar de kerk geweest.'

Rufus greep Fiske bij zijn mouw en trok hem naast zich. 'Dan wordt het tijd dat je weer begint.'

Fiske werd opeens bleek en hij keek naar het graf. 'Toe nou, Rufus, dit is niet grappig.'
'Er is niets grappigs aan om afscheid te nemen. Praat tegen je broer, en praat dan tegen je God.'
'Ik ken geen gebeden meer.'
'Je hoeft niet te bidden. Praat gewoon, in simpele woorden.'
'Wat moet ik dan zeggen?'
Rufus had zijn ogen alweer gesloten en antwoordde niet.
Fiske keek om zich heen om te zien of er iemand in de buurt was. Toen draaide hij zich om, keek naar Rufus, vouwde verlegen zijn handen en liet ze vervolgens, gegeneerd, naast zijn zijden bungelen. Eerst sloot hij zelfs zijn ogen niet, maar toen leken ze als vanzelf dicht te gaan. Hij voelde het vocht uit de grond door zijn broekspijpen omhoogtrekken, maar hij bewoog zich niet. Hij voelde de troostrijke aanwezigheid van Rufus naast zich. Hij wist niet of hij hier had kunnen blijven als de man er niet was geweest.
Hij concentreerde zich op alles wat er gebeurd was. Hij dacht aan zijn moeder en zijn vader. Het geld van de verzekering had ervoor gezorgd dat Gladys Fiske voor het eerst sinds jaren naar de schoonheidssalon had kunnen gaan, en voor wat nieuwe kleren waar ze zichzelf in kon bewonderen. Voor haar was hij nog steeds Mike, maar ze herinnerde zich tenminste een van hen. Ed Fiske zou binnenkort in een nieuwe Ford pick-up rijden en de hypotheek op het huis was afbetaald. Hij en zijn vader maakten plannen om volgend jaar te gaan vissen, in de Ozarks. Er was veel om dankbaar voor te zijn.
Glimlachend dacht Fiske aan Sara, dankbaar, ondanks alle complicaties die de vrouw met zich meebracht. Vijftig, zestig, misschien zeventig jaar oud worden? Waarom zou hij zich niet het voordeel van de twijfel gunnen? Hij had een leven te leven. In potentie een heel bevredigend leven. Zeker als Sara er deel van zou uitmaken. Toen hief hij zijn hoofd op en snoof de vochtige lucht op, rook de geur van bladeren die ergens werden verbrand. Er drong ook geroep van een kind tot hem door, gevolgd door de stilte van de doden om hem heen. Hij voelde zich nu meer op zijn gemak en ging op zijn hurken zitten, zich overgevend aan de omarming van de grond. De koele aanraking van het zand deed nu prettig aan.
Ten slotte dacht hij, met moeite, aan zijn broer. Hij was zo moe van de wrok die hij had gekoesterd. Hij stelde zich nu in op de werkelijkheid. Op de waarheid. Op zijn kleine broertje, iemand voor wie hij alles had willen doen. Hij herinnerde zich hoe trots hij, samen met zijn moeder en vader, was geweest op het uitzonderlijke menselijke wezen dat ze

gezamenlijk hadden grootgebracht. Omdat Mike een goed mens was geworden, met zijn kleine fouten, zoals zij allemaal. Een broer die, door zijn daden, had laten zien dat hij John Fiske respecteerde, dat hij om hem gaf. Van hem hield. Door de berg zand, langs de bloemstukken die erop lagen, in de bronzen kist, kon hij duidelijk het gezicht van zijn broer zien, het donkere pak waarin hij was begraven, de scheiding in zijn haar, de op de borst gevouwen handen, de gesloten ogen. Rustig. Vredig. Een lichaam dat veel te vroeg verstild was. Een uitzonderlijke geest die lang niet alles had voortgebracht wat hij had kunnen doen.

Het duurde niet lang voor hij begon te beven. De leegte van twee jaar waarin John Fiske zich opzettelijk op een afstand had gehouden, was niets vergeleken bij de leegte die hij nu plotseling voelde. Het leek alsof Billy Hawkins net was komen binnenlopen om hem te vertellen dat Mike, de andere helft van zijn jeugd, dood was. Maar hij hoefde het lichaam niet te identificeren. Hij hoefde niet naar onoprecht verdriet te zoeken om dat te delen met zijn vader. Hij hoefde niet werkeloos te blijven zitten wanneer zijn moeder hem met de naam van iemand anders aansprak. Hij hoefde zijn leven niet te wagen om de moordenaars van zijn broer te vinden. Maar hij moest iets anders doen. De enige taak die hem restte, was de moeilijkste van allemaal.

Hij kreeg een branderig gevoel in zijn borst, maar het was niet het litteken dat opspeelde. Deze pijn kon hem niet doden, maar was oneindig veel erger dan de pijn die hij had gevoeld als gevolg van de twee kogels. Wat John de laatste tijd over zijn broer had ontdekt, bevestigde slechts hoe oneerlijk het van hem was geweest om Mike buiten te sluiten. Maar als hij het had geprobeerd, zou hij al die dingen hebben beseft terwijl Mike nog leefde. Nu was zijn broer dood. Hij knielde bij zijn graf. Mike zou niet terugkomen. Hij had hen verloren. Hij moest afscheid nemen en hij wilde het niet. Hij wilde wanhopig graag zijn broer terug hebben. Hij wilde zoveel met hem doen, plotseling was er zoveel liefde die hij op hem wilde overbrengen. Hij had het gevoel dat zijn hart zou barsten als hij het niet uitte.

'O, God,' zei hij met een diepe zucht. Hij kon dit niet doen. Hij voelde dat zijn lichaam hem in de steek liet. Plotseling kwamen de tranen zo hevig opzetten, dat hij dacht dat zijn neus bloedde. Hij viel bijna om, maar een sterke hand pakte hem vast, hield hem met gemak overeind. Fiskes lichaam voelde licht, fragiel, alsof hij een deel ervan ergens had achtergelaten. Door een waas van tranen keek hij naar Rufus, die hem met een hand onder zijn arm ondersteunde. Toch waren zijn ogen nog steeds gesloten, zijn hoofd was opgeheven naar de hemel, de lippen bewogen nauwelijks zichtbaar, terwijl hij zijn gebeden voortzette.

Op dat moment benijdde John Fiske Rufus Harms, een man die ook zijn broer had verloren, een man die helemaal niets had. En toch was Rufus Harms op een heel belangrijke manier de rijkste man ter wereld. Hoe kon iemand zo rotsvast in iets geloven? Zonder twijfel, discussie, met heel zijn grote hart?
Toen Fiske naar het kalme gezicht van de vriend naast hem keek, dacht hij hoe heerlijk het moest zijn om zeker te weten dat je dierbare naar een betere plaats is gegaan, dat hij voor eeuwig wordt omarmd door dit fenomeen van onaantastbare goedheid. Zo'n troostrijke gedachte, precies op het moment dat je er behoefte aan had. Hoe vaak gebeurde zoiets in een mensenleven? De dood zien als iets vreugdevols. Als een begin. Dat betekende dat het leven daardoor zowel meer als minder kostbaar was.
Fiske wendde zijn blik van Rufus af en keek neer op het graf. Het beeld van een bleke hand onder een wit laken kwam bij hem op en verdween weer, als een vogel op zoek naar voedsel. Hij groef zijn knieën in de aarde, sloot zijn ogen, boog zijn hoofd, vouwde zijn handen en begon met alles vrede te sluiten. Met zijn broer daarbeneden. En met alles wat daarboven was.